ÉDITIONS MIR

L. LANDAU ET E. LIFCHITZ

PHYSIQUE THÉORIQUE

TOME II

ÉDITIONS MIR
MOSCOU 1970

L. LANDAU ET E. LIFCHITZ

THÉORIE DES CHAMPS

Troisième édition revue et complétée

ÉDITIONS MIR
MOSCOU 1970

UDC 530=40

Traduit du russe par
EDOUARD GLOUKHIAN

Л. Д. ЛАНДАУ и Е. М. ЛИФШИЦ

ТЕОРИЯ ПОЛЯ

на французском языке

ИЗДАТЕЛЬСТВО «НАУКА»
Москва

AVANT-PROPOS À LA PREMIÈRE ÉDITION FRANÇAISE

Ce livre est consacré à l'exposé de la théorie des champs électromagnétique et gravitationnel. Conformément au plan général de notre cours de Physique théorique, nous n'étudierons pas dans ce tome les questions d'électrodynamique des milieux continus, nous bornant à l'électrodynamique « microscopique », à l'électrodynamique du vide et des charges ponctuelles.

Une théorie complète et cohérente du champ électromagnétique implique la Relativité restreinte, et c'est pourquoi elle a été prise pour base de l'exposé. Les principes variationnels, qui donnent le maximum de généralité, d'unité et, en fait, de simplicité, ont servi de point de départ dans l'établissement des équations fondamentales.

Les trois derniers chapitres sont consacrés à l'étude des champs de gravitation, c'est-à-dire à la Relativité générale. On n'exige pas du lecteur la connaissance de l'analyse tensorielle, qui est exposée parallèlement au développement de la théorie.

Nous remercions L. Gorkov, I. Dzialochynski et L. Pitaïevski de l'aide qu'ils nous ont fournie lors de la vérification des formules dans le texte russe. Nous remercions également E. Gloukhian du soin apporté au difficile travail de traduction de ce livre.

L. LANDAU, E. LIFCHITZ

Moscou

1964

AVANT-PROPOS À LA TROISIÈME ÉDITION FRANÇAISE

Cette traduction reproduit la dernière, 5e, édition russe (1967), pour laquelle le texte a été remanié en maints endroits et complété. Il va sans dire que les changements n'ont affecté ni le plan général, ni le caractère de l'exposé.

Un changement essentiel (prévu par les deux auteurs) est le passage à une autre métrique quadridimensionnelle, et force a été d'introduire d'emblée les deux écritures, contra et covariante, des quadrivecteurs. Ainsi est réalisée l'uniformité du système de notations dans les diverses parties du livre, de même que sa concordance avec le système en passe d'expansion universelle. Les avantages de cette métrique sont particulièrement essentiels dans ses applications ultérieures en théorie quantique.

Trois nouveaux paragraphes (112 à 114) ont été ajoutés au chapitre de la cosmologie relativiste de cette édition française.

E. LIFCHITZ

Novembre 1969

QUELQUES NOTATIONS

Quantités tridimensionnelles

Les indices tensoriels tridimensionnels sont désignés par des lettres grecques
Eléments de volume, d'aire et de longueur: dV, $d\mathbf{f}$, $d\mathbf{l}$
Impulsion et énergie d'une particule: $\mathbf{p}$ et $\mathscr{E}$
Fonction d'Hamilton: $\mathscr{H}$
Potentiels scalaire et vecteur du champ électromagnétique φ et $\mathbf{A}$
Champs électrique et magnétique $\mathbf{E}$ et $\mathbf{H}$
Densités des charges et du courant: ρ et $\mathbf{j}$
Moment électrique dipolaire $\mathbf{d}$
Moment magnétique dipolaire $\mathfrak{m}$

Quantités quadridimensionnelles

Les indices tensoriels quadridimensionnels sont désignés par les lettres latines i, k, l ... et prennent les valeurs 0, 1, 2, 3
La métrique adoptée a pour signature $(+ - - -)$
Pour la règle d'élévation et d'abaissement des indices, cf. p. 27
Les composantes des quadrivecteurs sont notées: $A^i = (A^0, \mathbf{A})$
Le tenseur antisymétrique unité d'ordre 4 est noté e^{iklm}, avec $e^{0123} = 1$ (cf. définition p. 30)
4-rayon vecteur $x^i = (ct, \mathbf{r})$
4-vitesse $u^i = dx^i/ds$
4-impulsion $p^i = (\mathscr{E}/c, \mathbf{p})$
4-vecteur courant $j^i = (c\rho, \rho\mathbf{v})$
4-potentiel du champ électromagnétique $A^i = (\varphi, \mathbf{A})$
4-tenseur du champ électromagnétique $F_{ik} = \frac{\partial A_k}{\partial x^i} - \frac{\partial A_i}{\partial x^k}$ (pour le lien des composantes de F_{ik} avec les composantes de $\mathbf{E}$ et $\mathbf{H}$, cf. p. 86)
4-tenseur d'énergie-impulsion T^{ik} (cf. définition de ses composantes p. 111)
Les notes du type I § 18 renvoient au tome I, « Mécanique »

CHAPITRE PREMIER

LE PRINCIPE DE RELATIVITÉ

§ 1. Vitesse de propagation des interactions

La description des processus se déroulant dans la nature exige un référentiel. On entend par là l'ensemble d'un système de coordonnées, pour repérer la position des particules dans l'espace, et d'une horloge pour indiquer le temps.

Il existe des référentiels où le mouvement libre des corps, c'est-à-dire le mouvement de corps non soumis à l'action de forces extérieures, s'effectue avec vitesse constante. Ces référentiels sont dits *d'inertie* ou *galiléens*.

Si deux référentiels sont animés l'un par rapport à l'autre d'un mouvement rectiligne uniforme et si l'un d'eux est d'inertie, il en va évidemment de même de l'autre (tout mouvement libre y est aussi rectiligne uniforme). Il y a donc autant que l'on voudra de référentiels d'inertie, en translation uniforme les uns par rapport aux autres.

L'expérience révèle l'existence du *principe de relativité*. Ce principe stipule que toutes les lois de la nature sont identiques dans tous les référentiels d'inertie. En d'autres termes, les équations traduisant les lois de la nature sont invariantes dans les transformations des coordonnées et du temps correspondant à un changement de référentiel d'inertie. Cela signifie que, étant exprimée en fonction des coordonnées et du temps, l'équation décrivant une loi de la nature a la même forme quel que soit le référentiel d'inertie choisi.

En mécanique classique, l'interaction de particules matérielles se décrit au moyen de l'énergie potentielle d'interaction, qui est une fonction des coordonnées de ces particules. On voit aisément que ce mode de description implique l'instantanéité des interactions. En effet, les forces que des particules exercent sur une particule donnée dépendent à tout instant, dans une telle description, seulement de la position des particules. Le changement de position de l'une quelconque des particules en interaction se reflète au même instant sur les autres particules.

Or, l'expérience prouve qu'il n'existe pas d'interaction instantanée dans la nature. C'est pourquoi la mécanique, qui part de ce concept de propagation instantanée des interactions, contient une certaine imprécision. En fait, si un des corps en interaction subit un changement quelconque, la répercussion sur un autre corps du système n'aura lieu qu'après l'écoulement d'un certain temps. C'est seulement au bout de ce temps que ce dernier corps sera le siège de processus dus à ce changement. Faisant le quotient de la distance entre les deux corps par l'intervalle de temps, nous trouvons la « vitesse de propagation des interactions ».

Notons que cette vitesse aurait pu s'appeler vitesse maximum de propagation des interactions. Elle ne définit que le laps de temps au bout duquel le changement que subit un corps commence à se manifester sur un autre. Il est évident que l'existence d'une vitesse limite de transmission des interactions signifie en même temps qu'il ne peut exister dans la nature de mouvement de vitesse supérieure. En effet, si un tel mouvement pouvait avoir lieu, il pourrait servir à réaliser une interaction douée d'une vitesse supérieure à la vitesse limite de transmission des interactions.

Souvent on dit de l'interaction se propageant d'une particule à une autre que c'est un « signal » émis par celle-là pour informer celle-ci d'un changement. On parle alors de la vitesse de transmission des interactions comme de la « vitesse d'un signal ».

Du principe de relativité il découle, notamment, que la vitesse de propagation des interactions est la même dans tous les référentiels d'inertie. C'est donc une constante universelle.

Comme on le montrera par la suite, cette vitesse constante est aussi la vitesse de propagation de la lumière dans le vide ; c'est pourquoi on l'appelle *vitesse de la lumière*. On la désigne habituellement par la lettre c, dont la valeur numérique est, d'après les dernières mesures,

$$c = 2{,}99793 \cdot 10^{10} \text{ cm/s}. \tag{1,1}$$

La grandeur de cette vitesse explique le fait que dans la plupart des cas usuels la mécanique classique est suffisamment précise. La plupart des vitesses rencontrées sont si petites par rapport à la vitesse de la lumière que, supposant cette dernière infinie, on n'altère pratiquement pas la précision des résultats.

Le principe de relativité auquel on a associé la limitation de la vitesse de propagation des interactions est appelé *principe de relativité d'Einstein* (il a été énoncé par A. Einstein en 1905), par opposition au principe de relativité de Galilée qui supposait infinie la vitesse de propagation des interactions.

La mécanique basée sur le principe de relativité d'Einstein (nous l'appellerons tout simplement principe de relativité) est dite *relativiste*. Dans le cas limite où les vitesses des corps en mouvement sont petites par rapport à la vitesse de la lumière, on peut négliger l'influence de la limitation de la vitesse de propagation des interactions sur le mouvement. Alors, la mécanique relativiste s'identifie avec la mécanique ordinaire, qui part de l'hypothèse de l'instantanéité de la transmission des interactions ; cette mécanique est appelée newtonienne ou classique. On peut passer formellement de la mécanique relativiste à la mécanique classique en faisant $c \to \infty$ dans les formules de la mécanique relativiste.

Déjà en mécanique classique l'espace est relatif, c'est-à-dire que les relations spatiales entre divers événements dépendent du référentiel dans lequel ils sont décrits. L'affirmation que deux événements ont lieu à des instants différents en un même point de l'espace ou, plus généralement, à une distance déterminée l'un de l'autre ne prend un sens que si on a indiqué le référentiel où cette affirmation est formulée.

Par contre, le temps est absolu en mécanique classique ; en d'autres termes, les propriétés du temps sont considérées comme indépendantes du référentiel : il est le même dans tous les référentiels. Cela signifie que si deux événements quelconques sont simultanés pour un observateur, ils le sont également pour tout autre observateur. Plus généralement, le temps écoulé entre deux événements donnés doit être le même dans tous les référentiels.

Or, il est facile de s'assurer que le concept de temps absolu se trouve en profonde contradiction avec le principe de relativité d'Einstein. Il suffit pour cela de se rappeler qu'en mécanique classique, basée sur la notion de temps absolu, joue la loi bien connue d'addition des vitesses, qui stipule que la vitesse d'un mouvement composé est égale tout simplement à la somme (vectorielle) des vitesses composantes. Si cette loi était universelle, elle devrait s'appliquer aussi à la propagation des interactions. Il s'ensuivrait alors que la vitesse de cette propagation devrait être différente selon le système d'inertie choisi, contrairement au principe de relativité. Cependant, l'expérience confirme entièrement, sous ce rapport, le principe de relativité. Ce sont justement les mesures, faites pour la première fois par Michelson (1881), qui ont révélé l'indépendance complète de la vitesse de la lumière par rapport à la direction de sa propagation, alors qu'en mécanique classique la vitesse de la lumière dans le sens de la translation de la Terre devrait être différente de celle dans le sens opposé.

Ainsi, le principe de relativité conduit à ce résultat que le temps n'est pas absolu. Le temps s'écoule différemment dans divers référentiels.

Par conséquent, l'affirmation que deux événements donnés sont séparés par un laps de temps déterminé ne prend un sens qu'après indication du référentiel où cette affirmation est faite. Notamment, des événements simultanés dans un certain référentiel ne le seront pas dans un autre.

Pour l'expliquer, il est commode de considérer l'exemple simple suivant. Considérons deux référentiels d'inertie K et K' avec respectivement pour axes de coordonnées xyz et $x'y'z'$, le référentiel K' se déplaçant vers la droite avec coïncidence des axes x et x' (fig. 1).

D'un point A sur l'axe x' envoyons des signaux en deux directions opposées. Etant donné que la vitesse de propagation d'un

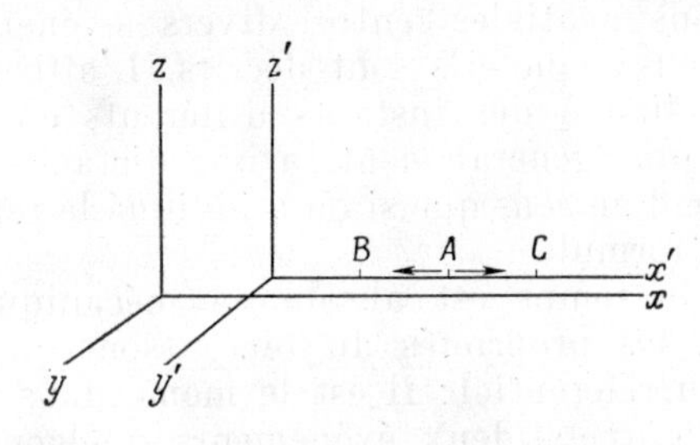

Fig. 1

signal dans le référentiel K' est, comme dans tout référentiel d'inertie, égale (dans les deux directions) à c, les signaux atteindront des points B et C équidistants de A au même instant (dans le référentiel K'). Cependant, il est facile de voir que ces deux mêmes événements (arrivées du signal en B et C) ne sont nullement simultanés pour un observateur lié au référentiel K. En effet, conformément au principe de relativité, la vitesse des signaux relativement au référentiel K est aussi égale à c, et comme le point B va (relativement au référentiel K) au-devant du signal émis dans K et que le point C fuit devant le signal (envoyé de A vers C), il s'ensuit que, dans K, le signal arrive plus tôt en B qu'en C.

Ainsi, le principe de relativité d'Einstein introduit des changements fondamentaux dans les principales notions physiques.

La conception que nous avons de l'espace et du temps n'est qu'approximative et provient de ce que dans la vie courante nous n'avons affaire qu'à des vitesses infimes en comparaison de la vitesse de la lumière.

§ 2. Intervalle

Par la suite, nous utiliserons fréquemment la notion d'*événement*. Un événement est défini par son lieu et par son temps. De sorte qu'un événement relatif à une particule matérielle sera déterminé par les trois coordonnées de cette particule et l'instant où il a eu lieu.

Souvent il est commode, par raison de clarté, d'utiliser un espace représentatif à quatre dimensions, dont on porte sur les axes les trois coordonnées spatiales et le temps. Dans cet espace un événement sera représenté par un point. De tels points sont appelés *points d'univers*. A toute particule correspond une certaine ligne (*ligne d'univers*) dans cet espace représentatif. Les points de cette ligne définissent les coordonnées de la particule à tout instant. Une particule matérielle en mouvement rectiligne uniforme aura évidemment pour ligne d'univers une droite.

Traduisons maintenant le principe de l'invariance de la vitesse de la lumière en langage mathématique. A cet effet, considérons deux référentiels K et K' se déplaçant l'un par rapport à l'autre avec vitesse constante. Nous choisissons les axes de coordonnées de sorte que les axes x et x' coïncident et que les axes y et z soient parallèles à y' et z' ; désignons par t et t' le temps dans les référentiels K et K'.

Soit un premier événement consistant en l'émission d'un signal qui se propage à la vitesse de la lumière à partir d'un point de coordonnées x_1, y_1, z_1 à l'instant t_1 dans le référentiel K. Nous observerons dans K la propagation de ce signal. Un second événement consistera en l'arrivée du signal au point x_2, y_2, z_2 à l'instant t_2. Le signal se propage à la vitesse c, et le chemin parcouru est, par conséquent, $c(t_2 - t_1)$. D'autre part, cette même distance est

$$[(x_2-x_1)^2+(y_2-y_1)^2+(z_2-z_1)^2]^{1/2}.$$

De sorte que nous pouvons écrire la relation suivante entre les coordonnées des deux événements dans le référentiel K :

$$(x_2-x_1)^2+(y_2-y_1)^2+(z_2-z_1)^2-c^2(t_2-t_1)^2=0. \qquad (2,1)$$

Ces deux événements, c'est-à-dire la propagation du signal, peuvent être observés dans le référentiel K'. Soient x_1', y_1', z_1', t_1' les coordonnées du premier événement dans le référentiel K' et x_2', y_2', z_2', t_2', celles du second. La vitesse de la lumière étant la même aussi bien dans K que dans K', nous avons la relation analogue à (2,1) :

$$(x_2'-x_1')^2+(y_2'-y_1')^2+(z_2'-z_1')^2-c^2(t_2'-t_1')^2=0. \qquad (2,2)$$

Lorsque x_1, y_1, z_1, t_1 et x_2, y_2, z_2, t_2 sont les coordonnées de deux événements quelconques, la quantité

$$s_{12}=[c^2(t_2-t_1)^2-(x_2-x_1)^2-(y_2-y_1)^2-(z_2-z_1)^2]^{1/2} \qquad (2,3)$$

est appelée *intervalle* entre ces deux événements.

Il découle ainsi de l'invariance de la vitesse de la lumière que si l'intervalle de deux événements est nul dans un système de référence, il sera aussi nul dans tout autre.

Si deux événements sont infiniment voisins, leur intervalle ds s'écrit :

$$ds^2 = c^2\,dt^2 - dx^2 - dy^2 - dz^2. \tag{2,4}$$

La forme des expressions (2,3) et (2,4) permet de considérer l'intervalle du point de vue mathématique formel comme la distance entre deux points dans l'espace représentatif quadridimensionnel (dont on porte sur les axes x, y, z et le produit ct). Mais la règle suivant laquelle on forme cette distance présente une différence fondamentale par rapport à la règle de la géométrie ordinaire : lorsqu'on forme le carré de l'intervalle, on affecte dans la sommation les carrés des différences de coordonnées non pas par le même signe, mais par des signes différents [1].

Comme nous l'avons vu ci-dessus, $ds = 0$ dans un référentiel d'inertie entraîne $ds' = 0$ dans tout autre. D'autre part, ds et ds' sont des infiniment petits de même ordre. Ces deux circonstances font que ds^2 et ds'^2 doivent être proportionnels :

$$ds^2 = a\,ds'^2,$$

en outre, le coefficient a ne peut dépendre que de la valeur absolue de la vitesse relative des deux référentiels d'inertie. Il ne peut contenir les coordonnées et le temps, car alors différents points de l'espace et instants ne seraient pas équivalents, ce qui contredit l'uniformité de l'espace et du temps. Il ne peut dépendre non plus de la direction de la vitesse relative, ce qui contredirait l'isotropie de l'espace.

Considérons trois référentiels K, K_1, K_2 et soient $\mathbf{V}_1$ et $\mathbf{V}_2$ les vitesses de K_1 et K_2 par rapport à K. Nous avons alors :

$$ds^2 = a(V_1)\,ds_1^2, \quad ds^2 = a(V_2)\,ds_2^2.$$

Et pour la même raison

$$ds_1^2 = a(V_{12})\,ds_2^2,$$

où V_{12} est la valeur absolue de la vitesse de K_2 par rapport à K_1. De la comparaison de ces formules nous déduisons :

$$\frac{a(V_2)}{a(V_1)} = a(V_{12}). \tag{2,5}$$

Mais V_{12} dépend non seulement des valeurs absolues des vecteurs $\mathbf{V}_1$ et $\mathbf{V}_2$, mais aussi de l'angle qu'ils forment. Or, cet angle n'entre pas dans le premier membre de la relation (2,5). Il en résulte donc

---

[1] La géométrie quadridimensionnelle définie par la forme quadratique (2,4) est dite *pseudo-euclidienne*, à la différence de la géométrie euclidienne usuelle. Elle a été construite, en vue de la théorie de la relativité, par *H. Minkowski*.

que cette relation ne peut avoir lieu que si la fonction $a(V)$ se réduit à une constante, égale, d'après cette même relation, à l'unité.

Nous avons donc

$$ds^2 = ds'^2,$$

et l'égalité d'intervalles infiniment petits entraîne celle d'intervalles finis: $s = s'$.

Nous sommes arrivés à un résultat très important: l'intervalle de deux événements est le même dans tous les référentiels d'inertie, c'est-à-dire un invariant de la transformation d'un référentiel d'inertie dans un autre. Telle est l'expression mathématique de la constance de la vitesse de la lumière.

Soient encore x_1, y_1, z_1, t_1 et x_2, y_2, z_2, t_2 les coordonnées de deux événements dans le référentiel K. On demande s'il existe un référentiel K' dans lequel les deux événements coïncideraient dans l'espace.

Posons:

$$t_2 - t_1 = t_{12}, \quad (x_2 - x_1)^2 + (y_2 - y_1)^2 + (z_2 - z_1)^2 = l_{12}^2.$$

L'expression du carré de l'intervalle est alors dans K:

$$s_{12}^2 = c^2 t_{12}^2 - l_{12}^2$$

et dans K':

$$s_{12}'^2 = c^2 t_{12}'^2 - l_{12}'^2,$$

et, en vertu de l'invariance de l'intervalle,

$$c^2 t_{12}^2 - l_{12}^2 = c^2 t_{12}'^2 - l_{12}'^2.$$

Nous voulons que dans K' les deux événements aient lieu en un même point, donc que $l_{12}' = 0$. Alors

$$s_{12}^2 = c^2 t_{12}^2 - l_{12}^2 = c^2 t_{12}'^2 > 0.$$

Par conséquent, le référentiel cherché existe si $s_{12}^2 > 0$, c'est-à-dire si l'intervalle des deux événements est réel. Les intervalles réels sont dits *du genre temps*.

Ainsi, si l'intervalle de deux événements est du genre temps, il existe un référentiel dans lequel les deux événements ont eu lieu en un même point. Le temps écoulé entre ces deux événements est dans ce référentiel

$$t_{12}' = \frac{1}{c}\sqrt{c^2 t_{12}^2 - l_{12}^2} = \frac{s_{12}}{c}. \tag{2,6}$$

Lorsque deux événements sont relatifs à un même corps, leur intervalle est toujours du genre temps. En effet, le chemin parcouru par le corps entre les deux événements ne peut être supérieur à ct_{12}, car la vitesse du corps ne peut dépasser c. C'est pourquoi nous avons toujours :

$$l_{12} < ct_{12}.$$

Voyons maintenant s'il est possible de choisir un référentiel tel que les deux événements y soient simultanés. Nous avons, tout comme avant, dans K et K' : $c^2t_{12}^2 - l_{12}^2 = c^2t_{12}'^2 - l_{12}'^2$. Nous voulons voir $t_{12}' = 0$; d'où

$$s_{12}^2 = -l_{12}'^2 < 0.$$

Par conséquent, le référentiel cherché existe seulement dans le cas où l'intervalle s_{12} entre les deux événements est imaginaire. Les intervalles imaginaires sont dits *du genre espace*.

Ainsi, lorsque l'intervalle entre deux événements est du genre espace, il existe un référentiel dans lequel les deux événements sont simultanés. La distance entre les points où ces événements ont eu lieu est dans ce référentiel

$$l_{12}' = \sqrt{l_{12}^2 - c^2t_{12}^2} = is_{12}. \qquad (2,7)$$

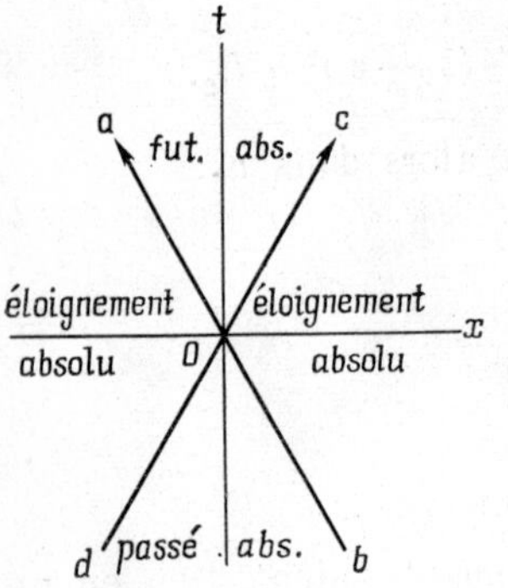

Fig. 2

La classification en intervalles des genres temps et espace est, en vertu de leur invariance, une notion absolue. Cela signifie que la propriété d'un intervalle d'être du genre temps ou espace est indépendante du système de référence.

Prenons un événement quelconque — nous l'appellerons événement O — pour origine du temps et des coordonnées spatiales. En d'autres termes, dans le système quadridimensionnel de coordonnées dont nous portons sur les axes x, y, z, t, le point d'univers O sera l'origine des coordonnées. Voyons maintenant dans quels rapports se trouvent les autres événements avec l'événement donné O. Pour faciliter la représentation, nous ne prendrons qu'une seule coordonnée spatiale et le temps, que nous porterons sur deux axes (fig. 2). Le mouvement rectiligne uniforme d'une particule passant par le point $x = 0$ pour $t = 0$ sera représenté par une droite passant par O et faisant avec l'axe des t un angle dont la tangente est égale à la vitesse de la particule. La plus grande vitesse possible étant égale à c, il existe un angle limite pour les angles formés par ces droites avec l'axe des temps. On a tracé sur la fig. 2 les deux droites représentant la propagation de deux signaux (à la vitesse de la lumière) dans deux directions opposées passant par l'événement O (c'est-à-dire passant par le point $x = 0$, $t = 0$). Toutes les droites représentant le mouvement de particules sont assujetties à passer dans les régions aOc et dOb. Sur les droites ab et cd nous avons, évidemment, $x = \pm ct$. Considérons d'abord des événements dont les points d'univers se trouvent dans la région aOc. Il est facile de voir que nous avons en tous les points de cette région $c^2t^2 - x^2 > 0$. Autrement dit, l'intervalle entre tout événement de cette région et l'événement O est du genre temps. Dans cette région $t > 0$, c'est-à-dire que tous les événements y ont lieu « après » l'événement O. Mais deux événements séparés par un intervalle du genre temps ne peuvent être simultanés dans aucun référentiel. Par conséquent, il est impossible de choisir un référentiel dans lequel un événement arbitraire de la région aOc aurait lieu « avant » l'événement O, auquel cas nous aurions $t < 0$. Il en résulte que tous les événements de la région aOc sont postérieurs à O, et cela quel que soit le système de référence. C'est pourquoi on pourra l'appeler la région du « futur absolu » relativement à l'événement O.

D'une manière tout à fait analogue, tous les événements de la région bOd sont du « passé absolu » par rapport à O, c'est-à-dire que les événements de cette région sont antérieurs à O dans tous les référentiels.

Enfin, considérons encore les régions dOa et cOb. L'intervalle entre tout événement de ces régions et l'événement O est du genre espace. Quel que soit le référentiel, ces événements auront toujours lieu en différents points de l'espace. On pourra donc appeler ces régions « régions d'éloignement absolu » par rapport à O. Toutefois, les notions « simultanément », « avant » et « après » sont relatives pour les événements de ces régions. Pour tout événement de cette région, il existe des référentiels où il est postérieur à O, d'autres où il y est antérieur et, enfin, un référentiel où il est simultané avec O.

Notons que si l'on considère toutes les trois coordonnées spatiales au lieu d'une seule, on aurait sur la fig. 2 au lieu de deux droites concourantes un « cône » $x^2 + y^2 + z^2 - c^2t^2 = 0$ dans le système quadridimensionnel de coordonnées x, y, z, t, dont l'axe coïncide avec celui des t (c'est le *cône de lumière*). Les régions du « futur absolu » et du « passé absolu » se trouvent alors respectivement dans l'une ou l'autre des deux nappes du cône.

Deux événements ne peuvent être liés de cause à effet que si leur intervalle est du genre temps, conséquence immédiate de l'impossibilité d'interactions se propageant plus vite que la lumière. Comme nous venons de le voir, les notions « avant » et « après » ont un sens absolu pour ces événements, ce qui est une condition indispensable pour que les notions de cause et d'effet aient un sens.

§ 3. Temps propre

Imaginons que nous observions dans un référentiel d'inertie une horloge animée d'un mouvement arbitraire par rapport à nous. Ce mouvement peut être considéré comme uniforme à chaque instant. Il en résulte que nous pouvons à chaque instant attacher rigidement un système de coordonnées à l'horloge, qui sera aussi (en même temps que l'horloge) un référentiel d'inertie.

Dans le temps infiniment petit dt (indiqué par l'horloge au repos, c'est-à-dire dans notre référentiel) l'horloge mobile parcourt la distance $\sqrt{dx^2 + dy^2 + dz^2}$. Quel sera alors le temps dt' indiqué par cette horloge? L'horloge mobile étant au repos dans son référentiel, nous avons $dx' = dy' = dz' = 0$. En vertu de l'invariance de l'intervalle,

$$ds^2 = c^2\,dt^2 - dx^2 - dy^2 - dz^2 = c^2\,dt'^2,$$

d'où

$$dt' = dt\sqrt{1 - \frac{dx^2 + dy^2 + dz^2}{c^2\,dt^2}}.$$

Or,

$$\frac{dx^2 + dy^2 + dz^2}{dt^2} = v^2,$$

où v est la vitesse de l'horloge mobile ; donc

$$dt' = \frac{ds}{c} = dt\sqrt{1 - \frac{v^2}{c^2}}. \tag{3,1}$$

L'intégration de cette expression donne le temps indiqué par l'horloge mobile, celui indiqué par l'horloge au repos étant respectivement $t_2 - t_1$:

$$t_2' - t_1' = \int_{t_1}^{t_2} dt\sqrt{1 - \frac{v^2}{c^2}}. \tag{3,2}$$

Le temps indiqué par une horloge entraînée par un corps donné est appelé *temps propre* de ce corps. Les formules (3,1) et (3,2) expriment le temps propre en fonction du temps du référentiel auquel le mouvement considéré est rapporté.

Les formules (3,1) et (3,2) montrent que le temps propre d'un corps en mouvement est toujours plus court que le temps correspondant dans le référentiel fixe. Autrement dit, une horloge mobile marche plus lentement qu'une horloge au repos.

Soit maintenant une horloge animée d'une translation uniforme dans un référentiel d'inertie donné K. Le référentiel de l'horloge K' est aussi d'inertie. Ceci étant, l'horloge de K' retarde sur celle d'un observateur dans K. Et inversement, du point de vue de K' c'est l'horloge dans K qui retarde. On peut s'assurer qu'il n'y a là aucune contradiction en prenant en considération le fait suivant. Pour constater que l'horloge de K' retarde sur celle de K, on procède ainsi. Imaginons que l'horloge de K' croise celle de K et que les indications coïncident alors. Il s'agit de comparer une nouvelle fois les indications de l'horloge de K' avec une autre horloge de K, qu'elle croise en chemin. Nous constatons de la sorte que l'horloge de K' retarde sur l'horloge de K avec laquelle elle est comparée. Nous voyons que pour pouvoir comparer la marche d'horloges dans deux référentiels différents, nous devons avoir plusieurs horloges dans un référentiel de comparaison. Il en résulte que ce processus n'est pas symétrique relativement aux deux référentiels. L'horloge comparée aux horloges de l'autre système retarde toujours.

Si l'on considère maintenant deux horloges et que l'une d'elles revienne vers l'autre (immobile) après avoir décrit une trajectoire fermée, c'est l'horloge mobile qui retardera (par rapport à l'horloge immobile). Le raisonnement inverse, d'après lequel les rôles des horloges seraient intervertis, est inadéquat, car l'horloge décrivant la trajectoire fermée n'est pas animée d'une translation uniforme, donc son référentiel ne saurait être d'inertie.

Comme les lois de la nature sont identiques seulement dans des référentiels d'inertie, les référentiels de l'horloge au repos (système d'inertie) et de l'horloge mobile (système non inertiel) jouissent de propriétés différentes, et le raisonnement d'après lequel l'horloge immobile devrait retarder est faux.

Le temps indiqué par une horloge est égal à l'intégrale $\frac{1}{c}\int_a^b ds$, étendue à la ligne d'univers de cette horloge. Si elle est au repos, sa ligne d'univers est une droite parallèle à l'axe des temps ; si elle décrit un mouvement non uniforme et revient à son point de départ, la ligne d'univers sera une courbe passant par deux points pris sur la droite d'univers d'une horloge immobile, correspondant aux instants initial et final du mouvement. D'autre part, nous avons vu que le temps indiqué par une horloge au repos est toujours plus grand que celui d'une horloge mobile. On en déduit que l'intégrale $\int_a^b ds$ prise entre deux points d'univers donnés atteint sa valeur maximum lorsqu'elle est étendue à la droite d'univers entre ces deux points [1].

---

[1] Il est bien entendu que les points a et b et les lignes qui les unissent sont tels que tous les ds sont du genre temps sur les lignes.

Cette propriété de l'intégrale est due à ce que la géométrie quadridimensionnelle est pseudo-euclidienne. Dans l'espace euclidien l'intégrale serait minimum le long d'un segment de droite.

§ 4. Transformation de Lorentz

Proposons-nous maintenant de trouver les formules de transformation d'un référentiel d'inertie à un autre, c'est-à-dire les formules exprimant les coordonnées x', y', z', t' d'un événement dans un référentiel K' en fonction des coordonnées x, y, z, t de ce même événement rapporté à un référentiel K.

Cette question se résout très facilement en mécanique classique. En vertu de l'absolutisme du temps, nous avons $t = t'$; puis, les axes étant choisis comme de coutume (x et x' coïncident, y et z sont parallèles à y' et z', glissement le long de x et x'), les coordonnées y et z sont évidemment égales à y' et z', et les coordonnées x et x' se distinguent l'une de l'autre par la distance parcourue par un référentiel relativement à l'autre ; si l'on prend pour instant initial l'instant où les deux référentiels coïncident et si l'on désigne par V la vitesse de K' par rapport à K, cette distance sera alors Vt. De sorte que

$$x = x' + Vt, \quad y = y', \quad z = z', \quad t = t'. \tag{4,1}$$

Ce sont les formules de *transformation de Galilée*. On constate aisément, comme il se doit, que cette transformation ne satisfait pas à la condition de la théorie de la relativité : elle ne laisse pas invariant l'intervalle de deux événements.

En ce qui concerne les formules relativistes de transformation, nous les chercherons de manière à ce qu'elles conservent l'intervalle.

Comme nous l'avons vu au § 2, l'intervalle entre deux événements peut être considéré comme la distance entre les deux points d'univers correspondants dans un système de coordonnées à quatre dimensions. Nous pouvons donc affirmer que la transformation cherchée doit conserver toutes les longueurs dans l'espace quadridimensionnel x, y, z, ct. Ces transformations ne sont autres que les translations et les rotations du système de coordonnées. Les translations, elles, ne présentent pas d'intérêt, car elles se traduisent tout simplement par un transport de l'origine des coordonnées et un changement de l'instant initial. Ainsi, la transformation cherchée est mathématiquement une rotation de l'espace des quatre coordonnées x, y, z, t.

Toute rotation de l'espace à quatre dimensions peut être décomposée en 6 rotations dans les plans xy, zy, xz, tx, ty, tz (de même qu'une rotation dans l'espace ordinaire peut être décomposée en trois rotations dans les plans xy, zy et xz). Les trois premières rotations n'affectent que les coordonnées spatiales ; ce sont des rotations ordinaires de l'espace euclidien.

Considérons une rotation dans le plan tx ; les coordonnées y et z sont alors conservées. Cette transformation doit notamment conserver la différence $(ct)^2 - x^2$, qui est le carré de la « distance » du point (ct, x) à l'origine des coordonnées. Le lien entre les anciennes coordonnées et les nouvelles dans cette transformation est donné sous la forme la plus générale par les formules

$$x = x' \operatorname{ch} \psi + ct' \operatorname{sh} \psi, \qquad ct = x' \operatorname{sh} \psi + ct' \operatorname{ch} \psi, \tag{4,2}$$

ψ étant l'« angle de rotation »; on peut s'assurer par une simple vérification qu'on a bien alors $c^2t^2 - x^2 = c^2t'^2 - x'^2$. Les formules (4,2) diffèrent des formules usuelles de rotation des axes par le fait que les fonctions trigonométriques ont été remplacées par des fonctions hyperboliques. Ceci traduit la différence entre géométries pseudo-euclidienne et euclidienne.

Nous allons établir des formules de transformation du passage d'un référentiel d'inertie K à un autre K' glissant par rapport à K avec la vitesse V le long de l'axe des x. Il est alors évident que seuls sont transformés la coordonnée x et le temps t. Ceci étant, cette transformation doit être de la forme (4,2). Reste à déterminer l'angle ψ, qui dépendra de la seule vitesse relative V[1].

Considérons dans K le mouvement de l'origine des coordonnées de K'. Alors $x' = 0$ et les formules (4,2) deviennent :

$$x = ct' \operatorname{sh} \psi, \quad ct = ct' \operatorname{ch} \psi,$$

ou, divisant membre à membre :

$$\frac{x}{ct} = \operatorname{th} \psi.$$

Or, x/t est, de toute évidence, la vitesse V de K' par rapport à K. De sorte que

$$\operatorname{th} \psi = \frac{V}{c}.$$

D'où

$$\operatorname{sh} \psi = \frac{\frac{V}{c}}{\sqrt{1 - \frac{V^2}{c^2}}}, \quad \operatorname{ch} \psi = \frac{1}{\sqrt{1 - \frac{V^2}{c^2}}}.$$

On trouve en substituant dans (4,2) :

$$x = \frac{x' + Vt'}{\sqrt{1 - \frac{V^2}{c^2}}}, \quad y = y', \quad z = z', \quad t = \frac{t' + \frac{V}{c^2} x'}{\sqrt{1 - \frac{V^2}{c^2}}}. \tag{4,3}$$

[1] Pour éviter toute confusion, nous désignons partout par V la vitesse relative constante de deux référentiels galiléens et par v la vitesse d'une particule en mouvement, nullement assujettie à être constante.

Telles sont les formules de transformation cherchées. On les appelle formules de *transformation de Lorentz*, et elles seront d'une grande importance par la suite.

Les formules inverses, exprimant x', y', z', t' en fonction de x, y, z, t, peuvent être obtenues le plus simplement en changeant V en $-V$ (étant donné que K est animé de la vitesse $-V$ par rapport à K'). On peut les obtenir aussi directement en résolvant (4,3) par rapport à x', y', z', t'.

Il résulte aussitôt de (4,3) que, lors du passage à la mécanique classique en faisant $c \to \infty$, les formules de transformation de Lorentz se réduisent effectivement à la transformation de Galilée.

Si l'on fait $V > c$ dans les formules (4,3), les coordonnées x, t deviennent imaginaires. Ceci est dû à l'impossibilité de mouvements avec vitesse supérieure à celle de la lumière. On ne saurait utiliser non plus un référentiel se déplaçant à la vitesse de la lumière, car les dénominateurs dans les formules (4,3) s'annuleraient.

Pour des vitesses V petites par rapport à celle de la lumière, au lieu de (4,3) on pourra se servir des formules approchées

$$x = x' + Vt', \quad y = y', \quad z = z', \quad t = t' + \frac{V}{c^2} x'. \tag{4,4}$$

Considérons maintenant une règle au repos dans le référentiel K, cette règle étant posée parallèlement à l'axe des x. Soit $\Delta x = x_2 - x_1$ (x_2 et x_1 étant les coordonnées des extrémités de la règle dans K) sa longueur mesurée dans ce référentiel. Cherchons maintenant la longueur de cette règle dans K'. Pour cela, il faut trouver les coordonnées des deux extrémités (x_2' et x_1') dans ce système à un même instant t'. On tire de (4,3):

$$x_1 = \frac{x_1' + Vt'}{\sqrt{1 - \frac{V^2}{c^2}}}, \quad x_2 = \frac{x_2' + Vt'}{\sqrt{1 - \frac{V^2}{c^2}}}.$$

La longueur de la règle dans le référentiel K' est $\Delta x' = x_2' - x_1'$; on trouve pour $x_2 - x_1$ l'expression

$$\Delta x = \frac{\Delta x'}{\sqrt{1 - \frac{V^2}{c^2}}}.$$

On appelle *longueur propre* d'une tige sa longueur dans le référentiel où elle repose. Désignons-la par $l_0 = \Delta x$, et soit l sa longueur dans un autre référentiel K'. Alors

$$l = l_0 \sqrt{1 - \frac{V^2}{c^2}}. \tag{4,5}$$

Ainsi, la tige est la plus longue dans le référentiel où elle est au repos. Elle se contracte dans le référentiel où elle se meut avec la vitesse V dans le rapport de $\sqrt{1 - V^2/c^2}$. C'est ce qu'on appelle en Relativité la *contraction de Lorentz.*

Etant donné que les dimensions transversales d'un corps ne varient pas pendant sa translation, son volume $\mathcal{V}$ est aussi réduit dans le même rapport

$$\mathcal{V} = \mathcal{V}_0 \sqrt{1 - \frac{V^2}{c^2}}, \tag{4,6}$$

où $\mathcal{V}_0$ est le « volume propre » du corps.

Les transformations de Lorentz nous permettent de retrouver nos résultats antérieurs sur le temps propre (§ 3). Considérons une horloge au repos dans K'. Soient deux événements ayant lieu en un même point de l'espace x', y', z' rapporté à K'. Le temps qui sépare ces deux événements dans K' est $\Delta t' = t'_2 - t'_1$. Cherchons maintenant le temps Δt qui les sépare dans K. On tire de (4,3):

$$t_1 = \frac{t'_1 + \frac{V}{c^2} x'}{\sqrt{1 - \frac{V^2}{c^2}}}, \quad t_2 = \frac{t'_2 + \frac{V}{c^2} x'}{\sqrt{1 - \frac{V^2}{c^2}}},$$

ou, par soustraction,

$$t_2 - t_1 = \Delta t = \frac{\Delta t'}{\sqrt{1 - \frac{V^2}{c^2}}},$$

ce qui est tout à fait conforme à (3,1).

Enfin, notons encore une propriété générale des transformations de Lorentz, qui les distingue des transformations de Galilée. Ces dernières sont commutatives, c'est-à-dire que le produit de deux transformations successives de Galilée (de vitesses $\mathbf{V}_1$ et $\mathbf{V}_2$ différentes) ne dépend pas de l'ordre dans lequel elles sont effectuées. Au contraire, le produit de deux transformations de Lorentz dépend, en général, de leur ordre. Mathématiquement, on le voit déjà de l'interprétation formelle que l'on a donnée ci-dessus de ces transformations en tant que rotations du système de coordonnées à quatre dimensions: on sait que le résultat de deux rotations (autour d'axes distincts) dépend de l'ordre dans lequel elles sont effectuées. Seules les transformations à vecteurs $\mathbf{V}_1$ et $\mathbf{V}_2$ parallèles font exception (elles équivalent à des rotations du système de coordonnées à quatre dimensions autour d'un seul et même axe).

§ 5. Transformation de la vitesse

Au paragraphe précédent, nous avons trouvé des formules qui, lorsq'on connaît les coordonnées d'un événement dans un référentiel, permettent de trouver les coordonnées de ce même événement dans un autre référentiel. Nous nous proposons maintenant d'établir des formules reliant la vitesse d'une particule matérielle en mouvement dans deux référentiels distincts.

Admettons encore que le système K' glisse avec la vitesse V le long de l'axe x. Soit $v_x = dx/dt$ la composante de la vitesse dans le système K et $v'_x = dx'/dt'$ la composante de la vitesse de cette même particule dans le système K'. Il vient de (4,3):

$$dx = \frac{dx' + V\,dt'}{\sqrt{1-\frac{V^2}{c^2}}}, \quad dy = dy', \quad dz = dz', \quad dt = \frac{dt' + \frac{V}{c^2}\,dx'}{\sqrt{1-\frac{V^2}{c^2}}}.$$

Faisons le quotient des trois premières égalités par la quatrième et introduisons les vitesses

$$\mathbf{v} = \frac{d\mathbf{r}}{dt}, \qquad \mathbf{v}' = \frac{d\mathbf{r}'}{dt'},$$

on obtient :

$$v_x = \frac{v'_x + V}{1+\frac{v'_x V}{c^2}}, \quad v_y = \frac{v'_y\sqrt{1-\frac{V^2}{c^2}}}{1+\frac{v'_x V}{c^2}}, \quad v_z = \frac{v'_z\sqrt{1-\frac{V^2}{c^2}}}{1+\frac{v'_x V}{c^2}}. \tag{5,1}$$

Telles sont les formules définissant la transformation des vitesses. Elles expriment la loi de composition des vitesses en Relativité. Dans le cas limite où $c \to \infty$, nous retrouvons les formules $v_x = v'_x + V$, $v_y = v'_y$, $v_z = v'_z$ de la mécanique classique.

Dans le cas particulier où la particule se déplace parallèlement à l'axe des x, on a $v_x = v$, $v_y = v_z = 0$. Alors $v'_y = v'_z = 0$, $v'_x = v'$ et

$$v = \frac{v' + V}{1+\frac{v'V}{c^2}}. \tag{5,2}$$

Cette formule montre que la somme de deux vitesses inférieures ou égales à la vitesse de la lumière ne dépasse pas la vitesse de la lumière.

Pour des vitesses V infimes par rapport à la vitesse de la lumière (la vitesse v peut être quelconque), nous avons approximativement, en négligeant les termes du second ordre en V/c:

$$v_x = v'_x + V\left(1 - \frac{v'^2_x}{c^2}\right), \quad v_y = v'_y - v'_x v'_y \frac{V}{c^2},$$

$$v_z = v'_z - v'_x v'_z \frac{V}{c^2}.$$

On peut condenser ces formules en une seule formule vectorielle

$$\mathbf{v} = \mathbf{v}' + \mathbf{V} - \frac{1}{c^2} (\mathbf{V}\mathbf{v}') \, \mathbf{v}'. \tag{5,3}$$

Remarquons que dans la loi de composition relativiste des vitesses (5,1), les deux vitesses composantes $\mathbf{v}'$ et $\mathbf{V}$ ne figurent pas symétriquement (quand elles ne sont pas dirigées toutes deux parallèlement à l'axe x). Cette circonstance est évidemment liée à la non-commutativité des transformations de Lorentz mentionnée au paragraphe précédent.

Choisissons les axes de coordonnées de manière que la vitesse de la particule soit contenue à l'instant donné dans le plan xy. Ses composantes seront alors dans le système K $v_x = v \cos \theta$, $v_y = v \sin \theta$ et respectivement dans K' $v'_x = v' \cos \theta'$, $v'_y = v' \sin \theta'$ (v, v' et θ, θ' étant les valeurs absolues de la vitesse et les angles qu'elle forme avec les axes x et x' dans K et K'). Il résulte alors des formules (5,1):

$$\operatorname{tg} \theta = \frac{v' \sqrt{1 - \frac{V^2}{c^2}} \sin \theta'}{v' \cos \theta' + V}. \tag{5,4}$$

Cette formule définit le changement de direction de la vitesse quand on passe d'un référentiel à un autre.

Examinons-la dans le cas particulièrement important de la déviation de la lumière lors d'un changement de référentiel, phénomène appelé *aberration* de la lumière. Alors $v = v' = c$, et la formule précédente devient:

$$\operatorname{tg} \theta = \frac{\sqrt{1 - \frac{V^2}{c^2}}}{\frac{V}{c} + \cos \theta'} \sin \theta'. \tag{5,5}$$

Des mêmes formules de transformation (5,1) on obtient aisément une relation analogue entre $\sin \theta$ et $\cos \theta$:

$$\sin \theta = \frac{\sqrt{1 - \frac{V^2}{c^2}}}{1 + \frac{V}{c} \cos \theta'} \sin \theta', \quad \cos \theta = \frac{\cos \theta' + \frac{V}{c}}{1 + \frac{V}{c} \cos \theta'}. \tag{5,6}$$

Dans le cas où $V \ll c$, (5,6) donne en se limitant aux termes d'ordre en V/c:

$$\sin \theta - \sin \theta' = -\frac{V}{c} \sin \theta' \cos \theta'.$$

Introduisant l'angle $\Delta\theta = \theta' - \theta$ (angle d'aberration), nous trouvons avec la même précision :

$$\Delta\theta = \frac{V}{c} \sin\theta', \tag{5,7}$$

qui est la formule élémentaire bien connue de l'aberration de la lumière.

§ 6. Quadrivecteurs

Il est loisible de considérer l'ensemble des coordonnées d'un événement (ct, x, y, z) comme les composantes d'un rayon vecteur quadridimensionnel (que nous appellerons, pour abréger, quadrirayon vecteur) dans l'espace à quatre dimensions. Nous désignerons ses composantes par x^i, l'indice i parcourant les valeurs 0, 1, 2, 3 :

$$x^0 = ct, \quad x^1 = x, \quad x^2 = y, \quad x^3 = z.$$

Le carré de la « longueur » du quadrirayon vecteur a pour expression

$$(x^0)^2 - (x^1)^2 - (x^2)^2 - (x^3)^2.$$

Il n'est pas affecté par les rotations du système de coordonnées à quatre dimensions, telles étant notamment les transformations de Lorentz.

On appelle d'une manière générale *quadrivecteur* (4-vecteur) A^i une collectivité de quatre quantités A^0, A^1, A^2, A^3 qui se transforment dans les transformations du système de coordonnées à quatre dimensions comme les coordonnées du quadrirayon vecteur x^i. Dans les transformations de Lorentz

$$A^0 = \frac{A'^0 + \frac{V}{c} A'^1}{\sqrt{1 - \frac{V^2}{c^2}}}, \quad A^1 = \frac{A'^1 + \frac{V}{c} A'^0}{\sqrt{1 - \frac{V^2}{c^2}}}, \quad A^2 = A'^2, \quad A^3 = A'^3. \tag{6,1}$$

Le carré de la grandeur de tout quadrivecteur est défini comme le carré du 4-rayon vecteur :

$$(A^0)^2 - (A^1)^2 - (A^2)^2 - (A^3)^2.$$

Pour la commodité de l'écriture d'expressions analogues, on introduit deux « types » de composantes de quadrivecteurs, notés A^i et A_i. On a :

$$A_0 = A^0, \quad A_1 = -A^1, \quad A_2 = -A^2, \quad A_3 = -A^3. \tag{6,2}$$

Les A^i sont les coordonnées *contravariantes* du quadrivecteur et les A_i, ses coordonnées *covariantes*. Le carré du quadrivecteur s'écrit alors sous la forme:

$$\sum_{i=0}^{3} A^i A_i = A^0 A_0 + A^1 A_1 + A^2 A_2 + A^3 A_3.$$

On convient de noter ces sommes simplement $A^i A_i$, omettant le signe de sommation. En vertu d'une règle en vigueur on conviendra qu'il y a sommation sur tout indice deux fois répété dans une expression, le signe de sommation lui-même étant omis. Alors dans toute paire d'indices identiques l'un sera écrit en haut et l'autre en bas. Un tel procédé pour désigner une sommation sur des indices dits *muets* est très commode et simplifie notablement les formules.

Dans ce livre nous désignerons les indices quadridimensionnels parcourant les valeurs 0, 1, 2, 3 par les lettres latines i, k, l, ...

On forme comme pour le carré d'un quadrivecteur le produit scalaire de deux quadrivecteurs différents:

$$A^i B_i = A^0 B_0 + A^1 B_1 + A^2 B_2 + A^3 B_3.$$

Il est alors évident qu'on peut le noter $A^i B_i$ ou $A_i B^i$, le résultat étant le même dans les deux cas. D'une manière générale, dans tout couple d'indices muets on peut toujours interchanger les indices inférieur et supérieur [1].

Le produit $A^i B_i$ est un quadriscalaire — il est invariant dans les rotations du système de coordonnées à quatre dimensions. Il est aisé de vérifier cette propriété directement [2], mais elle est d'avance évidente (par analogie avec le carré $A^i A_i$) du fait que tous les quadrivecteurs se transforment suivant la même loi.

On appelle temporelle la composante A^0 d'un quadrivecteur et spatiales ses composantes A^1, A^2, A^3 (par analogie avec le quadrirayon vecteur). Le carré d'un 4-vecteur peut être positif, négatif ou nul. Les quadrivecteurs sont alors dits dans ces trois cas *du genre temps*, *du genre espace*, *nuls* ou *isotropes* (encore par analogie avec la terminologie des intervalles).

Vis-à-vis des rotations purement spatiales (c'est-à-dire des transformations n'affectant pas l'axe des temps) les trois compo-

---

[1] Dans les ouvrages récents on va jusqu'à omettre les indices des quadrivecteurs et on note leurs carrés et leurs produits scalaires simplement A^2, AB. Mais dans ce livre nous n'aurons pas recours à de telles notations.

[2] On aura alors en vue que la loi de transformation d'un 4-vecteur noté en composantes covariantes diffère (de par les signes) de cette même loi pour ce vecteur noté en composantes contravariantes. Ainsi, au lieu de (6,1) on aura évidemment:

$$A_0 = \frac{A'_0 - \frac{V}{c} A'_1}{\sqrt{1 - \frac{V^2}{c^2}}}, \quad A_1 = \frac{A'_1 - \frac{V}{c} A'_0}{\sqrt{1 - \frac{V^2}{c^2}}}, \quad A_2 = A'_2, \quad A_3 = A'_3.$$

santes spatiales A^i d'un quadrivecteur forment un vecteur tridimensionnel **A**. Pour ce qui est de la composante temporelle de ce quadrivecteur, c'est (vis-à-vis de ces mêmes transformations) un scalaire tridimensionnel. Enumérant les composantes d'un 4-vecteur, nous les écrirons souvent sous la forme:

$$A^i = (A^0, \mathbf{A}).$$

On a alors pour les composantes covariantes de ce même 4-vecteur $A_i = (A^0, -\mathbf{A})$ et pour son carré, $A^iA_i = (A^0)^2 - \mathbf{A}^2$. Ainsi, pour le 4-rayon vecteur

$$x^i = (ct, \mathbf{r}), \quad x_i = (ct, -\mathbf{r}), \quad x^ix_i = c^2t^2 - \mathbf{r}^2.$$

Pour les vecteurs tridimensionnels (en coordonnées x, y, z) il n'y aura certes pas à distinguer entre composantes contra et covariantes. Nous noterons partout (pour autant que cela ne prête pas à équivoque) leurs composantes A_α ($\alpha = x, y, z$) avec des indices inférieurs, qui seront désignés par des lettres grecques. Notamment, nous conviendrons qu'il y a sommation par rapport à x, y, z sur les indices grecs deux fois répétés (par exemple $\mathbf{AB} = A_\alpha B_\alpha$).

On appelle quadritenseur (4-tenseur) d'ordre deux une collectivité de 16 quantités A^{ik} qui, dans les transformations de coordonnées, se transforment comme les produits des composantes de deux 4-vecteurs. On définit de la même façon les 4-tenseurs d'ordres supérieurs.

Les composantes d'un 4-tenseur d'ordre deux peuvent être écrites de trois façons: contravariantes A^{ik}, covariantes A_{ik} et mixtes $A^i{}_k$ (dans ce dernier cas on distinguera en général $A^i{}_k$ de $A_i{}^k$, c'est-à-dire qu'on aura soin de préciser lequel des deux indices est en haut ou en bas). Le lien entre les diverses formes de composantes est donné par la règle générale: l'élévation ou l'abaissement de l'indice temporel (0) ne change pas le signe de la composante, et l'élévation ou l'abaissement d'un indice spatial (1, 2, 3) le change. Ainsi,

$$A_{00} = A^{00}, \quad A_{01} = -A^{01}, \quad A_{11} = A^{11}, \ldots,$$

$$A_0{}^0 = A^{00}, \quad A_0{}^1 = A^{01}, \quad A^0{}_1 = -A^{01}, \quad A_1{}^1 = -A^{11}, \ldots$$

Par rapport aux transformations purement spatiales les neuf composantes A^{11}, A^{12}, A^{13}, ... constituent un tenseur à trois dimensions. Les trois composantes A^{01}, A^{02}, A^{03}, ainsi que A^{10}, A^{20}, A^{30} constituent des vecteurs à trois dimensions et la composante A^{00} est un scalaire à trois dimensions.

Le tenseur A^{ik} est dit symétrique si $A^{ik} = A^{ki}$, et antisymétrique si $A^{ik} = -A^{ki}$. Toutes les composantes diagonales (A^{00}, A^{11}, ...) d'un tenseur antisymétrique sont nulles, car, par exemple, on doit avoir $A^{00} = -A^{00}$. Les composantes mixtes $A^i{}_k$ et $A_k{}^i$ d'un tenseur symétrique coïncident évidemment ; nous écrirons alors simplement A^i_k, disposant les indices l'un au-dessus de l'autre.

Les expressions figurant dans les deux membres d'une égalité tensorielle doivent contenir des indices libres, c'est-à-dire non muets, qui doivent être identiquement disposés (en haut ou en bas). On peut manipuler les indices libres dans les égalités tensorielles (les élever ou les abaisser), mais on le fera simultanément dans tous les termes de l'équation. On ne saurait égaler des composantes contra et covariantes de divers tenseurs ; même si elle était accidentellement observée dans un référentiel quelconque, une telle égalité serait violée dans un autre référentiel.

Avec les composantes d'un tenseur A^{ik} on peut former un scalaire en écrivant la somme

$$A^i{}_i = A^0{}_0 + A^1{}_1 + A^2{}_2 + A^3{}_3$$

(on aura alors évidemment $A^i{}_i = A_i{}^i$). Une telle somme s'appelle *trace* du tenseur, et l'opération qui donne cette trace, *contraction*.

La formation du produit scalaire de deux 4-vecteurs, considérée ci-dessus, est une opération de contraction : c'est la formation du scalaire A^iB_i à partir du tenseur A^iB_k. De façon générale, toute contraction sur deux indices diminue l'ordre d'un tenseur de deux unités. Ainsi, $A^i{}_{kli}$ est un tenseur d'ordre deux, $A^i{}_kB^k$, un 4-vecteur, $A^{ik}{}_{ik}$, un scalaire, etc.

On appelle 4-vecteur unité δ^i_k un tenseur satisfaisant à l'égalité

$$\delta^k_i A^i = A^k \tag{6,3}$$

quel que soit le 4-vecteur A^i. Les composantes de ce tenseur sont évidemment égales à

$$\delta^k_i = \begin{cases} 1, & \text{si } i = k, \\ 0, & \text{si } i \neq k. \end{cases} \tag{6,4}$$

Sa trace est $\delta^i_i = 4$.

Elevant l'un des indices de δ^k_i ou abaissant l'autre, on obtient un tenseur contra ou covariant, noté g^{ik} ou g_{ik}, qu'on appelle *tenseur métrique*. Les tenseurs g^{ik} et g_{ik} ont les mêmes composantes, qu'il est loisible d'écrire sous forme de tableau :

$$(g^{ik}) = (g_{ik}) = \begin{pmatrix} 1 & 0 & 0 & 0 \\ 0 & -1 & 0 & 0 \\ 0 & 0 & -1 & 0 \\ 0 & 0 & 0 & -1 \end{pmatrix} \tag{6,5}$$

(l'indice i repère les lignes, et k, les colonnes dans l'ordre des valeurs 0, 1, 2, 3). Il est évident que

$$g_{ik}A^k = A_i, \quad g^{ik}A_k = A^i. \tag{6,6}$$

Le produit scalaire de deux 4-vecteurs pourra donc s'écrire sous la forme :

$$A^iA_i = g_{ik}A^iA^k = g^{ik}A_iA_k. \tag{6,7}$$

Les tenseurs δ^i_k, g_{ik}, g^{ik} sont exceptionnels en ce sens que leurs composantes sont les mêmes dans tous les systèmes de coordonnées. De cette propriété jouit aussi le 4-tenseur unité complètement antisymétrique e^{iklm}. On appelle ainsi un tenseur dont les composantes changent de signe par transposition de deux indices quelconques, et dont les composantes non nulles sont égales à ± 1. Il résulte de l'antisymétrie que toutes les composantes de ce tenseur qui ont ne serait-ce que deux indices identiques sont nulles, seules n'étant donc pas nulles les composantes dont tous les quatre indices sont différents. Posons

$$e^{0123} = +1 \tag{6,8}$$

(alors $e_{0123} = -1$). Alors toutes les composantes non nulles de e^{iklm} sont égales à $+1$ ou -1, suivant qu'est pair ou impair le nombre de transpositions qui ramènent les nombres i, k, l, m à la suite 0, 1, 2, 3. Ces composantes sont au nombre de $4! = 24$. Par conséquent,

$$e^{iklm}e_{iklm} = -24. \tag{6,9}$$

Par rapport aux rotations du système de coordonnées les e^{iklm} se comportent comme les composantes d'un tenseur ; toutefois, lorsqu'on change le signe d'une ou de trois coordonnées, les composantes de e^{iklm}, qui sont définies de la même manière dans tous les systèmes de coordonnées, ne changent pas, alors que les composantes d'un tenseur changeraient de signe. Ceci étant, e^{iklm} n'est pas à proprement parler un tenseur, mais ce qu'on appelle un *pseudo-tenseur*. Les pseudo-tenseurs de n'importe quel ordre, notamment les *pseudo-scalaires*, se comportent comme des tenseurs dans toutes les transformations des coordonnées, sauf si ces transformations ne peuvent être réduites à des rotations, auquel cas on a des réflexions, lesquelles sont des changements du signe des coordonnées, irréductibles aux rotations.

Les produits $e^{iklm}e^{prst}$ forment un 4-tenseur d'ordre 8, cette fois-ci un vrai tenseur. Par contraction sur un ou plusieurs couples d'indices on en déduit des tenseurs d'ordres 6, 4 et 2. Tous ces tenseurs ont la même forme dans tous les systèmes de coordonnées. Aussi leurs composantes doivent-elles s'exprimer sous forme de combinaisons des produits des composantes du tenseur unité δ^i_k, du seul vrai tenseur ayant les mêmes composantes dans tous les systèmes. Il est facile de former ces combinaisons en partant des propriétés de symétrie par rapport aux transpositions des indices, propriétés que possèdent ces composantes [1].

Si A^{ik} est un tenseur antisymétrique, A^{ik} et le pseudo-tenseur $A^{*ik} = \frac{1}{2} e^{iklm} A_{lm}$ sont dits *duaux*. De façon analogue, $e^{iklm} A_m$ est un pseudo-tenseur antisymétrique d'ordre 3 dual du vecteur A^i. Le produit $A^{ik} A^*_{ik}$ de tenseurs duaux est évidemment un pseudo-scalaire.

En relation avec ce qui a été dit, rappelons quelques propriétés analogues des vecteurs et tenseurs à trois dimensions. On appelle pseudo-tenseur unité d'ordre trois complètement antisymétrique un ensemble de quantités $e_{\alpha\beta\gamma}$ qui changent de signe par transposition de deux indices quelconques. Seules ne sont pas nulles les composantes $e_{\alpha\beta\gamma}$ avec trois indices différents. On pose $e_{xyz} = 1$; les autres composantes sont égales à 1 ou —1 selon qu'est pair ou impair le nombre de transpositions qui fait passer de la suite α, β, γ à la suite x, y, z [2].

---

[1] Nous donnerons à titre de référence les formules suivantes:

$$e^{iklm} e_{prst} = - \begin{vmatrix} \delta^i_p & \delta^i_r & \delta^i_s & \delta^i_t \\ \delta^k_p & \delta^k_r & \delta^k_s & \delta^k_t \\ \delta^l_p & \delta^l_r & \delta^l_s & \delta^l_t \\ \delta^m_p & \delta^m_r & \delta^m_s & \delta^m_t \end{vmatrix}, \quad e^{iklm} e_{prsm} = - \begin{vmatrix} \delta^i_p & \delta^i_r & \delta^i_s \\ \delta^k_p & \delta^k_r & \delta^k_s \\ \delta^l_p & \delta^l_r & \delta^l_s \end{vmatrix},$$

$$e^{iklm} e_{prlm} = -2 (\delta^i_p \delta^k_r - \delta^i_r \delta^k_p), \quad e^{iklm} e_{pklm} = -6\delta^i_p.$$

On vérifie les coefficients dans ces formules d'après le résultat de contraction sur tous les indices que donne (6,9).

On a comme conséquence de la première de ces formules:

$$e^{prst} A_{ip} A_{kr} A_{ls} A_{mt} = -A e_{iklm},$$

$$e^{iklm} e^{prst} A_{ip} A_{kr} A_{ls} A_{mt} = 24A,$$

A étant le déterminant formé avec les A_{ik}.

[2] L'invariance des composantes du 4-tenseur e^{iklm} par rapport aux rotations du 4-système de coordonnées et l'invariance des composantes du 3-tenseur $e_{\alpha\beta\gamma}$ par rapport aux rotations des axes de coordonnées spatiaux sont des cas particuliers d'une règle générale: tout tenseur complètement antisymétrique d'ordre égal au nombre de dimensions de l'espace où il est défini est invariant dans les rotations du système de coordonnées dans cet espace.

Les produits $e_{\alpha\beta\gamma}e_{\lambda\mu\nu}$ forment un vrai 3-tenseur d'ordre six, et donc s'expriment sous forme de combinaisons des produits des composantes du 3-tenseur unité $\delta_{\alpha\beta}$ [1].

Lors de la réflexion du système de coordonnées, c'est-à-dire du changement de signe de toutes les coordonnées, les composantes d'un 3-vecteur ordinaire changent aussi de signe. On appelle *polaires* ces vecteurs. Pour ce qui est des composantes d'un vecteur pouvant être représenté par le produit vectoriel de deux vecteurs polaires, elles ne changent pas de signe dans une réflexion. On appelle *axiaux* ces vecteurs. Le produit scalaire d'un vecteur polaire et d'un vecteur axial n'est pas un vrai scalaire, mais un pseudo-scalaire, car il change de signe dans une réflexion des coordonnées. Un vecteur axial est un pseudo-vecteur, dual d'un tenseur antisymétrique. Ainsi, si $\mathbf{C} = \mathbf{A} \times \mathbf{B}$, on a

$$C_\alpha = \frac{1}{2} e_{\alpha\beta\gamma} C_{\beta\gamma}, \text{ où } C_{\beta\gamma} = A_\beta B_\gamma - A_\gamma B_\beta.$$

Revenons aux 4-tenseurs. Les composantes spatiales ($i, k, \ldots = 1, 2, 3$) d'un 4-tenseur antisymétrique A^{ik} forment vis-à-vis de transformations purement spatiales un 3-tenseur antisymétrique; en vertu de ce qui précède, ses composantes s'expriment au moyen des composantes d'un 3-vecteur axial. Les composantes A^{01}, A^{02}, A^{03}, pour leur part, forment, vis-à-vis de ces mêmes transformations, un 3-vecteur polaire. Ainsi donc, les composantes d'un 4-tenseur antisymétrique peuvent s'écrire dans un tableau :

$$(A^{ik}) = \begin{vmatrix} 0 & p_x & p_y & p_z \\ -p_x & 0 & -a_z & a_y \\ -p_y & a_z & 0 & -a_x \\ -p_z & -a_y & a_x & 0 \end{vmatrix}, \qquad (6,10)$$

$\mathbf{p}$ et $\mathbf{a}$ étant vis-à-vis des transformations spatiales un vecteur polaire et un vecteur axial. Nous noterons un 4-tenseur antisymétrique sous la forme :

$$A^{ik} = (\mathbf{p}, \mathbf{a}) ;$$

---

[1] A titre de référence nous donnerons les formules correspondantes :

$$e_{\alpha\beta\gamma}e_{\lambda\mu\nu} = \begin{vmatrix} \delta_{\alpha\lambda} & \delta_{\alpha\mu} & \delta_{\alpha\nu} \\ \delta_{\beta\lambda} & \delta_{\beta\mu} & \delta_{\beta\nu} \\ \delta_{\gamma\lambda} & \delta_{\gamma\mu} & \delta_{\gamma\nu} \end{vmatrix}.$$

Contractant ce tenseur sur une, deux, trois paires d'indices, il vient :

$$e_{\alpha\beta\gamma}e_{\lambda\mu\gamma} = \delta_{\alpha\lambda}\delta_{\beta\mu} - \delta_{\alpha\mu}\delta_{\beta\lambda},$$

$$e_{\alpha\beta\gamma}e_{\lambda\beta\gamma} = 2\delta_{\alpha\lambda}, \quad e_{\alpha\beta\gamma}e_{\alpha\beta\gamma} = 6.$$

on a alors pour les composantes covariantes de ce même tenseur:

$$A_{ik} = (-\mathbf{p}, \mathbf{a}).$$

Arrêtons-nous enfin sur certaines opérations différentielles et intégrales de l'analyse tensorielle dans l'espace à quatre dimensions.

Le 4-gradient d'un scalaire φ est un 4-vecteur

$$\frac{\partial\varphi}{\partial x^i} = \left(\frac{1}{c}\frac{\partial\varphi}{\partial t}, \nabla\varphi\right).$$

On aura alors en vue que les dérivées écrites doivent être considérées comme les composantes covariantes d'un 4-vecteur. En effet, la différentielle d'un scalaire

$$d\varphi = \frac{\partial\varphi}{\partial x^i} dx^i$$

est aussi un scalaire, ce qui résulte aussitôt de sa forme (on a le produit scalaire de deux 4-vecteurs).

De façon générale les opérateurs de dérivation par rapport aux coordonnées x^i, $\partial/\partial x^i$ doivent être considérés comme les composantes covariantes d'un quadrivecteur opératoriel. Ceci étant, est par exemple un scalaire la divergence d'un 4-vecteur — l'expression $\partial A^i/\partial x^i$, la dérivation affectant les composantes contravariantes A^i [1].

Dans l'espace à trois dimensions l'intégration peut être étendue à un volume, une surface ou une courbe. Dans l'espace à quatre dimensions quatre types d'intégration seront respectivement possibles.

1) Intégrale sur une courbe du 4-espace; l'élément d'intégration est un élément de longueur, c'est-à-dire le 4-vecteur dx^i.

2) Intégrale sur une surface (à deux dimensions) du 4-espace. On sait que dans l'espace à trois dimensions les projections de l'aire d'un parallélogramme construit sur deux vecteurs $d\mathbf{r}$ et $d\mathbf{r}'$ sur les plans de coordonnées $x_\alpha x_\beta$ sont égales à $dx_\alpha\, dx'_\beta - dx_\beta dx'_\alpha$. De

---

[1] Si l'on dérive par rapport aux « coordonnées covariantes » x_i, les dérivées

$$\frac{\partial\varphi}{\partial x_i} = \left(\frac{1}{c}\frac{\partial\varphi}{\partial t}, -\nabla\varphi\right)$$

forment les composantes contravariantes d'un 4-vecteur. Nous n'emploierons cette écriture qu'exceptionnellement (par exemple pour noter le carré d'un 4-gradient $\frac{\partial\varphi}{\partial x^i}\frac{\partial\varphi}{\partial x_i}$).

Mentionnons l'usage courant qui est fait de l'écriture condensée des dérivées partielles par rapport aux coordonnées à l'aide des symboles

$$\partial^i = \frac{\partial}{\partial x_i}, \quad \partial_i = \frac{\partial}{\partial x^i}.$$

Cette transcription des opérateurs de dérivation explicite le caractère contra ou covariant des quantités obtenues par leur application.

même, dans l'espace à quatre dimensions l'élément d'aire infinitésimal est défini par le tenseur antisymétrique de rang deux $df^{ik} = dx^i dx'^k - dx^k dx'^i$; ses composantes sont égales aux projections de l'aire de l'élément sur les plans de coordonnées. Dans l'espace à trois dimensions, on sait, qu'au lieu du tenseur $df_{\alpha\beta}$ on prend pour élément de surface le vecteur df_α, dual de $df_{\alpha\beta}$: $df_\alpha = \frac{1}{2} e_{\alpha\beta\gamma} df_{\beta\gamma}$. Géométriquement c'est un vecteur normal à l'élément de surface et de grandeur absolue égale à l'aire de cet élément. Dans l'espace à quatre dimensions on ne peut construire un tel vecteur, mais on peut construire un tenseur df^{*ik} dual de df^{ik}, soit

$$df^{*ik} = \frac{1}{2} e^{iklm} df_{lm}. \tag{6,11}$$

Géométriquement il représente un élément de surface égal et « normal » à l'élément df^{ik} ; tous les segments qu'il contient sont orthogonaux à tous ceux contenus dans l'élément df^{ik}. On a évidemment $df^{ik} df^*_{ik} = 0$.

3) Intégrale sur une hypersurface, c'est-à-dire sur une variété à trois dimensions. Dans l'espace à trois dimensions le volume d'un parallélépipède construit sur trois vecteurs est égal, on le sait, au déterminant du troisième ordre formé avec les composantes de ces vecteurs. De manière analogue s'expriment dans un 4-espace les projections du volume du « parallélépipède » (c'est-à-dire les « aires » d'hypersurface) construit sur trois quadrivecteurs dx^i, dx'^i, dx''^i; elles sont définies par les déterminants

$$dS^{ikl} = \begin{vmatrix} dx^i & dx'^i & dx''^i \\ dx^k & dx'^k & dx''^k \\ dx^l & dx'^l & dx''^l \end{vmatrix},$$

qui constituent un tenseur d'ordre trois antisymétrique sur les trois indices. Il est plus commode de prendre pour élément d'intégration sur une hypersurface le 4-vecteur dS^i dual de dS^{ikl} :

$$dS^i = -\frac{1}{6} e^{iklm} dS_{klm}, \quad dS_{klm} = e_{nklm} dS^n. \tag{6,12}$$

On a alors :

$$dS^0 = dS^{123}, \quad dS^1 = dS^{023}, \ \ldots$$

Géométriquement dS^i est un 4-vecteur de grandeur égale à l'« aire » de l'élément d'hypersurface et de direction normale à cet élément (c'est-à-dire perpendiculaire à toutes les droites tracées dans l'élément d'hypersurface). Notamment, $dS^0 = dx\,dy\,dz$, c'est donc l'élément de 3-volume dV — la projection de l'élément d'hypersurface sur l'hyperplan $x^0 = \text{const}$.

4) Intégrale dans un 4-volume; l'élément d'intégration est le scalaire

$$d\Omega = dx^0\, dx^1\, dx^2\, dx^3 = c\, dt\, dV. \tag{6,13}$$

De même que les théorèmes de Gauss et de Stokes pour les intégrales triples, il existe des théorèmes permettant de transformer des intégrales quadruples.

L'intégrale étendue à une hypersurface fermée peut être transformée en intégrale dans le 4-volume qu'elle délimite en substituant à l'élément d'intégration dS_i l'opérateur

$$dS_i \rightarrow d\Omega \frac{\partial}{\partial x^i}. \tag{6,14}$$

Par exemple, on a pour l'intégrale d'un vecteur A^i:

$$\oint A^i\, dS_i = \int \frac{\partial A^i}{\partial x^i}\, d\Omega. \tag{6,15}$$

Cette formule généralise le théorème de Gauss.

L'intégrale sur une surface à deux dimensions se transforme en intégrale sur l'hypersurface délimitée par la surface bidimensionnelle en remplaçant l'élément d'intégration df^*_{ik} par l'opérateur

$$df^*_{ik} \rightarrow dS_i \frac{\partial}{\partial x^k} - dS_k \frac{\partial}{\partial x^i}. \tag{6,16}$$

Par exemple, on a pour l'intégrale d'un tenseur antisymétrique A^{ik}:

$$\frac{1}{2} \int A^{ik}\, df^*_{ik} = \frac{1}{2} \int \left(dS_i \frac{\partial A^{ik}}{\partial x^k} - dS_k \frac{\partial A^{ik}}{\partial x^i} \right) = \int dS_i \frac{\partial A^{ik}}{\partial x^k}. \tag{6,17}$$

L'intégrale sur une courbe dans l'espace à quatre dimensions se transforme en intégrale sur la surface délimitée par cette courbe par la substitution :

$$dx^i \rightarrow df^{ki} \frac{\partial}{\partial x^k}. \tag{6,18}$$

Ainsi, on a pour l'intégrale d'un vecteur :

$$\oint A_i\, dx^i = \int df^{ki} \frac{\partial A_i}{\partial x^k} = \frac{1}{2} \int df^{ik} \left(\frac{\partial A_k}{\partial x^i} - \frac{\partial A_i}{\partial x^k} \right), \tag{6,19}$$

ce qui constitue une généralisation du théorème de Stokes.

Problèmes

1. Trouver la loi de transformation des composantes d'un 4-tenseur symétrique A^{ik} dans la transformation de Lorentz (6,1).

S o l u t i o n. Considérant les composantes du 4-tenseur comme les produits de deux composantes d'un 4-vecteur, on obtient:

$$A^{00}=\frac{1}{1-\frac{V^2}{c^2}}\left(A'^{00}+2\frac{V}{c}A'^{01}+\frac{V^2}{c^2}A'^{11}\right),$$

$$A^{11}=\frac{1}{1-\frac{V^2}{c^2}}\left(A'^{11}+2\frac{V}{c}A'^{01}+\frac{V^2}{c^2}A'^{00}\right),$$

$$A^{22}=A'^{22},\quad A^{23}=A'^{23},\quad A^{12}=\frac{1}{\sqrt{1-\frac{V^2}{c^2}}}\left(A'^{12}+\frac{V}{c}A'^{02}\right),$$

$$A^{01}=\frac{1}{1-\frac{V^2}{c^2}}\left[A'^{01}\left(1+\frac{V^2}{c^2}\right)+\frac{V}{c}A'^{00}+\frac{V}{c}A'^{11}\right],$$

$$A^{02}=\frac{1}{\sqrt{1-\frac{V^2}{c^2}}}\left(A'^{02}+\frac{V}{c}A'^{12}\right)$$

et des formules analogues pour A^{33}, A^{13}, A^{03}.

2. Même problème pour un tenseur antisymétrique A^{ik}.

S o l u t i o n. Comme les coordonnées x^2, x^3 ne changent pas, il en est de même de la composante A^{23} du tenseur, et les composantes A^{12}, A^{13} et A^{02}, A^{03} se transforment comme x^1 et x^0:

$$A^{23}=A'^{23},\quad A^{12}=\frac{A'^{12}+\frac{V}{c}A'^{02}}{\sqrt{1-\frac{V^2}{c^2}}},\quad A^{02}=\frac{A'^{02}+\frac{V}{c}A'^{12}}{\sqrt{1-\frac{V^2}{c^2}}}$$

et de même pour A^{13}, A^{03}.

Vis-à-vis des rotations du système bidimensionnel de coordonnées dans le plan x^0x^1 (telles étant les transformations envisagées) les composantes $A^{01}=-A^{10}$, $A^{00}=A^{11}=0$ constituent un tenseur antisymétrique d'ordre égal au nombre de dimensions de l'espace. C'est pourquoi (cf. note p. 31) dans les transformations ces composantes ne changent pas:

$$A^{01}=A'^{01}.$$

§ 7. Quadrivitesse

A partir d'un trivecteur vitesse ordinaire, il est possible de former un quadrivecteur. Le vecteur

$$u^i=\frac{dx^i}{ds} \tag{7,1}$$

constitue la *quadrivitesse* (4-vitesse) d'une particule.

Pour exprimer ses composantes explicitement, nous utiliserons l'égalité (3,1)

$$ds = c\,dt\sqrt{1-\frac{v^2}{c^2}},$$

où v est la vitesse ordinaire de la particule dans l'espace à trois dimensions. Ceci étant,

$$u^1 = \frac{dx^1}{ds} = \frac{dx}{c\,dt\sqrt{1-\frac{v^2}{c^2}}} = \frac{v_x}{c\sqrt{1-\frac{v^2}{c^2}}}, \text{ etc.}$$

Ainsi :

$$u^i = \left(\frac{1}{\sqrt{1-\frac{v^2}{c^2}}}, \frac{\mathbf{v}}{c\sqrt{1-\frac{v^2}{c^2}}}\right). \tag{7,2}$$

Notons que la quadrivitesse est une quantité sans dimensions.

Les composantes de la 4-vitesse ne sont pas indépendantes. Notant que $dx_i dx^i = ds^2$, il vient :

$$u^i u_i = 1. \tag{7,3}$$

Géométriquement, u^i est un quadrivecteur unité de la tangente à la ligne d'univers de la particule.

Ainsi que pour la 4-vitesse, on pourra appeler la dérivée seconde

$$w^i = \frac{d^2x^i}{ds^2} = \frac{du^i}{ds}$$

4-accélération. On trouve en dérivant (7,3) :

$$u_i w^i = 0, \tag{7,4}$$

ce qui montre que les quadrivecteurs vitesse et accélération sont orthogonaux.

Problème

Déterminer un mouvement relativiste uniformément accéléré, c'est-à-dire un mouvement rectiligne au cours duquel l'accélération w est constante dans le référentiel propre (à chaque instant).

Solution. Dans le référentiel où la vitesse de la particule est $v = 0$, les composantes de la 4-accélération sont égales à $w^i = (0, w/c^2, 0, 0)$ (w est l'accélération tridimensionnelle ordinaire dirigée selon l'axe des x). La condition relativiste invariante d'accélération uniforme doit résider dans la constance d'un 4-scalaire coïncidant avec w^2 dans le référentiel propre :

$$w^i w_i = \text{const} \equiv -\frac{w^2}{c^4}.$$

Dans le référentiel « immobile » auquel on rapporte le mouvement, on trouve, en développant l'expression $w^i w_i$, l'équation

$$\frac{d}{dt}\frac{v}{\sqrt{1-\frac{v^2}{c^2}}}=w \quad \text{ou} \quad \frac{v}{\sqrt{1-\frac{v^2}{c^2}}}=wt+\text{const.}$$

Posant $v=0$ pour $t=0$, il vient const$=0$, de sorte que

$$v=\frac{wt}{\sqrt{1+\frac{w^2t^2}{c^2}}}.$$

Intégrant une nouvelle fois et faisant $x=0$ pour $t=0$, il vient :

$$x=\frac{c^2}{w}\left(\sqrt{1+\frac{w^2t^2}{c^2}}-1\right).$$

Lorsque $wt \ll c$, ces formules se réduisent aux expressions classiques $v = wt$, $x = wt^2/2$. Lorsque $wt \to \infty$, la vitesse tend vers la constante c.

Le temps propre d'une particule animée d'un mouvement uniformément accéléré est donné par l'intégrale

$$\int_0^t \sqrt{1-\frac{v^2}{c^2}}\,dt=\frac{c}{w}\,\text{Arsh}\,\frac{wt}{c}.$$

Quand $t \to \infty$, il croît bien plus lentement que t selon la loi $\frac{c}{w}\ln\frac{2wt}{c}$.

CHAPITRE II

MÉCANIQUE RELATIVISTE

§ 8. Principe de moindre action

Pour l'étude du mouvement des particules matérielles, nous partirons du principe de moindre action. Ce principe stipule, on le sait, qu'il existe pour tout système mécanique une intégrale S, appelée action, qui a un minimum pour le mouvement effectif et dont la variation δS est, par conséquent, nulle [1].

Définissons l'intégrale d'action pour une particule matérielle libre, c'est-à-dire non soumise à l'action de forces extérieures quelles qu'elles soient.

A cet effet, remarquons que cette intégrale ne doit pas dépendre du choix de tel ou tel référentiel, c'est-à-dire qu'elle doit être invariante vis-à-vis des transformations de Lorentz. Il en résulte qu'elle doit être l'intégrale d'un scalaire. Ensuite, il est manifeste que l'on doit avoir sous le signe d'intégration des différentielles du premier ordre. Mais le seul scalaire de cette espèce que l'on puisse former pour une particule matérielle libre est l'intervalle ds ou $\alpha\, ds$, où α est une certaine constante.

De sorte que nous avons pour une particule libre

$$S = -\alpha \int_a^b ds,$$

où $\int_a^b$ désigne l'intégrale étendue à la ligne d'univers comprise entre deux événements donnés — les positions initiale et finale occupées par la particule à des instants déterminés t_1 et t_2 ; la constante α caractérise la particule donnée. On voit aisément que α doit être une quantité positive pour toutes les particules. En effet, nous

[1] A strictement parler, le principe de moindre action affirme que l'intégrale S doit être minimum seulement sur de petits arcs de la ligne d'intégration. Pour des lignes de longueur arbitraire on peut affirmer seulement que S a un extremum, pouvant ne pas être un minimum (cf. I § 2).

avons vu au § 3 que l'intégrale $\int\limits_a^b ds$ est maximum lorsqu'elle est étendue à une droite d'univers; on peut la rendre aussi petite que l'on voudra en intégrant le long d'une ligne d'univers courbe.

De sorte que l'intégrale précédée du signe plus ne peut avoir de minimum; précédée du signe moins, elle est minimum le long de la droite d'univers.

On peut représenter l'action sous forme d'une intégrale du temps

$$S = \int\limits_{t_1}^{t_2} L\,dt.$$

Le coefficient L de dt est la *fonction de Lagrange* du système mécanique donné. En vertu de (3,1) nous avons:

$$S = -\int\limits_{t_1}^{t_2} \alpha c \sqrt{1 - \frac{v^2}{c^2}}\, dt,$$

où v est la vitesse de la particule matérielle. La fonction de Lagrange est donc pour la particule:

$$L = -\alpha c \sqrt{1 - \frac{v^2}{c^2}}.$$

Comme nous l'avons déjà spécifié, α caractérise la particule donnée. En mécanique classique, toute particule est caractérisée par sa masse m. Trouvons le lien entre α et m. On l'établit de la condition que dans le passage à la limite $c \to \infty$ notre expression de L doit se réduire à l'expression classique

$$L = mv^2/2.$$

Pour réaliser ce passage, développons L en série des puissances de v/c. Alors, négligeant les termes d'ordres supérieurs, on obtient:

$$L = -\alpha c \sqrt{1 - \frac{v^2}{c^2}} \approx -\alpha c + \frac{\alpha v^2}{2c}.$$

Les termes constants dans la fonction de Lagrange n'affectent pas les équations du mouvement et peuvent être omis. Omettant dans L la constante αc et comparant avec l'expression classique $L = mv^2/2$, il vient $\alpha = mc$.

De sorte que l'action pour une particule matérielle libre est

$$S = -mc \int\limits_a^b ds, \tag{8,1}$$

et la fonction de Lagrange

$$L = -mc^2 \sqrt{1 - \frac{v^2}{c^2}}. \tag{8,2}$$

§ 9. Energie et impulsion

L'*impulsion* d'une particule est, comme on sait, le vecteur $\mathbf{p} = \partial L/\partial \mathbf{v}$ ($\partial L/\partial \mathbf{v}$ désigne symboliquement un vecteur dont les composantes sont les dérivées de L par rapport aux composantes respectives de $\mathbf{v}$). (8,2) permet d'écrire :

$$\mathbf{p} = \frac{m\mathbf{v}}{\sqrt{1 - \frac{v^2}{c^2}}}. \tag{9,1}$$

Pour des vitesses petites ($v \ll c$), ou si l'on fait $c \to \infty$, on retrouve l'expression classique $\mathbf{p} = m\mathbf{v}$. Lorsque $v = c$, l'impulsion devient infinie.

La dérivée de l'impulsion par rapport au temps est la force agissant sur la particule. Supposons que seule la direction de la vitesse varie, c'est-à-dire que la force soit perpendiculaire à la vitesse. Alors

$$\frac{d\mathbf{p}}{dt} = \frac{m}{\sqrt{1 - \frac{v^2}{c^2}}} \frac{d\mathbf{v}}{dt}. \tag{9,2}$$

Si seule la grandeur de la vitesse varie, si donc la force et la vitesse sont colinéaires, on a :

$$\frac{d\mathbf{p}}{dt} = \frac{m}{\left(1 - \frac{v^2}{c^2}\right)^{3/2}} \frac{d\mathbf{v}}{dt}. \tag{9,3}$$

Nous voyons dans les deux cas que le rapport de la force à l'accélération est différent.

On appelle *énergie* $\mathscr{E}$ de la particule la quantité

$$\mathscr{E} = \mathbf{p}\mathbf{v} - L.$$

(cf. I § 6). Substituant les expressions (8,2) et (9,1) de L et $\mathbf{p}$, il vient :

$$\mathscr{E} = \frac{mc^2}{\sqrt{1 - \frac{v^2}{c^2}}}. \tag{9,4}$$

Cette formule primordiale montre, notamment, qu'en mécanique relativiste l'énergie d'une particule libre ne s'annule pas pour

$v=0$, mais prend la valeur finie

$$\mathscr{E}=mc^2. \tag{9,5}$$

C'est l'*énergie de repos* de la particule.

Pour des vitesses petites ($v \ll c$), le développement de (9,4) en puissances de v/c donne:

$$\mathscr{E} \approx mc^2 + \frac{mv^2}{2},$$

qui est, déduction faite de l'énergie de repos, l'expression classique de l'énergie cinétique d'une particule.

Soulignons que bien qu'il s'agisse ici d'une « particule », son caractère « élémentaire » n'intervient nulle part. Par conséquent, les formules établies conviennent également à tout corps composé, constitué d'un grand nombre de particules; m représentera alors la masse totale, et v la vitesse de ce corps considéré comme un tout. En particulier, la formule (9,5) est valable pour tout corps au repos considéré comme un tout. Remarquons que l'énergie d'un corps libre (c'est-à-dire l'énergie de tout système fermé) est, en mécanique relativiste, une quantité complètement déterminée, toujours positive, directement liée à la masse du corps. Rappelons à ce sujet que l'énergie d'un corps n'est déterminée en mécanique classique qu'à une constante additive près et peut être aussi bien positive que négative.

L'énergie d'un corps au repos comprend, à part l'énergie de repos des particules qui le composent, l'énergie cinétique des particules et leur énergie d'interaction. Autrement dit, mc^2 n'est pas égal à la somme $\sum m_a c^2$ (les m_a étant les masses des particules) et, par conséquent, m n'est pas égal à $\sum m_a$. De sorte qu'en mécanique relativiste la loi de conservation de la masse ne joue pas: la masse d'un corps composé n'est pas égale à la somme des masses de ses composantes. Par contre joue la loi de conservation de l'énergie qui contient également l'énergie de repos de la particule.

En élevant (9,1) et (9,4) au carré et en les rapprochant, on trouve la relation suivante entre l'énergie et l'impulsion d'une particule:

$$\frac{\mathscr{E}^2}{c^2} = p^2 + m^2c^2. \tag{9,6}$$

L'énergie exprimée en fonction de l'impulsion est appelée la fonction d'Hamilton $\mathscr{H}$:

$$\mathscr{H} = c\sqrt{p^2 + m^2c^2}. \tag{9,7}$$

Pour des vitesses petites $p \ll mc$, et on a approximativement:

$$\mathscr{H} \approx mc^2 + \frac{p^2}{2m},$$

donc, déduction faite de l'énergie de repos, on retrouve l'expression classique de la fonction d'Hamilton.

Les expressions (9,1) et (9,4) entraînent également la relation suivante entre l'énergie, l'impulsion et la vitesse d'une particule libre :

$$\mathbf{p}=\frac{\mathscr{E}\mathbf{v}}{c^2}. \qquad (9,8)$$

Pour $v = c$, l'impulsion et l'énergie de la particule deviennent infinies. C'est dire qu'une particule de masse m non nulle ne peut se mouvoir à la vitesse de la lumière. Toutefois, il existe en mécanique relativiste des particules de masse nulle qui se déplacent avec la vitesse de la lumière [1]. (9,8) donne pour ces particules :

$$p=\frac{\mathscr{E}}{c}. \qquad (9,9)$$

Une telle formule convient aussi approximativement pour des particules de masse non nulle dans le cas dit *ultrarelativiste*, où l'énergie de la particule $\mathscr{E}$ est grande par rapport à son énergie de repos mc^2.

Trouvons maintenant les expressions des relations établies avec le formalisme quadridimensionnel. En vertu du principe de moindre action

$$\delta S = -mc\delta \int_a^b ds = 0.$$

Développons l'expression de δS. A cet effet, notons que $ds = \sqrt{dx_i\, dx^i}$, de sorte que

$$\delta S = -mc \int_a^b \frac{dx_i \delta\, dx^i}{ds} = -mc \int_a^b u_i\, d\delta x^i.$$

On a par intégration par parties :

$$\delta S = -mc\, u_i \delta x^i \Big|_a^b + mc \int_a^b \delta x^i \frac{du_i}{ds}\, ds. \qquad (9,10)$$

On sait que pour établir les équations du mouvement on compare entre elles diverses trajectoires passant par deux points donnés, c'est-à-dire assujetties aux conditions aux limites $(\delta x^i)_a = (\delta x^i)_b = 0$. On déduit alors la trajectoire effective de la condition $\delta S = 0$. (9,10) donnerait alors les équations $du_i/ds = 0$, exprimant la cons-

[1] Tels sont les quanta de lumière — les photons, et sans doute le neutrino.

tance de la vitesse d'une particule libre sous forme quadridimensionnelle.

Pour trouver la variation de l'action comme fonction des coordonnées, seul le point a doit être donné, de sorte que $(\delta x^i)_a = 0$. Le second point sera supposé variable, mais alors on ne retiendra que les trajectoires réelles, c'est-à-dire satisfaisant aux équations du mouvement. Il en résulte que l'intégrale dans l'expression (9,10) de δS est nulle. Au lieu de $(\delta x^i)_b$, écrivons simplement δx^i ; on a :

$$\delta S = -mcu_i \delta x^i. \tag{9,11}$$

Le quadrivecteur

$$p_i = -\frac{\partial S}{\partial x^i} \tag{9,12}$$

est dit 4-*impulsion*. On sait de la mécanique que les dérivées $\partial S/\partial x$, $\partial S/\partial y$, $\partial S/\partial z$ sont les trois composantes du vecteur impulsion $\mathbf{p}$ de la particule, la dérivée $-\partial S/\partial t$ étant son énergie $\mathscr{E}$. Ceci étant, on a pour les composantes covariantes de la 4-impulsion $p_i = (\mathscr{E}/c, -\mathbf{p})$, et pour les composantes contravariantes [1]

$$p^i = \left(\frac{\mathscr{E}}{c}, \mathbf{p}\right). \tag{9,13}$$

Il résulte de (9,11) que les composantes de la 4-impulsion d'une particule libre sont

$$p^i = mcu^i. \tag{9,14}$$

Substituant ici les composantes de la 4-vitesse (7,2), on voit aussitôt que $\mathbf{p}$ et $\mathscr{E}$ ont bien pour expressions (9,1) et (9,4).

Ainsi donc, en mécanique relativiste l'impulsion et l'énergie sont les composantes d'un seul quadrivecteur. D'où les formules de transformation de l'impulsion et de l'énergie quand on passe d'un référentiel d'inertie dans un autre. Substituant dans les formules générales (6,1) de transformation des quadrivecteurs l'expression (9,13), il vient :

$$p_x = \frac{p'_x + \frac{V}{c^2}\mathscr{E}'}{\sqrt{1-\frac{V^2}{c^2}}}, \quad p_y = p'_y, \quad p_z = p'_z, \quad \mathscr{E} = \frac{\mathscr{E}' + Vp'_x}{\sqrt{1-\frac{V^2}{c^2}}}, \tag{9,15}$$

p_x, p_y, p_z étant les composantes du 3-vecteur $\mathbf{p}$.

---

[1] Indiquons la règle mnémonique concernant la définition de quadrivecteurs physiques: les composantes contravariantes sont liées avec les vecteurs tridimensionnels correspondants ($\mathbf{r}$ pour x^i, $\mathbf{p}$ pour p^i, etc.) par le signe « régulier » positif.

De la définition de la 4-impulsion (9,14) et de l'identité $u^i u_i = 1$ on déduit pour le carré de la 4-impulsion d'une particule libre:

$$p^i p_i = m^2 c^2. \tag{9,16}$$

Substituant ici les expressions (9,13), on retrouve la relation (9,6).

Par analogie avec la définition usuelle d'une force, le quadrivecteur force peut être défini comme la dérivée

$$g^i = \frac{dp^i}{ds} = mc \frac{du^i}{ds}. \tag{9,17}$$

Ses composantes vérifient l'identité $g_i u^i = 0$. Les composantes de ce 4-vecteur s'expriment au moyen du vecteur tridimensionnel ordinaire $\mathbf{f} = d\mathbf{p}/dt$ comme suit:

$$g^i = \left(\frac{\mathbf{fv}}{c^2 \sqrt{1 - \frac{v^2}{c^2}}}, \frac{\mathbf{f}}{c \sqrt{1 - \frac{v^2}{c^2}}} \right). \tag{9,18}$$

La composante temporelle est liée au travail de la force.

L'équation d'Hamilton-Jacobi relativiste s'obtient en substituant dans (9,16) les dérivées $-\partial S/\partial x^i$ à p_i:

$$\frac{\partial S}{\partial x_i} \frac{\partial S}{\partial x^i} \equiv g^{ik} \frac{\partial S}{\partial x^i} \frac{\partial S}{\partial x^k} = m^2 c^2, \tag{9,19}$$

ou en explicitant la somme:

$$\frac{1}{c^2} \left(\frac{\partial S}{\partial t} \right)^2 - \left(\frac{\partial S}{\partial x} \right)^2 - \left(\frac{\partial S}{\partial y} \right)^2 - \left(\frac{\partial S}{\partial z} \right)^2 = m^2 c^2. \tag{9,20}$$

On effectue comme suit le passage à la limite dans l'équation (9,20) conduisant à la mécanique classique. Tout d'abord, il faut noter, comme pour le passage correspondant dans (9,7), qu'en mécanique relativiste l'énergie d'une particule contient le terme mc^2, qui est absent en mécanique classique. Etant donné que l'action S est liée à l'énergie par la relation $\mathcal{E} = -\partial S/\partial t$, dans le passage à la mécanique classique il faudra introduire au lieu de S une nouvelle action S' satisfaisant à la relation

$$S = S' - mc^2 t.$$

En la substituant dans (9,20), nous trouvons:

$$\frac{1}{2mc^2} \left(\frac{\partial S'}{\partial t} \right)^2 - \frac{\partial S'}{\partial t} - \frac{1}{2m} \left[\left(\frac{\partial S'}{\partial x} \right)^2 + \left(\frac{\partial S'}{\partial y} \right)^2 + \left(\frac{\partial S'}{\partial z} \right)^2 \right] = 0.$$

Quand on fait tendre $c \to \infty$, cette équation devient l'équation d'Hamilton-Jacobi de la mécanique classique.

§ 10. Transformation de la fonction de distribution

Dans l'étude de divers problèmes de physique, on est amené à considérer une fonction dite de distribution des particules en impulsions : $f(\mathbf{p})\, dp_x dp_y dp_z$ est le nombre de particules dont les impulsions sont comprises dans les intervalles donnés dp_x, dp_y, dp_z (ou, comme on dit plus brièvement, le nombre de particules dans l'élément de volume donné $dp_x dp_y dp_z$ de l'« espace des impulsions »). Ceci dit, la question se pose de la loi de transformation de la fonction de distribution $f(\mathbf{p})$ dans un changement de référentiel.

Pour résoudre ce problème, voyons préalablement quelles sont les propriétés de l'« élément de volume » $dp_x dp_y dp_z$, vis-à-vis de la transformation de Lorentz. Si l'on prend un système de coordonnées à quatre dimensions, dont on porte sur les axes les composantes de la 4-impulsion de la particule, on pourra considérer $dp_x dp_y dp_z$ comme la quatrième composante de l'élément de l'hypersurface définie par l'équation $p^i p_i = m^2c^2$. L'élément d'hypersurface est un 4-vecteur orienté suivant la normale ; dans le cas considéré, la direction de la normale coïncide, manifestement, avec celle du 4-vecteur p_i. Il en résulte que le rapport

$$\frac{dp_x\, dp_y\, dp_z}{\mathscr{E}} \tag{10,1}$$

est invariant, en tant que rapport des composantes respectives de deux 4-vecteurs parallèles [1].

Le nombre de particules $f\, dp_x dp_y dp_z$, qui ne dépend pas du choix du référentiel, est aussi évidemment un invariant. En l'écrivant sous la forme

$$f(\mathbf{p})\,\mathscr{E}\,\frac{dp_x\, dp_y\, dp_z}{\mathscr{E}}$$

et compte tenu de l'invariance du rapport (10,1), nous déduisons l'invariance du produit $f(\mathbf{p})\,\mathscr{E}$. Il en résulte que la fonction de

[1] L'intégration selon l'élément (10,1) peut être représentée sous forme quadridimensionnelle au moyen de la distribution δ de Dirac (voir note p. 97) comme l'intégration selon

$$\frac{2}{c}\,\delta\,(p^i p_i - m^2c^2)\, d^4p, \quad d^4p = dp^0\, dp^1\, dp^2\, dp^3. \tag{10,1a}$$

Alors les quatre composantes p^i sont considérées comme des variables indépendantes (p^0 ne parcourant que des valeurs positives). La formule (10,1a) résulte aussitôt de la représentation suivante de la fonction δ qui y figure :

$$\delta\,(p^i p_i - m^2c^2) = \delta\left(p_0^2 - \frac{\mathscr{E}^2}{c^2}\right) = \frac{c}{2\mathscr{E}}\left[\delta\left(p_0 + \frac{\mathscr{E}}{c}\right) + \delta\left(p_0 - \frac{\mathscr{E}}{c}\right)\right], \tag{10,1b}$$

où $\mathscr{E} = c\sqrt{p^2 + m^2c^2}$. A son tour, cette formule résulte de la formule (V) donnée dans la note p. 98.

distribution dans le système K' est liée à la fonction de distribution dans le système K par la relation

$$f'(\mathbf{p}') = \frac{f(\mathbf{p})\,\mathscr{E}}{\mathscr{E}'}, \qquad (10,2)$$

où $\mathbf{p}$ et $\mathscr{E}$ doivent être exprimés en fonction de $\mathbf{p}'$ et $\mathscr{E}'$ au moyen des formules de transformation (9,15).

Revenons à l'expression invariante (10,1). Si l'on a recours aux « coordonnées sphériques » dans l'espace des impulsions, l'élément de volume $dp_x dp_y dp_z$ est remplacé alors par $p^2 dp do$, où do est l'élément d'angle solide pour les directions du vecteur $\mathbf{p}$. Remarquant que $p\,dp = \mathscr{E}\,d\mathscr{E}/c^2$ [d'après (9,6)], nous avons

$$\frac{p^2\,dp\,do}{\mathscr{E}} = \frac{p\,d\mathscr{E}\,do}{c^2}.$$

Il en résulte donc l'invariance de l'expression

$$p\,d\mathscr{E}\,do. \qquad (10,3)$$

S'il s'agit de particules se mouvant à la vitesse de la lumière, pour lesquelles est valable la relation $\mathscr{E} = pc$ (9,9), on pourra alors recopier l'invariant (10,3) sous la forme $p\,dp\,do$ ou $\mathscr{E}\,d\mathscr{E}\,do$.

§ 11. Désintégration des particules

Considérons la désintégration spontanée d'un corps de masse M en deux parties de masses m_1 et m_2. La loi de conservation de l'énergie appliquée dans un référentiel où le corps est au repos donne [1]:

$$M = \mathscr{E}_{10} + \mathscr{E}_{20}, \qquad (11,1)$$

où $\mathscr{E}_{10}$ et $\mathscr{E}_{20}$ sont les énergies respectives des éclats. Etant donné que $\mathscr{E}_{10} > m_1$ et $\mathscr{E}_{20} > m_2$, l'égalité (11,1) ne peut avoir lieu que si $M > m_1 + m_2$, c'est-à-dire que le corps peut se désintégrer spontanément en deux parties dont la masse totale est plus petite que la masse du corps. Au contraire, si l'on a $M < m_1 + m_2$, le corps est stable (relativement à la désintégration donnée) et ne se

[1] Aux §§ 11 à 13 on pose $c = 1$. C'est dire que la vitesse de la lumière est choisie pour unité de mesure des vitesses (alors longueur et temps ont les mêmes dimensions). Ce choix est naturel en mécanique relativiste et simplifie beaucoup les formules. Toutefois, dans ce livre (où une place considérable est aussi consacrée à la théorie non relativiste) nous n'utiliserons pas régulièrement ce système d'unités, mais nous en ferons mention le cas échéant.

Si l'on a posé $c = 1$ dans une formule, on revient sans peine aux unités usuelles: la vitesse de la lumière sera introduite dans la formule de façon à obtenir les dimensions adéquates.

désintègre pas spontanément. Pour réaliser la désintégration, il faudrait dans ce cas communiquer au corps une énergie empruntée à l'extérieur, au moins égale à son « énergie de liaison » ($m_1 + m_2 - M$).

Concurremment à la loi de conservation de l'énergie, lors de la désintégration la loi de conservation de l'impulsion doit aussi jouer, c'est-à-dire que la somme des impulsions des éclats doit être nulle, tout comme l'implusion initiale du corps: $\mathbf{p}_{10} + \mathbf{p}_{20} = 0$. Il en résulte que $p_{10}^2 = p_{20}^2$ ou

$$\mathscr{E}_{10}^2 - m_1^2 = \mathscr{E}_{20}^2 - m_2^2. \tag{11,2}$$

Les deux équations (11,1) et (11,2) déterminent univoquement l'énergie des éclats:

$$\mathscr{E}_{10} = \frac{M^2 + m_1^2 - m_2^2}{2M}, \quad \mathscr{E}_{20} = \frac{M^2 - m_1^2 + m_2^2}{2M}. \tag{11,3}$$

Dans un certain sens, on résout le problème inverse quand on calcule l'énergie totale M de deux particules en collision dans un référentiel où leur impulsion totale est nulle (ou, comme on dit encore plus brièvement, dans le *système du centre d'inertie* ou « système c »). Le calcul de cette grandeur donne un critère déterminant de la possibilité de réaliser divers processus de collisions inélastiques, accompagnés de changement d'état des particules en collision ou de « création » de nouvelles particules. Tout processus de ce genre ne peut avoir lieu que si la somme des masses de tous les « produits de réaction » n'est pas supérieure à M.

Imaginons que dans le référentiel initial (appelé encore *système du laboratoire*) une particule de masse m_1 et d'énergie $\mathscr{E}_1$ heurte une particule au repos de masse m_2. L'énergie totale des deux particules est

$$\mathscr{E} = \mathscr{E}_1 + \mathscr{E}_2 = \mathscr{E}_1 + m_2,$$

et l'impulsion totale $\mathbf{p} = \mathbf{p}_1 + \mathbf{p}_2 = \mathbf{p}_1$. Considérant les deux particules comme un système complexe unique, nous déterminons la vitesse de son mouvement comme un tout conformément à (9,8):

$$\mathbf{V} = \frac{\mathbf{p}}{\mathscr{E}} = \frac{\mathbf{p}_1}{\mathscr{E}_1 + m_2}. \tag{11,4}$$

C'est la vitesse du mouvement du système c relativement au système du laboratoire (système l).

Néanmoins, pour la détermination de la masse inconnue M, point n'est besoin d'effectuer en fait la transformation d'un référentiel à un autre. On n'aura qu'à se servir directement de la formule (9,6), applicable au système complexe aussi bien qu'à chaque particule séparément. De sorte que nous avons:

$$M^2 = \mathscr{E}^2 - p^2 = (\mathscr{E}_1 + m_2)^2 - (\mathscr{E}_1^2 - m_1^2),$$

d'où

$$M^2 = m_1^2 + m_2^2 + 2m_2\mathscr{E}_1. \tag{11,5}$$

Problèmes

1. Une particule animée de la vitesse V se désintègre « en vol » en deux. Trouver la relation entre les angles d'éjection de ces particules et leurs énergies.

Solution. Soient $\mathscr{E}_0$ l'énergie de l'une des particules de désintégration dans le système c (c'est-à-dire que $\mathscr{E}_{10}$ ou $\mathscr{E}_{20}$ est donnée par (11,3)), $\mathscr{E}$ l'énergie de cette particule dans le système l et θ l'angle d'éjection dans le système l (formé avec la direction **V**). Les formules de transformation (9,15) permettent d'écrire:

$$\mathscr{E}_0 = \frac{\mathscr{E} - Vp\cos\theta}{\sqrt{1-V^2}},$$

d'où

$$\cos\theta = \frac{\mathscr{E} - \mathscr{E}_0\sqrt{1-V^2}}{V\sqrt{\mathscr{E}^2 - m^2}}. \tag{1}$$

Tirant de là $\mathscr{E}$ en fonction de $\cos\theta$, nous obtenons une équation du second degré (par rapport à $\mathscr{E}$):

$$\mathscr{E}^2(1 - V\cos\theta) - 2\mathscr{E}\mathscr{E}_0\sqrt{1-V^2} + \mathscr{E}_0^2(1-V^2) + V^2m^2\cos^2\theta = 0, \tag{2}$$

possédant une racine positive (lorsque la vitesse de la particule de désintégration dans le système c est $v_0 > V$) ou deux racines positives (lorsque $v_0 < V$).

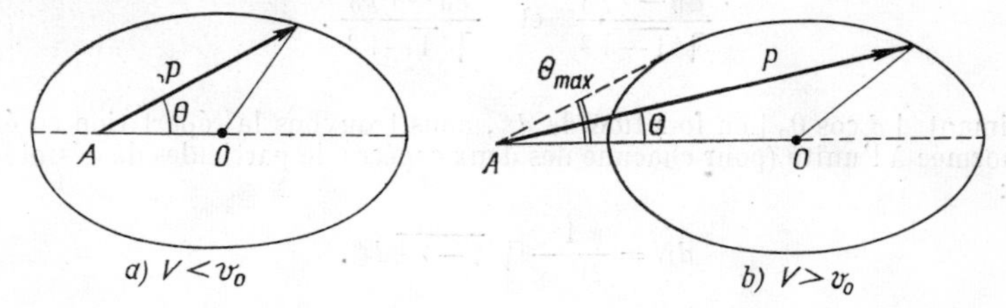

Fig. 3

La construction suivante justifie les deux possibilités indiquées ci-dessus. D'après les formules (9,15), la composante de l'impulsion dans le système l s'exprime en fonction des grandeurs relatives au système c comme suit:

$$p_x = \frac{p_0\cos\theta_0 + \mathscr{E}_0 V}{\sqrt{1-V^2}}, \quad p_y = p_0\sin\theta_0.$$

L'élimination de θ_0 donne:

$$p_y^2 + (p_x\sqrt{1-V^2} - \mathscr{E}_0 V)^2 = p_0^2.$$

C'est, par rapport aux variables p_x et p_y, l'équation d'une ellipse de demi-axes $p_0/\sqrt{1-V^2}$, p_0 et de centre (le point O sur la fig. 3) décalé de $\mathscr{E}_0 V/\sqrt{1-V^2}$ par rapport au point $\mathbf{p} = 0$ (le point A sur la fig. 3) [1].

[1] Dans le cas limite classique, l'ellipse devient un cercle (cf. I § 16).

Lorsque $V > p_0/\mathscr{E}_0 = v_0$, le point A se trouve en dehors de l'ellipse (fig. 3, b) et, pour l'angle θ donné, $\mathbf{p}$ (et avec lui l'énergie $\mathscr{E}$) peut prendre deux valeurs distinctes. La construction montre également que dans ce cas l'angle θ ne peut prendre que des valeurs ne dépassant pas une valeur déterminée θ_{max} (position pour laquelle le vecteur $\mathbf{p}$ est tangent à l'ellipse). Le plus simple est de déterminer θ_{max} analytiquement en annulant le discriminant de l'équation du second degré (2); on trouve:

$$\sin\theta_{max} = \frac{p_0\sqrt{1-V^2}}{mV}.$$

2. Trouver la répartition des particules de désintégration en fonction de leurs énergies dans le système l.

S o l u t i o n. Dans le système c les particules de désintégration sont réparties isotropiquement en directions, c'est-à-dire que la quantité de particules dans l'élément d'angle solide $do_0 = 2\pi \sin\theta_0 d\theta_0$ est

$$dN = \frac{1}{4\pi} do_0 = \frac{1}{2} \mid d\cos\theta_0 \mid. \tag{1}$$

L'énergie dans le système l est liée aux grandeurs relatives au système c par la relation

$$\mathscr{E} = \frac{\mathscr{E}_0 + p_0 V\cos\theta_0}{\sqrt{1-V^2}}$$

et prend les valeurs entre

$$\frac{\mathscr{E}_0 - Vp_0}{\sqrt{1-V^2}} \quad \text{et} \quad \frac{\mathscr{E}_0 + Vp_0}{\sqrt{1-V^2}}.$$

Exprimant $\mid d\cos\theta_0 \mid$ en fonction de $d\mathscr{E}$, nous trouvons la répartition en énergies normée à l'unité (pour chacune des deux espèces de particules de désintégration):

$$dN = \frac{1}{2Vp_0}\sqrt{1-V^2}\, d\mathscr{E}.$$

3. Déterminer l'intervalle des valeurs que peut prendre dans le système l l'angle de deux particules de désintégration (angle sous lequel elles sont projetées) lorsque les particules sont identiques.

S o l u t i o n. Dans le système c les particules sont projetées en sens opposés, de sorte que $\theta_{10} = \pi - \theta_{20} \equiv \theta_0$. Le lien entre les angles dans le système c et le système l est donné en vertu de (5,4) par les formules:

$$\operatorname{ctg}\theta_1 = \frac{v_0\cos\theta_0 + V}{v_0\sin\theta_0\sqrt{1-V^2}}, \qquad \operatorname{ctg}\theta_2 = \frac{-v_0\cos\theta_0 + V}{v_0\sin\theta_0\sqrt{1-V^2}}$$

(dans le cas donné $v_{10} = v_{20} \equiv v_0$). L'angle de dispersion cherché est $\Theta = \theta_1 + \theta_2$; un calcul simple donne:

$$\operatorname{ctg}\Theta = \frac{V^2 - v_0^2 + V^2 v_0^2\sin^2\theta_0}{2Vv_0\sqrt{1-V^2}\sin\theta_0}.$$

L'étude des extrema de cette expression donne les intervalles suivants pour les valeurs possibles de Θ:

$$\text{si } V < v_0: \quad 2 \operatorname{arc\,tg}\left(\frac{v_0}{V}\sqrt{1-V^2}\right) < \Theta < \pi;$$

$$\text{si } v_0 < V < \frac{v_0}{\sqrt{1-v_0^2}}: \quad 0 < \Theta < \arcsin\sqrt{\frac{1-V^2}{1-v_0^2}} < \frac{\pi}{2};$$

$$\text{si } V > \frac{v_0}{\sqrt{1-v_0^2}}: \quad 0 < \Theta < 2 \operatorname{arc\,tg}\left(\frac{v_0}{V}\sqrt{1-V^2}\right) < \frac{\pi}{2}.$$

4. Trouver la distribution angulaire dans le système l des particules de fission de masse nulle.

Solution. Le lien entre les angles de dispersion dans les systèmes c et l pour une particule de masse $m = 0$ est donné, conformément à (5,6), par la formule

$$\cos\theta_0 = \frac{\cos\theta - V}{1 - V\cos\theta}.$$

Substituant cette expression dans la formule (1) du problème 2, il vient:

$$dN = \frac{(1-V^2)\, do}{4\pi\,(1-V\cos\theta)^2}.$$

5. Trouver la distribution angulaire de projection dans le système l lorsqu'il y a désintégration en deux particules de masse nulle.

Solution. Le lien entre les angles de dispersion θ_1, θ_2 dans le système l et les angles $\theta_{10} \equiv \theta_0$, $\theta_{20} = \pi - \theta_0$ dans le système c est donné par les formules (5,6), après quoi on trouve pour l'angle de dispersion $\Theta = \theta_1 + \theta_2$:

$$\cos\Theta = \frac{2V^2 - 1 - V^2\cos^2\theta_0}{1 - V^2\cos^2\theta_0}$$

et inversement

$$\cos\theta_0 = \sqrt{1 - \frac{1-V^2}{V^2}\operatorname{ctg}^2\frac{\Theta}{2}}.$$

Portant cette expression dans la formule (1) du problème 2, on trouve:

$$dN = \frac{1-V^2}{16\pi V}\,\frac{do}{\sin^3\frac{\Theta}{2}\sqrt{V^2 - \cos^2\frac{\Theta}{2}}}.$$

L'angle Θ prend les valeurs de π à $\Theta_{min} = 2 \arccos V$.

6. Déterminer l'énergie maximum que peut emporter une particule de désintégration lorsqu'une particule immobile de masse M se désintègre en trois particules de masses m_1, m_2, m_3.

Solution. La particule m_1 est douée d'un maximum d'énergie lorsque le système des deux autres particules m_2 et m_3 a le minimum de masse; cette dernière somme est égale à $m_2 + m_3$ (cas où ces deux particules se meuvent ensemble à la même vitesse). Ramenant ainsi le problème à la fission d'un corps en deux parties, on trouve, conformément à (11,3):

$$\mathscr{E}_{1\max} = \frac{M^2 + m_1^2 - (m_2 + m_3)^2}{2M}.$$

§ 12. Section invariante

On sait que divers processus de diffusion sont caractérisés par leurs *sections efficaces* (ou simplement *sections*), lesquelles déterminent le nombre de collisions dans deux faisceaux de particules.

Soient deux faisceaux en collision ; soient n_1 et n_2 les densités des particules dans ces faisceaux (savoir le nombre de particules dans l'unité de volume), et $\mathbf{v}_1$ et $\mathbf{v}_2$ les vitesses des particules. Dans le référentiel où les particules *2* sont au repos (dit encore laconiquement *référentiel de repos* des particules *2*) nous avons affaire à la collision du faisceau de particules *1* avec une cible fixe. Alors, en vertu de la définition générale de la section σ, le nombre de collisions produites dans le volume dV et le temps dt est

$$d\nu = \sigma v_{\text{rel}} n_1 n_2 \, dV \, dt,$$

v_{rel} étant la grandeur de la vitesse des particules *1* dans le référentiel de repos des particules *2* (c'est précisément ainsi qu'on définit en Relativité la vitesse relative de deux particules).

De par son essence même, le nombre $d\nu$ est une quantité invariante. Proposons-nous de l'écrire sous une forme valable quel que soit le référentiel :

$$d\nu = A n_1 n_2 \, dV \, dt, \tag{12,1}$$

A étant une quantité à déterminer, dont on sait qu'elle vaut $v_{\text{rel}}\sigma$ dans le référentiel de repos d'une des particules. Nous entendrons toujours qu'alors σ est précisément la section dans le référentiel de repos d'une des particules, que c'est donc, par définition, une quantité invariante. Par définition est aussi invariante la vitesse relative v_{rel}.

Dans (12,1) le produit $dV\,dt$ est invariant. Il en sera donc de même du produit An_1n_2.

On trouve facilement la loi de transformation de la densité des particules n en notant l'invariance du nombre de particules $n\,dV$ dans l'élément de volume donné dV. Ecrivant $n\,dV = n_0\,dV_0$ (l'indice 0 indique le référentiel de repos des particules) et utilisant la formule (4,6) pour la transformation du volume, on trouve

$$n = \frac{n_0}{\sqrt{1-v^2}}, \tag{12,2}$$

ou $n = n_0\mathscr{E}/m$, $\mathscr{E}$ étant l'énergie, et m la masse des particules.

Ceci étant, l'affirmation que le produit An_1n_2 est invariant équivaut à l'invariance de $A\mathscr{E}_1\mathscr{E}_2$. Il est plus commode de mettre cette condition sous la forme

$$A\frac{\mathscr{E}_1\mathscr{E}_2}{p_{1i}p_2^i} = A\frac{\mathscr{E}_1\mathscr{E}_2}{\mathscr{E}_1\mathscr{E}_2 - \mathbf{p}_1\mathbf{p}_2} = \text{inv} \tag{12,3}$$

avec au dénominateur un invariant — le produit des 4-impulsions des deux particules.

Dans le référentiel de repos des particules *2* on a $\mathscr{E}_2 = m_2$, $\mathbf{p}_2 = 0$, de sorte que l'invariant (12,3) se réduit à A. Par ailleurs, dans ce référentiel $A = \sigma v_{\text{rel}}$. On a donc quel que soit le référentiel :

$$A = \sigma v_{\text{rel}} \frac{p_{1i} p_2^i}{\mathscr{E}_1 \mathscr{E}_2}. \tag{12,4}$$

Pour mettre cette expression sous sa forme définitive, exprimons v_{rel} en fonction des impulsions ou des vitesses des particules dans un référentiel quelconque. Notons à cet effet que, dans le référentiel de repos d'une particule *2*, est invariant

$$p_{1i} p_2^i = \frac{m_1}{\sqrt{1 - v_{\text{rel}}^2}} m_2.$$

D'où

$$v_{\text{rel}} = \sqrt{1 - \frac{m_1^2 m_2^2}{(p_{1i} p_2^i)^2}}. \tag{12,5}$$

Exprimant la quantité $p_{1i} p_2^i = \mathscr{E}_1 \mathscr{E}_2 - \mathbf{p}_1 \mathbf{p}_2$ d'après les vitesses $\mathbf{v}_1$ et $\mathbf{v}_2$ à l'aide de (9,1) et (9,4) :

$$p_{1i} p_2^i = m_1 m_2 \frac{1 - \mathbf{v}_1 \mathbf{v}_2}{\sqrt{(1 - v_1^2)(1 - v_2^2)}}$$

et substituant dans (12,5), on obtient après des transformations simples l'expression suivante pour la vitesse relative :

$$v_{\text{rel}} = \frac{\sqrt{(\mathbf{v}_1 - \mathbf{v}_2)^2 - (\mathbf{v}_1 \times \mathbf{v}_2)^2}}{1 - \mathbf{v}_1 \mathbf{v}_2} \tag{12,6}$$

(notons que cette expression est symétrique par rapport à $\mathbf{v}_1$ et $\mathbf{v}_2$, c'est-à-dire que la grandeur de la vitesse relative est indépendante de la particule à laquelle elle est rapportée).

Substituant (12,5) ou (12,6) dans (12,4), puis dans (12,1), on obtient les formules définitives :

$$d\nu = \sigma \frac{\sqrt{(p_{1i} p_2^i)^2 - m_1^2 m_2^2}}{\mathscr{E}_1 \mathscr{E}_2} n_1 n_2 \, dV \, dt \tag{12,7}$$

ou

$$d\nu = \sigma \sqrt{(\mathbf{v}_1 - \mathbf{v}_2)^2 - (\mathbf{v}_1 \times \mathbf{v}_2)^2} \, n_1 n_2 \, dV \, dt \tag{12,8}$$

(*W. Pauli*, 1933).

Si les vitesses $\mathbf{v}_1$ et $\mathbf{v}_2$ sont portées par une même droite, on a $\mathbf{v}_1 \times \mathbf{v}_2 = 0$, et la formule (12,8) devient :

$$d\nu = \sigma \, | \mathbf{v}_1 - \mathbf{v}_2 | \, n_1 n_2 \, dV \, dt. \tag{12,9}$$

Problème

Trouver l'« élément de longueur » dans l'« espace des vitesses » relativiste.

Solution. L'« élément de longueur » cherché dl_v représente la vitesse relative de deux points de vitesses $\mathbf{v}$ et $\mathbf{v} + d\mathbf{v}$. Aussi déduit-on de (12,6)

$$dl_v^2 = \frac{(d\mathbf{v})^2 - (\mathbf{v} \times d\mathbf{v})^2}{(1-v^2)^2} = \frac{dv^2}{(1-v^2)^2} + \frac{v^2}{(1-v^2)^2}(d\theta^2 + \sin^2\theta\, d\varphi^2),$$

θ, φ étant l'angle polaire et l'azimut de la direction de $\mathbf{v}$. Si l'on introduit au lieu de v la nouvelle variable χ en vertu de l'égalité $v = \operatorname{th}\chi$, l'élément de longueur devient :

$$dl_v^2 = d\chi^2 + \operatorname{sh}^2\chi\,(d\theta^2 + \sin^2\theta\, d\varphi^2).$$

Au point de vue géométrique, c'est l'élément de longueur dans l'espace de Lobatchevsky à trois dimensions — dans l'espace à courbure constante négative [cf. (107,12)].

§ 13. Collisions élastiques de particules

Envisageons, au point de vue de la mécanique relativiste, la *collision élastique* de particules. Soient $\mathbf{p}_1$, $\mathscr{E}_1$ et $\mathbf{p}_2$, $\mathscr{E}_2$ les impulsions et les énergies de deux particules d'impact (de masses m_1 et m_2) ; les valeurs des grandeurs après la collision seront accentuées.

Les lois de conservation de l'énergie et de l'impulsion lors de la collision peuvent s'écrire ensemble sous forme d'équation de conservation de la 4-impulsion :

$$p_1^i + p_2^i = p_1'^i + p_2'^i. \tag{13,1}$$

Formons à partir de cette équation quadrivectorielle les relations invariantes commodes pour les calculs à suivre. A cet effet, recopions (13,1) sous la forme :

$$p_1^i + p_2^i - p_1'^i = p_2'^i$$

et élevons au carré les deux membres de l'égalité (c'est-à-dire écrivons leurs carrés scalaires). Notons que les carrés des 4-impulsions p_1^i et $p_1'^i$ sont égaux à m_1^2, et que ceux de p_2^i et $p_2'^i$, à m_2^2, on obtient :

$$m_1^2 + p_{1i}p_2^i - p_{1i}p_1'^i - p_{2i}p_1'^i = 0. \tag{13,2}$$

De même, élevant au carré l'égalité $p_1^i + p_2^i - p_2'^i = p_1'^i$, il vient :

$$m_2^2 + p_{1i}p_2^i - p_{2i}p_2'^i - p_{1i}p_2'^i = 0. \tag{13,3}$$

Considérons la collision dans le référentiel [système l (système du laboratoire)] où avant la collision l'une des particules (la particule m_1) était au repos. Alors $\mathbf{p}_2 = 0$, $\mathscr{E}_2 = m_2$ et les produits scalaires figurant dans (13,2) valent :

$$p_{1i}p_2^i = \mathcal{E}_1 m_2, \qquad p_{2i}p_1'^i = m_2\mathcal{E}_1',$$
$$p_{1i}p_1'^i = \mathcal{E}_1\mathcal{E}_1' - \mathbf{p}_1\mathbf{p}_1' = \mathcal{E}_1\mathcal{E}_1' - p_1p_1'\cos\theta_1, \tag{13,4}$$

θ_1 étant l'angle de diffusion de la particule incidente m_2. Substituant ces expressions dans (13,2), on obtient :

$$\cos\theta_1 = \frac{\mathcal{E}_1'(\mathcal{E}_1+m_2) - \mathcal{E}_1 m_2 - m_1^2}{p_1p_1'}. \tag{13,5}$$

On déduit de même de (13,3) :

$$\cos\theta_2 = \frac{(\mathcal{E}_1+m_2)(\mathcal{E}_2'-m_2)}{p_1p_2'}, \tag{13,6}$$

θ_2 étant l'angle formé par l'impulsion de recul $\mathbf{p}_2'$ avec celle de la particule incidente $\mathbf{p}_1$.

Les formules (13,5-6) relient les angles de diffusion des deux particules dans le système l avec les variations de leur énergie lors des collisions. Inversant ces formules, on peut exprimer les énergies $\mathcal{E}_1'$, $\mathcal{E}_2'$ en fonction de θ_1 ou θ_2. Ainsi, substituant dans (13,6) $p_1 = \sqrt{\mathcal{E}_1^2 - m_1^2}$, $p_2' = \sqrt{\mathcal{E}_2'^2 - m_2^2}$ et élevant l'égalité au carré, on obtient après un calcul simple :

$$\mathcal{E}_2' = m_2\frac{(\mathcal{E}_1+m_2)^2 + (\mathcal{E}_1^2 - m_1^2)\cos^2\theta_2}{(\mathcal{E}_1+m_2)^2 - (\mathcal{E}_1^2 - m_1^2)\cos^2\theta_2}. \tag{13,7}$$

Quant à l'inversion de la formule (13,5), elle conduit dans le cas général à une expression très lourde de $\mathcal{E}_1'$ en fonction de θ_1.

Notons que si $m_1 > m_2$, c'est-à-dire si la particule incidente est plus lourde que la particule au repos, l'angle de diffusion θ_1 ne saurait être supérieur à une certaine valeur maximum. Par un calcul élémentaire on trouve facilement que cette valeur est déterminée par l'égalité

$$\sin\theta_{1\max} = \frac{m_2}{m_1}, \tag{13,8}$$

qui n'est rien d'autre qu'un résultat classique connu.

Les formules (13,5-6) se simplifient lorsque la particule incidente est de masse nulle : $m_1 = 0$ et respectivement $p_1 = \mathcal{E}_1$, $p_1' = \mathcal{E}_1'$. Ecrivons pour ce cas la formule de l'énergie de la particule incidente après collision, en fonction de son angle de déviation :

$$\mathcal{E}_1' = \frac{m_2}{1-\cos\theta_1 + \frac{m_2}{\mathcal{E}_1}}. \tag{13,9}$$

Revenons encore au cas général de la collision de particules de masses quelconques. La collision se présente le plus simplement dans le référentiel du centre d'inertie, dit système c. Spécifiant les valeurs des grandeurs dans ce système par l'indice supplémentaire 0, on a ici $\mathbf{p}_{10} = -\mathbf{p}_{20} \equiv \mathbf{p}_0$. En vertu de la conservation de l'impulsion, les impulsions des deux particules ne font que tourner lors de la collision, restant de grandeurs égales et de directions opposées. La conservation de l'énergie, elle, stipule que les valeurs absolues de chacune des impulsions restent invariables.

Soit χ l'angle de diffusion dans le système c, dont tournent par collision les impulsions $\mathbf{p}_{10}$ et $\mathbf{p}_{20}$. Cette grandeur détermine complètement le processus de diffusion dans le système du centre d'inertie, et par conséquent dans tout autre référentiel. Elle est aussi tout indiquée pour la description de la collision dans le système l comme l'unique paramètre qui reste indéterminé après la considération des lois de conservation de l'énergie et de l'impulsion.

Exprimons en fonction de ce paramètre les énergies finales des deux particules dans le système l. Revenons pour cela à la relation (13,2), mais développant cette fois-ci le produit $p_{1i}p_1'^i$ dans le système c:

$$p_{1i}p_1'^i = \mathscr{E}_{10}\mathscr{E}_{10}' - \mathbf{p}_{10}\mathbf{p}_{10}' = \mathscr{E}_{10}^2 - p_0^2 \cos\chi = p_0^2(1-\cos\chi) + m_1^2$$

(dans le système c l'énergie de chacune des particules ne varie pas lors de la collision: $\mathscr{E}_{10}' = \mathscr{E}_{10}$). Pour ce qui est des deux autres produits, nous les développerons, comme auparavant, dans le système l, c'est-à-dire que nous les prendrons dans (13,4). On trouve finalement:

$$\mathscr{E}_1' - \mathscr{E}_1 = -\frac{p_0^2}{m_2}(1-\cos\chi).$$

Reste à exprimer p_0^2 en fonction des quantités relatives au système l. On y arrive sans peine en égalant les valeurs de l'invariant $p_{1i}p_2^i$ dans les systèmes c et l:

$$\mathscr{E}_{10}\mathscr{E}_{20} - \mathbf{p}_{10}\mathbf{p}_{20} = \mathscr{E}_1 m_2$$

ou

$$\sqrt{(p_0^2+m_1^2)(p_0^2+m_2^2)} = \mathscr{E}_1 m_2 - p_0^2.$$

Résolvant cette équation par rapport à p_0^2, on obtient:

$$p_0^2 = \frac{m_2^2(\mathscr{E}_1^2 - m_1^2)}{m_1^2 + m_2^2 + 2m_2\mathscr{E}_1}. \tag{13,10}$$

De cette façon, on a en définitive:

$$\mathscr{E}_1' = \mathscr{E}_1 - \frac{m_2(\mathscr{E}_1^2 - m_1^2)}{m_1^2 + m_2^2 + 2m_2\mathscr{E}_1}(1-\cos\chi). \tag{13,11}$$

L'énergie de la deuxième particule se déduit de la loi de conservation: $\mathscr{E}_1 + m_2 = \mathscr{E}_1' + \mathscr{E}_2'$. De sorte que

$$\mathscr{E}_2' = m_2 + \frac{m_2(\mathscr{E}_1^2 - m_1^2)}{m_1^2 + m_2^2 + 2m_2\mathscr{E}_1}(1-\cos\chi). \tag{13,12}$$

Les seconds termes dans ces formules représentent l'énergie perdue par la première particule et récupérée par la deuxième. Le transfert maximum d'énergie s'obtient pour $\chi = \pi$ et vaut :

$$\mathscr{E}'_{2\max} - m_2 = \mathscr{E}_1 - \mathscr{E}'_{1\min} = \frac{2m_2(\mathscr{E}_1^2 - m_1^2)}{m_1^2 + m_2^2 + 2m_2\mathscr{E}_1} . \tag{13,13}$$

Le rapport de l'énergie cinétique minimum de la particule incidente après choc à son énergie cinétique initiale s'écrit :

$$\frac{\mathscr{E}'_{1\min} - m_1}{\mathscr{E}_1 - m_1} = \frac{(m_1 - m_2)^2}{m_1^2 + m_2^2 + 2m_2\mathscr{E}_1} . \tag{13,14}$$

Dans le cas limite des vitesses petites (lorsque $\mathscr{E} \approx m + mv^2/2$) ce rapport tend vers une limite constante égale à

$$\left(\frac{m_1 - m_2}{m_1 + m_2}\right)^2 .$$

Dans le cas limite inverse des grandes énergies $\mathscr{E}_1$ le rapport (13,14) tend vers zéro ; la quantité $\mathscr{E}'_{1\min}$ elle-même tend vers une limite constante, qui vaut

$$\mathscr{E}'_{1\min} = \frac{m_1^2 + m_2^2}{2m_2} .$$

Supposons $m_2 \gg m_1$, c'est-à-dire la masse de la particule incidente petite devant celle de la particule au repos. Aux termes de la mécanique classique, la particule légère ne pourrait communiquer qu'une infime partie de son énergie à la particule lourde (cf. I § 17). Il en va tout autrement en Relativité. La formule (13,14) montre que pour des énergies $\mathscr{E}_1$ suffisamment grandes la part d'énergie transmise peut être de l'ordre de l'unité. Mais il ne suffit pas pour cela que la vitesse de la particule m_1 soit de l'ordre de l'unité, mais il faut, il est facile de le voir, des énergies

$$\mathscr{E}_1 \sim m_2,$$

c'est-à-dire que la particule légère doit posséder une énergie de l'ordre de l'énergie de repos de la particule lourde.

La situation est analogue pour $m_2 \ll m_1$, c'est-à-dire lorsque l'incidente est la particule lourde. Ici encore, aux termes de la mécanique classique, seule une énergie infime serait communiquée. La part de l'énergie communiquée ne devient importante qu'à partir des énergies

$$\mathscr{E}_1 \sim \frac{m_1^2}{m_2} .$$

Notons qu'ici encore il ne s'agit pas simplement de vitesses de l'ordre de celle de la lumière, mais d'énergies grandes devant m_1, c'est-à-dire du cas ultrarelativiste.

Problèmes

1. Sur la fig. 4, le triangle ABC est formé par le vecteur impulsion $\mathbf{p}_1$ de la particule incidente et par les impulsions $\mathbf{p}_1'$, $\mathbf{p}_2'$ des deux particules après la collision. Trouver le lieu géométrique des points C correspondant à toutes les valeurs possibles de $\mathbf{p}_1'$, $\mathbf{p}_2'$.

S o l u t i o n. La courbe cherchée est une ellipse, dont on peut calculer les demi-axes au moyen des formules établies au problème 1 du paragraphe 11.

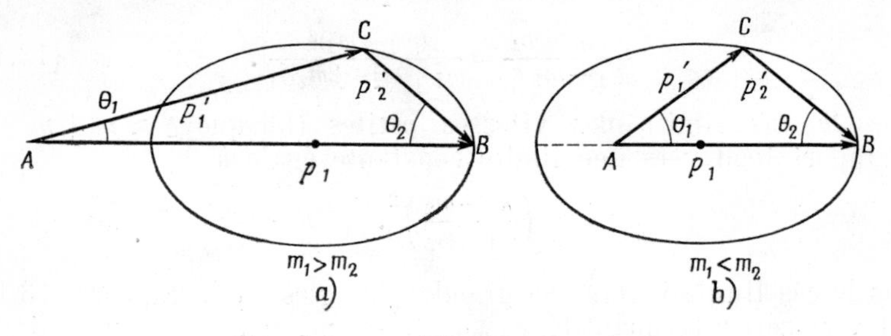

Fig. 4

En effet, la construction que nous y avons faite était la détermination du lieu géométrique des extrémités des vecteurs $\mathbf{p}$ dans le système l, déduits de vecteurs $\mathbf{p}_0$ arbitrairement orientés, de longueur donnée p_0 dans le système c.

Considérant que les intensités des impulsions des particules sont identiques dans le système c et ne changent pas lors de la collision, nous avons affaire dans notre cas à une construction analogue à celle du vecteur p_1' pour lequel on a dans le système c

$$p_0 \equiv p_{10} = p_{20} = \frac{m_2 V}{\sqrt{1-V^2}},$$

V étant la vitesse de la particule m_2 dans le système l, coïncidant, quant à sa grandeur, avec la vitesse du centre d'inertie, laquelle vaut $V = p_1/(\mathscr{E}_1 + m_2)$ [cf. (11,4)]. On trouve finalement pour le petit et le grand demi-axe de l'ellipse:

$$p_0 = \frac{m_2 p_1}{\sqrt{m_1^2 + m_2^2 + 2m_2\mathscr{E}_1}},$$

$$\frac{p_0}{\sqrt{1-V^2}} = \frac{m_2 p_1 (\mathscr{E}_1 + m_2)}{m_1^2 + m_2^2 + 2m_2\mathscr{E}_1}$$

[la première de ces expressions coïncide évidemment avec (13,10)].

Pour $\theta_1 = 0$, le vecteur $\mathbf{p}_1'$ coïncide avec $\mathbf{p}_1$, de sorte que la distance AB est égale à p_1. Comparant p_1 au grand axe de l'ellipse, on voit aisément que le point A se trouve en dehors de l'ellipse si $m_1 > m_2$ (fig. 4, a), et à l'intérieur si $m_1 < m_2$ (fig. 4, b).

2. Déterminer l'angle minimum de diffusion $\Theta_{\min}$ après collision de deux particules de masses identiques ($m_1 = m_2 \equiv m$).

S o l u t i o n. Pour $m_1 = m_2$, le point A du diagramme se trouve sur l'ellipse, et l'angle minimum de diffusion est obtenu lorsque C se trouve à l'extrémité du petit axe (fig. 5). Il résulte évidemment de la construction que tg ($\Theta_{min}/2$) est donnée par le rapport des demi-axes:

$$\operatorname{tg}\frac{\Theta_{\min}}{2}=\sqrt{\frac{2m}{\mathscr{E}_1+m}},$$

ou bien

$$\cos\Theta_{\min}=\frac{\mathscr{E}_1-m}{\mathscr{E}_1+3m}.$$

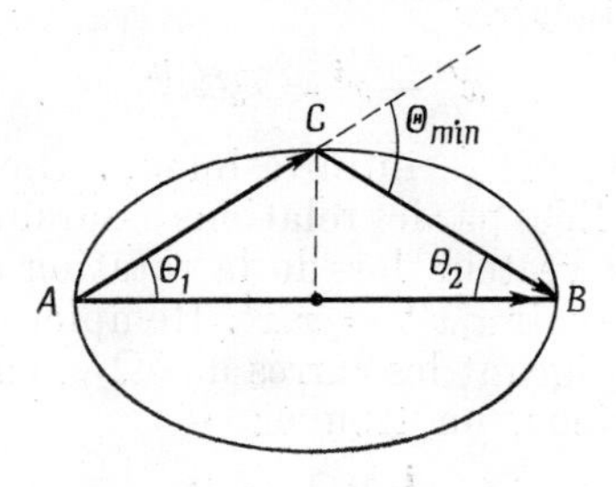

Fig. 5

3. Envisageant la collision de deux particules de même masse m, exprimer $\mathscr{E}_1'$, $\mathscr{E}_2'$, χ en fonction de l'angle de diffusion θ_1 dans le système l.

Solution. On obtient dans ce cas par inversion de la formule (13,5):

$$\mathscr{E}_1'=\frac{(\mathscr{E}_1+m)+(\mathscr{E}_1-m)\cos^2\theta_1}{(\mathscr{E}_1+m)-(\mathscr{E}_1-m)\cos^2\theta_1},$$

$$\mathscr{E}_2'=m+\frac{(\mathscr{E}_1^2-m^2)\sin^2\theta_1}{2m+(\mathscr{E}_1-m)\sin^2\theta_1}.$$

Comparant avec l'expression de $\mathscr{E}_1'$ en fonction de χ:

$$\mathscr{E}_1'=\mathscr{E}_1-\frac{\mathscr{E}_1-m}{2}(1-\cos\chi),$$

on trouve l'angle de diffusion dans le système c:

$$\cos\chi=\frac{2m-(\mathscr{E}_1+3m)\sin^2\theta_1}{2m+(\mathscr{E}_1+m)\sin^2\theta_1}.$$

§ 14. Moment cinétique

On sait de la mécanique classique que pour système fermé, outre l'énergie et l'impulsion, est aussi conservé le moment cinétique, c'est-à-dire le vecteur

$$\mathbf{M}=\sum\mathbf{r}\times\mathbf{p}$$

(**r** et **p** sont le rayon vecteur et l'impulsion de la particule; la sommation est étendue à toutes les particules constituant le système). La conservation du moment est due à ce que, en vertu de l'isotropie de l'espace, la fonction de Lagrange est invariante par rapport aux rotations du système tout entier.

Un raisonnement analogue dans le 4-espace nous fournit l'expression du moment en Relativité. Soient x^i les coordonnées d'une des particules du système. Faisons une rotation infinitésimale dans l'espace à 4 dimensions. Dans cette transformation, les nouvelles valeurs des coordonnées x'^i sont telles que les différences $x'^i - x^i$ sont des fonctions linéaires

$$x'^i - x^i = x_k \delta\Omega^{ik} \tag{14,1}$$

avec des coefficients $\delta\Omega_{ik}$ infinitésimaux. Les composantes du 4-tenseur $\delta\Omega_{ik}$ sont liées par les relations assurant l'invariance de la longueur du 4-rayon vecteur lors de la rotation de l'espace, c'est-á-dire que l'on doit avoir $x'_i x'^i = x_i x^i$. Remplaçant x'^i par sa valeur tirée de (14,1) et négligeant les carrés de $\delta\Omega_{ik}$, en tant qu'infiniment petits d'ordre supérieur, on trouve :

$$x^i x^k \delta\Omega_{ik} = 0.$$

On doit avoir là une identité en x^i. Etant donné que $x^i x^k$ est un tenseur symétrique, les $\delta\Omega_{ik}$ doivent former un tenseur antisymétrique (le produit contracté d'un tenseur symétrique par un tenseur antisymétrique étant identiquement nul). De sorte que

$$\delta\Omega_{ki} = -\delta\Omega_{ik}. \tag{14,2}$$

La variation δS de l'action S lorsque les coordonnées varient infiniment peu est [cf. (9,11)] :

$$\delta S = \sum p^i \delta x_i$$

(la sommation est étendue à toutes les particules du système). Dans le cas envisagé de la rotation des axes, nous avons $\delta x_i = \delta\Omega_{ik} x^k$; il en résulte que

$$\delta S = \delta\Omega_{ik} \sum p^i x^k.$$

Si l'on décompose le tenseur $\sum p^i x^k$ en ses parties symétrique et antisymétrique, la première s'annule identiquement après multiplication par le tenseur antisymétrique. Donc, distinguant dans $\sum p^i x^k$ la partie antisymétrique, nous pouvons écrire l'égalité précédente sous la forme :

$$\delta S = \delta\Omega_{ik} \frac{1}{2} \sum (p^i x^k - p^k x^i). \tag{14,3}$$

Pour un système fermé, en vertu de l'isotropie de l'espace et du temps, la fonction de Lagrange ne change pas lors de la rotation du 4-espace, c'est-à-dire que les paramètres $\delta\Omega_{ik}$ de cette rotation sont des coordonnées cycliques. C'est pourquoi les impulsions généralisées sont conservées. Ces impulsions sont représentées par $\partial S/\partial\Omega_{ik}$. On tire de (14,3):

$$\frac{\partial S}{\partial\Omega_{ik}}=\frac{1}{2}\sum(p^ix^k-p^kx^i).$$

Nous en concluons, pour un système fermé, la conservation du tenseur

$$M^{ik}=\sum(x^ip^k-x^kp^i). \qquad (14,4)$$

Ce tenseur antisymétrique est dit 4-tenseur *moment*.

Les composantes spatiales du tenseur moment coïncident avec les composantes du vecteur moment tridimensionnel $\mathbf{M}=\sum\mathbf{r}\times\mathbf{p}$:

$$M^{23}=M_x, \quad -M^{13}=M_y, \quad M^{12}=M_z.$$

Pour ce qui est de M^{01}, M^{02}, M^{03}, elles forment le vecteur $\sum(t\mathbf{p}-\mathscr{E}\mathbf{r}/c^2)$. Ainsi donc, on peut écrire M^{ik} sous la forme:

$$M^{ik}=\left(\sum\left(t\mathbf{p}-\frac{\mathscr{E}\mathbf{r}}{c^2}\right),\ -\mathbf{M}\right). \qquad (14,5)$$

[cf. (6,10)].

En vertu de la conservation de M^{ik} pour un système fermé nous avons notamment

$$\sum\left(t\mathbf{p}-\frac{\mathscr{E}\mathbf{r}}{c^2}\right)=\text{const}.$$

Comme, par ailleurs, l'énergie totale $\sum\mathscr{E}$ est aussi conservée, on peut recopier cette égalité sous la forme:

$$\frac{\sum\mathscr{E}\mathbf{r}}{\sum\mathscr{E}}-t\frac{c^2\sum\mathbf{p}}{\sum\mathscr{E}}=\text{const}.$$

Ceci montre que le point de rayon vecteur

$$\mathbf{R}=\frac{\sum\mathscr{E}\mathbf{r}}{\sum\mathscr{E}} \qquad (14,6)$$

se meut d'un mouvement uniforme avec la vitesse

$$\mathbf{V}=\frac{c^2\sum\mathbf{p}}{\sum\mathscr{E}}, \qquad (14,7)$$

qui n'est pas autre chose que la vitesse d'ensemble du système [correspondant, d'après la formule (9,8), à son énergie et à son impulsion totales]. La formule (14,6) donne la définition relativiste des coordonnées du *centre d'inertie* du système. Si les vitesses de toutes les particules sont petites par rapport à c, on peut poser approximativement $\mathscr{E} \approx mc^2$, et (14,6) devient alors l'expression classique [1]

$$\mathbf{R} = \frac{\sum m\mathbf{r}}{\sum m}.$$

Notons que les composantes de (14,6) ne constituent pas les composantes spatiales d'un quadrivecteur quelconque, et donc dans un changement de référentiel ne se transforment pas comme les coordonnées d'un point. Aussi bien le centre d'inertie d'un système de particules est-il représenté dans différents référentiels par des points différents.

Problème

Trouver le lien entre le moment cinétique $\mathbf{M}$ d'un corps (d'un système de particules) dans un référentiel K où il se meut avec la vitesse $\mathbf{V}$, et son moment $\mathbf{M}^{(0)}$ dans un référentiel K_0 où il est au repos dans son ensemble ; dans les deux cas le moment est défini par rapport à un même point — par rapport au centre d'inertie du corps dans le système K_0[2].

Solution. K_0 se meut par rapport à K avec la vitesse $\mathbf{V}$; confondons l'axe des x avec cette vitesse. Les composantes de M^{ik} qui nous intéressent se transforment suivant les formules (cf. prob. 2 § 6) :

$$M^{12} = \frac{M^{(0)12} + \frac{V}{c} M^{(0)02}}{\sqrt{1 - \frac{V^2}{c^2}}}, \quad M^{13} = \frac{M^{(0)13} + \frac{V}{c} M^{(0)03}}{\sqrt{1 - \frac{V^2}{c^2}}}, \quad M^{23} = M^{(0)23}.$$

L'origine des coordonnées étant choisie au centre d'inertie du corps (dans K_0), dans ce référentiel $\Sigma \mathscr{E}\mathbf{r} = 0$, et puisqu'on y a aussi $\Sigma \mathbf{p} = 0$, on déduit que $M^{(0)\,02} = M^{(0)\,03} = 0$. Eu égard au lien entre les composantes de M^{ik} et de $\mathbf{M}$, on trouve pour ce dernier :

$$M_x = M_x^{(0)}, \quad M_y = \frac{M_y^{(0)}}{\sqrt{1 - \frac{V^2}{c^2}}}, \quad M_z = \frac{M_z^{(0)}}{\sqrt{1 - \frac{V^2}{c^2}}}.$$

---

[1] Alors que la formule classique pour le centre d'inertie convient aussi bien à des systèmes de particules se trouvant ou non en interaction, la formule (14,6) n'est valable qu'abstraction faite de l'interaction. En mécanique relativiste, la définition du centre d'inertie d'un système de particules en interaction fait intervenir explicitement en outre l'impulsion et l'énergie du champ qu'elles créent.

[2] Rappelons que, bien que dans K_0 (où $\Sigma \mathbf{p} = 0$) le moment cinétique ne dépende pas du choix du point auquel il est rapporté, dans K (où $\Sigma \mathbf{p} \neq 0$) le moment dépend de ce choix (cf. I § 9).

CHAPITRE III

CHARGE DANS UN CHAMP ÉLECTROMAGNÉTIQUE

§ 15. Les particules élémentaires en Relativité

On peut décrire l'interaction de particules en faisant appel à la notion de *champ* de forces. Ainsi, au lieu de dire que telle particule agit sur telle autre, on peut dire qu'elle crée un champ ; toute autre particule se trouvant dans ce champ sera soumise à une certaine force. En mécanique classique, le champ n'est qu'un moyen de description du phénomène d'interaction des particules. En Relativité, par contre, étant donné que la vitesse de propagation des interactions est finie, l'état de choses change essentiellement. Les forces agissant à l'instant donné sur une particule ne sont pas définies par la position des particules en présence à cet instant. C'est seulement au bout d'un certain laps de temps que le changement de la position de l'une des particules produit un effet sur les autres. Cela signifie que le champ devient une réalité physique intrinsèque. On ne saurait parler d'interaction directe de particules distantes les unes des autres. Une interaction ne peut avoir lieu à tout instant qu'entre deux points voisins de l'espace (action immédiate). C'est pourquoi nous devons parler de l'interaction d'une particule avec le champ et de l'interaction consécutive du champ avec une autre particule.

Nous examinerons deux espèces de champs : des champs de gravitation et des champs électromagnétiques. Les chapitres X, XI et XII sont consacrés aux champs de gravitation. Dans les autres chapitres nous examinerons exclusivement les champs électromagnétiques.

Nous commencerons l'étude des interactions entre particules et champ électromagnétique par des considérations générales sur la notion de « particule » en mécanique relativiste.

En mécanique classique, on peut utiliser la notion de corps solide absolu, c'est-à-dire de corps indéformable en n'importe quelle condition. En Relativité, par corps solides absolus on devrait entendre des corps dont toutes les dimensions seraient invariables dans le référentiel où ils sont au repos. Toutefois, il est facile de voir qu'il ne peut exister en Relativité de corps solides absolus.

Considérons, par exemple, un disque tournant autour de son axe et supposons que ce soit un solide absolu. Il est bien entendu que le référentiel qui lui est lié n'est pas d inertie. Toutefois, il est possible d'attacher à chaque petit élément du disque un référentiel d'inertie par rapport auquel cet élément serait au repos à l'instant considéré; pour divers éléments, animés de vitesses diverses, ces référentiels seront certainement distincts. Considérons un rayon arbitraire du disque comme constitué par de petits segments. Etant donné que le disque est absolument solide, les longueurs de ces segments dans leurs référentiels d'inertie respectifs sont les mêmes que pour le disque immobile. Ce sont ces longueurs que mesurerait un observateur immobile à l'instant où le rayon passe devant lui, car chaque segment est perpendiculaire à la vitesse de ses points, ce qui exclut une contraction de Lorentz. Il s'ensuit que la longueur du rayon tout entier, mesuré par l'observateur comme la somme de ses segments constituants, serait aussi celle du rayon du disque immobile. Par ailleurs, les éléments d'arc de la circonférence passant à l'instant donné devant l'observateur immobile sont altérés par la contraction de Lorentz, de sorte que la longueur de la circonférence tout entière (reconstituée par l'observateur comme la somme de ses éléments d'arc) est plus petite que la longueur de la circonférence du disque immobile. Nous sommes conduits à ce résultat que, pendant la rotation du disque, le rapport de la longueur de sa circonférence à son rayon (mesuré par un observateur immobile) devrait être autre que 2π. La contradiction de ce résultat par rapport à l'hypothèse prouve qu'en réalité le disque ne peut être absolument solide et qu'il est nécessairement l'objet d'une déformation complexe, dépendant des propriétés du matériau dont il est constitué.

On peut s'assurer autrement encore de l'inexistence de corps solides absolus. Admettons qu'un corps solide quelconque soit mis en mouvement par une cause extérieure agissant en un de ses points. Si le corps était absolument solide, tous ses points entreraient en mouvement en même temps que celui qui a été soumis à l'action; sinon, il se déformerait. Mais c'est impossible d'après la Relativité, car l'action à laquelle est soumis un point ne se propage qu'avec une vitesse finie, ce qui prouve que tous les points ne peuvent s'ébranler en même temps.

Ce qui vient d'être dit permet de tirer certaines conclusions relatives aux particules *élémentaires*, c'est-à-dire des particules dont l'état mécanique peut être complètement décrit par trois coordonnées et trois composantes de la vitesse du mouvement d'ensemble. Il est évident que si une particule élémentaire avait des dimensions finies, c'est-à-dire si elle était étendue, elle ne pourrait se déformer, car la notion de déformation est liée à la possibilité de mouvement indépendant des diverses parties d'un corps. Mais, comme nous venons de le voir, la Relativité n'admet pas l'existence de corps solides absolus.

Ainsi, en mécanique relativiste classique (non quantique) on ne peut attribuer de dimensions finies aux particules élémentaires. En d'autres termes, dans le cadre de la théorie classique, les particules élémentaires doivent être considérées comme ponctuelles [1].

§ 16. Quadripotentiel du champ

L'action d'une particule se mouvant dans un champ électromagnétique donné est composée de deux parties: de l'action (8,1) de la particule libre et d'un terme décrivant l'interaction de la particule avec le champ. Ce dernier doit contenir aussi bien les grandeurs caractérisant la particule que celles caractérisant le champ.

Il apparaît [2] que les propriétés de la particule sont définies, en ce qui concerne son interaction avec le champ, par un seul paramètre, appelé *charge* e de la particule, pouvant être positif, négatif ou nul. Les propriétés du champ, elles, sont caractérisées par un 4-vecteur A_i, appelé *4-potentiel*, dont les composantes sont des fonctions des coordonnées et du temps. Ces grandeurs sont exprimées dans l'action au moyen du terme

$$-\frac{e}{c}\int_a^b A_i\,dx^i,$$

où les fonctions A_i sont prises le long de la ligne d'univers de la particule. Le facteur $1/c$ a été introduit ici pour la commodité- Il faut noter que tant que nous ne disposons d aucune formule re liant la charge ou les potentiels aux grandeurs déjà connues, les unités de mesures peuvent être choisies arbitrairement [3].

---

[1] Bien que la mécanique quantique bouleverse radicalement la situation, néanmoins, là aussi la Relativité rend très difficile l'introduction de la notion d'interaction non ponctuelle.

[2] Les affirmations faites ci-dessous doivent être considérées, dans une bonne mesure, comme le résultat de données expérimentales. La forme de l'action pour une particule dans un champ électromagnétique ne peut être établie seulement à partir de considérations générales, telle la condition d'invariance relativiste (cette dernière laisserait subsister, par exemple, dans la formule (16,1) un terme de la forme $\int A\,ds$, où A est une fonction scalaire).

Pour éviter tout malentendu, rappelons qu'il s'agit partout de théorie classique (et non quantique) et, par conséquent, on omet partout les effets liés au spin des particules.

[3] Pour l'établissement de ces unités cf. § 27.

Ainsi, l'action pour une charge dans un champ électromagnétique s'écrit :

$$S = \int_a^b \left(-mc\, ds - \frac{e}{c} A_i\, dx^i \right). \tag{16,1}$$

Les trois composantes spatiales du 4-vecteur A^i forment un vecteur tridimensionnel $\mathbf{A}$, appelé *potentiel vecteur* du champ, la composante temporelle étant le *potentiel scalaire*. Nous poserons $A^0 = \varphi$. De sorte que

$$A^i = (\varphi, \mathbf{A}). \tag{16,2}$$

Par conséquent, l'intégrale d'action peut s'écrire :

$$S = \int_a^b \left(-mc\, ds + \frac{e}{c} \mathbf{A}\, d\mathbf{r} - e\varphi\, dt \right),$$

ou bien, introduisant la vitesse de la particule $\mathbf{v} = d\mathbf{r}/dt$ et intégrant par rapport au temps,

$$S = \int_{t_1}^{t_2} \left(-mc^2 \sqrt{1 - \frac{v^2}{c^2}} + \frac{e}{c} \mathbf{A}\mathbf{v} - e\varphi \right) dt. \tag{16,3}$$

La fonction sous le signe d'intégration n'est pas autre chose que la fonction de Lagrange pour une charge dans un champ électromagnétique :

$$L = -mc^2 \sqrt{1 - \frac{v^2}{c^2}} + \frac{e}{c} \mathbf{A}\mathbf{v} - e\varphi. \tag{16,4}$$

Cette expression diffère de la fonction de Lagrange (8,2) pour une particule libre par les termes $\frac{e}{c} \mathbf{A}\mathbf{v} - e\varphi$ décrivant l'interaction de la charge avec le champ.

La dérivée $\partial L/\partial \mathbf{v}$ est l'impulsion généralisée de la particule ; désignons-la par $\mathbf{P}$. On trouve par dérivation :

$$\mathbf{P} = \frac{m\mathbf{v}}{\sqrt{1 - \frac{v^2}{c^2}}} + \frac{e}{c}\mathbf{A} = \mathbf{p} + \frac{e}{c}\mathbf{A}. \tag{16,5}$$

Nous avons désigné par $\mathbf{p}$ l'impulsion ordinaire de la particule, que nous appellerons tout simplement impulsion.

A partir de la fonction de Lagrange, on peut trouver la fonction d'Hamilton d'une particule dans un champ d'après la formule générale connue

$$\mathscr{H} = \mathbf{v} \frac{\partial L}{\partial \mathbf{v}} - L.$$

Substituant (16,4) dans cette dernière, il vient :

$$\mathscr{H}=\frac{mc^2}{\sqrt{1-\frac{v^2}{c^2}}}+e\varphi. \tag{16,6}$$

Cependant, la fonction d'Hamilton doit être exprimée non pas en fonction de la vitesse, mais en fonction de l'impulsion généralisée de la particule.

Il découle de (16,5-6) que la relation entre $\mathscr{H}-e\varphi$ et $\mathbf{P}-\frac{e}{c}\mathbf{A}$ est la même que celle entre $\mathscr{H}$ et $\mathbf{p}$ en l'absence de champ, c'est-à-dire que

$$\left(\frac{\mathscr{H}-e\varphi}{c}\right)^2=m^2c^2+\left(\mathbf{P}-\frac{e}{c}\mathbf{A}\right)^2, \tag{16,7}$$

soit encore :

$$\mathscr{H}=\sqrt{m^2c^4+c^2\left(\mathbf{P}-\frac{e}{c}\mathbf{A}\right)^2}+e\varphi. \tag{16,8}$$

Pour les vitesses faibles, cas de la mécanique classique, la fonction de Lagrange (16,4) devient :

$$L=\frac{mv^2}{2}+\frac{e}{c}\mathbf{A}\mathbf{v}-e\varphi. \tag{16,9}$$

Avec cette approximation,

$$\mathbf{p}=m\mathbf{v}=\mathbf{P}-\frac{e}{c}\mathbf{A},$$

et nous trouvons pour la fonction d'Hamilton l'expression

$$\mathscr{H}=\frac{1}{2m}\left(\mathbf{P}-\frac{e}{c}\mathbf{A}\right)^2+e\varphi. \tag{16,10}$$

Enfin, écrivons l'équation d'Hamilton-Jacobi pour une particule dans un champ électromagnétique. On l'obtient en remplaçant dans la fonction d'Hamilton l'impulsion généralisée $\mathbf{P}$ par $\partial S/\partial \mathbf{r}$, et la fonction $\mathscr{H}$ par $-\partial S/\partial t$. Par conséquent, nous déduisons de (16,7) :

$$\left(\operatorname{grad} S-\frac{e}{c}\mathbf{A}\right)^2-\frac{1}{c^2}\left(\frac{\partial S}{\partial t}+e\varphi\right)^2+m^2c^2=0. \tag{16,11}$$

§ 17. Equations du mouvement d'une charge dans un champ

Une charge évoluant dans un champ est non seulement influencée par ce champ, mais, en retour, elle agit, elle aussi, sur lui, le transforme. Toutefois, lorsque la charge e n'est pas grande, on peut faire abstraction de son influence sur le champ. Dans ce cas, étudiant le mouvement dans le champ donné, on peut considérer que le champ ne dépend ni des coordonnées de la charge ni de sa vitesse. Les conditions exactes auxquelles doit satisfaire une charge pour qu'on puisse la considérer comme petite dans le sens indiqué seront précisées plus bas (cf. § 75). Nous considérerons qu'elles sont satisfaites dans ce qui suit.

Ainsi, il nous faut trouver les équations du mouvement d'une charge dans un champ électromagnétique donné. On obtient ces équations en faisant varier l'action, c'est-à-dire par les équations de Lagrange

$$\frac{d}{dt}\frac{\partial L}{\partial \mathbf{v}}=\frac{\partial L}{\partial \mathbf{r}}, \tag{17,1}$$

où L est déterminée par la formule (16,4).

La dérivée $\partial L/\partial \mathbf{v}$ est l'impulsion généralisée de la particule (16,5). Ecrivons ensuite:

$$\frac{\partial L}{\partial \mathbf{r}} \equiv \nabla L=\frac{e}{c}\operatorname{grad}\mathbf{A}\mathbf{v}-e\operatorname{grad}\varphi.$$

On a d'après une formule bien connue d'analyse vectorielle:

$$\operatorname{grad}\mathbf{ab}=(\mathbf{a}\nabla)\,\mathbf{b}+(\mathbf{b}\nabla)\,\mathbf{a}+\mathbf{b}\times\operatorname{rot}\mathbf{a}+\mathbf{a}\times\operatorname{rot}\mathbf{b},$$

où $\mathbf{a}$ et $\mathbf{b}$ sont deux vecteurs quelconques. Appliquant cette formule à $\mathbf{Av}$ et considérant que la dérivation par rapport à $\mathbf{r}$ est faite en supposant $\mathbf{v}$ constant, nous obtenons:

$$\frac{\partial L}{\partial \mathbf{r}}=\frac{e}{c}(\mathbf{v}\nabla)\,\mathbf{A}+\frac{e}{c}\mathbf{v}\times\operatorname{rot}\mathbf{A}-e\operatorname{grad}\varphi.$$

Par conséquent, les équations de Lagrange prennent la forme:

$$\frac{d}{dt}\left(\mathbf{p}+\frac{e}{c}\mathbf{A}\right)=\frac{e}{c}(\mathbf{v}\nabla)\,\mathbf{A}+\frac{e}{c}\mathbf{v}\times\operatorname{rot}\mathbf{A}-e\operatorname{grad}\varphi.$$

Or, la différentielle totale $\frac{d\mathbf{A}}{dt}dt$ est composée de deux parties: de la variation $\frac{\partial \mathbf{A}}{\partial t}dt$ du potentiel vecteur en fonction du temps au point donné de l'espace et de la variation quand on passe d'un point de l'espace à un autre se trouvant à la distance $d\mathbf{r}$. Cette deuxième partie est $(d\mathbf{r}\nabla)\,\mathbf{A}$. De sorte que

$$\frac{d\mathbf{A}}{dt}=\frac{\partial \mathbf{A}}{dt}+(\mathbf{v}\nabla)\,\mathbf{A}.$$

Substituant dans l'équation précédente, il vient:

$$\frac{d\mathbf{p}}{dt}=-\frac{e}{c}\frac{\partial \mathbf{A}}{\partial t}-e\operatorname{grad}\varphi+\frac{e}{c}\mathbf{v}\times\operatorname{rot}\mathbf{A}. \tag{17,2}$$

Telle est l'équation du mouvement d'une particule dans un champ électromagnétique. Nous avons à gauche la dérivée de l'impulsion par rapport au temps. Par conséquent, l'expression dans le second membre de (17,2) représente la force agissant sur une charge dans un champ électromagnétique. On voit que cette force est constituée de deux parties. La première [les deux premiers termes du second membre de (17,2)] ne dépend pas de la vitesse de la particule. La deuxième partie (le troisième terme) dépend de cette vitesse, à savoir, elle est proportionnelle à la grandeur de cette vitesse et lui est perpendiculaire.

La force de première espèce, rapportée à la charge unité, est appelée *champ électrique* ; nous le désignerons par $\mathbf{E}$.

Ainsi, par définition,

$$\mathbf{E} = -\frac{1}{c}\frac{\partial \mathbf{A}}{\partial t} - \operatorname{grad} \varphi. \tag{17,3}$$

Le facteur devant la vitesse, plus exactement devant $\mathbf{v}/c$, dans la force de deuxième espèce agissant sur la charge unité est appelé *champ magnétique* ; nous le désignerons par $\mathbf{H}$.

Ainsi, par définition,

$$\mathbf{H} = \operatorname{rot} \mathbf{A}. \tag{17,4}$$

Lorsque dans un champ électromagnétique $\mathbf{E} \neq 0$, $\mathbf{H} = 0$, on dit qu'on a un *champ électrique* ; si, au contraire, $\mathbf{E} = 0$, $\mathbf{H} \neq 0$, le champ est dit *magnétique*. Dans le cas général, un champ électromagnétique est la superposition d'un champ électrique et d'un champ magnétique.

Notons que $\mathbf{E}$ est un vecteur polaire, et $\mathbf{H}$ un vecteur axial.

On peut maintenant écrire les équations du mouvement d'une charge dans un champ électromagnétique sous la forme :

$$\frac{d\mathbf{p}}{dt} = e\mathbf{E} + \frac{e}{c}\,\mathbf{v} \times \mathbf{H}. \tag{17,5}$$

L'expression à droite est appelée *force de Lorentz*. Son premier terme est la force avec laquelle le champ électrique agit sur la charge ; elle ne dépend pas de la vitesse de la charge et est dirigée suivant le champ $\mathbf{E}$. Le deuxième terme est la force exercée par le champ magnétique sur la charge ; elle est proportionnelle à la vitesse de la charge et perpendiculaire à cette vitesse et au champ magnétique $\mathbf{H}$.

Pour des vitesses faibles par rapport à la vitesse de la lumière, l'impulsion $\mathbf{p}$ est approximativement égale à son expression classique $m\mathbf{v}$, et l'équation du mouvement (17,5) devient :

$$m\frac{d\mathbf{v}}{dt} = e\mathbf{E} + \frac{e}{c}\,\mathbf{v} \times \mathbf{H}. \tag{17,6}$$

Etablissons encore l'équation montrant comment varie l'énergie cinétique d'une particule[1] avec le temps, c'est-à-dire la dérivée

$$\frac{d\mathcal{E}_{\text{cin}}}{dt}=\frac{d}{dt}\frac{mc^2}{\sqrt{1-\frac{v^2}{c^2}}}\,.$$

On s'assure aisément que

$$\frac{d\mathcal{E}_{\text{cin}}}{dt}=\mathbf{v}\,\frac{d\mathbf{p}}{dt}\,;$$

substituant $d\mathbf{p}/dt$ tiré de (17,5) et remarquant que $(\mathbf{v}\times\mathbf{H})\,\mathbf{v}=0$, nous avons :

$$\frac{d\mathcal{E}_{\text{cin}}}{dt}=e\mathbf{E}\mathbf{v}. \tag{17,7}$$

La variation de l'énergie cinétique avec le temps est le travail effectué par le champ agissant sur la particule (en l'unité de temps). (17,7) montre que ce travail est égal au produit de la vitesse de la charge par la force avec laquelle le champ électrique agit sur elle. Le travail du champ pendant le temps dt, c'est-à-dire lorsque la charge se déplace de $d\mathbf{r}$, est, évidemment, $e\mathbf{E}\,d\mathbf{r}$.

Soulignons que seul le champ électrique fournit un travail lors du déplacement d'une charge ; le champ magnétique n'effectue pas de travail. Cela tient à ce que la force avec laquelle le champ magnétique agit sur la particule est constamment perpendiculaire à la vitesse.

Les équations de la mécanique sont invariantes lorsqu'on change le signe du temps, c'est-à-dire quand on permute le futur et le passé. En d'autres termes, les deux sens d'écoulement du temps sont équivalents en mécanique : le temps est isotrope. Cela signifie que si les équations de la mécanique régissent un certain mouvement, on peut concevoir le mouvement inverse, dans lequel le système passe par les mêmes états à rebours.

Il est facile de voir qu'il en est de même pour le champ électromagnétique en Relativité. Il faudra, cependant, changer le signe du champ magnétique en même temps que l'on remplace t par $-t$. En effet, on voit que les équations du mouvement (17,5) ne sont pas altérées par la substitution

$$t\to -t,\quad \mathbf{E}\to\mathbf{E},\quad \mathbf{H}\to -\mathbf{H}. \tag{17,8}$$

Alors, conformément à (17,3-4), le potentiel scalaire ne change pas et le potentiel vecteur change de signe :

$$\varphi\to\varphi,\quad \mathbf{A}\to -\mathbf{A}. \tag{17,9}$$

[1] Par « cinétique » nous entendons ici et plus bas l'énergie (9,4), contenant l'énergie de repos.

Ainsi, un mouvement donné ayant lieu dans un champ électromagnétique, on peut concevoir le mouvement inverse dans ce champ avec changement de sens de **H**.

P r o b l è m e

Exprimer l'accélération d'une particule en fonction de sa vitesse, de **E** et **H**.

S o l u t i o n. Posons dans l'équation du mouvement (17,5) $\mathbf{p} = \mathbf{v}\mathscr{E}_{\text{cin}}/c^2$, et remplaçons $d\mathscr{E}_{\text{cin}}/dt$ par son expression (17,7). On trouve en définitive:

$$\dot{\mathbf{v}} = \frac{e}{m}\sqrt{1-\frac{v^2}{c^2}}\left\{\mathbf{E}+\frac{1}{c}\,\mathbf{v}\times\mathbf{H}-\frac{1}{c^2}\,\mathbf{v}\,(\mathbf{vE})\right\}.$$

§ 18. Invariance de jauge

Considérons maintenant la question de l'arbitraire dans la détermination des potentiels du champ. On doit considérer alors que le champ est caractérisé par l'action qu'il exerce sur le mouvement des charges qui s'y trouvent. Or les équations du mouvement (17,5) contiennent non pas les potentiels, mais les vecteurs du champ **E** et **H**. Il en résulte que deux champs sont physiquement identiques s'ils sont caractérisés par les mêmes **E** et **H**.

Lorsque les potentiels **A** et φ sont donnés, **E** et **H** sont déterminés univoquement d'après (17,3) et (17,4), par conséquent le champ aussi. Toutefois, des potentiels différents peuvent correspondre à un seul et même champ. Pour s'en assurer, ajoutons à chaque composante du potentiel A_k le terme $-\partial f/\partial x^k$, où f est une fonction arbitraire des coordonnées et du temps. Alors le potentiel A_k devient:

$$A'_k = A_k - \frac{\partial f}{\partial x^k}. \tag{18,1}$$

Une telle substitution fait apparaître dans l'intégrale de l'action (16,1) un nouveau terme, qui est une différentielle totale

$$\frac{e}{c}\frac{\partial f}{\partial x^k}\,dx^k = d\left(\frac{e}{c}\,f\right), \tag{18,2}$$

ce qui ne change pas les équations du mouvement (cf. I § 2).

Si l'on remplace le quadripotentiel par les potentiels vecteur et scalaire et les coordonnées x^i par les coordonnées ct, x, y, z les quatre égalités (18,1) s'écrivent alors

$$\mathbf{A}' = \mathbf{A} + \operatorname{grad} f, \quad \varphi' = \varphi - \frac{1}{c}\frac{\partial f}{\partial t}. \tag{18,3}$$

On s'assure aisément que les champs électrique et magnétique déterminés par les égalités (17,3) et (17,4) ne changent effectivement pas lorsqu'on remplace **A** et φ par les potentiels **A'** et φ' déterminés par (18,3). Ainsi, la transformation des potentiels (18,1) ne change pas le champ. Il en résulte que les potentiels ne sont pas déterminés univoquement: le potentiel vecteur est déterminé au gradient d'une fonction arbitraire près, et le potentiel scalaire contient comme terme additif la dérivée par rapport au temps de cette même fonction.

En particulier, on peut ajouter au potentiel vecteur un vecteur constant arbitraire, et une constante arbitraire au potentiel scalaire. On le voit aussi directement du fait que seules entrent dans la définition de **E** et **H** les dérivées de **A** et φ, et on ne change pas **E** et **H** en leur ajoutant des constantes.

Seules les grandeurs invariantes par rapport à la transformation (18,3) des potentiels ont un sens physique; notamment, toutes les équations doivent être invariantes par rapport à cette transformation. C'est ce qu'on appelle *invariance de jauge* [1].

Cette non-univocité des potentiels permet toujours de les choisir de sorte qu'ils satisfassent à une condition arbitraire supplémentaire (à une seule, car nous pouvons choisir arbitrairement une fonction f dans (18,3)). En particulier, on pourra toujours choisir les potentiels du champ de telle manière que le potentiel scalaire φ soit nul. Mais il sera généralement impossible d'annuler le potentiel vecteur, car la condition $\mathbf{A} = 0$ représente, sous forme condensée, trois conditions supplémentaires (pour les trois composantes de **A**).

§ 19. Champ électromagnétique constant

Nous appelons champ électromagnétique *constant* un champ ne dépendant pas du temps. On peut manifestement choisir les potentiels d'un champ constant de sorte qu'ils soient des fonctions des seules coordonnées, mais non du temps. Un champ magnétique constant s'écrit, comme précédemment, $\mathbf{H} = \mathrm{rot}\ \mathbf{A}$. Un champ électrique constant, lui, s'écrit:

$$\mathbf{E} = -\mathrm{grad}\,\varphi. \tag{19,1}$$

Ainsi, un champ électrique constant est défini seulement par un potentiel scalaire, et un champ magnétique par un potentiel vecteur.

Nous avons vu au paragraphe précédent que les potentiels du champ n'étaient pas déterminés univoquement. Néanmoins, il est facile de s'assurer que si l'on décrit un champ électromagnétique constant avec des potentiels ne dépendant pas du temps, on ne pour-

[1] Soulignons que ce résultat est lié à la constance de e supposée dans (18,2). Ainsi, l'invariance de jauge des équations de l'électrodynamique et la conservation de la charge sont étroitement liées l'une à l'autre.

ra alors ajouter au potentiel scalaire qu'une constante arbitraire (ne dépendant ni des coordonnées ni du temps) si l'on veut conserver le champ invariable. Habituellement, φ est assujetti à une autre condition supplémentaire: il prendra une valeur déterminée en un point donné de l'espace; le plus souvent, on prend φ nul à l'infini. La constante dont il a été question est alors déterminée et le potentiel scalaire du champ constant est aussi déterminé univoquement.

Au contraire, le potentiel vecteur n'est pas, tout comme avant, univoque, même pour un champ électromagnétique constant; on pourra lui ajouter le gradient d'une fonction arbitraire des coordonnées.

Voyons quelle est l'énergie d'une charge dans un champ électromagnétique constant. Lorsque le champ est constant, la fonction de Lagrange pour une charge ne dépend pas non plus explicitement du temps. On sait que dans ce cas l'énergie se conserve et coïncide avec la fonction d'Hamilton.

Conformément à (16,6), on a:

$$\mathscr{E} = \frac{mc^2}{\sqrt{1-\frac{v^2}{c^2}}} + e\varphi. \tag{19,2}$$

Ainsi, dans un champ, à l'énergie d'une particule vient s'ajouter le terme $e\varphi$, qui est l'énergie potentielle de la charge dans le champ. Remarquons le fait fondamental que l'énergie ne dépend que du potentiel scalaire, et non du potentiel vecteur. En d'autres termes, le champ magnétique n'influe pas sur l'énergie des charges; seul le champ électrique peut changer l'énergie d'une particule. Cela tient à ce que, contrairement au champ électrique, le champ magnétique ne travaille pas lors du déplacement d'une charge.

Lorsque les vecteurs **E** et **H** sont les mêmes en tous les points de l'espace on dit que le champ est *uniforme*. Le potentiel scalaire d'un champ électrique uniforme peut être exprimé au moyen du vecteur **E** comme suit:

$$\varphi = -\mathbf{E}\mathbf{r}. \tag{19,3}$$

En effet, pour $\mathbf{E} = \text{const}$ nous avons $\text{grad}\,(\mathbf{E}\mathbf{r}) = (\mathbf{E}\nabla)\,\mathbf{r} = \mathbf{E}$.

Quant au potentiel vecteur d un champ magnétique uniforme, il s'exprime au moyen de **H** sous la forme:

$$\mathbf{A} = \frac{1}{2}\mathbf{H}\times\mathbf{r}. \tag{19,4}$$

En effet, eu égard à $\mathbf{H} = \text{const}$, les formules bien connues de l'analyse vectorielle nous donnent:

$$\text{rot}\,\mathbf{H}\times\mathbf{r} = \mathbf{H}\,\text{div}\,\mathbf{r} - (\mathbf{H}\nabla)\,\mathbf{r} = 2\mathbf{H}$$

(rappelons que $\text{div}\,\mathbf{r} = 3$).

On peut encore prendre le potentiel vecteur d'un champ magnétique uniforme, par exemple, sous la forme:

$$A_x = -Hy, \qquad A_y = A_z = 0 \tag{19,5}$$

(l'axe des z a été dirigé selon **H**). Il est facile de s'assurer que, pour un tel choix de **A**, nous avons aussi l'égalité $\mathbf{H} = \operatorname{rot} \mathbf{A}$. Conformément aux formules de transformation (18,3), les potentiels (19,4) et (19,5) diffèrent l'un de l'autre du gradient d'une certaine fonction: on obtient (19,5) en ajoutant ∇f à (19,4), où $f = -xyH/2$.

Problème

Ecrire, en mécanique relativiste, le principe de variation pour la trajectoire d'une particule (principe de Maupertuis) dans un champ électromagnétique constant.

Solution. Le principe de Maupertuis stipule que si l'énergie totale d'une particule est conservée (mouvement dans un champ constant), alors sa trajectoire peut être déterminée à partir de l'équation variationnelle

$$\delta \int \mathbf{P}\, d\mathbf{r} = 0,$$

où **P** est l'impulsion généralisée de la particule, exprimée au moyen de l'énergie et des différentielles des coordonnées, l'intégrale étant étendue à la trajectoire de la particule (cf. I § 44). Substituant $\mathbf{P} = \mathbf{p} + \frac{e}{c}\mathbf{A}$ et remarquant que les directions **p** et $d\mathbf{r}$ coïncident, nous avons:

$$\delta \int \left(p\, dl + \frac{e}{c} \mathbf{A}\, d\mathbf{r} \right) = 0,$$

où $dl = \sqrt{d\mathbf{r}^2}$ est l'élément d'arc. Tirant p de $p^2 + m^2c^2 = (\mathscr{E} - e\varphi)^2/c^2$, on trouve en définitive:

$$\delta \int \left\{ \sqrt{\frac{1}{c^2}(\mathscr{E} - e\varphi)^2 - m^2c^2}\, dl + \frac{e}{c} \mathbf{A}\, d\mathbf{r} \right\} = 0.$$

§ 20. Mouvement dans un champ électrique uniforme constant

Examinons le mouvement d'une charge e dans un champ électrique uniforme constant **E**. Faisons coïncider l'axe des x avec la direction du champ. Le mouvement se fera manifestement dans un plan, que nous supposerons être le plan xy. Ceci étant, les équations du mouvement (17,5) s'écrivent:

$$\dot{p}_x = eE, \quad \dot{p}_y = 0$$

(le point sur une lettre désignant la dérivation par rapport au temps), d'où

$$p_x = eEt, \quad p_y = p_0. \tag{20,1}$$

Nous avons pris pour instant initial l'instant où $p_x = 0$; p_0 est l'impulsion de la particule à cet instant.

L énergie cinétique d'une particule (énergie sans l'énergie potentielle dans le champ) est $\mathscr{E}_{cin} = c\sqrt{m^2c^2 + p^2}$. Eu égard à (20,1), nous trouvons dans notre cas:

$$\mathscr{E}_{cin} = \sqrt{m^2c^4 + c^2p_0^2 + (ceEt)^2} = \sqrt{\mathscr{E}_0^2 + (ceEt)^2}, \quad (20,2)$$

où $\mathscr{E}_0$ est l'énergie à l'instant $t = 0$.

D'après (9,8), la vitesse de la particule est $\mathbf{v} = \mathbf{p}c^2/\mathscr{E}_{cin}$. Nous avons donc pour la vitesse $v_x = \dot{x}$:

$$\frac{dx}{dt} = \frac{p_x c^2}{\mathscr{E}_{cin}} = \frac{c^2 eEt}{\sqrt{\mathscr{E}_0^2 + (ceEt)^2}}.$$

Nous obtenons par intégration:

$$x = \frac{1}{eE}\sqrt{\mathscr{E}_0^2 + (ceEt)^2} \quad (20,3)$$

(la constante d'intégration a été supposée nulle) [1].

Pour la détermination de y nous partons de

$$\frac{dy}{dt} = \frac{p_y c^2}{\mathscr{E}_{cin}} = \frac{p_0 c^2}{\sqrt{\mathscr{E}_0^2 + (ceEt)^2}},$$

d'où

$$y = \frac{p_0 c}{eE}\,\mathrm{Ar\,sh}\,\frac{ceEt}{\mathscr{E}_0}. \quad (20,4)$$

Nous trouvons l'équation de la trajectoire en exprimant dans (20,4) t en fonction de y et en substituant dans (20,3). On obtient:

$$x = \frac{\mathscr{E}_0}{eE}\,\mathrm{ch}\,\frac{eEy}{p_0 c}. \quad (20,5)$$

La charge décrit donc dans un champ électrique uniforme une chaînette.

Lorsque $v \ll c$ pour une particule, on peut poser $p_0 = mv_0$, $\mathscr{E}_0 = mc^2$; en développant (20,5) selon les puissances de $1/c$, on trouve, abstraction faite des termes d ordres supérieurs:

$$x = \frac{eE}{2mv_0^2}y^2 + \text{const},$$

c'est-à-dire que la charge décrit une parabole, résultat bien connu en mécanique classique.

---

[1] Ce résultat (pour $p_0 = 0$) coïncide avec la solution du problème du mouvement relativiste avec « accélération propre » constante $w_0 = eE/m$ (cf. problème du § 7). La constance de cette accélération est due, dans notre cas, à ce que le champ électrique est invariant par rapport aux transformations de Lorentz avec des vitesses $\mathbf{V}$ dirigées suivant le champ (cf. § 24).

§ 21. Mouvement dans un champ magnétique uniforme constant

Examinons maintenant le mouvement d'une charge e dans un champ magnétique uniforme $\mathbf{H}$. Dirigeons le champ suivant l'axe des z. Nous écrirons les équations du mouvement :

$$\dot{\mathbf{p}} = \frac{e}{c}\,\mathbf{v} \times \mathbf{H}$$

sous une autre forme, en remplaçant l'impulsion par

$$\mathbf{p} = \frac{\mathscr{E}\mathbf{v}}{c^2},$$

où $\mathscr{E}$ est l'énergie de la particule, qui est constante dans un champ magnétique. Les équations du mouvement s'écrivent alors :

$$\frac{\mathscr{E}}{c^2}\frac{d\mathbf{v}}{dt} = \frac{e}{c}(\mathbf{v} \times \mathbf{H}), \tag{21,1}$$

ou en développant l'expression vectorielle

$$\dot{v}_x = \omega v_y, \quad \dot{v}_y = -\omega v_x, \quad \dot{v}_z = 0, \tag{21,2}$$

où nous avons posé :

$$\omega = \frac{ecH}{\mathscr{E}}. \tag{21,3}$$

Multiplions la seconde équation (21,2) par i et ajoutons-la à la première :

$$\frac{d}{dt}(v_x + iv_y) = -i\omega(v_x + iv_y),$$

d'où

$$v_x + iv_y = ae^{-i\omega t},$$

où a est une constante complexe. On peut l'écrire sous la forme $a = v_{0t}e^{-i\alpha}$, où v_{0t} et α sont réels. Alors

$$v_x + iv_y = v_{0t}e^{-i(\omega t+\alpha)},$$

et, séparant les parties réelle et imaginaire, on trouve :

$$v_x = v_{0t}\cos(\omega t + \alpha), \quad v_y = -v_{0t}\sin(\omega t + \alpha). \tag{21,4}$$

Les constantes v_{0t} et α sont déterminées par les conditions initiales, α est la phase initiale; quant à v_{0t}, (21,4) montre que

$$v_{0t} = \sqrt{v_x^2 + v_y^2},$$

donc que c'est la vitesse de la particule dans le plan xy, qui est constante pendant le mouvement.

(21,4) donne après intégration :

$$x = x_0 + r\sin(\omega t + \alpha), \quad y = y_0 + r\cos(\omega t + \alpha), \tag{21,5}$$

où

$$r = \frac{v_{0t}}{\omega} = \frac{v_{0t}\mathscr{E}}{ecH} = \frac{cp_t}{eH} \tag{21,6}$$

(p_t est la projection de l'impulsion sur le plan xy). De la troisième équation (21,2) nous déduisons $v_z = v_{0z}$ et

$$z = z_0 + v_{0z}t. \tag{21,7}$$

(21,5) et (21,7) montrent que la charge décrit dans un champ magnétique uniforme constant une hélice, dont l'axe est dirigé suivant le champ, et de rayon r défini par (21,6). En outre, la vitesse est constante en grandeur. Dans le cas particulier où $v_{0z} = 0$ (la composante de la vitesse dans la direction du champ est nulle), la trajectoire est une circonférence perpendiculaire au champ.

On voit sur les formules que ω est la fréquence cyclique de rotation de la particule dans le plan perpendiculaire au champ.

Dans le cas où la vitesse de la particule est petite, on peut poser approximativement $\mathscr{E} = mc^2$. Alors la fréquence ω s'écrit :

$$\omega = \frac{eH}{mc}. \tag{21,8}$$

Supposons maintenant que, tout en restant uniforme, le champ magnétique varie lentement en grandeur et en direction. Voyons alors ce que devient le mouvement d'une particule chargée.

On sait que, les conditions du mouvement variant lentement, les invariants dits adiabatiques restent constants. Le mouvement dans un plan perpendiculaire au champ étant périodique, on aura pour invariant adiabatique l'intégrale $I = \frac{1}{2\pi}\oint \mathbf{P}_t d\mathbf{r}$, sur une période complète du mouvement — circulaire dans notre cas ($\mathbf{P}_t$ est la projection de l'impulsion généralisée sur le plan indiqué)[1]. Substituant $\mathbf{P}_t = \mathbf{p}_t + \frac{e}{c}\mathbf{A}$, nous obtenons

$$I = \frac{1}{2\pi}\oint \mathbf{P}_t\,d\mathbf{r} = \frac{1}{2\pi}\oint \mathbf{p}_t\,d\mathbf{r} + \frac{e}{2\pi c}\oint \mathbf{A}\,d\mathbf{r}.$$

---

[1] Cf. I § 49. Les invariants adiabatiques sont en général les intégrales $\oint pdq$ prises sur la période de variation de la coordonnée q donnée. Dans le cas considéré, les périodes relatives à deux coordonnées — dans le plan perpendiculaire à $\mathbf{H}$ — coïncident, et l'intégrale I représente la somme des deux invariants adiabatiques respectifs. Toutefois, chacun de ces invariants pris séparément n'a pas de sens, car il dépend du choix, non univoque, du potentiel vecteur du champ. La non-univocité des invariants adiabatiques qui en découle est due au fait suivant : considérant un champ magnétique comme uniforme dans tout l'espace, il est impossible, en principe, de déterminer le champ électrique résultant de la variation de $\mathbf{H}$, car il dépend en réalité de conditions concrètes à l'infini.

Nous remarquons que dans le premier terme $\mathbf{p}_t$ a une grandeur constante et est colinéaire à $d\mathbf{r}$; appliquons le théorème de Stokes au second terme et substituons rot $\mathbf{A} = \mathbf{H}$:

$$I = rp_t + \frac{e}{2c} Hr^2,$$

où r est le rayon de l'orbite. Substituant dans cette égalité à r son expression (21,6), nous avons:

$$I = \frac{3cp_t^2}{2eH}. \tag{21,9}$$

Ceci montre que si $\mathbf{H}$ varie lentement, l'impulsion transversale $\mathbf{p}_t$ varie proportionnellement à $\sqrt{H}$.

Ce résultat peut s'appliquer à cet autre cas où une particule décrit une hélice dans un champ magnétique constant mais pas tout à fait uniforme (le champ varie peu à des distances comparables au rayon et au pas de l'orbite hélicoïdale). On peut considérer qu'un tel mouvement se fait sur une orbite circulaire qui se déplace au cours du temps, et que par rapport à cette orbite le champ varie en quelque sorte avec le temps, tout en restant uniforme. On peut alors affirmer que la composante de l'impulsion transversale (par rapport à la direction du champ) varie suivant la loi $p_t = \sqrt{CH}$, C étant une constante, et H une fonction donnée des coordonnées. Par ailleurs, de même que pour le mouvement dans tout champ magnétique constant, l'énergie de la particule (et avec elle le carré de son impulsion p^2) reste constante. En conséquence la composante longitudinale de l'impulsion varie suivant la loi

$$p_l^2 = p^2 - p_t^2 = p^2 - CH(x, y, z). \tag{21,10}$$

Puisqu'on doit toujours avoir $p_l^2 \geqslant 0$, ceci montre que la particule ne peut pénétrer dans les régions où le champ est suffisamment fort ($CH > p^2$). Lorsque le mouvement s'effectue dans le sens où le champ croît, le rayon de la trajectoire hélicoïdale décroît en raison de p_t/H (c'est-à-dire en raison de $1/\sqrt{H}$), et son pas en raison de p_l. Une fois atteinte la frontière, où p_l s'annule, la particule en est réfléchie: continuant à tourner dans le sens primitif, elle commence à se mouvoir contre le gradient du champ.

La non-uniformité du champ engendre encore un autre phénomène — le déplacement transversal lent (*dérive*) du centre menant de la trajectoire hélicoïdale de la particule (en relation avec cela, on appelle ainsi le centre de l'orbite circulaire); à cette question est consacré le problème 3 du prochain paragraphe.

P r o b l è m e

Déterminer la fréquence des oscillations d'un oscillateur spatial chargé se trouvant dans un champ magnétique uniforme constant ; la fréquence propre de l'oscillateur (en l'absence de champ) est ω_0.

S o l u t i o n. Les équations des oscillations forcées de l'oscillateur dans un champ magnétique (orienté selon l'axe des z) s'écrivent :

$$\ddot{x}+\omega_0^2 x=\frac{eH}{mc}\dot{y}, \qquad \ddot{y}+\omega_0^2 y=-\frac{eH}{mc}\dot{x}, \qquad \ddot{z}+\omega_0^2 z=0.$$

Multiplions la deuxième équation par i et ajoutons-la à la première, il vient :

$$\ddot{\xi}+\omega_0^2\xi=-i\frac{eH}{mc}\dot{\xi},$$

où $\xi=x+iy$. D'où l'on trouve que la fréquence des oscillations dans un plan perpendiculaire au champ est

$$\omega=\sqrt{\omega_0^2+\frac{1}{4}\left(\frac{eH}{mc}\right)^2}\pm\frac{eH}{2mc}.$$

Lorsque le champ H est faible, cette formule devient

$$\omega=\omega_0\pm\frac{eH}{2mc}.$$

Les oscillations dans la direction du champ restent inchangées.

§ 22. Mouvement d'une charge dans des champs électrique et magnétique uniformes constants

Enfin, considérons le mouvement d'une charge dans le cas de la superposition d'un champ électrique et d'un champ magnétique uniformes constants. Nous nous bornerons au cas non relativiste où la vitesse de la charge est $v \ll c$ et, par conséquent, son impulsion $\mathbf{p} = m\mathbf{v}$; comme nous le verrons ci-dessous, il suffit pour cela que le champ électrique soit petit par rapport au champ magnétique.

Dirigeons l'axe des z selon $\mathbf{H}$ et supposons que le plan yz coïncide avec celui des vecteurs $\mathbf{H}$ et $\mathbf{E}$. Alors les équations du mouvement

$$m\dot{\mathbf{v}}=e\mathbf{E}+\frac{e}{c}\mathbf{v}\times\mathbf{H}$$

s'écrivent :

$$\begin{aligned} m\ddot{x}&=\frac{e}{c}\dot{y}H,\\ m\ddot{y}&=eE_y-\frac{e}{c}\dot{x}H, \qquad (22,1)\\ m\ddot{z}&=eE_z. \end{aligned}$$

La troisième de ces équations montre que le long de l'axe des z la charge accomplit un mouvement uniformément accéléré, c'est-à-dire que

$$z = \frac{eE_z}{2m} t^2 + v_{0z} t. \tag{22,2}$$

Multiplions la seconde équation (22,1) par i et ajoutons-la à la première; on trouve :

$$\frac{d}{dt}(\dot{x} + i\dot{y}) + i\omega(\dot{x} + i\dot{y}) = i\frac{e}{m}E_y$$

($\omega = eH/mc$). L'intégrale de cette équation, où $\dot{x} + i\dot{y}$ est considéré comme l'inconnue, est la somme de l'intégrale générale de cette équation privée de son second membre et d'une intégrale particulière de l'équation avec second membre. On a pour la première $ae^{-i\omega t}$, et pour la seconde $eE_y/m\omega = cE_y/H$. De sorte que

$$\dot{x} + i\dot{y} = ae^{-i\omega t} + \frac{cE_y}{H}.$$

La constante a est, en général, complexe. Posons-la $a = be^{i\alpha}$, où b et α sont réels. Etant donné que a est multiplié par $e^{i\omega t}$, on peut, par un choix convenable de l'origine des temps, donner à la phase α une valeur arbitraire. Prenons α de façon que a soit réel. Alors, séparant les parties réelle et imaginaire dans $\dot{x} + i\dot{y}$, nous obtenons

$$\dot{x} = a\cos\omega t + c\frac{E_y}{H}, \qquad \dot{y} = -a\sin\omega t. \tag{22,3}$$

De plus, à l'instant $t = 0$ la vitesse est dirigée selon l'axe des x. Nous voyons que les composantes de la vitesse de la particule sont des fonctions périodiques du temps; leurs valeurs moyennes sont

$$\bar{\dot{x}} = \frac{cE_y}{H}, \qquad \bar{\dot{y}} = 0.$$

On appelle souvent vitesse de *dérive* électrique cette vitesse moyenne du mouvement de la charge dans un champ électrique et un champ magnétique croisés. Sa direction est normale aux deux champs et ne dépend pas du signe de la charge. Son écriture vectorielle est

$$\bar{\mathbf{v}} = \frac{c\mathbf{E} \times \mathbf{H}}{H^2}. \tag{22,4}$$

Toutes les formules de ce paragraphe impliquent que la vitesse de la particule soit petite par rapport à celle de la lumière. Pour cela, il faut notamment que les champs électrique et magnétique satisfassent à la condition

$$\frac{E_y}{H} \ll 1, \qquad (22,5)$$

les grandeurs E_y et H pouvant être arbitraires.

Intégrons encore une fois les équations (22,3) et prenons les constantes d'intégration de sorte que pour $t=0$ l'on ait $x=y=0$; nous obtenons

$$x = \frac{a}{\omega} \sin \omega t + \frac{cE_y}{H} t, \quad y = \frac{a}{\omega} (\cos \omega t - 1). \qquad (22,6)$$

Ce sont les équations paramétriques d'une trochoïde. Selon que la valeur absolue de a est plus grande ou plus petite que la valeur

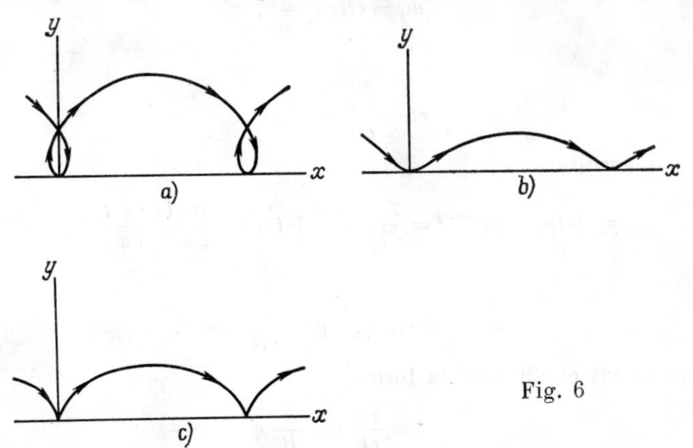

Fig. 6

absolue de cE_y/H, la projection de la trajectoire de la particule sur le plan xy a la forme représentée sur les fig. 6, a et 6, b.

Si $a = -cE_y/H$, (22,6) devient

$$x = \frac{cE_y}{\omega H} (\omega t - \sin \omega t), \quad y = \frac{cE_y}{\omega H} (1 - \cos \omega t), \qquad (22,7)$$

la projection de la trajectoire sur le plan xy est une cycloïde (fig. 6,c).

Problèmes

1. Déterminer le mouvement relativiste d'une charge dans un champ électrique et dans un champ magnétique uniformes parallèles.

S o l u t i o n. Le champ magnétique n'influe pas sur le mouvement dans la direction commune de **E** et **H** (axe des z), qui a lieu, par conséquent, sous l'influence de seul champ électrique; il en résulte que, conformément au § 20:

$$z = \frac{\mathscr{E}_{\text{cin}}}{eE}, \quad \mathscr{E}_{\text{cin}} = \sqrt{\mathscr{E}_0^2 + (ceEt)^2}.$$

Pour le mouvement dans le plan xy nous avons l'équation

$$\dot{p}_x = \frac{e}{c} H v_y, \qquad \dot{p}_y = -\frac{e}{c} H v_x,$$

ou bien

$$\frac{d}{dt}(p_x + ip_y) = -i\frac{eH}{c}(v_x + iv_y) = -\frac{ieHc}{\mathscr{E}_{\text{cin}}}(p_x + ip_y).$$

Il s'ensuit que

$$p_x + ip_y = p_t e^{-i\varphi},$$

où p_t est la valeur constante de la projection de l'impulsion sur le plan xy, la grandeur auxiliaire φ étant définie par la relation

$$d\varphi = eHc\frac{dt}{\mathscr{E}_{\text{cin}}},$$

d'où

$$ct = \frac{\mathscr{E}_0}{eE} \operatorname{sh} \frac{E}{H}\varphi. \tag{1}$$

Nous avons ensuite

$$p_x + ip_y = p_t e^{-i\varphi} = \frac{\mathscr{E}_{\text{cin}}}{c^2}(\dot{x} + i\dot{y}) = \frac{eH}{c}\frac{d(x+iy)}{d\varphi},$$

d'où

$$x = \frac{cp_t}{eH}\sin\varphi, \quad y = \frac{cp_t}{eH}\cos\varphi. \tag{2}$$

Les formules (1) et (2) avec la formule

$$z = \frac{\mathscr{E}_0}{eE} \operatorname{ch} \frac{E}{H}\varphi \tag{3}$$

déterminent le mouvement de la particule sous forme paramétrique. La trajectoire est une hélice de rayon cp_t/eH et de pas monotone croissant; la particule décrit cette hélice avec une vitesse angulaire décroissante $\dot{\varphi} = eHc/\mathscr{E}_{\text{cin}}$, la projection de la vitesse sur l'axe des z tendant vers c.

2. Déterminer le mouvement relativiste d'une charge dans un champ électrique et dans un champ magnétique orthogonaux d'égales grandeurs[1].

S o l u t i on. Choisissons l'axe des z selon **H** et l'axe des y selon **E**, posons en outre $E = H$, nous avons les équations du mouvement:

$$\frac{dp_x}{dt} = \frac{e}{c}Ev_y, \qquad \frac{dp_y}{dt} = eE\left(1 - \frac{v_x}{c}\right), \qquad \frac{dp_z}{dt} = 0$$

qui ont pour conséquence l'équation (17,7)

$$\frac{d\mathscr{E}_{\text{cin}}}{dt} = eEv_y.$$

[1] Le problème du mouvement dans des champs **E** et **H** orthogonaux mais de grandeurs différentes se ramène, par une transformation convenable du référentiel, à celui d'un mouvement dans un champ purement électrique ou magnétique (cf. § 25).

Nous tirons de ces équations :

$$p_z = \text{const}, \quad \mathscr{E}_{\text{cin}} - cp_x = \text{const} \equiv \alpha.$$

Utilisant de même l'égalité

$$\mathscr{E}_{\text{cin}}^2 - c^2 p_x^2 = (\mathscr{E}_{\text{cin}} + cp_x)(\mathscr{E}_{\text{cin}} - cp_x) = c^2 p_y^2 + \varepsilon^2$$

(où $\varepsilon^2 = m^2c^4 + c^2p_z^2 = \text{const}$), on trouve :

$$\mathscr{E}_{\text{cin}} + cp_x = \frac{1}{\alpha}(c^2 p_y^2 + \varepsilon^2),$$

puis

$$\mathscr{E}_{\text{cin}} = \frac{\alpha}{2} + \frac{c^2 p_y^2 + \varepsilon^2}{2\alpha}, \quad p_x = -\frac{\alpha}{2c} + \frac{c^2 p_y^2 + \varepsilon^2}{2\alpha c}.$$

Ecrivons ensuite :

$$\mathscr{E}_{\text{cin}} \frac{dp_y}{dt} = eE\left(\mathscr{E}_{\text{cin}} - \frac{\mathscr{E}_{\text{cin}} v_x}{c}\right) = eE(\mathscr{E}_{\text{cin}} - cp_x) = eE\alpha,$$

d'où

$$2eEt = \left(1 + \frac{\varepsilon^2}{\alpha^2}\right) p_y + \frac{c^2}{3\alpha^2} p_y^3. \tag{1}$$

Pour la détermination de la trajectoire, nous passons dans les équations

$$\frac{dx}{dt} = \frac{c^2 p_x}{\mathscr{E}_{\text{cin}}}, \ldots$$

à la variable p_y conformément à $dt = \mathscr{E}_{\text{cin}}\, dp_y / eE\alpha$; ce faisant, l'intégration nous donne les formules

$$x = \frac{c}{2eE}\left(-1 + \frac{\varepsilon^2}{\alpha^2}\right) p_y + \frac{c^3}{6\alpha^2 eE} p_y^3,$$

$$y = \frac{c^2}{2\alpha eE} p_y^2, \quad z = \frac{p_z c^2}{eE\alpha} p_y. \tag{2}$$

Les formules (1) et (2) déterminent complètement, sous forme paramétrique (le paramètre est p_y), le mouvement de la particule. Remarquons que la vitesse croît le plus vite dans la direction perpendiculaire à **E** et **H** (axe des x).

3. Déterminer la vitesse de dérive du centre menant de l'orbite d'une particule chargée non relativiste dans un champ magnétique constant quasi uniforme (*van Alphen*, 1940).

S o l u t i o n. Supposons d'abord que la particule décrive une orbite circulaire, c'est-à-dire que sa vitesse n'ait pas de composante longitudinale (suivant le champ). Mettons l'équation de la trajectoire de la particule sous la forme $\mathbf{r} = \mathbf{R}(t) + \boldsymbol{\zeta}(t)$, $\mathbf{R}(t)$ étant le rayon vecteur du centre menant (une fonction lentement variable du temps), et $\boldsymbol{\zeta}(t)$ une quantité rapidement oscillante qui représente le mouvement rotatoire autour du centre menant. Prenons la moyenne de la force $\frac{e}{c}\dot{\mathbf{r}} \times \mathbf{H}(\mathbf{r})$ agissant sur la particule sur la période du mouvement oscillatoire (circulaire) (cf. I § 30). Développons en puissances de $\boldsymbol{\zeta}$ la fonction $\mathbf{H}(\mathbf{r})$:

$$\mathbf{H}(\mathbf{r}) = \mathbf{H}(\mathbf{R}) + (\boldsymbol{\zeta}\nabla)\mathbf{H}(\mathbf{R}).$$

Lors de la médiation les termes du premier ordre en $\boldsymbol{\zeta}(t)$, quantité oscillante, s'annulent, et le terme du second ordre donne naissance à une nouvelle force

$$\mathbf{f}=\frac{e}{c}\overline{\dot{\boldsymbol{\zeta}}(\boldsymbol{\zeta}\nabla)\times\mathbf{H}}.$$

Pour un mouvement circulaire

$$\dot{\boldsymbol{\zeta}}=\omega(\boldsymbol{\zeta}\times\mathbf{n}),\qquad \zeta=\frac{v_{\perp}}{\omega},$$

$\mathbf{n}$ étant le vecteur unité suivant $\mathbf{H}$; la fréquence $\omega = eH/mc$; $v_{\perp}$ est la vitesse de la particule dans son mouvement circulaire. On a pour la moyenne des produits des composantes du vecteur $\boldsymbol{\zeta}$ tournant dans un plan (perpendiculaire à $\mathbf{n}$):

$$\overline{\zeta_{\alpha}\zeta_{\beta}}=\frac{1}{2}\zeta^{2}\delta_{\alpha\beta},$$

$\delta_{\alpha\beta}$ étant le tenseur unité dans ce plan. On obtient

$$\mathbf{f}=-\frac{mv_{\perp}^{2}}{2H}(\mathbf{n}\times\nabla)\times\mathbf{H}.$$

En vertu des équations $\operatorname{div}\mathbf{H}=0$, $\operatorname{rot}\mathbf{H}=0$ qui sont vérifiées par le champ constant $\mathbf{H}(\mathbf{R})$, on a :

$$(\mathbf{n}\times\nabla)\times\mathbf{H}=-\mathbf{n}\operatorname{div}\mathbf{H}+(\mathbf{n}\nabla)\mathbf{H}+\mathbf{n}\operatorname{rot}\mathbf{H}=$$
$$=(\mathbf{n}\nabla)\mathbf{H}=H(\mathbf{n}\nabla)\mathbf{n}+\mathbf{n}(\mathbf{n}\nabla\mathbf{H}).$$

Nous cherchons la force transversale (par rapport à $\mathbf{n}$), qui entraîne le déplacement de l'orbite ; elle vaut :

$$\mathbf{f}=-\frac{mv_{\perp}^{2}}{2}(\mathbf{n}\nabla)\mathbf{n}=\frac{mv_{\perp}^{2}}{2\rho}\boldsymbol{\nu},$$

ρ étant le rayon de courbure de la ligne de force du champ au point donné, et $\boldsymbol{\nu}$ le vecteur unité dirigé du centre de courbure vers ce point.

Le cas où la particule possède aussi bien une vitesse longitudinale (suivant $\mathbf{n}$) $v_{||}$ se ramène au précédent si l'on passe dans un référentiel tournant autour du centre instantané de courbure de la ligne de force (de la trajectoire du centre menant) avec la vitesse $v_{||}/\rho$. Dans ce système la particule n'a pas de vitesse longitudinale, mais il apparaît une force transversale supplémentaire — une force centrifuge égale à $\boldsymbol{\nu}mv_{||}^{2}/\rho$. Ainsi donc, la force transversale totale est :

$$\mathbf{f}_{\perp}=\boldsymbol{\nu}\frac{m}{\rho}\left(v_{||}^{2}+\frac{v_{\perp}^{2}}{2}\right).$$

Cette force équivaut à un champ électrique constant $\mathbf{f}_{\perp}/e$. En vertu de (22,4), elle provoque la dérive du centre menant de l'orbite avec la vitesse

$$\mathbf{v}_{d}=\frac{1}{\omega\rho}\left(v_{||}^{2}+\frac{v_{\perp}^{2}}{2}\right)\boldsymbol{\nu}\times\mathbf{n}.$$

Le signe de cette vitesse dépend de celui de la charge.

§ 23. Tenseur du champ électromagnétique

Au § 17, nous avons établi les équations du mouvement d'une charge dans un champ à partir de la fonction de Lagrange (16,4) écrite sous forme tridimensionnelle. Etablissons maintenant ces mêmes équations à partir de l'action (16,1), écrite dans le formalisme quadridimensionnel.

D'après le principe de moindre action

$$\delta S = \delta \int_a^b \left(-mc\, ds - \frac{e}{c} A_i\, dx^i \right) = 0. \tag{23,1}$$

Remarquant que $ds = \sqrt{dx_i\, dx^i}$, nous trouvons (nous omettrons les bornes d'intégration a et b) :

$$\delta S = -\int \left(mc \frac{dx_i\, d\delta x^i}{ds} + \frac{e}{c} A_i\, d\delta x^i + \frac{e}{c}\, \delta A_i\, dx^i \right) = 0.$$

Nous intégrerons par parties les deux premiers termes sous le signe somme. En outre, nous écrirons dans le premier terme $dx_i/ds = u_i$, où u_i est la 4-vitesse. Alors,

$$\int \left(mc\, du_i \delta x^i + \frac{e}{c}\, \delta x^i\, dA_i - \frac{e}{c}\, \delta A_i\, dx^i \right) - \left(mcu_i + \frac{e}{c} A_i \right) \delta x^i \Big| = 0. \tag{23,2}$$

Le deuxième terme de cette égalité est nul, car on varie l'intégrale pour des valeurs fixes des coordonnées aux limites. Par ailleurs,

$$\delta A_i = \frac{\partial A_i}{\partial x^k}\, \delta x^k, \quad dA_i = \frac{\partial A_i}{\partial x^k}\, dx^k,$$

donc

$$\int \left(mc\, du_i \delta x^i + \frac{e}{c} \frac{\partial A_i}{\partial x^k}\, \delta x^i\, dx^k - \frac{e}{c} \frac{\partial A_i}{\partial x^k}\, dx^i \delta x^k \right) = 0.$$

Ecrivons dans le premier terme $du_i = \frac{du_i}{ds} ds$, dans le deuxième et le troisième, $dx^i = u^i ds$. De plus, permutons les indices i et k dans le troisième terme (ce qui n'altère rien, car ce sont des indices de sommation). Alors,

$$\int \left[mc \frac{du_i}{ds} - \frac{e}{c} \left(\frac{\partial A_k}{\partial x^i} - \frac{\partial A_i}{\partial x^k} \right) u^k \right] \delta x^i\, ds = 0.$$

Les δx^i étant arbitraires, l'expression entre crochets est nulle :

$$mc \frac{du_i}{ds} = \frac{e}{c} \left(\frac{\partial A_k}{\partial x^i} - \frac{\partial A_i}{\partial x^k} \right) u^k.$$

Posons :

$$F_{ik}=\frac{\partial A_k}{\partial x^i}-\frac{\partial A_i}{\partial x^k}. \tag{23,3}$$

Le tenseur antisymétrique F_{ik} est appelé *tenseur du champ électromagnétique*. L'équation déduite s'écrit alors :

$$mc\frac{du^i}{ds}=\frac{e}{c}F^{ik}u_k. \tag{23,4}$$

C'est là l'équation du mouvement d'une charge sous forme quadridimensionnelle.

Il est facile d'expliciter le sens des diverses composantes de F_{ik} en substituant les valeurs $A_i = (\varphi, -\mathbf{A})$ dans la définition (23,3). Le résultat peut être représenté par un tableau, l'indice $i = 0, 1, 2, 3$ numérotant les lignes, et k, les colonnes :

$$\begin{aligned} F_{ik}&=\begin{pmatrix} 0 & E_x & E_y & E_z \\ -E_x & 0 & -H_z & H_y \\ -E_y & H_z & 0 & -H_x \\ -E_z & -H_y & H_x & 0 \end{pmatrix}, \\ F^{ik}&=\begin{pmatrix} 0 & -E_x & -E_y & -E_z \\ E_x & 0 & -H_z & H_y \\ E_y & H_z & 0 & -H_x \\ E_z & -H_y & H_x & 0 \end{pmatrix}. \end{aligned} \tag{23,5}$$

Plus succinctement encore (cf. § 6) :

$$F_{ik}=(\mathbf{E}, \mathbf{H}), \qquad F^{ik}=(-\mathbf{E}, \mathbf{H}).$$

Ainsi donc, les composantes des champs électrique et magnétique sont les composantes du seul 4-tenseur champ électromagnétique.

Passant aux notations tridimensionnelles, on s'assurerait facilement que les trois composantes spatiales ($i = 1, 2, 3$) de l'équation (23,4) sont identiques avec l'équation vectorielle du mouvement (17,5), et que la composante temporelle ($i = 0$) coïncide avec l'équation du travail (17,7). Cette dernière est une conséquence de l'équation du mouvement ; le fait que seules trois des quatre équations (23,4) soient indépendantes s'établit aussi directement en multipliant par u^i les deux membres de (23,4). Alors le premier membre s annule du fait de l'orthogonalité des quadrivecteurs u^i et du_i/ds, et le second membre en raison de l'antisymétrie de F_{ik}.

Si dans la variation de δS on ne retient que les trajectoires réelles, le premier terme de (23,2) s'annule identiquement. Alors le second terme, dont on considère la limite supérieure comme variable, donne la différentielle de l'action en tant que fonction des coordonnées. De sorte que

$$\delta S = -\left(mcu_i + \frac{e}{c} A_i\right) \delta x^i. \qquad (23,6)$$

D'où

$$-\frac{\partial S}{\partial x^i} = mcu_i + \frac{e}{c} A_i = p_i + \frac{e}{c} A_i. \qquad (23,7)$$

Le quadrivecteur de composantes $-\partial S/\partial x^i$ est le 4-vecteur d'mpulsion généralisée de la particule P_i. Substituant les valeurs des composantes p_i et A_i, on trouve

$$P^i = \left(\frac{\mathscr{E}_{\text{cin}} + e\varphi}{c}, \mathbf{p} + \frac{e}{c}\mathbf{A}\right). \qquad (23,8)$$

Comme il se doit, les composantes spatiales du 4-vecteur forment le 3-vecteur d'mpulsion généralisée (16,5), la composante temporelle étant $\mathscr{E}/c$, où $\mathscr{E}$ est l'énergie totale de la charge dans le champ.

§ 24. Transformation de Lorentz pour le champ

Nous allons écrire les formules de transformation du champ, c'est-à-dire les formules définissant le champ dans un référentiel d'inertie, lorsqu'il est donné dans un autre.

On tire les formules de transformation des potentiels directement des formules de transformation générales pour un 4-vecteur (6,1). Nous rappelant que $A^i = (\varphi, \mathbf{A})$, on trouve:

$$\varphi = \frac{\varphi' + \frac{V}{c} A'_x}{\sqrt{1 - \frac{V^2}{c^2}}}, \quad A_x = \frac{A'_x + \frac{V}{c}\varphi'}{\sqrt{1 - \frac{V^2}{c^2}}}, \quad A_y = A'_y, \quad A_z = A'_z. \qquad (24,1)$$

Les formules de transformation pour un 4-tenseur antisymétrique d'ordre deux (tel étant F^{ik}) ont été déduites au prob. 2 § 6: les composantes F^{23} et F^{01} ne changent pas dans la transformation, et F^{02}, F^{03} et F^{12}, F^{13} se transforment respectivement comme x^0 et x^1. Exprimant les composantes de F^{ik} au moyen des composantes des champs **E** et **H** conformément à (23,5), on trouve les formules de transformation suivantes pour le champ électrique:

$$E_x = E'_x, \quad E_y = \frac{E'_y + \frac{V}{c} H'_z}{\sqrt{1 - \frac{V^2}{c^2}}}, \quad E_z = \frac{E'_z - \frac{V}{c} H'_y}{\sqrt{1 - \frac{V^2}{c^2}}}. \qquad (24,2)$$

et pour le champ magnétique :

$$H_x = H'_x, \quad H_y = \frac{H'_y - \frac{V}{c} E'_z}{\sqrt{1 - \frac{V^2}{c^2}}}, \quad H_z = \frac{H'_z + \frac{V}{c} E'_y}{\sqrt{1 - \frac{V^2}{c^2}}}. \qquad (24,3)$$

Ainsi, le champ électrique et le champ magnétique sont, comme la plupart des grandeurs physiques, relatifs : leurs propriétés sont différentes en divers référentiels. Notamment, l'un des deux champs électrique ou magnétique peut ne pas figurer dans un référentiel et figurer dans un autre.

Les formules de transformation (24,2-3) se simplifient considérablement lorsque $V \ll c$. Nous avons, abstraction faite des termes d'ordre supérieur à V/c :

$$E_x = E'_x, \quad E_y = E'_y + \frac{V}{c} H'_z, \quad E_z = E'_z - \frac{V}{c} H'_y ;$$

$$H_x = H'_x, \quad H_y = H'_y - \frac{V}{c} E'_z, \quad H_z = H'_z + \frac{V}{c} E'_y.$$

Ces formules peuvent être transcrites sous forme vectorielle :

$$\mathbf{E} = \mathbf{E}' + \frac{1}{c} \mathbf{H}' \times \mathbf{V}, \quad \mathbf{H} = \mathbf{H}' - \frac{1}{c} \mathbf{E}' \times \mathbf{V}. \qquad (24,4)$$

Les formules de la transformation inverse, de K' à K, peuvent être obtenues directement de (24,2-4) en déplaçant le signe prime et en changeant le signe de V.

Si dans le système K' le champ magnétique $\mathbf{H}' = 0$, conformément à (24,2-3), il existera entre les champs électrique et magnétique dans le référentiel K la relation

$$\mathbf{H} = \frac{1}{c} \mathbf{V} \times \mathbf{E}. \qquad (24,5)$$

Si, au contraire, dans K' on a $\mathbf{E}' = 0$, on aura dans K

$$\mathbf{E} = -\frac{1}{c} \mathbf{V} \times \mathbf{H}. \qquad (24,6)$$

Il s'ensuit que, dans les deux cas, les champs magnétique et électrique sont orthogonaux dans K.

La réciproque est vraie pour ces formules : si dans un référentiel K les champs $\mathbf{E}$ et $\mathbf{H}$ sont orthogonaux (mais de grandeurs différentes), il existe un référentiel K' par rapport auquel le champ est purement électrique ou magnétique. La vitesse $\mathbf{V}$ de ce référentiel (par rapport à K) est perpendiculaire à $\mathbf{E}$ et $\mathbf{H}$ et elle a pour grandeur dans le premier cas cH/E (avec $H < E$), et dans le second cE/H (avec $E < H$).

§ 25. Invariants du champ

Avec les vecteurs des champs électrique et magnétique on peut former des grandeurs invariantes par rapport aux divers référentiels d'inertie.

Il est facile de trouver la forme de ces invariants en partant de la représentation quadridimensionnelle du champ au moyen du 4-tenseur antisymétrique F^{ik}. On peut évidemment former avec les composantes de ce tenseur les grandeurs invariantes suivantes

$$F_{ik}F^{ik} = \text{inv}, \tag{25,1}$$

$$e^{iklm}F_{ik}F_{lm} = \text{inv}, \tag{25,2}$$

e^{iklm} étant le tenseur unité complètement antisymétrique (cf. § 6). La première de ces quantités est un vrai scalaire, et la seconde, un pseudo-scalaire (le produit de F^{ik} par son dual) [1].

Exprimant les composantes de F^{ik} au moyen des composantes de **E** et **H** en vertu de (23,5), on voit aisément que, sous forme tridimensionnelle, ces invariants s'écrivent:

$$H^2 - E^2 = \text{inv}, \tag{25,3}$$

$$\mathbf{EH} = \text{inv}. \tag{25,4}$$

On voit le caractère pseudo-scalaire du second d'entre eux du fait qu'il est le produit du vecteur polaire **E** par le vecteur axial **H** (le carré $(\mathbf{EH})^2$, lui, est un vrai scalaire).

De l'invariance des deux expressions écrites ci-dessus on déduit que si dans un référentiel quelconque les champs électrique et magnétique sont orthogonaux, c'est-à-dire si $\mathbf{EH} = 0$, ils le sont aussi dans tout autre référentiel d'inertie; si dans un certain référentiel les valeurs absolues de **E** et **H** sont identiques, elles le sont aussi dans tout autre.

Les inégalités suivantes ont aussi manifestement lieu: si $E > H$ (ou $E < H$), dans un référentiel, il en sera de même dans tout autre; si les vecteurs **E** et **H** forment un angle aigu (obtus) dans un référentiel, il en est de même dans tout autre.

On pourra par des transformations de Lorentz assigner à **E** et **H** des valeurs arbitraires, assujetties à la seule restriction que $E^2 - H^2$ et **EH** aient des valeurs données à l'avance. On pourra, notamment, trouver un référentiel d'inertie dans lequel les champs

---

[1] Notons aussi que le pseudo-scalaire (25,2) peut s'écrire sous forme de 4-divergence:

$$e^{iklm}F_{ik}F_{lm} = 4\frac{\partial}{\partial x^i}\left(e^{iklm}A_k\frac{\partial}{\partial x^l}A_m\right),$$

ce dont on s'assure aisément eu égard à l'antisymétrie de e^{iklm}.

électrique et magnétique sont parallèles. On a dans ce référentiel $\mathbf{EH} = EH$, et des deux équations

$$E^2 - H^2 = E_0^2 - H_0^2, \quad EH = \mathbf{E}_0\mathbf{H}_0$$

on peut trouver les valeurs de $\mathbf{E}$ et $\mathbf{H}$ dans ce référentiel ($\mathbf{E}_0$ et $\mathbf{H}_0$ sont les champs électrique et magnétique dans le référentiel initial).

Le cas où les deux invariants sont nuls est une exception. Alors $\mathbf{E}$ et $\mathbf{H}$ sont de même grandeur et orthogonaux dans tous les référentiels.

Si l'on a seulement $\mathbf{EH} = 0$, on pourra trouver un référentiel où $\mathbf{E} = 0$ ou bien $\mathbf{H} = 0$ (selon que $E^2 - H^2 <$ ou > 0), c'est-à-dire que le champ y sera purement magnétique ou électrique ; inversement, si dans un certain référentiel $\mathbf{E} = 0$ ou $\mathbf{H} = 0$, ils seront orthogonaux dans tout autre référentiel en vertu de ce qui a été dit à la fin du paragraphe précédent.

Opérons maintenant d'une autre manière pour trouver les invariants du 4-tenseur antisymétrique. Ce procédé montrera, notamment, que (25,3) et (25,4) sont effectivement les deux seuls invariants indépendants possibles. Par ailleurs, on mettra en évidence certaines propriétés mathématiques instructives des transformations de Lorentz lorsqu'elles sont appliquées à de tels 4-tenseurs.

Considérons le vecteur complexe

$$\mathbf{F} = \mathbf{E} + i\mathbf{H}. \tag{25,5}$$

On voit aisément au moyen des formules (24,2-3) que la transformation de Lorentz (le long de l'axe des x) pour ce vecteur a la forme :

$$\begin{aligned} &F_x = F'_x, \quad F_y = F'_y \operatorname{ch} \varphi - iF'_z \operatorname{sh} \varphi = F'_y \cos i\varphi - F'_z \sin i\varphi, \\ &F_z = F'_z \cos i\varphi + F'_y \sin i\varphi, \quad \operatorname{th} \varphi = \frac{V}{c}. \end{aligned} \tag{25,6}$$

Nous voyons qu'une rotation dans le plan xt de l'espace à quatre dimensions (telle est la transformation de Lorentz considérée) pour le vecteur $\mathbf{F}$ est équivalente à une rotation d'un angle imaginaire dans le plan yz de l'espace à trois dimensions. L'ensemble de toutes les rotations possibles dans le 4-espace (y compris les rotations ordinaires des axes x, y, z) est équivalent à l'ensemble de toutes les rotations possibles d'angles complexes dans l'espace à trois dimensions (aux 6 angles de rotation dans le 4-espace correspondent trois angles complexes de rotation du système tridimensionnel).

Le seul invariant du vecteur $\mathbf{F}$ par rapport aux rotations est son carré : $\mathbf{F}^2 = E^2 - H^2 + 2i\mathbf{EH}$; il en résulte que les quantités réelles $E^2 - H^2$ et $\mathbf{EH}$ sont les deux seuls invariants indépendants de F_{ik}.

Lorsque $\mathbf{F}^2 \neq 0$, le vecteur $\mathbf{F}$ peut être mis sous la forme $\mathbf{F} = a\mathbf{n}$, où $\mathbf{n}$ est un vecteur unité ($\mathbf{n}^2 = 1$) complexe. Par une rotation complexe adéquate, on peut diriger $\mathbf{n}$ selon un des axes de coordonnées ; alors $\mathbf{n}$ devient réel et, par là, détermine les directions des deux vecteurs $\mathbf{E}$ et $\mathbf{H}$: $\mathbf{F} = (E + iH)\,\mathbf{n}$; en d'autres termes, les vecteurs $\mathbf{E}$ et $\mathbf{H}$ deviennent parallèles entre eux.

Problème

Déterminer la vitesse du référentiel où les champs électrique et magnétique sont parallèles.

Solution. Il existe un infinité de référentiels K' satisfaisant à la condition posée : si l'un d'eux a été trouvé, de la même propriété sera doué n'importe quel autre référentiel glissant par rapport au premier dans la direction commune des champs $\mathbf{E}$ et $\mathbf{H}$. Aussi suffit-il de déterminer celui d'entre eux dont la vitesse est perpendiculaire aux deux champs. Prenant la direction de la vitesse pour axe des x et utilisant le fait que dans K' : $E'_x = H'_x = 0$, $E'_y H'_z - E'_z H'_y = 0$, on obtient à l'aide des formules (24,2-3) pour la vitesse $\mathbf{V}$ de K' par rapport au système initial l'équation suivante :

$$\frac{\mathbf{V}/c}{1 + V^2/c^2} = \frac{\mathbf{E} \times \mathbf{H}}{E^2 + H^2}$$

(bien entendu, des deux racines de l'équation quadratique seule sera retenue la racine pour laquelle $V < c$).

CHAPITRE IV

ÉQUATIONS DU CHAMP ÉLECTROMAGNÉTIQUE

§ 26. Premier groupe d'équations de Maxwell

Des expressions

$$\mathbf{H} = \operatorname{rot} \mathbf{A}, \quad \mathbf{E} = -\frac{1}{c}\frac{\partial \mathbf{A}}{\partial t} - \operatorname{grad} \varphi$$

il est facile d'obtenir des équations contenant seulement **E** et **H**. A cet effet déterminons rot **E**:

$$\operatorname{rot} \mathbf{E} = -\frac{1}{c}\frac{\partial}{\partial t} \operatorname{rot} \mathbf{A} - \operatorname{rot} \operatorname{grad} \varphi.$$

Mais le rotationnel d'un gradient est nul; donc

$$\operatorname{rot} \mathbf{E} = -\frac{1}{c}\frac{\partial \mathbf{H}}{\partial t}. \tag{26,1}$$

Prenons la divergence des deux membres de l'équation rot **A** = **H** et rappelons-nous que la divergence d'un rotationnel est nulle; nous avons:

$$\operatorname{div} \mathbf{H} = 0. \tag{26,2}$$

Les équations (26,1) et (26,2) constituent le premier groupe *d'équations de Maxwell* [1]. Notons que ces deux équations ne déterminent pas encore complètement les propriétés du champ. On le voit déjà du fait qu'elles déterminent la variation du champ magnétique avec le temps (la dérivée $\partial \mathbf{H}/\partial t$), mais non pas la dérivée $\partial \mathbf{E}/\partial t$.

Les équations (26,1) et (26,2) peuvent être mises sous forme intégrale. D'après le théorème de Gauss

$$\int \operatorname{div} \mathbf{H}\, dV = \oint \mathbf{H}\, d\mathbf{f},$$

---

[1] Les équations de Maxwell, équations fondamentales de l'électrodynamique, ont été formulées la première fois dans les années 1860.

où l'intégrale de droite est étendue à la surface fermée délimitant le volume dans lequel est prise l'intégrale de gauche. (26,2) montre que

$$\oint \mathbf{H}\, d\mathbf{f} = 0. \tag{26,3}$$

L'intégrale d'un vecteur prise sur une surface est appelée *flux de ce vecteur* à travers cette surface. Ainsi, le flux du champ magnétique à travers toute surface fermée est nul.

Conformément au théorème de Stokes

$$\int \operatorname{rot} \mathbf{E}\, d\mathbf{f} = \oint \mathbf{E}\, d\mathbf{l},$$

où l'intégrale de droite est prise le long du contour fermé délimitant la surface sur laquelle on intègre à gauche. En vertu de (26,1) on trouve en intégrant sur une surface donnée :

$$\oint \mathbf{E}\, d\mathbf{l} = -\frac{1}{c}\frac{\partial}{\partial t}\int \mathbf{H}\, d\mathbf{f}. \tag{26,4}$$

L'intégrale d'un vecteur étendue à un contour fermé est appelée *circulation du vecteur* sur ce contour. La circulation du champ électrique est aussi appelée *force électromotrice* dans le contour donné. Ainsi, la force électromotrice dans un contour est égale à la dérivée par rapport au temps, changée de signe, du flux du champ magnétique à travers la surface délimitée par ce contour.

On peut écrire les équations de Maxwell (26,1-2) en utilisant les notations à quatre indices. En se reportant à la définition du tenseur de champ électromagnétique

$$F_{ik} = \frac{\partial A_k}{\partial x^i} - \frac{\partial A_i}{\partial x^k},$$

on voit aisément que

$$\frac{\partial F_{ik}}{\partial x^l} + \frac{\partial F_{kl}}{\partial x^i} + \frac{\partial F_{li}}{\partial x^k} = 0. \tag{26,5}$$

Le premier membre représente un tenseur du troisième ordre antisymétrique par rapport aux trois indices. Seules ne sont pas nulles identiquement les composantes pour lesquelles $i \neq k \neq l$. Il n'y a donc en tout que quatre équations distinctes, dont on s'assure facilement en substituant les expressions (23,5) qu'elles s'identifient aux équations (26,1) et (26,2).

On peut faire correspondre à ce 4-tenseur antisymétrique du troisième ordre un 4-vecteur dual, obtenu par multiplication par le tenseur e_{iklm} et contraction sur trois indices (cf. § 6). On pourra donc écrire (26,5) sous la forme:

$$e^{iklm}\frac{\partial F_{lm}}{\partial x^k}=0, \tag{26,6}$$

qui exprime explicitement le fait que nous avons ici seulement quatre équations indépendantes.

§ 27. L'action pour le champ électromagnétique

L'action S pour un système tout entier composé d'un champ électromagnétique et des particules qui s'y trouvent doit être constituée de trois parties:

$$S=S_f+S_m+S_{mf}. \tag{27,1}$$

S_m est la partie de l'action qui ne dépend que des propriétés de la particule. Manifestement, elle n'est pas autre chose que l'action pour les particules libres, c'est-à-dire pour les particules en l'absence de champ. L'action pour une particule libre est donnée par la formule (8,1). Si l'on a plusieurs particules, alors leur action totale est égale à la somme des actions des diverses particules. De sorte que

$$S_m=-\sum mc\int ds. \tag{27,2}$$

S_{mf} est la partie de l'action due à l'interaction des particules avec le champ. D'après le § 16, nous avons pour un système de particules:

$$S_{mf}=-\sum \frac{e}{c}\int A_k\,dx^k. \tag{27,3}$$

Dans chaque terme de cette somme, les A_k représentent le potentiel du champ à l'instant t au point où se trouve la particule correspondante. La somme S_m+S_{mf} est l'action (16,1), que nous connaissons déjà, pour des charges dans un champ.

Enfin, S_f est la partie de l'action qui ne dépend que des propriétés du champ lui-même, c'est-à-dire que S_f est l'action pour le champ en l'absence de charges. Tant que nous ne nous intéressions qu'au mouvement des charges dans le champ électromagnétique donné, nous omettions S_f comme ne dépendant pas des particules, étant donné que ce terme ne pouvait influer sur les équations du mouvement des particules. Mais il devient indispensable quand nous voulons trouver les équations déterminant le champ lui-même. Cela est dû à ce que de la partie S_m+S_{mf} de l'action nous n'avons trouvé que les deux équations (26,1-2), qui ne suffisent pas pour déterminer complètement le champ.

Pour établir la forme de l'action du champ S_f, nous partirons de la propriété suivante, très importante, des champs électromagnétiques. Comme l'expérience le montre, le champ électromagnétique obéit au *principe de superposition*. Aux termes de ce principe, le champ créé par deux particules est la somme des champs créés séparément par chaque particule. Cela signifie que les vecteurs champs électrique et magnétique du champ résultant en chaque point sont égaux respectivement à la somme (vectorielle) des vecteurs champs électrique et magnétique des deux champs considérés séparément.

Toute solution des équations du champ est un champ pouvant être réalisé dans la nature. En vertu du principe de superposition la somme de deux champs de ce genre doit être aussi un champ réalisable dans la nature, c'est-à-dire qu'il doit satisfaire aux équations du champ.

On sait que les équations différentielles linéaires jouissent précisément de cette propriété que la somme de deux solutions arbitraires est aussi une solution. Par conséquent, les équations d'un champ doivent être des équations différentielles linéaires.

Il résulte de ce qui vient d'être dit que nous devons avoir sous le signe d'intégration de l'action S_f une expression quadratique relativement au champ. C'est seulement dans ce cas que les équations du champ seront linéaires (on obtient les équations du champ en faisant varier l'action, et alors le degré de l'expression sous le signe somme est abaissé d'une unité).

L'expression de l'action S_f ne peut contenir les potentiels du champ, car ils ne sont pas définis univoquement (cette non-univocité n'était pas essentielle dans S_{mf}). Donc S_f doit être l'intégrale d'une certaine fonction du tenseur du champ électromagnétique F_{ik}. Mais l'action doit être un scalaire, donc l'intégrale d'un scalaire. Il n'en est ainsi que du produit $F_{ik}F^{ik}$ [1].

---

[1] La fonction sous le signe somme dans S_f ne doit pas contenir de dérivées de F_{ik}, car la fonction de Lagrange peut contenir, outre les coordonnées du système, seulement leurs dérivées premières par rapport au temps, le rôle de « coordonnées » (c'est-à-dire des variables relativement auxquelles on fait la variation dans le principe de moindre action) étant tenu, dans ce cas, par les potentiels A_k du champ ; c'est comme en mécanique, où la fonction de Lagrange pour un système mécanique ne contient que les coordonnées des particules et leurs dérivées premières par rapport au temps.

En ce qui concerne la quantité $e^{iklm} F_{ik}F_{lm}$ (§ 25), c'est (on l'a indiqué dans le renvoi de la page 89) une 4-divergence totale, de sorte que son adjonction à l'expression à intégrer dans S_f n'affecterait aucunement les « équations du mouvement ». Il est à remarquer que, par là même, cette quantité s'élimine de l'action déjà indépendamment du fait qu'elle n'est qu'un pseudo-scalaire et non un vrai scalaire.

Par conséquent, S_f doit s'écrire sous la forme:

$$S_f = a \iint F_{ik}F^{ik}\, dV\, dt, \quad dV = dx\, dy\, dz,$$

où l'on intègre dans tout l'espace par rapport aux coordonnées et entre deux instants donnés par rapport au temps ; a est une certaine constante. Nous avons sous l'intégrale $F_{ik}F^{ik} = 2\,(H^2 - E^2)$. Le champ $\mathbf{E}$ contient la dérivée $\partial\mathbf{A}/\partial t$. Mais il est facile de voir que $(\partial\mathbf{A}/\partial t)^2$ doit intervenir dans l'action avec le signe plus (par suite E^2 aussi sera précédé du signe plus). En effet, si $(\partial\mathbf{A}/\partial t)^2$ avait été contenu dans S_f avec le signe moins, il aurait toujours été possible, en faisant varier suffisamment vite le potentiel avec le temps (dans l'intervalle de temps considéré), de rendre S_f arbitrairement grand négatif ; S_f n'aurait donc pas pu avoir de minimum, comme l'exige le principe de moindre action. Par conséquent, a doit être négatif.

La valeur numérique de a dépend du choix des unités pour la mesure du champ. Notons qu'après choix de a, en même temps que les unités de mesure du champ, les unités de mesure de toutes les autres grandeurs électromagnétiques sont aussi déterminées.

Nous utiliserons par la suite le *système d'unités de Gauss*; dans ce système, a est une grandeur sans dimension, égale à $-1/16\,\pi$ [1].

De sorte que l'action pour le champ s'écrit:

$$S_f = -\frac{1}{16\pi c} \int F_{ik}F^{ik}\, d\Omega, \quad d\Omega = c\, dt\, dx\, dy\, dz. \tag{27,4}$$

Sous forme tridimensionnelle:

$$S_f = \frac{1}{8\pi} \iint (E^2 - H^2)\, dV\, dt. \tag{27,5}$$

En d'autres termes, la fonction de Lagrange pour le champ est

$$L_f = \frac{1}{8\pi} \int (E^2 - H^2)\, dV. \tag{27,6}$$

L'action pour un champ contenant des charges s'écrit:

$$S = -\sum \int mc\, ds - \sum \int \frac{e}{c} A_k\, dx^k - \frac{1}{16\pi c} \int F_{ik}F^{ik}\, d\Omega. \tag{27,7}$$

Notons que maintenant les charges ne sont nullement considérées comme petites, comme on l'a supposé lors de l'établissement des équations du mouvement d'une charge dans un champ donné.

---

[1] Concurremment au système d'unités de Gauss, on se sert aussi du système d'unités de Heaviside, où $a = -1/4$. Dans ce système d'unités les équations du champ acquièrent une forme plus commode (elles ne contiennent pas 4π), mais, en revanche, π entre dans la loi de Coulomb. Inversement, dans le système d'unités de Gauss les équations du champ contiennent 4π, mais la loi de Coulomb a une transcription simple.

Il s'ensuit que A_k et F_{ik} sont relatifs au vrai champ, c'est-à-dire au champ extérieur auquel on a ajouté le champ créé par les charges elles-mêmes ; A_k et F_{ik} dépendent maintenant de la position et de la vitesse des charges.

§ 28. Quadrivecteur courant

Au lieu de considérer les charges comme ponctuelles, par raison de commodité mathématique, on admet souvent qu'une charge est répartie dans l'espace de façon continue. Alors on peut faire intervenir la *densité de charge* ρ de manière que ρdV soit la charge localisée dans le volume dV ; en général ρ est une fonction des coordonnées et du temps. L'intégrale de ρ dans un certain volume donne la charge se trouvant dans ce volume.

On ne perdra pas de vue qu'en réalité les charges sont ponctuelles, de sorte que ρ est nulle partout hormis les points où sont localisées ces charges, et l'intégrale $\int \rho\, dV$ doit être égale à la somme des charges se trouvant dans le volume donné. On pourra donc exprimer ρ au moyen de la fonction (distribution) δ [1] comme suit :

$$\rho = \sum_a e_a \delta(\mathbf{r} - \mathbf{r}_a), \tag{28,1}$$

[1] La « fonction » $\delta(x)$ est déterminée comme suit : $\delta(x) = 0$ pour tous les x non nuls ; pour $x = 0$, $\delta(0) = \infty$ et on admet que

$$\int_{-\infty}^{+\infty} \delta(x)\, dx = 1. \tag{I}$$

De cette définition on déduit les propriétés suivantes : $f(x)$ étant une fonction continue arbitraire, on a :

$$\int_{-\infty}^{+\infty} f(x)\, \delta(x-a)\, dx = f(a)\,; \tag{II}$$

en particulier

$$\int_{-\infty}^{+\infty} f(x)\, \delta(x)\, dx = f(0) \tag{III}$$

(bien entendu, les bornes d'intégration ne seront pas forcément $\pm\infty$; on pourra prendre pour domaine d'intégration tout domaine d'intégration contenant le point où est concentré δ).

Le sens des égalités suivantes est que leurs deux membres donnent le même résultat quand on s'en sert comme facteurs sous le signe d'intégration :

$$\delta(-x) = \delta(x), \quad \delta(ax) = \frac{1}{|a|}\,\delta(x). \tag{IV}$$

où la sommation est étendue à toutes les charges en présence et $\mathbf{r}_a$ est le rayon vecteur de la charge e_a.

De par sa définition même, la charge d'une particule est une grandeur invariante, c'est-à-dire ne dépendant pas du choix du référentiel. Au contraire, la densité ρ n'est pas un invariant, seul le produit $\rho\, dV$ est invariant.

Multiplions les deux membres de l'égalité $de = \rho\, dV$ par dx^i:

$$de\, dx^i = \rho\, dV\, dx^i = \rho\, dV\, dt \frac{dx^i}{dt}.$$

Nous avons à gauche un quadrivecteur (étant donné que de est un scalaire et dx^i un quadrivecteur). Nous devons donc avoir à droite aussi un quadrivecteur. Or, $dV\, dt$ est un scalaire (cf. § 6), et il en résulte que $\rho \frac{dx^i}{dt}$ est un 4-vecteur. Ce vecteur (nous le désignerons par j^i) est appelé quadrivecteur *courant*

$$j^i = \rho \frac{dx^i}{dt}. \tag{28,2}$$

Les trois composantes spatiales de ce vecteur forment un 3-vecteur

$$\mathbf{j} = \rho \mathbf{v}; \tag{28,3}$$

$\mathbf{v}$ est la vitesse de la charge au point considéré. Le vecteur $\mathbf{j}$ est appelé vecteur *densité de courant*, La composante temporelle du 4-vecteur courant est $c\rho$. Ainsi

$$j^i = (c\rho, \mathbf{j}). \tag{28,4}$$

La charge totale se trouvant dans tout l'espace est égale à l'intégrale $\int \rho\, dV$ étendue à tout l'espace. Nous pouvons écrire cette intégrale sous forme quadridimensionnelle:

$$\int \rho\, dV = \frac{1}{c} \int j^0 dV = \frac{1}{c} \int j^i\, dS_i, \tag{28,5}$$

où l'intégrale est étendue à un hyperplan de l'espace à quatre dimensions orthogonal à l'axe x^0 (cette intégration est manifestement une intégration dans tout l'espace à trois dimensions).

La dernière égalité est un cas particulier de la relation plus générale

$$\delta[\varphi(x)] = \sum_i \frac{1}{|\varphi'(a_i)|} \delta(x - a_i), \tag{V}$$

$\varphi(x)$ étant une fonction uniforme (sa fonction inverse n'est pas forcément uniforme) et les a_i les racines de l'équation $\varphi(x) = 0$.

De même qu'on a défini $\delta(x)$ pour une variable x, on peut introduire une fonction δ de trois variables $\delta(\mathbf{r})$, nulle partout sauf à l'origine des coordonnées et dont l'intégrale étendue à tout l'espace est égale à 1. On peut manifestement représenter cette fonction sous forme de produit $\delta(x)\, \delta(y)\, \delta(z)$.

De façon générale, l'intégrale $\frac{1}{c}\int j^i\, dS_i$ étendue à toute hypersurface est la somme des charges dont les lignes d'univers coupent cette hypersurface.

Introduisant le quadrivecteur courant dans l'expression (27,7) de l'action et transformons le second terme de cette expression. Introduisons au lieu de charges ponctuelles e une répartition continue de densité ρ, nous devons récrire ce terme sous la forme:

$$-\frac{1}{c}\int \rho A_i\, dx^i\, dV,$$

remplaçant ainsi la somme étendue à toutes les charges par une intégrale étendue à tout le volume. Recopiant ce terme sous la forme:

$$-\frac{1}{c}\int \rho \frac{dx^i}{dt} A_i\, dV\, dt,$$

nous voyons qu'il est égal à

$$-\frac{1}{c^2}\int A_i j^i\, d\Omega.$$

De sorte que l'action S prend la forme:

$$S = -\sum \int mc\, ds - \frac{1}{c^2}\int A_i j^i\, d\Omega - \frac{1}{16\pi c}\int F_{ik}F^{ik}\, d\Omega. \qquad (28,6)$$

§ 29. Equation de continuité

La variation en fonction du temps d'une charge occupant un certain volume est donnée par la dérivée

$$\frac{\partial}{\partial t}\int \rho\, dV.$$

Par ailleurs, la variation par unité de temps est donnée par la quantité de charge qui en ce laps de temps sort ou entre dans ce volume. La charge traversant en l'unité de temps l'élément de surface $d\mathbf{f}$ délimitant notre volume est égale à $\rho\mathbf{v}\, d\mathbf{f}$, où $\mathbf{v}$ est la vitesse de la charge au point de l'espace où se trouve l'élément $d\mathbf{f}$. On dirige toujours le vecteur $d\mathbf{f}$ selon la normale extérieure à la surface, qui se trouve en dehors du volume considéré. Il en résulte que $\rho\mathbf{v}\, d\mathbf{f}$ est positif si la charge sort de notre volume et négatif si elle y entre. La charge totale sortant en l'unité de temps du volume donné est, par conséquent, $\oint \rho\mathbf{v}\, d\mathbf{f}$, l'intégrale étant prise sur la surface fermée délimitant notre volume.

Nous obtenons de la comparaison des deux expressions obtenues:

$$\frac{\partial}{\partial t}\int \rho\, dV = -\oint \rho \mathbf{v}\, d\mathbf{f}. \tag{29,1}$$

On a mis à droite le signe moins, car le premier membre est positif lorsque la charge totale dans le volume donné augmente. L'équation (29,1), exprimant la loi de conservation de la charge, est *l'équation de continuité* écrite sous forme intégrale. Notant que $\rho\mathbf{v}$ est la densité du courant, on peut recopier (29,1) sous la forme:

$$\frac{\partial}{\partial t}\int \rho\, dV = -\oint \mathbf{j}\, d\mathbf{f}. \tag{29,2}$$

Ecrivons cette équation sous forme différentielle. Appliquant le théorème de Gauss au second membre de (29,2):

$$\oint \mathbf{j}\, d\mathbf{f} = \int \operatorname{div} \mathbf{j}\, dV,$$

on trouve:

$$\int \left(\operatorname{div} \mathbf{j} + \frac{\partial \rho}{\partial t}\right) dV = 0.$$

Cette égalité devant avoir lieu quel que soit le volume d'intégration, la fonction sous le signe somme doit être nulle:

$$\operatorname{div} \mathbf{j} + \frac{\partial \rho}{\partial t} = 0. \tag{29,3}$$

Telle est l'équation de continuité sous forme différentielle.

Il est facile de voir que l'expression (28,1) de ρ sous forme de fonction δ satisfait automatiquement à l'équation (29,3). Pour la simplicité, supposons que nous n'ayons qu'une seule charge, de sorte que

$$\rho = e\delta(\mathbf{r} - \mathbf{r}_0).$$

Le courant $\mathbf{j}$ est alors

$$\mathbf{j} = e\mathbf{v}\delta(\mathbf{r} - \mathbf{r}_0),$$

où $\mathbf{v}$ est la vitesse de la charge. Cherchons la dérivée $\partial\rho/\partial t$. Pendant le mouvement de la charge $\mathbf{r}_0$ varie. D'où

$$\frac{\partial \rho}{\partial t} = \frac{\partial \rho}{\partial \mathbf{r}_0}\frac{\partial \mathbf{r}_0}{\partial t}.$$

Mais $\partial\mathbf{r}_0/\partial t$ n'est pas autre chose que la vitesse $\mathbf{v}$ de la charge Ensuite, étant donné que ρ est fonction de $\mathbf{r} - \mathbf{r}_0$,

$$\frac{\partial \rho}{\partial \mathbf{r}_0} = -\frac{\partial \rho}{\partial \mathbf{r}}.$$

Par conséquent,

$$\frac{\partial \rho}{\partial t} = -\mathbf{v}\,\mathrm{grad}\,\rho = -\mathrm{div}\,\rho\mathbf{v}$$

(la vitesse $\mathbf{v}$ de la charge ne dépend pas, bien entendu, de $\mathbf{r}$). Nous retrouvons donc l'équation (29,3).

Sous forme quadridimensionnelle l'équation de continuité (29,3) s'exprime par l'annulation de la divergence du quadrivecteur courant :

$$\frac{\partial j^i}{\partial x^i} = 0. \tag{29,4}$$

Nous avons vu au paragraphe précédent que la charge totale répartie dans tout l'espace pouvait s'écrire :

$$\frac{1}{c}\int j^i\,dS_i,$$

où l'on intègre sur un hyperplan $x^0 = \text{const}$. A un autre instant, la charge totale sera représentée par la même intégrale, mais calculée sur un autre hyperplan orthogonal à l'axe x^0. On vérifie aisément que l'équation (29,4) conduit effectivement à la loi de conservation de la charge, c'est-à-dire que l'intégrale $\int j^i\,dS_i$ est la même quel que soit l'hyperplan d'intégration $x^0 = \text{const}$. La différence entre deux intégrales $\int j^i\,dS_i$ prises sur deux hyperplans de ce genre peut être mise sous la forme $\oint j^i\,dS_i$, où l'intégrale est étendue à tout l'hypersurface délimitant un 4-volume avec les deux hyperplans considérés (cette intégrale se distingue de la différence cherchée par une intégrale étendue à l'hypersurface « latérale » à l'infini, mais cette dernière est nulle, car il n'y a pas de charge à l'infini). Servons-nous du théorème de Gauss (6,15) pour transformer cette intégrale en intégrale dans le 4-volume compris entre les deux hyperplans ; nous obtenons :

$$\oint j^i\,dS_i = \int \frac{\partial j^i}{\partial x^i}\,d\Omega = 0, \tag{29,5}$$

c. q. f. d.

La démonstration donnée reste visiblement en vigueur pour deux intégrales étendues à deux hypersurfaces infinies arbitraires (et non seulement à des hyperplans $x^0 = \text{const}$) délimitant tout l'espace (tridimensionnel). Ce qui prouve que l'intégrale $\frac{1}{c}\int j^i\,dS_i$ a une seule et même valeur (égale à la charge totale dans l'espace) quelle que soit l'hypersurface d'intégration.

Mention a déjà été faite (cf. note p. 72) du lien intime entre l'invariance de jauge des équations de l'électrodynamique et la loi de conservation de la charge. Démontrons-le encore une fois sur l'expression de l'action écrite sous la forme (28,6). Lorsqu'on remplace A_i par $A_i - \frac{\partial f}{\partial x^i}$, au second terme de cette expression vient s'ajouter l'intégrale

$$\frac{1}{c^2}\int j^i \frac{\partial f}{\partial x^i}\, d\Omega.$$

C'est précisément la conservation de la charge, exprimée par l'équation de continuité (29,4), qui permet d'écrire l'expression sous le signe d'intégration sous la forme de 4-divergence $\frac{\partial}{\partial x^i}(fj^i)$, après quoi, en vertu du théorème de Gauss, l'intégrale dans le 4-volume se transforme en intégrale sur les hypersurfaces frontières; quand on varie l'action, ces intégrales disparaissent, si bien qu'elles n'affectent pas les équations du mouvement.

§ 30. Deuxième groupe d'équations de Maxwell

Déduisant les équations du champ du principe de moindre action, nous devons considérer comme donné le mouvement des charges et ne devons varier que les potentiels du champ (lesquels jouent ici le rôle de « coordonnées » du système); lorsque nous cherchions les équations du mouvement, nous considérions au contraire que le champ était donné et nous faisions varier la trajectoire de la particule.

Ceci étant, la variation du premier terme dans (28,6) est nulle, et dans le second le courant j^i ne doit pas varier. De sorte que

$$\delta S = -\frac{1}{c}\int \left[\frac{1}{c} j^i \delta A_i + \frac{1}{8\pi} F^{ik}\delta F_{ik}\right] d\Omega = 0$$

(lors de la variation dans le second terme on a pris en considération que $F^{ik}\delta F_{ik} \equiv F_{ik}\delta F^{ik}$). Substituant

$$F_{ik} = \frac{\partial A_k}{\partial x^i} - \frac{\partial A_i}{\partial x^k},$$

il vient :

$$\delta S = -\frac{1}{c}\int \left\{\frac{1}{c} j^i \delta A_i + \frac{1}{8\pi} F^{ik} \frac{\partial}{\partial x^i}\delta A_k - \frac{1}{8\pi} F^{ik} \frac{\partial}{\partial x^k}\delta A_i\right\} d\Omega.$$

Permutons dans le second terme les indices i et k et, en outre, remplaçons F_{ki} par $-F_{ik}$. Nous obtenons alors :

$$\delta S = -\frac{1}{c}\int \left\{\frac{1}{c} j^i \delta A_i - \frac{1}{4\pi} F^{ik} \frac{\partial}{\partial x^k}\delta A_i\right\} d\Omega.$$

Nous intégrerons par parties la seconde de ces intégrales, c'est-à-dire que nous appliquerons le théorème de Gauss :

$$\delta S = -\frac{1}{c}\int\left\{\frac{1}{c}j^i + \frac{1}{4\pi}\frac{\partial F^{ik}}{\partial x^k}\right\}\delta A_i\,d\Omega - \frac{1}{4\pi c}\int F^{ik}\delta A_i\,dS_k\,\Big| . \qquad (30,1)$$

L'intégrale du second terme est calculée sur les surfaces frontières. Les bornes d'intégration par rapport aux coordonnées sont à l'infini, où le champ s'évanouit. Aux bornes d'intégration temporelles, c'est-à-dire aux instants initial et final, la variation des potentiels est nulle, car, d'après le principe de moindre action, les potentiels sont donnés à ces instants. Donc le second terme de (30,1) est nul et

$$\int\left(\frac{1}{c}j^i + \frac{1}{4\pi}\frac{\partial F^{ik}}{\partial x^k}\right)\delta A_i\,d\Omega = 0.$$

Les variations de δA_i étant arbitraires d'après le principe de moindre action, les coefficients de δA_i doivent être nuls, soit

$$\frac{\partial F^{ik}}{\partial x^k} = -\frac{4\pi}{c}j^i. \qquad (30,2)$$

Recopions ces quatre équations ($i=0$, 1, 2, 3) sous forme tridimensionnelle. Pour $i=1$ on a :

$$\frac{1}{c}\frac{\partial F^{10}}{\partial t} + \frac{\partial F^{11}}{\partial x} + \frac{\partial F^{12}}{\partial y} + \frac{\partial F^{13}}{\partial z} = -\frac{4\pi}{c}j^1.$$

Substituant les valeurs des composantes de F^{ik}, nous obtenons :

$$\frac{1}{c}\frac{\partial E_x}{\partial t} - \frac{\partial H_z}{\partial y} + \frac{\partial H_y}{\partial z} = -\frac{4\pi}{c}j_x.$$

Cette équation et les deux suivantes ($i=2$, 3) peuvent être condensées en une seule équation vectorielle

$$\operatorname{rot}\mathbf{H} = \frac{1}{c}\frac{\partial \mathbf{E}}{\partial t} + \frac{4\pi}{c}\mathbf{j}. \qquad (30,3)$$

Nous obtenons enfin pour l'équation avec $i=0$:

$$\operatorname{div}\mathbf{E} = 4\pi\rho. \qquad (30,4)$$

Les équations (30,3) et (30,4) constituent le second groupe d'équations de Maxwell [1] cherché. Après adjonction du premier groupe elles déterminent complètement le champ électromagnétique et sont les équations fondamentales de la théorie de ces champs — de l'*électrodynamique*.

---

[1] Les équations de Maxwell dans le cas d'un champ électromagnétique dans le vide avec des charges ponctuelles ont été formulées par Lorentz.

Ecrivons ces équations sous forme intégrale. Intégrons (30,4) dans un volume et appliquons le théorème de Gauss:

$$\int \operatorname{div} \mathbf{E}\, dV = \oint \mathbf{E}\, d\mathbf{f};$$

nous avons:

$$\oint \mathbf{E}\, d\mathbf{f} = 4\pi \int \rho\, dV. \tag{30,5}$$

Par conséquent, le flux du champ électrique à travers une surface fermée est égal au produit par 4π de la charge totale se trouvant dans le volume délimité par cette surface.

Intégrons (30,3) sur une certaine surface ouverte et appliquons le théorème de Stokes:

$$\int \operatorname{rot} \mathbf{H}\, d\mathbf{f} = \oint \mathbf{H}\, d\mathbf{l},$$

nous avons:

$$\oint \mathbf{H}\, d\mathbf{l} = \frac{1}{c}\frac{\partial}{\partial t}\int \mathbf{E}\, d\mathbf{f} + \frac{4\pi}{c}\int \mathbf{j}\, d\mathbf{f}. \tag{30,6}$$

La grandeur

$$\frac{1}{4\pi}\frac{\partial \mathbf{E}}{\partial t} \tag{30,7}$$

est appelée *courant de déplacement*. Si l'on recopie (30,6) sous la forme:

$$\oint \mathbf{H}\, d\mathbf{l} = \frac{4\pi}{c}\int \left(\mathbf{j} + \frac{1}{4\pi}\frac{\partial \mathbf{E}}{\partial t}\right) d\mathbf{f}, \tag{30,8}$$

on voit que la circulation du champ magnétique le long d'un contour est égale au produit par $4\pi/c$ de la somme du courant réel et du courant de déplacement traversant la surface délimitée par ce contour.

Les équations de Maxwell nous permettent de retrouver l'équation de continuité (29,3). Prenons la divergence des deux membres de (30,3):

$$\operatorname{div} \operatorname{rot} \mathbf{H} = \frac{1}{c}\frac{\partial}{\partial t}\operatorname{div} \mathbf{E} + \frac{4\pi}{c}\operatorname{div} \mathbf{j}.$$

Mais $\operatorname{div} \operatorname{rot} \mathbf{H} \equiv 0$ et $\operatorname{div} \mathbf{E} = 4\pi\rho$ d'après (30,4). De sorte que nous retrouvons l'équation (29,3). Nous obtenons sous forme quadridimensionnelle en partant de (30,2) :

$$\frac{\partial^2 F^{ik}}{\partial x^i\, \partial x^k} = -\frac{4\pi}{c}\frac{\partial j^i}{\partial x^i}.$$

Or, l'application de l'opérateur $\frac{\partial^2}{\partial x^i \partial x^k}$, symétrique sur i et k, au tenseur antisymétrique F^{ik} annule identiquement ce dernier, et nous sommes ramenés à l'équation de continuité écrite sous forme quadridimensionnelle (29,4).

§ 31. Densité et flux d'énergie

Multiplions les deux membres de l'équation (30,3) par **E**, les deux membres de l'équation (26,1) par **H** et faisons la somme des équations obtenues :

$$\frac{1}{c}\mathbf{E}\frac{\partial \mathbf{E}}{\partial t}+\frac{1}{c}\mathbf{H}\frac{\partial \mathbf{H}}{\partial t}=-\frac{4\pi}{c}\mathbf{jE}-(\mathbf{H}\,\mathrm{rot}\,\mathbf{E}-\mathbf{E}\,\mathrm{rot}\,\mathbf{H}).$$

Utilisons la formule d'analyse vectorielle

$$\mathrm{div}\,(\mathbf{a}\times\mathbf{b})=\mathbf{b}\,\mathrm{rot}\,\mathbf{a}-\mathbf{a}\,\mathrm{rot}\,\mathbf{b}$$

pour recopier la relation précédente sous la forme :

$$\frac{1}{2c}\frac{\partial}{\partial t}(E^2+H^2)=-\frac{4\pi}{c}\mathbf{jE}-\mathrm{div}\,(\mathbf{E}\times\mathbf{H})$$

ou

$$\frac{\partial}{\partial t}\frac{E^2+H^2}{8\pi}=-\mathbf{jE}-\mathrm{div}\,\mathbf{S}. \qquad (31,1)$$

Le vecteur

$$\mathbf{S}=\frac{c}{4\pi}\mathbf{E}\times\mathbf{H} \qquad (31,2)$$

est appelé *vecteur de Poynting.*

Intégrons (31,1) dans un volume et appliquons au second terme de droite le théorème de Gauss. Nous avons alors :

$$\frac{\partial}{\partial t}\int\frac{E^2+H^2}{8\pi}\,dV=-\int\mathbf{jE}\,dV-\oint\mathbf{S}\,d\mathbf{f}. \qquad (31,3)$$

Lorsque l'intégration est étendue à tout l'espace, l'intégrale de surface disparaît (le champ est nul à l'infini). Puis, nous pouvons représenter l'intégrale $\int\mathbf{jE}\,dV$ par la somme $\sum e\mathbf{vE}$ étendue à toutes les charges se trouvant dans le champ et substituer d'après (17,7) :

$$e\,\mathbf{vE}=\frac{d}{dt}\mathscr{E}_{\mathrm{cin}}.$$

Alors, (31,3) devient :

$$\frac{d}{dt}\left\{\int\frac{E^2+H^2}{8\pi}\,dV+\sum\mathscr{E}_{\mathrm{cin}}\right\}=0. \qquad (31,4)$$

Il en résulte que, pour un système fermé composé d'un champ électromagnétique et de particules qui s'y trouvent, la quantité entre accolades dans l'équation précédente est conservée. Le second terme de cette expression est l'énergie cinétique (avec l'énergie de repos de toutes les particules; cf. note p. 70); le premier terme est donc l'énergie du champ électromagnétique lui-même. Nous pouvons donc appeler la quantité

$$W=\frac{E^2+H^2}{8\pi} \tag{31,5}$$

densité d'énergie du champ électromagnétique; c'est l'énergie de l'unité de volume du champ.

Lorsqu'on intègre dans un volume fini, l'intégrale de surface dans (31,3) ne disparaît pas en général, de sorte que cette équation peut être écrite sous la forme:

$$\frac{\partial}{\partial t}\left\{\int \frac{E^2+H^2}{8\pi}dV+\sum \mathscr{E}_{\text{cin}}\right\}=-\oint \mathbf{S}\,d\mathbf{f}. \tag{31,6}$$

où la sommation du second terme de gauche est étendue seulement aux particules se trouvant dans le volume considéré. Nous avons à gauche la variation de l'énergie totale du champ et des particules par unité de temps. Nous devons donc considérer l'intégrale $\oint \mathbf{S}\,d\mathbf{f}$ comme le flux de l'énergie du champ à travers la surface délimitant le volume considéré, de sorte que le vecteur de Poynting **S** est la densité de ce flux — la quantité d'énergie du champ traversant l'unité de surface [1] par unité de temps.

§ 32. Tenseur d'énergie-impulsion

Au paragraphe précédent nous avons déduit l'expression de l'énergie du champ électromagnétique. Trouvons cette expression, en même temps que celle de l'impulsion du champ, sous forme quadridimensionnelle. Pour plus de simplicité, nous considérerons pour l'instant un champ électromagnétique sans charges. Ayant en vue les applications ultérieures (aux champs gravitationnels), ainsi que la simplification des calculs, nous opérerons dans le cas général, sans restreindre le problème à un système concret. Considérerons un système ayant pour intégrale d'action

$$S=\int \Lambda\left(q,\frac{\partial q}{\partial x^i}\right)dV\,dt=\frac{1}{c}\int \Lambda\,d\Omega, \tag{32,1}$$

[1] Nous supposons qu'il n'y a pas à l'instant considéré de particules sur la surface délimitant le volume donné. Dans le cas contraire le second membre de l'égalité contiendrait aussi le flux d'énergie transportée par les particules traversant la surface.

où Λ est une certaine fonction des q déterminant l'état du système et de leurs dérivées par rapport aux coordonnées et au temps (pour le champ électromagnétique les quantités q sont les composantes du quadripotentiel) ; pour abréger l'écriture, nous n'écrirons qu'un seul q. Notons que l'intégrale étendue à l'espace $\int \Lambda \, dV$ est la fonction de Lagrange du système, de sorte que Λ peut être considéré comme la « densité » de la fonction de Lagrange. L'expression mathématique du fait que le système est fermé est que Λ ne dépend pas explicitement de x^i, de même que la fonction de Lagrange pour un système mécanique fermé ne dépend pas explicitement du temps.

On obtient les « équations du mouvement » (c'est-à-dire du champ, s'il s'agit d'un champ) conformément au principe de moindre action en faisant varier S. Posons, pour abréger, $q_{,i} \equiv \frac{\partial q}{\partial x^i}$; nous avons :

$$\delta S = \frac{1}{c} \int \left(\frac{\partial \Lambda}{\partial q} \delta q + \frac{\partial \Lambda}{\partial q_{,i}} \delta q_{,i} \right) d\Omega =$$

$$= \frac{1}{c} \int \left[\frac{\partial \Lambda}{\partial q} \delta q + \frac{\partial}{\partial x^i} \left(\frac{\partial \Lambda}{\partial q_{,i}} \delta q \right) - \delta q \frac{\partial}{\partial x^i} \frac{\partial \Lambda}{\partial q_{,i}} \right] d\Omega = 0.$$

Après application du théorème de Gauss, le second terme disparaît quand on intègre dans tout l'espace, et nous trouvons les « équations du mouvement » :

$$\frac{\partial}{\partial x^i} \frac{\partial \Lambda}{\partial q_{,i}} - \frac{\partial \Lambda}{\partial q} = 0 \tag{32,2}$$

(bien entendu, il y a partout sommation sur l'indice i se répétant deux fois).

On continue ensuite comme en mécanique lorsqu'on veut établir la loi de conservation de l'énergie. A savoir,

$$\frac{\partial \Lambda}{\partial x^i} = \frac{\partial \Lambda}{\partial q} \frac{\partial q}{\partial x^i} + \frac{\partial \Lambda}{\partial q_{,k}} \frac{\partial q_{,k}}{\partial x^i}.$$

Substituant ici (32,2) et notant que $q_{,k,i} = q_{,i,k}$, on trouve :

$$\frac{\partial \Lambda}{\partial x^i} = \frac{\partial}{\partial x^k} \left(\frac{\partial \Lambda}{\partial q_{,k}} \right) q_{,i} + \frac{\partial \Lambda}{\partial q_{,k}} \frac{\partial q_{,i}}{\partial x^k} = \frac{\partial}{\partial x^k} \left(q_{,i} \frac{\partial \Lambda}{\partial q_{,k}} \right).$$

Faisant au premier membre la substitution

$$\frac{\partial \Lambda}{\partial x^i} = \delta_i^k \frac{\partial \Lambda}{\partial x^k}$$

et introduisant la notation

$$T_i^k = q_{,i} \frac{\partial \Lambda}{\partial q_{,k}} - \delta_i^k \Lambda \tag{32,3}$$

nous écrirons la relation déduite sous la forme :

$$\frac{\partial T_i^k}{\partial x^k} = 0. \qquad (32,4)$$

Si l'on a plusieurs quantités $q^{(l)}$ au lieu d'une, on écrira évidemment au lieu de (32,3) :

$$T_i^k = \sum_l q_{,i}^{(l)} \frac{\partial \Lambda}{\partial q_{,k}^{(l)}} - \delta_i^k \Lambda. \qquad (32,5)$$

Nous avons vu au § 29 qu'une équation de la forme $\partial A^k/\partial x^k = 0$, c'est-à-dire l'annulation de la 4-divergence d'un vecteur, était l'expression de la conservation de l'intégrale de ce vecteur $\int A^k dS_k$ sur une hypersurface renfermant tout l'espace tridimensionnel. Il en est évidemment de même pour un tenseur : l'équation (32,4) équivaut à l'affirmation que le vecteur

$$P^i = \text{const} \int T^{ik}\, dS_k$$

est conservatif.

Ce vecteur doit être identifié avec la 4-impulsion du système. La constante devant l'intégrale sera choisie de sorte que, en vertu de la définition antérieure, la composante temporelle P^0 soit égale à l'énergie du système divisée par c. Nous remarquerons pour cela que

$$P^0 = \text{const} \int T^{0k}\, dS_k = \text{const} \int T^{00}\, dV,$$

si l'intégrale est prise sur l'hyperplan $x^0 = \text{const}$. Par ailleurs, en vertu de (32,3) :

$$T^{00} = \dot{q} \frac{\partial \Lambda}{\partial \dot{q}} - \Lambda$$

(avec $\dot{q} \equiv \partial q/\partial t$). Conformément à la formule usuelle reliant l'énergie avec la fonction de Lagrange, cette quantité doit être considérée comme la densité d'énergie du système, si bien que $\int T^{00}\, dV$ en sera l'énergie totale. On devra donc poser const $= 1/c$, et il vient finalement pour la 4-impulsion du système :

$$P^i = \frac{1}{c} \int T^{ik}\, dS_k. \qquad (32,6)$$

T^{ik} est le *tenseur d'énergie-impulsion* du système.

Il est à remarquer qu'en fait la définition de T^{ik} n'est pas univoque. En effet, si T^{ik} est le tenseur défini conformément à (32,3), tout autre tenseur de la forme:

$$T^{ik} + \frac{\partial}{\partial x^l} \psi^{ikl}, \quad \psi^{ikl} = -\psi^{ilk} \tag{32,7}$$

satisfait à l'équation de conservation (32,4), puisqu'on a identiquement $\frac{\partial^2}{\partial x^k \partial x^l} \psi^{ikl} = 0$ en vertu de l'antisymétrie de ψ^{ikl} sur k, l. La 4-impulsion totale du système reste alors inchangée, puisqu'on a, eu égard à (6, 17):

$$\int \frac{\partial \psi^{ikl}}{\partial x^l} dS_k = \frac{1}{2} \int \left(dS_k \frac{\partial \psi^{ikl}}{\partial x^l} - dS_l \frac{\partial \psi^{ikl}}{\partial x^k} \right) = \frac{1}{2} \int \psi^{ikl} df_{kl}^*,$$

l'intégration à droite de l'égalité étant faite sur la surface (ordinaire) « enveloppant » l'hypersurface sur laquelle est faite l'intégration à gauche. Il est évident que cette surface se trouve à l'infini de l'espace à trois dimensions, et comme il n'y a ni champ ni particules à l'infini, l'intégrale est nulle. De sorte que la 4-impulsion du système est, comme il se doit, une quantité univoquement déterminée.

Pour déterminer univoquement le tenseur T^{ik}, on peut utiliser la condition que le 4-tenseur moment cinétique (§ 14) s'exprime d'après la 4-impulsion par

$$M^{ik} = \int (x^i dP^k - x^k dP^i) = \frac{1}{c} \int (x^i T^{kl} - x^k T^{il}) dS_l, \tag{32,8}$$

c'est-à-dire de façon que sa densité s'exprime au moyen de la densité d'impulsion par la formule usuelle.

Il est facile de trouver la condition à laquelle doit satisfaire à cet effet le tenseur d'énergie-impulsion. La loi de conservation du moment peut, on le sait, s'exprimer par la nullité de la divergence de l'expression sous le signe somme dans M^{ik}. De sorte que

$$\frac{\partial}{\partial x^l} (x^i T^{kl} - x^k T^{il}) = 0.$$

Notant que $\partial x^i / \partial x^l = \delta_l^i$ et $\partial T^{kl} / \partial x^l = 0$, on trouve:

$$\delta_l^i T^{kl} - \delta_l^k T^{il} = T^{ki} - T^{ik} = 0,$$

ou

$$T^{ik} = T^{ki}, \tag{32,9}$$

c'est-à-dire que le tenseur d'énergie-impulsion doit être symétrique.

Notons que le tenseur T^{ik} défini par la formule (32,5) n'est pas, en général, symétrique, mais on peut le symétriser par la substitution (32,7), ψ^{ikl} étant adéquatement choisi. Nous verrons par la suite (§ 94) qu'il existe un procédé qui donne directement T^{ik} symétrique.

Il a été dit plus haut que si l'intégration dans (32,6) est faite sur un hyperplan x^0 = const, P^i s'écrit alors:

$$P^i = \frac{1}{c} \int T^{i0}\, dV \tag{32,10}$$

l'intégrale étant étendue à tout l'espace (à trois dimensions). Les composantes spatiales de P^i forment le vecteur tridimensionnel d'impulsion du système, et la composante temporelle est le quotient par c de son énergie. Ceci étant, le vecteur de composantes

$$\frac{1}{c} T^{10}, \quad \frac{1}{c} T^{20}, \quad \frac{1}{c} T^{30}$$

peut être appelé *densité d'impulsion*, et la quantité

$$W = T^{00}$$

peut être considérée comme la *densité d'énergie*.

Pour interpréter les autres composantes de T^{ik}, écrivons les équations de conservation (32,4) en y séparant les dérivées spatiales et temporelles:

$$\frac{1}{c}\frac{\partial T^{00}}{\partial t} + \frac{\partial T^{0\alpha}}{\partial x^\alpha} = 0, \quad \frac{1}{c}\frac{\partial T^{\alpha 0}}{\partial t} + \frac{\partial T^{\alpha\beta}}{\partial x^\beta} = 0. \tag{32,11}$$

Intégrons ces équations dans un volume V de l'espace. La première donne:

$$\frac{1}{c}\frac{\partial}{\partial t}\int T^{00}\, dV + \int \frac{\partial T^{0\alpha}}{\partial x^\alpha}\, dV = 0,$$

ou en transformant la seconde intégrale par application du théorème (tridimensionnel) de Gauss:

$$\frac{\partial}{\partial t}\int T^{00}\, dV = -c \oint T^{0\alpha}\, df_\alpha, \tag{32,12}$$

l'intégrale de droite étant prise sur la surface limitant le volume V (df_x, df_y, df_z sont les composantes du vecteur tridimensionnel $d\mathbf{f}$ de l'élément de surface). Nous avons dans le premier membre de (32,12) la vitesse de variation de l'énergie contenue dans le volume V. On voit donc que l'expression de droite est la quantité d'énergie traversant la frontière de ce volume, et que le vecteur **S** de composantes

$$cT^{01}, \ cT^{02}, \ cT^{03}$$

est la densité de ce flux — la quantité d'énergie traversant l'unité de surface par unité de temps. Ainsi donc, nous sommes conduits à cette conclusion majeure que les conditions d'invariance relativiste contenues dans le caractère tensoriel des T^{ik} induisent automatiquement une relation déterminée entre le flux d'énergie et l'impulsion : la densité du flux d'énergie est égale au produit par c^2 de la densité d'impulsion.

On trouve de même en partant de la deuxième des équations (32,11) :

$$\frac{\partial}{\partial t}\int \frac{1}{c} T^{\alpha 0}\, dV = -\oint T^{\alpha\beta}\, df_\beta. \qquad (32,13)$$

On a à gauche la variation par unité de temps de l'impulsion du système dans le volume V ; il s'ensuit que $\oint T^{\alpha\beta} df_\beta$ est la quantité d'impulsion sortant de ce volume dans l'unité de temps. Ainsi, les composantes $T^{\alpha\beta}$ du tenseur d'énergie-impulsion forment le tenseur tridimensionnel de densité du flux d'impulsion, dit *tenseur des contraintes*; notons-le $\sigma_{\alpha\beta}$ $(\alpha, \beta = x, y, z)$. La densité du flux d'énergie est un vecteur ; la densité du flux d'impulsion, l'impulsion étant un vecteur, sera évidemment un tenseur (la composante $\sigma_{\alpha\beta}$ de ce tenseur est la quantité de la α-ième composante d'impulsion traversant dans l'unité de temps l'unité de surface perpendiculaire à l'axe x^β).

Ecrivons encore une fois le tableau explicitant le sens des diverses composantes du tenseur d'énergie-impulsion :

$$T^{ik} = \begin{pmatrix} W & S_x/c & S_y/c & S_z/c \\ S_x/c & \sigma_{xx} & \sigma_{xy} & \sigma_{xz} \\ S_y/c & \sigma_{yx} & \sigma_{yy} & \sigma_{yz} \\ S_z/c & \sigma_{zx} & \sigma_{zy} & \sigma_{zz} \end{pmatrix}. \qquad (32,14)$$

§ 33. Tenseur d'énergie-impulsion du champ électromagnétique

Appliquons à présent au champ électromagnétique les relations générales déduites au paragraphe précédent. Pour le champ électromagnétique, la quantité sous le signe d'intégration dans (32,1) est, en vertu de (27,4) :

$$\Lambda = -\frac{1}{16\pi} F_{kl} F^{kl}.$$

Les q sont les composantes du quadripotentiel du champ A_k, de sorte que la définition (32,5) du tenseur T_i^k devient :

$$T_i^k = \frac{\partial A_l}{\partial x^i} \frac{\partial \Lambda}{\partial (\partial A_l/\partial x^k)} - \delta_i^k \Lambda.$$

Pour calculer la dérivée de Λ, écrivons la variation

$$\delta\Lambda = -\frac{1}{8\pi} F^{kl} \delta F_{kl} = -\frac{1}{8\pi} F^{kl} \delta\left(\frac{\partial A_l}{\partial x^k} - \frac{\partial A_k}{\partial x^l}\right).$$

Transposant les indices et notant l'antisymétrie de F_{kl}, on obtient:

$$\delta\Lambda = -\frac{1}{4\pi} F^{kl} \delta \frac{\partial A_l}{\partial x^k}.$$

Ceci montre que

$$\frac{\partial \Lambda}{\partial (\partial A_l / \partial x^k)} = -\frac{1}{4\pi} F^{kl},$$

de sorte que

$$T_i^k = -\frac{1}{4\pi} \frac{\partial A^l}{\partial x^i} F^{kl} + \frac{1}{16\pi} \delta_i^k F_{lm} F^{lm},$$

ou pour les composantes contravariantes:

$$T^{ik} = -\frac{1}{4\pi} \frac{\partial A^l}{\partial x_i} F^k{}_l + \frac{1}{16\pi} g^{ik} F_{lm} F^{lm}.$$

Toutefois, ce tenseur n'est pas symétrique. Pour le rendre tel, ajoutons-lui

$$\frac{1}{4\pi} \frac{\partial A^l}{\partial x_l} F^k{}_l.$$

En vertu de l'équation du champ (30,2) en l'absence de charges $\partial F^k{}_l / \partial x_l = 0$ et

$$\frac{1}{4\pi} \frac{\partial A^i}{\partial x_l} F^k{}_l = \frac{1}{4\pi} \frac{\partial}{\partial x_l} (A^i F^k{}_l),$$

de sorte que la substitution de T^{ik} est du type (32,7) et elle est permise. Comme $\frac{\partial A^l}{\partial x_i} - \frac{\partial A^i}{\partial x_l} = F^{il}$, on trouve finalement l'expression suivante du tenseur d'énergie-impulsion du champ électromagnétique:

$$T^{ik} = \frac{1}{4\pi} \left(-F^{il} F^k{}_l + \frac{1}{4} g^{ik} F_{lm} F^{lm} \right). \tag{33,1}$$

La symétrie de ce tenseur est évidente. En outre, sa trace est nulle

$$T_i^i = 0. \tag{33,2}$$

Exprimons les composantes de T^{ik} au moyen des champs électrique et magnétique. A l'aide des valeurs (23,5) de F_{ik} il est facile de voir que T^{00} coïncide, comme il se doit, avec la densité d'énergie (31,5), et les $cT^{0\alpha}$ avec les composantes du vecteur de Poynting $\mathbf{S}$ (31,2). Quant aux composantes spatiales $T^{\alpha\beta}$, elles forment un tenseur tridimensionnel de composantes

$$\sigma_{xx} = \frac{1}{8\pi} (E_y^2 + E_z^2 - E_x^2 + H_y^2 + H_z^2 - H_x^2),$$

$$\sigma_{xy} = -\frac{1}{4\pi} (E_x E_y + H_x H_y),$$

etc., ou

$$\sigma_{\alpha\beta}=\frac{1}{4\pi}\left\{-E_\alpha E_\beta-H_\alpha H_\beta+\frac{1}{2}\delta_{\alpha\beta}(E^2+H^2)\right\}. \qquad (33,3)$$

Ce tenseur tridimensionnel est dit *tenseur des contraintes de Maxwell.*

Pour réduire le tenseur T^{ik} à sa forme diagonale, il faut passer dans un référentiel où les vecteurs **E** et **H** sont colinéaires (au point donné de l'espace et à l'instant donné) ou bien encore tel que l'un d'entre eux soit nul ; on sait qu'un tel passage est toujours possible, sauf si **E** et **H** sont orthogonaux et de même grandeur. On voit aisément qu'après transformation les seules composantes non nulles de T^{ik} sont :

$$T^{00}=-T^{11}=T^{22}=T^{33}=W$$

(l'axe des x a été dirigé selon les champs).

Si les vecteurs **E** et **H** sont orthogonaux et de même grandeur, le tenseur T^{ik} ne peut être ramené à la forme diagonale [1]. Les composantes non nulles sont alors :

$$T^{00}=T^{33}=T^{30}=W$$

(l'axe des x a été dirigé selon **E** et l'axe des y selon **H**).

Nous supposions jusqu'à présent le champ sans charges. En présence de particules chargées, le tenseur d'énergie-impulsion du système tout entier se présente comme la somme des tenseurs d'énergie-impulsion du champ électromagnétique et des particules, avec la restriction que ces dernières n'interagissent pas.

Pour déterminer la forme du tenseur d'énergie-impulsion des particules, il importe de décrire la distribution des masses dans l'espace au moyen de la « densité de masse », de même que nous décrivons la distribution de charges ponctuelles au moyen de leur densité. Par analogie avec la formule (28,1) pour la densité de charge, on peut écrire la densité de masse sous la forme :

$$\mu=\sum_a m_a\delta(\mathbf{r}-\mathbf{r}_a), \qquad (33,4)$$

où $\mathbf{r}_a$ est le rayon vecteur de la particule correspondante, la sommation étant étendue à toutes les particules du système.

La « densité de la 4-impulsion » des particules s'écrit $\mu c u_i$. La densité de l'impulsion spatiale est $\mu c u_\alpha$. Comme on sait, cette densité représente les composantes $T^{0\alpha}/c$ du tenseur d'énergie-impulsion, soit $T^{0\alpha}=\mu c^2 u^\alpha$ ($\alpha=1, 2, 3$). Mais la densité de masse est la composante temporelle du 4-vecteur $\frac{\mu}{c}\frac{dx^k}{dt}$ (comme

[1] Le fait que la réduction du 4-tenseur symétrique T^{ik} aux axes principaux peut s'avérer impossible est dû à ce que le 4-espace est pseudo-euclidien (voir également problème § 94).

pour la densité de charge, cf. § 28). Donc le tenseur d'énergie-impulsion d'un système de particules n'interagissant pas est

$$T^{ik} = \mu c \frac{dx^i}{ds} \frac{dx^k}{dt} = \mu c u^i u^k \frac{ds}{dt} . \qquad (33,5)$$

Ce tenseur est, comme il se doit, symétrique.

Assurons-nous par un calcul direct que l'énergie et l'impulsion d'un système, définies comme les sommes respectives des énergies et des impulsions du champ et des particules, sont conservées effectivement. En d'autres termes, nous devons vérifier l'équation

$$\frac{\partial}{\partial x^k} (T^{(\text{ch})}{}_i^k + T^{(\text{p})}{}_i^k) = 0, \qquad (33,6)$$

exprimant ces lois de conservation.

Dérivant l'expression (33,1), nous écrivons:

$$\frac{\partial T^{(\text{ch})}{}_i^k}{\partial x^k} = \frac{1}{4\pi} \left(\frac{1}{2} F^{lm} \frac{\partial F_{lm}}{\partial x^i} - F^{kl} \frac{\partial F_{il}}{\partial x^k} - F_{il} \frac{\partial F^{kl}}{\partial x^k} \right) .$$

Substituant ici en vertu des équations de Maxwell (26,5) et (30,2)

$$\frac{\partial F_{lm}}{\partial x^i} = -\frac{\partial F_{mi}}{\partial x^l} - \frac{\partial F_{il}}{\partial x^m} , \quad \frac{\partial F^{kl}}{\partial x^k} = \frac{4\pi}{c} j^l,$$

il vient:

$$\frac{\partial T^{(\text{ch})}{}_i^k}{\partial x^k} = \frac{1}{4\pi} \left(-\frac{1}{2} F^{lm} \frac{\partial F_{mi}}{\partial x^l} - \frac{1}{2} F^{lm} \frac{\partial F_{il}}{\partial x^m} - F^{kl} \frac{\partial F_{il}}{\partial x^k} - \frac{4\pi}{c} F_{il} j^l \right) .$$

En transposant les indices, on démontre aussitôt que les trois premiers termes se réduisent, et il reste :

$$\frac{\partial T^{(\text{ch})}{}_i^k}{\partial x^k} = -\frac{1}{c} F_{il} j^l. \qquad (33,7)$$

La dérivation de (33,5) donne:

$$\frac{\partial T^{(\text{p})}{}_i^k}{\partial x^k} = c u_i \frac{\partial}{\partial x^k} \left(\mu \frac{dx^k}{dt} \right) + \mu c \frac{dx^k}{dt} \frac{\partial u_i}{\partial x^k} .$$

Le premier terme de cette expression est nul en vertu de la conservation de la masse de particules ne se trouvant pas en interaction. En effet, les quantités $\mu \frac{dx^k}{dt}$ forment un 4-vecteur « courant de masses », par analogie avec le 4-vecteur « courant de charges » (28,2) ; en ce qui concerne la conservation des masses, elle s'exprime par l'annulation de la 4-divergence de ce vecteur:

$$\frac{\partial}{\partial x^k} \left(\mu \frac{dx^k}{dt} \right) = 0, \qquad (33,8)$$

de même que la conservation de la charge s'exprime par l'équation (29,4).

De sorte que nous avons :

$$\frac{\partial T^{(\mathrm{p})\,k}_{\ \ i}}{\partial x^k} = \mu c \frac{dx^k}{dt}\frac{\partial u_i}{\partial x^k} = \mu c \frac{du_i}{dt}.$$

Continuant notre transformation, utilisons l'équation du mouvement des charges dans un champ écrite sous forme quadridimensionnelle (23,4) :

$$mc \frac{du_i}{ds} = \frac{e}{c} F_{ik} u^k.$$

Lorsqu'on passe à une distribution continue de la charge et de la masse, on a d'après la définition des densités μ et ρ : $\mu/m = \rho/e$. On peut, par conséquent, écrire l'équation du mouvement sous la forme :

$$\mu c \frac{du_i}{ds} = \frac{\rho}{c} F_{ik} u^k$$

ou

$$\mu c \frac{du_i}{dt} = \frac{1}{c} F_{ik} \rho u^k \frac{ds}{dt} = \frac{1}{c} F_{ik} j^k.$$

De sorte que

$$\frac{\partial T^{(\mathrm{p})\,k}_{\ \ i}}{\partial x^k} = \frac{1}{c} F_{ik} j^k. \tag{33,9}$$

Ajoutant à (33,7), nous obtenons zéro, c'est-à-dire que nous sommes conduits à l'équation (33,6).

§ 34. Théorème du viriel

Etant donné que la trace du tenseur d'énergie-impulsion du champ électromagnétique est nulle, la somme T_i^i pour tout système de particules en interaction se réduit à la trace du tenseur d'énergie-impulsion des seules particules. Nous servant de l'expression (33,5), nous obtenons par conséquent :

$$T_i^i = T^{(\mathrm{p})\,i}_{\ \ i} = \mu c u_i u^i \frac{ds}{dt} = \mu c \frac{ds}{dt} = \mu c^2 \sqrt{1 - \frac{v^2}{c^2}}.$$

Recopions ce résultat en sommant par rapport aux particules, c'est-à-dire en substituant à μ son expression donnée par la somme (33,4). Nous avons en définitive :

$$T_i^i = \sum_a m_a c^2 \sqrt{1 - \frac{v_a^2}{c^2}}\, \delta(\mathbf{r} - \mathbf{r}_a). \tag{34,1}$$

Il découle notamment de cette formule que l'on a pour tout système :

$$T_i^i \geqslant 0, \tag{34,2}$$

l'égalité n'ayant lieu que pour un champ électromagnétique sans charges.

Considérons un système fermé de particules chargées accomplissant un mouvement fini, au cours duquel toutes les grandeurs caractérisant le système (coordonnées et impulsions) varient dans des intervalles finis [1].

Prenons la moyenne de l'équation

$$\frac{1}{c}\frac{\partial T^{\alpha 0}}{\partial t}+\frac{\partial T^{\alpha\beta}}{\partial x^{\beta}}=0$$

(cf. (32,11)) par rapport au temps. Alors, la valeur moyenne de la dérivée $\partial T^{\alpha 0}/\partial t$, ainsi que de la dérivée de toute quantité variant dans un intervalle fini, est nulle [2]. Il s'ensuit que

$$\frac{\partial}{\partial x^{\beta}}\overline{T}_{\alpha}^{\beta}=0.$$

Multiplions cette équation par x^{α} et intégrons dans tout l'espace. Transformons l'intégrale d'après le théorème de Gauss en observant que l'intégrale de surface s'évanouit, car $T_{\alpha}^{\beta}=0$ à l'infini :

$$\int x^{\alpha}\frac{\partial \overline{T}_{\alpha}^{\beta}}{\partial x^{\beta}}\,dV=-\int\frac{\partial x^{\alpha}}{\partial x^{\beta}}\overline{T}_{\alpha}^{\beta}\,dV=-\int\delta_{\beta}^{\alpha}\overline{T}_{\alpha}^{\beta}\,dV=0,$$

ou en fin de compte :

$$\int \overline{T}_{\alpha}^{\alpha}\,dV=0. \tag{34,3}$$

En vertu de cette égalité, nous avons pour l'intégrale de $\overline{T}_i^i=\overline{T}_{\alpha}^{\alpha}+\overline{T}_0^0$:

$$\int \overline{T}_i^i\,dV=\int \overline{T}_0^0\,dV=\mathscr{E},$$

où $\mathscr{E}$ est l'énergie totale du système.

---

[1] On suppose, en outre, que le champ électromagnétique s'annule à l'infini. Cela signifie que s'il y a émission d'ondes électromagnétiques dans le système, il est supposé que des parois « réfléchissantes » spéciales empêchent ces ondes d'aller à l'infini.

[2] Soit f une telle quantité. Alors la valeur moyenne de la dérivée df/dt dans l'intervalle de temps T est

$$\overline{\frac{df}{dt}}=\frac{1}{T}\int_0^T\frac{df}{dt}\,dt=\frac{f(T)-f(0)}{T}.$$

Etant donné que $f(t)$ varie seulement dans des limites finies, cette valeur moyenne tend effectivement vers 0 lorsque T croît indéfiniment.

Enfin, substituant dans cette dernière égalité (34,1), on trouve:

$$\mathcal{E} = \sum_a m_a c^2 \sqrt{1 - \frac{v_a^2}{c^2}}. \qquad (34,4)$$

Cette relation est la généralisation relativiste du *théorème du viriel* de la mécanique classique (cf. I § 10). Aux petites vitesses elle devient:

$$\mathcal{E} - \sum_a m_a c^2 = -\sum_a \frac{\overline{m_a v_a^2}}{2},$$

c'est-à-dire que l'énergie totale du système moins l'énergie de repos des particules est égale à la valeur moyenne de l'énergie cinétique précédée du signe moins. Le résultat est conforme à celui trouvé par application du théorème classique du viriel à un système de particules chargées (obéissant à la loi de Coulomb).

§ 35. Tenseur d'énergie-impulsion de corps macroscopiques

Parallèlement au tenseur d'énergie-impulsion pour un système de particules ponctuelles (33,5), nous aurons besoin dans la suite de l'expression de ce tenseur pour des corps macroscopiques, considérés comme continus.

Le flux d'impulsion à travers l'élément de surface d'un corps n'est pas autre chose que la force agissant sur cet élément. Donc $\sigma_{\alpha\beta} df_\beta$ est la α-ième composante de la force $d\mathbf{f}$ agissant sur l'élément de surface. Prenons maintenant un référentiel dans lequel l'élément de volume donné est au repos. On a dans un tel référentiel la loi de Pascal, c'est-à-dire que la pression p exercée par un secteur donné du corps est la même dans toutes les directions et partout perpendiculaire à l'élément de surface où elle s'exerce [1]. Nous pouvons écrire par conséquent $\sigma_{\alpha\beta} df_\beta = p df_\alpha$, d'où le tenseur des contraintes

$$\sigma_{\alpha\beta} = p\delta_{\alpha\beta}.$$

En ce qui concerne les composantes $T^{\alpha 0}$ définissant la densité d'impulsion, elles sont nulles pour l'élément de volume donné du corps dans le référentiel considéré. Quant à la composante T^{00}, elle est, comme toujours, égale à la densité d'énergie du corps, que nous désignerons ici par ε; alors ε/c^2 sera la densité de masse, soit la

[1] A proprement parler, la loi de Pascal n'a lieu que pour les liquides et les gaz. Cependant, pour les corps solides les écarts maxima de pression dans diverses directions sont négligeables par rapport aux pressions intervenant en Relativité, de sorte que l'on pourra en faire abstraction.

masse de l'unité de volume du corps. Spécifions qu'il s'agit ici de l'unité de « volume propre », c'est-à-dire du volume dans le référentiel où l'élément du corps est au repos.

Par conséquent, le tenseur d'énergie-impulsion (pour la région considérée du corps) s'écrit dans le référentiel considéré:

$$T^{ik} = \begin{pmatrix} \varepsilon & 0 & 0 & 0 \\ 0 & p & 0 & 0 \\ 0 & 0 & p & 0 \\ 0 & 0 & 0 & p \end{pmatrix}. \qquad (35,1)$$

Il est facile maintenant de trouver l'expression du tenseur d'énergie-impulsion dans un référentiel quelconque. Pour cela nous introduirons la 4-vitesse u^i du mouvement macroscopique de l'élément de volume du corps. Dans le référentiel où l'élément donné est au repos on a $u^i = (1,0)$. L'expression de T^{ik} doit être choisie de manière que dans ce système ce tenseur prenne la forme (35,1). On vérifie facilement qu'il en est ainsi de

$$T^{ik} = (p + \varepsilon)\, u^i u^k - p g^{ik}, \qquad (35,2)$$

ou en composantes mixtes:

$$T_i^k = (p + \varepsilon)\, u_i u^k - p \delta_i^k.$$

Ceci détermine le tenseur d'énergie-impulsion d'un corps macroscopique. Les expressions correspondantes de la densité d'énergie ε, de la densité du flux d'énergie $\mathbf{S}$ et du tenseur des contraintes $\sigma_{\alpha\beta}$ sont

$$W = \frac{\varepsilon + p \frac{v^2}{c^2}}{1 - \frac{v^2}{c^2}}, \qquad \mathbf{S} = \frac{(p + \varepsilon)\, \mathbf{v}}{1 - \frac{v^2}{c^2}},$$

$$\sigma_{\alpha\beta} = \frac{(p + \varepsilon)\, v_\alpha v_\beta}{c^2 \left(1 - \frac{v^2}{c^2}\right)} + p \delta_{\alpha\beta}. \qquad (35,3)$$

Si la vitesse $\mathbf{v}$ du mouvement macroscopique est petite devant celle de la lumière, on a approximativement:

$$\mathbf{S} = (p + \varepsilon)\, \mathbf{v}.$$

Comme $\mathbf{S}/c^2$ est la densité d'impulsion, on voit que le rôle de densité de masse est tenu en l'occurrence par $(p + \varepsilon)/c^2$.

L'expression de T^{ik} se simplifie lorsque les vitesses de toutes les particules constituant le corps sont petites en comparaison de la vitesse de la lumière (la vitesse d'un mouvement macroscopique pouvant être arbitraire). Dans ce cas, on peut négliger dans la densité d'énergie ε toutes ses parties petites par rapport à l'énergie de repos, c'est-à-dire que l'on peut écrire $\mu_0 c^2$ au lieu de ε, où μ_0 est la somme des masses des particules dans l'unité de volume (propre) du corps (soulignons que dans le cas général il faut distinguer μ_0 de la densité de masse exacte ε/c^2 comprenant également la masse provenant de l'énergie du mouvement microscopique des particules dans le corps et de leur énergie d'interaction). En ce qui concerne la pression déterminée par l'énergie du mouvement microscopique des molécules, dans le cas envisagé elle est, bien entendu, également petite en comparaison de la densité de l'énergie de repos $\mu_0 c^2$. De sorte que nous avons dans ce cas:

$$T^{ik} = \mu_0 c^2 u^i u^k. \tag{35,4}$$

On tire de l'expression (35,2):

$$T_i^i = \varepsilon - 3p. \tag{35,5}$$

La propriété générale (34,2) du tenseur d'énergie-impulsion de tout système montre maintenant qu'on a pour la pression et la densité d'un corps macroscopique l'inégalité

$$p < \frac{\varepsilon}{3}. \tag{35,6}$$

Comparons l'expression (35,5) avec la formule générale (34,1) valable pour n'importe quel système. Etant donné que nous considérons maintenant un corps macroscopique, il faut prendre la moyenne de l'expression (34,1) relativement aux valeurs de $\mathbf{r}$ dans l'unité de volume. Nous trouvons en définitive:

$$\varepsilon - 3p = \sum m_a c^2 \sqrt{1 - \frac{v_a^2}{c^2}} \tag{35,7}$$

(où la sommation est étendue à toutes les particules se trouvant dans l'unité de volume).

Appliquons les formules obtenues à un gaz parfait, que nous supposons composé de particules identiques. Etant donné que les particules de gaz n'interagissent pas, on peut utiliser la formule (33,5) dont on prend la moyenne. De sorte que pour un gaz parfait:

$$T^{ik} = nmc \overline{\frac{dx^i}{dt} \frac{dx^k}{ds}},$$

où n est le nombre de particules dans l'unité de volume, la barre exprimant qu'on prend la moyenne relativement à toutes les particules. Lorsqu'il n'y a aucun mouvement macroscopique dans le gaz, nous avons par ailleurs pour T^{ik} l'expression (35,1).

La comparaison des deux formules nous conduit aux équations :

$$\varepsilon = nm \frac{c^2}{\sqrt{1-\frac{v^2}{c^2}}}, \quad p = \frac{nm}{3} \frac{\overline{v^2}}{\sqrt{1-\frac{v^2}{c^2}}}. \tag{35,8}$$

Ces équations déterminent la densité et la pression d'un gaz parfait en Relativité en fonction de la vitesse des particules ; la deuxième d'entre elles remplace la formule connue $p = nm\overline{v^2}/3$ de la théorie cinétique des gaz non relativiste.

CHAPITRE V

CHAMP ÉLECTROMAGNÉTIQUE CONSTANT

§ 36. Loi de Coulomb

Pour un champ électrique constant (*électrostatique*) les équations de Maxwell s'écrivent:

$$\operatorname{div} \mathbf{E} = 4\pi\rho \tag{36,1}$$

$$\operatorname{rot} \mathbf{E} = 0. \tag{36,2}$$

Le champ électrique **E** s'exprime en fonction du seul potentiel scalaire par la relation

$$\mathbf{E} = -\operatorname{grad} \varphi. \tag{36,3}$$

Substituant (36,3) dans (36,1), on trouve l'équation à laquelle satisfait le potentiel d'un champ électrique constant:

$$\Delta\varphi = -4\pi\rho. \tag{36,4}$$

C'est l'*équation de Poisson*. Dans le vide, c'est-à-dire pour $\rho = 0$, le potentiel satisfait à l'*équation de Laplace*

$$\Delta\varphi = 0. \tag{36,5}$$

Il résulte notamment de la dernière équation que le potentiel d'un champ électrique ne peut avoir nulle part de maximum ou de minimum. En effet, pour que φ ait un extremum, il faudrait que toutes ses dérivées premières par rapport aux coordonnées soient nulles et que les dérivées secondes $\partial^2\varphi/\partial x^2$, $\partial^2\varphi/\partial y^2$, $\partial^2\varphi/\partial z^2$ soient de même signe. Cette dernière condition ne peut avoir lieu, car l'équation (36,5) ne pourrait être satisfaite.

Déterminons maintenant le champ créé par une charge ponctuelle. Par raison de symétrie, il est évident qu'il sera dirigé en chaque point suivant le rayon vecteur issu du point où se trouve la charge e. Pour la même raison, il est clair que la grandeur E du champ ne dépendra que de la distance R à la charge. Pour trouver cette grandeur, servons-nous de l'équation (36,1) sous la forme intégrale (30,5). Le flux du champ électrique à travers une sphère de rayon R

avec e pour centre est égal à $4\pi R^2 E$; ce flux doit être égal à $4\pi e$. D'où l'on déduit:

$$E = \frac{e}{R^2},$$

et sous forme vectorielle:

$$\mathbf{E} = \frac{e\mathbf{R}}{R^3}. \qquad (36,6)$$

Ainsi, le champ créé par une charge ponctuelle est inversement proportionnel au carré de la distance à cette charge. C'est la *loi de Coulomb*. Le potentiel de ce champ est

$$\varphi = \frac{e}{R}. \qquad (36,7)$$

Si nous avons un système de charges, le champ créé par ces charges sera, en vertu du principe de superposition, égal à la somme des champs créés séparément par chaque charge. En particulier, le potentiel de ce champ est:

$$\varphi = \sum_a \frac{e_a}{R_a},$$

où R_a est la distance de la charge e_a au point considéré. Si l'on introduit la densité de charge ρ, cette formule devient:

$$\varphi = \int \frac{\rho}{R} dV, \qquad (36,8)$$

où R est la distance de l'élément de volume dV au point donné (« au point d'observation ») du champ.

Ecrivons encore la relation mathématique obtenue par substitution dans (36,4) des valeurs de ρ et φ pour une charge ponctuelle, c'est-à-dire $\rho = e\delta(\mathbf{R})$ et $\varphi = e/R$. Nous avons alors:

$$\Delta \frac{1}{R} = -4\pi\delta(\mathbf{R}). \qquad (36,9)$$

§ 37. Energie électrostatique des charges

Déterminons l'énergie d'un système de charges. Nous partirons alors de la notion d'énergie du champ, c'est-à-dire de l'expression (31,5) de la densité d'énergie. Plus précisément, l'énergie d'un système de charges est égale à

$$U = \frac{1}{8\pi} \int E^2 dV,$$

où $\mathbf{E}$ est le champ créé par ces charges, l'intégrale étant étendue à tout l'espace. Substituant dans cette expression $\mathbf{E} = -\text{grad}\, \varphi$, on peut transformer U comme suit :

$$U = -\frac{1}{8\pi}\int \mathbf{E}\,\mathrm{grad}\,\varphi\,dV = -\frac{1}{8\pi}\int \mathrm{div}\,(\mathbf{E}\varphi)\,dV + \frac{1}{8\pi}\int \varphi\,\mathrm{div}\,\mathbf{E}\,dV.$$

La première de ces intégrales est égale, d'après le théorème de Gauss, à l'intégrale de $\mathbf{E}\varphi$ prise sur la surface délimitant le volume d'intégration ; mais étant donné que l'on intègre dans tout l'espace et que le champ est nul à l'infini, cette intégrale est nulle. Substituant dans la seconde intégrale $\mathrm{div}\,\mathbf{E} = 4\pi\rho$, nous obtenons l'expression suivante pour l'énergie d'un système de charges :

$$U = \frac{1}{2}\int \rho\varphi\,dV. \tag{37,1}$$

Pour un système de charges ponctuelles e_a, l'intégrale peut être remplacée par une sommation étendue aux charges :

$$U = \frac{1}{2}\sum e_a\varphi_a, \tag{37,2}$$

où φ_a est le potentiel du champ créé par toutes les charges au point où se trouve la charge e_a.

Si l'on applique la formule trouvée à une particule élémentaire chargée (à un électron par exemple) et au champ qu'elle produit, nous arrivons à la conclusion que la particule doit être douée d'une énergie potentielle « propre » égale à $e\varphi/2$, où φ est le potentiel du champ créé par la charge à l'endroit où elle se trouve. Or, nous savons qu'en Relativité toute particule élémentaire doit être considérée comme ponctuelle. Par ailleurs, le potentiel $\varphi = e/R$ de son champ au point $R = 0$ devient infini. Il en résulte qu'en électrodynamique l'électron devrait posséder une énergie « propre » infinie et, par suite, une masse infinie (égale au quotient de l'énergie par c^2). L'absurdité physique de ce résultat prouve que déjà les principes fondamentaux de l'électrodynamique même sont tels que son application doit être circonscrite dans des limites déterminées.

Remarquons le fait suivant : étant donné que l'énergie « propre » et la masse obtenues en électrodynamique sont infinies, il est impossible dans le cadre de l'électrodynamique classique de poser la question de savoir si toute la masse de l'électron n'est pas électromagnétique (c'est-à-dire liée à l'énergie propre électromagnétique de la particule) [1].

[1] Au point de vue purement formel, la propriété de l'électron d'avoir une masse finie peut être interprétée en faisant appel à une masse infinie négative d'origine non électromagnétique, compensant la masse électromagnétique infinie (« renormalisation » de la masse). Néanmoins, nous verrons plus loin (§ 75) que ce procédé n'élimine pas toutes les contradictions internes de l'électrodynamique classique.

Etant donné que l'apparition, dénuée de sens physique, d'une énergie « propre » infinie pour une particule élémentaire est due au fait qu'une telle particule doit être considérée comme ponctuelle, il nous est permis de conclure que l'électrodynamique, en tant que théorie physique logique fermée, devient contradictoire en soi quand on passe à des distances suffisamment petites. On peut poser la question de savoir de quel ordre de grandeur sont ces distances. Il est possible de répondre à cette question en remarquant que pour l'énergie électromagnétique propre de l'électron il faudrait obtenir une valeur de l'ordre de l'énergie de repos mc^2. Si l'on admet par ailleurs que l'électron est doué de certaines dimensions R_0, son énergie potentielle propre est alors de l'ordre de e^2/R_0. De la condition que ces deux grandeurs soient du même ordre, $e^2/R_0 \sim \sim mc^2$, nous avons:

$$R_0 \sim \frac{e^2}{mc^2}. \tag{37,3}$$

Ces dimensions (appelées « rayon » de l'électron) déterminent les limites d'application de l'électrodynamique à l'électron, conditionnées par ses principes fondamentaux mêmes. Néanmoins, il faut avoir en vue qu'en réalité ces limites sont bien plus restreintes pour l'électrodynamique classique exposée ici, en raison de phénomènes quantiques [1].

Revenons encore à la formule (37,2). En vertu de la loi de Coulomb les potentiels φ_a qu'elle contient s'écrivent:

$$\varphi_a = \sum \frac{e_b}{R_{ab}}, \tag{37,4}$$

où R_{ab} est la distance entre les charges e_a et e_b. L'expression de l'énergie (37,2) est formée de deux parties. Primo, elle contient une constante infinie — l'énergie « propre » des charges — qui ne dépend pas de leur agencement. La seconde partie est l'énergie d'interaction des charges qui dépend de leur agencement. Il est évident que seule cette partie présente un intérêt physique. Elle s'exprime:

$$U' = \frac{1}{2} \sum e_a \varphi'_a, \tag{37,5}$$

où

$$\varphi'_a = \sum_{b(\neq a)} \frac{e_b}{R_{ab}} \tag{37,6}$$

[1] Les effets quantiques entrent en jeu pour des distances de l'ordre de $\hbar/mc$, où $\hbar$ est la constante de Planck.

est le potentiel au point e_a, créé par toutes les charges excepté e_a. On peut encore écrire :

$$U' = \frac{1}{2} \sum_{a \neq b} \frac{e_a e_b}{R_{ab}}. \tag{37,7}$$

En particulier, l'énergie d'interaction de deux charges est

$$U' = \frac{e_1 e_2}{R_{12}}. \tag{37,8}$$

§ 38. Champ d'une charge en mouvement uniforme

Déterminons le champ créé par une charge e en mouvement uniforme de vitesse V. Soient K le référentiel immobile et K' le référentiel en translation avec la charge. Supposons que la charge se trouve à l'origine de K', que le référentiel K' se déplace par rapport à K parallèlement à l'axe x et que les axes y et z soient parallèles à y' et z'. A l'instant $t = 0$ les origines des deux systèmes coïncident. Par conséquent, les coordonnées de la charge sont dans K $x = Vt$, $y = z = 0$. Dans le système K' nous avons un champ électrique constant de potentiel vecteur $\mathbf{A}' = 0$ et de potentiel scalaire $\varphi' = e/R'$, où $R'^2 = x'^2 + y'^2 + z'^2$. Dans le système K, en vertu des formules (24,1) avec $\mathbf{A}' = 0$:

$$\varphi = \frac{\varphi'}{\sqrt{1 - \frac{V^2}{c^2}}} = \frac{e}{R' \sqrt{1 - \frac{V^2}{c^2}}}. \tag{38,1}$$

Nous devons maintenant exprimer R' en fonction des coordonnées x, y, z du système K. D'après les formules de Lorentz

$$x' = \frac{x - Vt}{\sqrt{1 - \frac{V^2}{c^2}}}, \quad y' = y, \quad z' = z,$$

et, par conséquent,

$$R'^2 = \frac{(x - Vt)^2 + \left(1 - \frac{V^2}{c^2}\right)(y^2 + z^2)}{1 - \frac{V^2}{c^2}}. \tag{38,2}$$

Substituant dans (38,1), il vient :

$$\varphi = \frac{e}{R^*}, \tag{38,3}$$

où l'on a posé :

$$R^{*2} = (x - Vt)^2 + \left(1 - \frac{V^2}{c^2}\right)(y^2 + z^2). \tag{38,4}$$

Le potentiel vecteur est égal dans le système K à

$$\mathbf{A}=\varphi\frac{\mathbf{V}}{c}=\frac{e\mathbf{V}}{cR^*}. \tag{38,5}$$

Le champ magnétique $\mathbf{H}'$ est nul dans K' et le champ électrique y a pour expression

$$\mathbf{E}'=\frac{e\mathbf{R}'}{R'^3}.$$

Nous obtenons en vertu des formules (24,2):

$$E_x=E'_x=\frac{ex'}{R'^3},\quad E_y=\frac{E'_y}{\sqrt{1-\frac{V^2}{c^2}}}=\frac{ey'}{R'^3\sqrt{1-\frac{V^2}{c^2}}},$$

$$E_z=\frac{ez'}{R'^3\sqrt{1-\frac{V^2}{c^2}}}.$$

Substituant dans ces dernières expressions R', x', y', z' exprimés en fonction de x, y, z, on trouve:

$$\mathbf{E}=\left(1-\frac{V^2}{c^2}\right)\frac{e\mathbf{R}}{R^{*3}}, \tag{38,6}$$

où $\mathbf{R}$ est le rayon vecteur de la charge e au point d'observation x, y, z du champ (il a pour composantes $x-Vt$, y, z).

On peut écrire cette expression de $\mathbf{E}$ sous une autre forme, en introduisant l'angle θ entre la direction du mouvement et le rayon vecteur $\mathbf{R}$. On a évidemment $y^2+z^2=R^2\sin^2\theta$ et si bien que R^{*2} peut s'écrire sous la forme:

$$R^{*2}=R^2\left(1-\frac{V^2}{c^2}\sin^2\theta\right). \tag{38,7}$$

Nous avons alors pour $\mathbf{E}$:

$$\mathbf{E}=\frac{e\mathbf{R}}{R^3}\frac{1-\frac{V^2}{c^2}}{\left(1-\frac{V^2}{c^2}\sin^2\theta\right)^{3/2}}. \tag{38,8}$$

La distance R à la charge étant donnée, la grandeur E du champ croît avec θ variant de 0 à $\pi/2$ (ou bien lorsque θ décroît de π à $\pi/2$). Le champ a une valeur minimum lorsque la direction est parallèle à celle du mouvement ($\theta=0, \pi$); cette valeur est

$$E_{\parallel}=\frac{e}{R^2}\left(1-\frac{V^2}{c^2}\right).$$

Le champ est maximum dans la direction perpendiculaire à la vitesse ($\theta = \pi/2$), et il a pour valeur

$$E_{\perp} = \frac{e}{R^2} \frac{1}{\sqrt{1-\frac{V^2}{c^2}}}.$$

Remarquons que lorsque la vitesse augmente, $E_{\parallel}$ décroît et $E_{\perp}$ croît. D'une manière imagée, on peut dire que le champ électrique d'une charge en mouvement « s'aplatit » dans la direction du mouvement. Pour des vitesses V voisines de celle de la lumière, le dénominateur dans la formule (38,8) est voisin de zéro dans un intervalle étroit de valeurs de θ autour de $\theta = \pi/2$. La « largeur » de cet intervalle est de l'ordre de

$$\Delta\theta \sim \sqrt{1-\frac{V^2}{c^2}}.$$

De sorte que le champ électrique d'une charge animée d'une grande vitesse est sensiblement différent de zéro, à une distance donnée de cette charge, seulement dans un intervalle étroit d'angles au voisinage du plan équatorial, la largeur de cet intervalle décroissant comme $\sqrt{1 - V^2/c^2}$ lorsque V croît.

Le champ magnétique est égal dans le système K à

$$\mathbf{H} = \frac{1}{c} \mathbf{V} \times \mathbf{E} \tag{38,9}$$

[cf. (24,5)]. En particulier, lorsque $V \ll c$, le champ électrique est donné approximativement par la loi de Coulomb $\mathbf{E} = e\mathbf{R}/R^3$, et le champ magnétique est alors

$$\mathbf{H} = \frac{e}{c} \frac{\mathbf{V} \times \mathbf{R}}{R^3}. \tag{38,10}$$

Problème

Déterminer la force d'interaction (dans le système K) de deux charges se déplaçant avec la même vitesse $\mathbf{V}$.

Solution. Nous calculerons la force $\mathbf{F}$ en la considérant comme la force agissant sur l'une des charges (e_1) dans le champ créé par l'autre charge (e_2). Nous avons en vertu de (38,9) :

$$\mathbf{F} = e_1\mathbf{E}_2 + \frac{e_1}{c} \mathbf{V} \times \mathbf{H}_2 = e_1 \left(1 - \frac{V^2}{c^2}\right) \mathbf{E}_2 + \frac{e_1}{c^2} \mathbf{V} (\mathbf{V}\mathbf{E}_2).$$

Substituant $\mathbf{E}_2$ tiré de (38,8), nous obtenons pour les composantes de la force dans la direction du mouvement (F_x) et perpendiculairement (F_y) :

$$F_x = \frac{e_1 e_2}{R^2} \frac{\left(1-\frac{V^2}{c^2}\right) \cos\theta}{\left(1-\frac{V^2}{c^2}\sin^2\theta\right)^{3/2}}, \quad F_y = \frac{e_1 e_2}{R^2} \frac{\left(1-\frac{V^2}{c^2}\right)^2 \sin\theta}{\left(1-\frac{V^2}{c^2}\sin^2\theta\right)^{3/2}},$$

où $\mathbf{R}$ est le rayon vecteur mené de e_2 à e_1, et θ, l'angle entre $\mathbf{R}$ et $\mathbf{V}$.

§ 39. Mouvement dans un champ coulombien

Examinons le mouvement d'une particule de masse m et de charge e dans le champ créé par une autre charge e'. Nous supposerons que la masse de cette dernière est assez grande pour qu'on puisse la considérer comme immobile. Alors le problème est ramené à l'étude du mouvement d'une charge e dans un champ électrique central symétrique de potentiel

$$\varphi = e'/r.$$

L'énergie totale de la particule est

$$\mathscr{E} = c\sqrt{p^2 + m^2c^2} + \frac{\alpha}{r},$$

où $\alpha = ee'$. Si l'on opère en coordonnées polaires dans le plan du mouvement de la particule, on a, comme on le sait de la mécanique,

$$p^2 = \frac{M^2}{r^2} + p_r^2,$$

où p_r est la composante radiale de l'impulsion et M le moment cinétique constant de la particule. Alors

$$\mathscr{E} = c\sqrt{p_r^2 + \frac{M^2}{r^2} + m^2c^2} + \frac{\alpha}{r}. \tag{39,1}$$

Voyons si la particule peut, dans son mouvement, s'approcher indéfiniment du centre. Tout d'abord, il est évident que cela est impossible lorsque les charges e et e' se repoussent, c'est-à-dire lorsque e et e' sont de même signe. Puis, dans le cas où il y a attraction (e et e' de signes contraires), e ne peut s'approcher indéfiniment du centre si $Mc > |\alpha|$; en effet, dans ce cas, le premier terme de (39,1) est toujours plus grand que le second, et lorsque $r \to 0$ le second membre tend vers l'infini. Au contraire, si $Mc < |\alpha|$, lorsque $r \to 0$ cette expression peut rester finie (alors, il va de soi que p_r tend vers l'infini). De sorte que si

$$Mc < |\alpha|, \tag{39,2}$$

dans son mouvement la particule « tombe » sur la charge attirante, bien qu'une telle chute soit impossible en mécanique non relativiste dans un champ coulombien (hormis le seul cas $M = 0$ où la particule e est lancée directement sur la particule e').

Le plus commode pour déterminer complètement le mouvement d'une charge dans un champ coulombien est de partir de l'équation d'Hamilton-Jacobi. Choisissons les coordonnées polaires r, φ dans le plan du mouvement. L'équation d'Hamilton-Jacobi (16,11) s'écrit :

$$-\frac{1}{c^2}\left(\frac{\partial S}{\partial t}+\frac{\alpha}{r}\right)^2+\left(\frac{\partial S}{\partial r}\right)^2+\frac{1}{r^2}\left(\frac{\partial S}{\partial \varphi}\right)^2+m^2c^2=0.$$

Définissons S sous la forme :

$$S=-\mathscr{E}t+M\varphi+f(r),$$

où $\mathscr{E}$ et M sont les constantes énergie et moment cinétique de la particule en mouvement. Nous trouvons en définitive :

$$S=-\mathscr{E}t+M\varphi+\int\sqrt{\frac{1}{c^2}\left(\mathscr{E}-\frac{\alpha}{r}\right)^2-\frac{M^2}{r^2}-m^2c^2}\cdot dr. \quad (39,3)$$

La trajectoire est déterminée par l'équation $\partial S/\partial M=\text{const.}$ L'intégration dans (39,3) conduit aux résultats suivants pour la trajectoire :

a) $Mc>|\alpha|$:

$$(c^2M^2-\alpha^2)\frac{1}{r}=c\sqrt{(M\mathscr{E})^2-m^2c^2(M^2c^2-\alpha^2)}\cos\left(\varphi\sqrt{1-\frac{\alpha^2}{c^2M^2}}\right)-\mathscr{E}\alpha; \quad (39,4)$$

b) $Mc<|\alpha|$:

$$(\alpha^2-c^2M^2)\frac{1}{r}=$$

$$=\pm c\sqrt{(M\mathscr{E})^2+m^2c^2(\alpha^2-M^2c^2)}\,\mathrm{ch}\left(\varphi\sqrt{\frac{\alpha^2}{c^2M^2}-1}\right)+\mathscr{E}\alpha; \quad (39,5)$$

c) $Mc=|\alpha|$:

$$\frac{2\mathscr{E}\alpha}{r}=\mathscr{E}^2-m^2c^4-\varphi^2\left(\frac{\mathscr{E}\alpha}{cM}\right)^2. \quad (39,6)$$

La constante d'intégration a été incluse dans le choix arbitraire de l'origine des angles φ.

Dans (39,4) le choix du signe devant le radical n'est pas essentiel, car il est également lié au choix de l'origine des φ sous le signe cos. La trajectoire déterminée par cette équation dans le cas d'attraction ($\alpha<0$) est tout entière comprise à distance finie r (mouvement fini) si $\mathscr{E}<mc^2$. Lorsque $\mathscr{E}>mc^2$, r peut être infini (mouvement infini). Un mouvement fini en mécanique non relativiste s'effectue sur des orbites fermées (des ellipses). Mais en mécanique relativiste la trajectoire ne peut jamais être fermée : (39,4) montre que, φ variant de 2π, la distance r du centre ne reprend pas sa valeur initiale. Au lieu d'ellipses, nous avons ici des orbites constituées par des « rosaces » ouvertes. Somme toute, alors qu'en mécanique non relativiste un mouvement fini dans un champ coulombien se déroule sur une orbite fermée, en mécanique relativiste un tel champ perd cette propriété.

Nous devons choisir devant le radical dans (39,5) le signe $+$ lorsque $\alpha < 0$ et le signe $-$ lorsque $\alpha > 0$ [un autre choix des signes se traduirait par le changement de signe du radical dans (39,1)].

Lorsque $\alpha < 0$ les trajectoires (39,5) et (39,6) sont des spirales dont le rayon vecteur tend vers zéro lorsque $\varphi \to \infty$. Le temps de la « chute » de la charge sur l'origine des coordonnées est fini. On peut s'en convaincre en remarquant que le lien entre la coordonnée r et le temps est déterminé par l'égalité $\partial S/\partial \mathscr{E} = \text{const}$; substituant dans cette dernière l'expression (39,3) de S, nous voyons que le temps est donné par une intégrale convergente pour $r \to 0$.

Problèmes

1. Déterminer l'angle de déviation d'une charge lancée dans un champ coulombien répulsif ($\alpha > 0$).

Solution. L'angle de déviation χ est égal à $\chi = \pi - 2\varphi_0$, où φ_0 est l'angle entre les deux asymptotes de la trajectoire (39,4). On trouve:

$$\chi = \pi - \frac{2cM}{\sqrt{c^2M^2 - \alpha^2}} \operatorname{arctg} \frac{v\sqrt{c^2M^2 - \alpha^2}}{c\alpha},$$

où v est la vitesse de la charge à l'infini.

2. Déterminer la section efficace pour une diffusion d'angles faibles de particules dans un champ coulombien.

Solution. La section efficace $d\sigma$ est le rapport du nombre de particules diffusées (en une seconde) dans l'élément donné d'angle solide do à la densité du flux de particules diffusées (c'est-à-dire au nombre de particules traversant par seconde 1 cm² de section transversale du faisceau de particules).

Etant donné que la dérivation d'une particule lancée dans un champ est déterminée par le « paramètre d'impact » ρ (la distance du centre à la droite qu'aurait décrite la charge en l'absence de champ), on a:

$$d\sigma = 2\pi\rho\, d\rho = 2\pi\rho \frac{d\rho}{d\chi}\, d\chi = \rho \frac{d\rho}{d\chi} \frac{do}{\sin\chi},$$

où $do = 2\pi \sin \chi d\chi$ (cf. I § 18). L'angle de déviation peut être considéré (s'il est petit) comme étant égal au rapport de l'accroissement de l'impulsion à sa valeur initiale. L'accroissement de l'impulsion est égal à l'intégrale par rapport au temps de la force agissant perpendiculairement au mouvement; cette dernière est approximativement égale à $\frac{\alpha}{r^2}\frac{\rho}{r}$. De sorte que nous avons:

$$\chi = \frac{1}{p} \int_{-\infty}^{+\infty} \frac{\alpha\rho\, dt}{(\rho^2 + v^2t^2)^{3/2}} = \frac{2\alpha}{p\rho v}$$

(v est la vitesse de la particule). D'où l'on trouve la section efficace pour des χ petits:

$$d\sigma = 4\left(\frac{\alpha}{pv}\right)^2 \frac{do}{\chi^4}.$$

Dans le cas non relativiste $p \approx mv$, et cette expression coïncide avec celle donnée par la formule de Rutherford (cf. I § 19) pour des χ petits.

§ 40. Moment dipolaire

Considérons le champ créé par un système de charges à des distances grandes par rapport aux dimensions du système.

Prenons un système de coordonnées avec l'origine à l'intérieur du système de charges. Soient $\mathbf{r}_a$ les rayons vecteurs des diverses charges. Le potentiel du champ créé par toutes les charges au point de rayon vecteur $\mathbf{R}_0$ est

$$\varphi = \sum \frac{e_a}{|\mathbf{R}_0 - \mathbf{r}_a|} \qquad (40,1)$$

(la sommation est étendue à toutes les charges); $(\mathbf{R}_0 - \mathbf{r}_a)$ est ici le rayon vecteur mené de la charge e_a au point où nous cherchons le potentiel.

Nous devons étudier cette expression pour des $\mathbf{R}_0$ grands ($\mathbf{R}_0 \gg \mathbf{r}_a$). A cet effet, développons-la en série des puissances de $\mathbf{r}_a/R_0$, en nous aidant de la formule

$$f(\mathbf{R}_0 - \mathbf{r}) = f(\mathbf{R}_0) - \mathbf{r}\,\mathrm{grad}\, f(\mathbf{R}_0)$$

(dans le gradient la dérivation est faite par rapport aux coordonnées de l'extrémité du vecteur $\mathbf{R}_0$). Aux termes du second ordre près

$$\varphi = \frac{\sum e_a}{R_0} - \sum e_a \mathbf{r}_a\, \mathrm{grad}\, \frac{1}{R_0}. \qquad (40,2)$$

La somme

$$\mathbf{d} = \sum e_a \mathbf{r}_a \qquad (40,3)$$

est appelée *moment dipolaire* du système de charges. Il est essentiel que si la somme $\sum e_a$ de toutes les charges est nulle, alors le moment dipolaire ne dépend pas du choix de l'origine des coordonnées. En effet, les rayons vecteurs $\mathbf{r}_a$ et $\mathbf{r}'_a$ d'une même charge dans deux systèmes de coordonnées différents sont liés entre eux par la relation

$$\mathbf{r}'_a = \mathbf{r}_a + \mathbf{a},$$

où $\mathbf{a}$ est un vecteur constant. Par conséquent, si $\sum e_a = 0$, le moment dipolaire est identique dans les deux systèmes:

$$\mathbf{d}' = \sum e_a \mathbf{r}'_a = \sum e_a \mathbf{r}_a + \mathbf{a} \sum e_a = \mathbf{d}.$$

Désignant par e_a^+, $\mathbf{r}_a^+$ et $-e_a^-$, $\mathbf{r}_a^-$ les charges positives et négatives du système et leurs rayons vecteurs, on peut mettre le moment dipolaire sous la forme:

$$\mathbf{d} = \sum e_a^+ \mathbf{r}_a^+ - \sum e_a^- \mathbf{r}_a^- = \mathbf{R}^+ \sum e_a^+ - \mathbf{R}^- \sum e_a^-, \qquad (40,4)$$

où

$$\mathbf{R}^+ = \frac{\sum e_a^+ \mathbf{r}_a^+}{\sum e_a^+}, \quad \mathbf{R}^- = \frac{\sum e_a^- \mathbf{r}_a^-}{\sum e_a^-} \tag{40,5}$$

sont les rayons vecteurs des « centres de charges » positives et négatives. Si $\sum e_a^+ = \sum e_a^- = e$, alors

$$\mathbf{d} = e\mathbf{R}_{+-}, \tag{40,6}$$

où $\mathbf{R}_{+-} = \mathbf{R}^+ - \mathbf{R}^-$ est le rayon vecteur mené du centre des charges négatives au centre des charges positives. Dans le cas particulier où l'on a seulement deux charges, $\mathbf{R}_{+-}$ est le rayon vecteur entre elles.

Si la charge totale du système est nulle, le potentiel de son champ aux grandes distances est

$$\varphi = -\mathbf{d}\nabla \frac{1}{R_0} = \frac{\mathbf{d}\mathbf{R}_0}{R_0^3}. \tag{40,7}$$

On a pour $\mathbf{E}$:

$$\mathbf{E} = -\operatorname{grad} \frac{\mathbf{d}\mathbf{R}_0}{R_0^3} = -\frac{1}{R_0^3} \operatorname{grad}(\mathbf{d}\mathbf{R}_0) - (\mathbf{d}\mathbf{R}_0) \operatorname{grad} \frac{1}{R_0^3}$$

ou en définitive :

$$\mathbf{E} = \frac{3(\mathbf{n}\mathbf{d})\,\mathbf{n} - \mathbf{d}}{R_0^3}, \tag{40,8}$$

où $\mathbf{n}$ est le vecteur unité dans la direction de $\mathbf{R}_0$. Il est utile de même d'indiquer que $\mathbf{E}$ peut être écrit avant dérivation sous la forme :

$$\mathbf{E} = (\mathbf{d}\nabla)\,\nabla \frac{1}{R_0}. \tag{40,9}$$

Par conséquent, le potentiel du champ créé par un système de charge totale nulle est, aux grandes distances, inversement proportionnel au carré de la distance, et $\mathbf{E}$, à son cube. Ce champ est doué de symétrie axiale autour de la direction $\mathbf{d}$. Dans le plan passant par cette direction (que nous prenons pour axe des z), les composantes du champ $\mathbf{E}$ sont

$$E_z = d\,\frac{3\cos^2\theta - 1}{R_0^3}, \quad E_x = d\,\frac{3\sin\theta\cos\theta}{R_0^3}. \tag{40,10}$$

Les composantes radiale et tangentielle dans ce plan sont

$$E_R = d\,\frac{2\cos\theta}{R_0^3}, \quad E_\theta = -d\,\frac{\sin\theta}{R_0^3}. \tag{40,11}$$

§ 41. Moments multipolaires

Dans le développement du potentiel d'après les puissances de $1/R_0$

$$\varphi = \varphi^{(0)} + \varphi^{(1)} + \varphi^{(2)} + \ldots \tag{41,1}$$

le terme $\varphi^{(n)}$ est proportionnel à $1/R_0^{n+1}$. Nous avons vu que le premier terme $\varphi^{(0)}$ est déterminé par la somme de toutes les charges; le second terme $\varphi^{(1)}$, appelé potentiel dipolaire du système, est déterminé par son moment dipolaire.

Le troisième terme du développement est égal à

$$\varphi^{(2)} = \frac{1}{2} \sum e x_\alpha x_\beta \frac{\partial^2}{\partial X_\alpha \, \partial X_\beta} \frac{1}{R_0}, \tag{41,2}$$

où la sommation est étendue à toutes les charges; nous avons omis ici l'indice de la charge; les x_α sont les composantes du vecteur $\mathbf{r}$, et les X_α, du vecteur $\mathbf{R}_0$. Cette partie du potentiel est habituellement appelée potentiel quadrupolaire. Lorsque la somme des charges et le moment dipolaire du système sont nuls, le développement commence par le terme $\varphi^{(2)}$.

L'expression (41,2) comprend six quantités $\sum e x_\alpha x_\beta$. Mais il est facile de voir qu'en réalité le champ ne dépend pas de six quantités indépendantes, mais seulement de cinq. Cela est dû à ce que la fonction $1/R_0$ satisfait à l'équation de Laplace

$$\Delta \frac{1}{R_0} \equiv \delta_{\alpha\beta} \frac{\partial^2}{\partial X_\alpha \, \partial X_\beta} \frac{1}{R_0} = 0.$$

On peut donc écrire $\varphi^{(2)}$ sous la forme:

$$\varphi^{(2)} = \frac{1}{2} \sum e \left(x_\alpha x_\beta - \frac{1}{3} r^2 \delta_{\alpha\beta} \right) \frac{\partial^2}{\partial X_\alpha \, \partial X_\beta} \frac{1}{R_0}.$$

Le tenseur

$$D_{\alpha\beta} = \sum e \left(3 x_\alpha x_\beta - r^2 \delta_{\alpha\beta} \right) \tag{41,3}$$

est appelé *moment quadrupolaire* du système. Il résulte de la définition de $D_{\alpha\beta}$ que la somme de ses composantes diagonales est nulle:

$$D_{\alpha\alpha} = 0. \tag{41,4}$$

Le tenseur symétrique $D_{\alpha\beta}$ n'a donc en tout et pour tout que cinq composantes indépendantes. Il permet d'écrire:

$$\varphi^{(2)} = \frac{D_{\alpha\beta}}{6} \frac{\partial^2}{\partial X_\alpha \, \partial X_\beta} \frac{1}{R_0} \tag{41,5}$$

ou bien en dérivant

$$\frac{\partial^2}{\partial X_\alpha \, \partial X_\beta} \frac{1}{R_0} = \frac{3 X_\alpha X_\beta}{R_0^5} - \frac{\delta_{\alpha\beta}}{R_0^3}$$

et en remarquant que $\delta_{\alpha\beta}D_{\alpha\beta}=D_{\alpha\alpha}=0$,

$$\varphi^{(2)}=\frac{D_{\alpha\beta}n_\alpha n_\beta}{2R_0^3}. \tag{41,6}$$

De même que tout tenseur symétrique à trois dimensions, le tenseur $D_{\alpha\beta}$ peut être rapporté à ses axes principaux. Alors, en vertu de (41,4), dans le cas général seules deux des trois valeurs principales sont indépendantes. Lorsque le système de charges est symétrique relativement à un certain axe (l'axe des z) [1], cet axe est alors un des axes principaux du tenseur $D_{\alpha\beta}$; la position des deux autres axes dans le plan xy est arbitraire et toutes les trois valeurs principales sont reliées entre elles:

$$D_{xx}=D_{yy}=-\frac{1}{2}D_{zz}. \tag{41,7}$$

Désignant la composante D_{zz} par D (ce qu'on appelle simplement moment quadrupolaire), on obtient le potentiel sous la forme:

$$\varphi^{(2)}=\frac{D}{4R_0^3}(3\cos^2\theta-1)=\frac{D}{2R_0^3}P_2(\cos\theta), \tag{41,8}$$

où θ est l'angle entre $\mathbf{R}_0$ et l'axe des z, et P_2, un polynôme de Legendre.

Tout comme il a été fait au paragraphe précédent pour le moment dipolaire, il est facile de se convaincre que le moment quadrupolaire d'un système ne dépend pas du choix de l'origine des coordonnées lorsque la charge totale et le moment dipolaire du système sont nuls.

On pourrait écrire d'une manière analogue les termes suivants du développement (41,1). Le l-ième terme du développement est déterminé par un tenseur (appelé tenseur moment 2^l-polaire) d'ordre l, symétrique relativement à tous ses indices et s'annulant par contraction sur deux indices quelconques; on peut démontrer qu'un tel tenseur possède $2l+1$ composantes indépendantes [2].

Néanmoins, nous écrirons ici le terme général du développement du potentiel sous une autre forme, utilisant la formule connue dans la théorie des fonctions sphériques:

$$\frac{1}{|\mathbf{R}_0-\mathbf{r}|}=\frac{1}{\sqrt{R_0^2+r^2-2rR_0\cos\chi}}=\sum_{l=0}^{\infty}\frac{r^l}{R_0^{l+1}}P_l(\cos\chi), \tag{41,9}$$

où χ est l'angle entre $\mathbf{R}_0$ et $\mathbf{r}$. Introduisons les angles sphériques Θ, Φ et θ, φ formés respectivement par les vecteurs $\mathbf{R}_0$ et $\mathbf{r}$ avec des

[1] Il s'agit de l'axe de symétrie de tout ordre supérieur au second.

[2] Un tel tenseur est dit irréductible. L'annulation par contraction signifie que ses composantes ne peuvent servir à former les composantes d'un autre tenseur d'ordre inférieur.

axes de coordonnées fixes, et utilisons la formule d'addition pour les fonctions sphériques:

$$P_l(\cos\chi)=\sum_{m=-l}^{l}\frac{(l-|m|)!}{(l+|m|)!}P_l^{|m|}(\cos\Theta)\,P_l^{|m|}(\cos\theta)\,e^{-im(\Phi-\varphi)},\qquad(41{,}10)$$

où les P_l^m sont les polynômes associés de Legendre. Introduisons également les fonctions sphériques [1]

$$Y_{lm}(\theta,\varphi)=(-1)^m i^l\sqrt{\frac{2l+1}{2}\frac{(l-m)!}{(l+m)!}}\,P_l^m(\cos\theta)\,e^{im\varphi},\quad m\geqslant 0,$$
$$Y_{l,-|m|}(\theta,\varphi)=(-1)^{l-m}Y^*_{l|m|}.\qquad(41{,}11)$$

Alors le développement (41,9) devient:

$$\frac{1}{|\mathbf{R}_0-\mathbf{r}|}=\sum_{l=0}^{\infty}\sum_{m=-l}^{l}\frac{r^l}{R_0^{l+1}}\frac{4\pi}{2l+1}Y^*_{lm}(\Theta,\Phi)\,Y_{lm}(\theta,\varphi).$$

Effectuant un tel développement dans chaque terme de la somme (40,1), on trouve finalement l'expression suivante pour le l-ième terme du développement du potentiel:

$$\varphi^{(l)}=\frac{1}{R_0^{l+1}}\sum_{m=-l}^{l}\sqrt{\frac{4\pi}{2l+1}}\,Q_m^{(l)}Y^*_{lm}(\Theta,\Phi),\qquad(41{,}12)$$

où

$$Q_m^{(l)}=\sum_a e_a r_a^l\sqrt{\frac{4\pi}{2l+1}}\,Y_{lm}(\theta_a,\varphi_a).\qquad(41{,}13)$$

L'ensemble des $2l+1$ quantités $Q_m^{(1)}$ constitue le moment 2^l-polaire du système de charges.

Les quantités $Q_m^{(1)}$ ainsi définies sont liées aux composantes du vecteur moment dipolaire **d** par les formules

$$Q_0^{(1)}=id_z,\quad Q_{\pm1}^{(1)}=\mp\frac{1}{\sqrt{2}}(d_x\pm id_y).\qquad(41{,}14)$$

Quant aux quantités $Q_m^{(2)}$, elles sont liées aux composantes de $D_{\alpha\beta}$ par les relations

$$Q_0^{(2)}=-\frac{1}{2}D_{zz},\quad Q_{\pm1}^{(2)}=\pm\frac{1}{\sqrt{6}}(D_{xz}\pm iD_{yz}),$$
$$Q_{\pm2}^{(2)}=-\frac{1}{2\sqrt{6}}(D_{xx}-D_{yy}\pm 2iD_{xy}).\qquad(41{,}15)$$

[1] Conformément à la définition en usage en mécanique quantique.

Problème

Déterminer le moment quadrupolaire d'un ellipsoïde uniformément chargé par rapport à son centre.

Solution. Remplaçant la sommation dans (41,3) par une intégration dans le volume de l'ellipsoïde, nous avons :

$$D_{xx}=\rho\int\int(2x^2-y^2-z^2)\,dx\,dy\,dz,\ \text{etc.}$$

Prenons les axes de l'ellipsoïde pour axes de coordonnées ; par raison de symétrie, il est évident que ces axes sont les axes principaux du tenseur $D_{\alpha\beta}$. La transformation

$$x=x'a,\quad y=y'b,\quad z=z'c$$

ramène l'intégration dans l'ellipsoïde

$$\frac{x^2}{a^2}+\frac{y^2}{b^2}+\frac{z^2}{c^2}=1$$

à l'intégration dans la sphère de rayon 1

$$x'^2+y'^2+z'^2=1.$$

Nous obtenons en fin de compte :

$$D_{xx}=\frac{e}{5}(2a^2-b^2-c^2),\qquad D_{yy}=\frac{e}{5}(2b^2-a^2-c^2),$$

$$D_{zz}=\frac{e}{5}(2c^2-a^2-b^2),$$

où $e=\frac{4\pi}{3}abc\rho$ est la charge totale de l'ellipsoïde.

§ 42. Système de charges dans un champ extérieur

Considérons un système de charges se trouvant dans un champ électrique extérieur. Nous désignerons maintenant par $\varphi(\mathbf{r})$ le potentiel de ce champ extérieur. L'énergie potentielle de chacune des charges est $e_a\varphi(\mathbf{r}_a)$, et l'énergie potentielle totale du système

$$U=\sum_a e_a\varphi(\mathbf{r}_a). \tag{42,1}$$

Choisissons encore un système de coordonnées ayant pour origine un point arbitraire à l'intérieur du système de charges ; $\mathbf{r}_a$ sera le rayon vecteur de la charge e_a dans ce référentiel.

Nous supposerons que le champ extérieur varie faiblement dans la région où se trouve le système de charges, c'est-à-dire qu'il est quasi uniforme par rapport à ce système. Nous pouvons alors développer l'énergie U en série des puissances de $\mathbf{r}_a$. Dans ce développement

$$U=U^{(0)}+U^{(1)}+U^{(2)}+\dots \tag{42,2}$$

le premier terme est

$$U^{(0)} = \varphi_0 \sum_a e_a, \tag{42,3}$$

où φ_0 est la valeur du potentiel à l'origine des coordonnées. A cette approximation, l'énergie du système est la même que si toutes les charges se trouvaient en un seul point (à l'origine des coordonnées).

Le deuxième terme du développement est

$$U^{(1)} = (\text{grad}\,\varphi)_0 \cdot \sum e_a \mathbf{r}_a.$$

Introduisant le champ $\mathbf{E}_0$ à l'origine des coordonnées et le moment dipolaire du système $\mathbf{d}$, nous avons:

$$U^{(1)} = -\mathbf{d}\mathbf{E}_0. \tag{42,4}$$

La force totale agissant sur un système dans un champ extérieur quasi uniforme est, en se limitant aux termes considérés,

$$\mathbf{F} = \mathbf{E}_0 \sum e_a + (\text{grad}\,\mathbf{d}\mathbf{E})_0.$$

Lorsque la charge totale est nulle, le premier terme disparaît et on a :

$$\mathbf{F} = (\mathbf{d}\nabla)\,\mathbf{E}, \tag{42,5}$$

c'est-à-dire que la force est déterminée par les dérivées du champ (prises à l'origine des coordonnées). Le moment total des forces agissant sur le système est

$$\mathbf{K} = \sum \mathbf{r}_a \times e_a \mathbf{E}_0 = \mathbf{d} \times \mathbf{E}_0. \tag{42,6}$$

On voit qu'il est déterminé par le champ lui-même.

Considérons deux systèmes de particules de charge totale respective nulle et de moments dipolaires $\mathbf{d}_1$ et $\mathbf{d}_2$, et supposons que la distance entre ces deux systèmes soit grande par rapport à leurs dimensions propres. Déterminons l'énergie potentielle U de leur interaction. A cet effet, on pourra considérer que l'un des systèmes se trouve dans le champ de l'autre.

Alors

$$U = -\mathbf{d}_2 \mathbf{E}_1,$$

où $\mathbf{E}_1$ est le champ du premier système. Substituons à $\mathbf{E}_1$ son expression (40,8) ; nous avons:

$$U = \frac{(\mathbf{d}_1\mathbf{d}_2)\,R^2 - 3\,(\mathbf{d}_1\mathbf{R})\,(\mathbf{d}_2\mathbf{R})}{R^5}, \tag{42,7}$$

où $\mathbf{R}$ est le vecteur allant d'un système à l'autre.

Dans le cas où la charge totale de l'un des systèmes n'est pas nulle (soit e), on obtient d'une manière analogue:

$$U = e\,\frac{\mathbf{d}\mathbf{R}}{R^3}, \tag{42,8}$$

où $\mathbf{R}$ est dirigé du dipôle vers la charge.

Le terme suivant du développement (42,1) est égal à

$$U^{(2)}=\frac{1}{2}\sum e x_\alpha x_\beta \frac{\partial^2\varphi_0}{\partial x_\alpha \partial x_\beta}.$$

Tout comme au § 41, nous avons omis ici les indices des charges; les dérivées secondes du potentiel sont prises à l'origine des coordonnées. Or, le potentiel φ satisfait à l'équation de Laplace

$$\frac{\partial^2\varphi}{\partial x_\alpha^2}=\delta_{\alpha\beta}\frac{\partial^2\varphi}{\partial x_\alpha \partial x_\beta}=0.$$

On peut écrire, par conséquent:

$$U^{(2)}=\frac{1}{2}\frac{\partial^2\varphi_0}{\partial x_\alpha \partial x_\beta}\sum e\left(x_\alpha x_\beta-\frac{1}{3}\delta_{\alpha\beta}r^2\right)$$

ou, en définitive,

$$U^{(2)}=\frac{D_{\alpha\beta}}{6}\frac{\partial^2\varphi_0}{\partial x_\alpha \partial x_\beta}. \tag{42,9}$$

Le terme général de la série (42,2) peut être exprimé au moyen des moments 2^l-polaires $D_m^{(l)}$. A cet effet, il faut développer préalablement le potentiel φ (**r**) en série de fonctions sphériques; la forme générale d'un tel développement est

$$\varphi(\mathbf{r})=\sum_{l=0}^{\infty} r^l \sum_{m=-l}^{l} a_{lm}\sqrt{\frac{4\pi}{2l+1}}\,Y_{lm}(\theta,\varphi), \tag{42,10}$$

où r, θ, φ sont les coordonnées sphériques d'un point, et les a_{lm} des coefficients constants. Ecrivons la somme (42,1) compte tenu de la définition (41,13); il vient:

$$U^{(l)}=\sum_{m=-l}^{l} a_{lm}Q_m^{(l)}. \tag{42,11}$$

§ 43. Champ magnétique constant

Considérons le champ magnétique créé par des charges accomplissant un mouvement fini, les particules restant tout le temps dans une région finie de l'espace; les impulsions aussi sont supposées finies. Un tel mouvement a un caractère stationnaire, et il est intéressant de considérer le champ magnétique moyen $\overline{\mathbf{H}}$ (par rapport au temps) créé par les charges; ce champ sera maintenant fonction des seules coordonnées, et non du temps, c'est-à-dire qu'il sera constant.

Pour trouver l'équation déterminant le champ magnétique moyen, prenons la moyenne des équations de Maxwell par rapport au temps

$$\operatorname{div} \mathbf{H} = 0, \quad \operatorname{rot} \mathbf{H} = \frac{1}{c} \frac{\partial \mathbf{E}}{\partial t} + \frac{4\pi}{c} \mathbf{j}.$$

La première d'entre elles donne tout simplement :

$$\operatorname{div} \overline{\mathbf{H}} = 0. \tag{43,1}$$

Dans la seconde équation, la valeur moyenne de la dérivée $\partial \mathbf{E}/\partial t$, tout comme la moyenne de la dérivée d'une quantité quelconque variant dans un intervalle fini, est nulle (voir note p. 116). Il s'ensuit que la seconde équation de Maxwell prend la forme :

$$\operatorname{rot} \overline{\mathbf{H}} = \frac{4\pi}{c} \overline{\mathbf{j}}. \tag{43,2}$$

Telles sont les deux équations déterminant le champ magnétique constant $\overline{\mathbf{H}}$.

Introduisons le potentiel vecteur moyen $\overline{\mathbf{A}}$ par la formule

$$\operatorname{rot} \overline{\mathbf{A}} = \overline{\mathbf{H}}.$$

Nous obtenons en substituant dans (43,2) :

$$\operatorname{grad} \operatorname{div} \overline{\mathbf{A}} - \Delta \overline{\mathbf{A}} = \frac{4\pi}{c} \overline{\mathbf{j}}.$$

Or, on sait que le potentiel vecteur d'un champ n'est pas déterminé univoquement, ce qui permet de lui imposer une condition arbitraire. Prenons donc le potentiel $\overline{\mathbf{A}}$ de façon que

$$\operatorname{div} \overline{\mathbf{A}} = 0. \tag{43,3}$$

Alors, l'équation déterminant le potentiel vecteur d'un champ magnétique constant prend la forme :

$$\Delta \overline{\mathbf{A}} = -\frac{4\pi}{c} \overline{\mathbf{j}}. \tag{43,4}$$

Il est facile de trouver la solution de cette équation en remarquant que (43,4) est tout à fait analogue à l'équation de Poisson (36,4) pour le potentiel scalaire d'un champ électrique constant, seulement au lieu de la densité de charge ρ nous avons la densité de courant $\overline{\mathbf{j}}/c$. Comme pour la solution (36,8) de l'équation de Poisson, on peut écrire directement :

$$\overline{\mathbf{A}} = \frac{1}{c} \int \frac{\overline{\mathbf{j}}}{R} dV, \tag{43,5}$$

où R est la distance du point d'observation du champ à l'élément de volume dV.

Dans la formule (43,5) on peut passer de l'intégrale à une sommation étendue à toutes les charges en remplaçant **j** par le produit $\rho\mathbf{v}$ et en prenant en considération que toutes les charges sont ponctuelles. Il ne faut pas perdre de vue, cependant, que dans l'intégrale (43,5) R est tout simplement une variable d'intégration et qu'on n'a pas à prendre sa moyenne. Quand on écrit au lieu de l'intégrale $\int \frac{\mathbf{j}}{R} dV$ la somme $\sum \frac{e_a \mathbf{v}_a}{R_a}$, les R_a sont les rayons vecteurs variables des diverses charges en mouvement. Il faut écrire, par conséquent:

$$\overline{\mathbf{A}} = \frac{1}{c} \sum \overline{\frac{e_a \mathbf{v}_a}{R_a}}, \tag{43,6}$$

où l'on prend la moyenne de l'expression soulignée tout entière.

Connaissant $\overline{\mathbf{A}}$, on peut trouver le champ magnétique

$$\overline{\mathbf{H}} = \operatorname{rot} \overline{\mathbf{A}} = \operatorname{rot} \frac{1}{c} \int \frac{\overline{\mathbf{j}}}{R} dV.$$

L'opération rot porte sur les coordonnées du point d'observation. On peut donc introduire le rot sous le signe d'intégration et considérer **j** comme constant lors de la dérivation. En appliquant au produit $\overline{\mathbf{j}} \cdot \frac{1}{R}$ la formule connue

$$\operatorname{rot} f\mathbf{a} = f \operatorname{rot} \mathbf{a} + \operatorname{grad} f \times \mathbf{a},$$

où f et **a** sont un scalaire et un vecteur arbitraires, on trouve:

$$\operatorname{rot} \frac{\overline{\mathbf{j}}}{R} = \operatorname{grad} \frac{1}{R} \times \overline{\mathbf{j}} = \frac{\overline{\mathbf{j}} \times \mathbf{R}}{R^3},$$

et, par conséquent,

$$\overline{\mathbf{H}} = \frac{1}{c} \int \frac{\overline{\mathbf{j}} \times \mathbf{R}}{R^3} dV \tag{43,7}$$

(le rayon vecteur **R** est mené de dV au point d'observation du champ). C'est la *loi de Biot et Savart.*

§ 44. Moment magnétique

Considérons le champ magnétique moyen créé par un système de charges en mouvement stationnaire à de grandes distances de ce système.

Prenons un système de coordonnées dont l'origine se trouve à l'intérieur du système de charges, comme nous l'avons fait au § 40. Désignons de même les rayons vecteurs des diverses charges par $\mathbf{r}_a$, et par $\mathbf{R}_0$ le rayon vecteur du point où nous cherchons le champ. Alors $\mathbf{R}_0 - \mathbf{r}_a$ est le rayon vecteur de la charge e_a au point d'observation. En vertu de (43,6), nous avons pour le potentiel vecteur :

$$\overline{\mathbf{A}} = \frac{1}{c} \sum \frac{\overline{e_a \mathbf{v}_a}}{|\mathbf{R}_0 - \mathbf{r}_a|}. \tag{44,1}$$

Tout comme au § 40, développons cette expression suivant les puissances de $\mathbf{r}_a$. Aux termes du second ordre près (nous omettons l'indice a pour abréger l'écriture) :

$$\overline{\mathbf{A}} = \frac{1}{cR_0} \sum e\overline{\mathbf{v}} - \frac{1}{c} \sum \overline{e\mathbf{v} \left(\mathbf{r}\nabla \frac{1}{R_0}\right)}.$$

Dans le premier terme on peut écrire :

$$\sum e\overline{\mathbf{v}} = \overline{\frac{d}{dt} \sum e\mathbf{r}}.$$

Mais la valeur moyenne de la dérivée de la quantité $\sum e\mathbf{r}$, variant dans un intervalle fini, est nulle. De sorte que l'expression de $\overline{\mathbf{A}}$ se réduit à

$$\overline{\mathbf{A}} = -\frac{1}{c} \sum \overline{e\mathbf{v} \left(\mathbf{r}\nabla \frac{1}{R_0}\right)} = \frac{1}{cR_0^3} \sum \overline{e\mathbf{v}\,(\mathbf{r}\mathbf{R}_0)}.$$

Transformons cette expression comme suit. Remarquant que $\mathbf{v} = \dot{\mathbf{r}}$, on peut écrire (nous rappelant que $\mathbf{R}_0$ est un vecteur constant) :

$$\sum e\,(\mathbf{R}_0\mathbf{r})\,\mathbf{v} = \frac{1}{2}\frac{d}{dt} \sum e\mathbf{r}\,(\mathbf{r}\mathbf{R}_0) + \frac{1}{2} \sum e\,[\mathbf{v}\,(\mathbf{r}\mathbf{R}_0) - \mathbf{r}\,(\mathbf{v}\mathbf{R}_0)].$$

Lorsqu'on substitue cette expression dans $\mathbf{A}$, la valeur moyenne du premier terme (contenant la dérivée par rapport au temps) s'annule cette fois encore, et l'on a :

$$\overline{\mathbf{A}} = \frac{1}{2cR_0^3} \sum e\,[\overline{\mathbf{v}\,(\mathbf{r}\mathbf{R}_0)} - \overline{\mathbf{r}\,(\mathbf{v}\mathbf{R}_0)}].$$

Introduisons le vecteur

$$\mathfrak{m} = \frac{1}{2c} \sum e\mathbf{r} \times \mathbf{v} \tag{44,2}$$

appelé *moment magnétique* du système. Alors

$$\overline{\mathbf{A}} = \frac{\overline{\mathfrak{m}} \times \mathbf{R}_0}{R_0^3} = \nabla \frac{1}{R_0} \times \overline{\mathfrak{m}}. \tag{44,3}$$

Connaissant le potentiel vecteur, il est facile de trouver le champ magnétique. A l'aide de la formule

$$\operatorname{rot} \mathbf{a} \times \mathbf{b} = (\mathbf{b}\nabla)\,\mathbf{a} - (\mathbf{a}\nabla)\,\mathbf{b} + \mathbf{a} \operatorname{div} \mathbf{b} - \mathbf{b} \operatorname{div} \mathbf{a}$$

on trouve :

$$\overline{\mathbf{H}} = \operatorname{rot} \overline{\mathbf{A}} = \operatorname{rot} \overline{\mathfrak{m}} \times \frac{\mathbf{R}_0}{R_0^3} = \overline{\mathfrak{m}} \operatorname{div} \frac{\mathbf{R}_0}{R_0^3} - (\overline{\mathfrak{m}}\nabla) \frac{\mathbf{R}_0}{R_0^3} .$$

Puis,

$$\operatorname{div} \frac{\mathbf{R}_0}{R_0^3} = \mathbf{R}_0 \operatorname{grad} \frac{1}{R_0^3} + \frac{1}{R_0^3} \operatorname{div} \mathbf{R}_0 = 0$$

et

$$(\overline{\mathfrak{m}}\nabla) \frac{\mathbf{R}_0}{R_0^3} = \frac{1}{R_0^3} (\overline{\mathfrak{m}}\nabla) \mathbf{R}_0 + \mathbf{R}_0 \left(\overline{\mathfrak{m}}\nabla \frac{1}{R_0^3}\right) = \frac{\overline{\mathfrak{m}}}{R_0^3} - \frac{3\mathbf{R}_0 (\overline{\mathfrak{m}}\mathbf{R}_0)}{R_0^5} .$$

De sorte que

$$\overline{\mathbf{H}} = \frac{3\mathbf{n} (\overline{\mathfrak{m}}\mathbf{n}) - \overline{\mathfrak{m}}}{R_0^3} , \tag{44,4}$$

où **n** est encore le vecteur unité dans la direction $\mathbf{R}_0$. On voit que le champ magnétique s'exprime en fonction du moment magnétique par la même formule que le champ électrique en fonction du moment dipolaire [cf. (40,8)].

Lorsque le rapport de la charge à la masse de toutes les particules du système est le même, on peut écrire :

$$\mathfrak{m} = \frac{1}{2c} \sum e\mathbf{r} \times \mathbf{v} = \frac{e}{2mc} \sum m\mathbf{r} \times \mathbf{v}.$$

Si les vitesses de toutes les charges sont $v \ll c$, $m\mathbf{v}$ est alors l'impulsion **p** de la charge, et on a :

$$\mathfrak{m} = \frac{e}{2mc} \sum \mathbf{r} \times \mathbf{p} = \frac{e}{2mc} \mathbf{M}, \tag{44,5}$$

où $\mathbf{M} = \sum \mathbf{r} \times \mathbf{p}$ est le moment cinétique du système tout entier. De sorte que, dans ce cas, le rapport du moment magnétique au moment cinétique est constant et égal à $e/2mc$.

Problème

Déterminer le rapport des moments magnétique et cinétique pour un système de deux charges (on a pour les vitesses $v \ll c$).

Solution. Choisissant l'origine des coordonnées au centre d'inertie des deux particules, nous avons $m_1\mathbf{r}_1 + m_2\mathbf{r}_2 = 0$ et $\mathbf{p}_1 = -\mathbf{p}_2 = \mathbf{p}$, où **p** est l'impulsion du mouvement relatif. On trouve au moyen de ces relations :

$$\mathfrak{m} = \frac{1}{2c} \left(\frac{e_1}{m_1^2} + \frac{e_2}{m_2^2}\right) \frac{m_1 m_2}{m_1 + m_2} \mathbf{M}.$$

§ 45. Théorème de Larmor

Considérons un système de charges se trouvant dans un champ magnétique extérieur constant uniforme.

La force moyenne (dans le temps) agissant sur le système

$$\overline{\mathbf{F}} = \sum \frac{e}{c} \overline{\mathbf{v} \times \mathbf{H}} = \overline{\frac{d}{dt} \sum \frac{e}{c} \mathbf{r} \times \mathbf{H}}$$

s'annule tout comme la valeur moyenne de la dérivée par rapport au temps de n'importe quelle grandeur variant dans des limites finies. Mais la valeur moyenne du moment des forces

$$\overline{\mathbf{K}} = \sum \frac{e}{c} \overline{\mathbf{r} \times (\mathbf{v} \times \mathbf{H})}$$

est différente de zéro. On peut l'exprimer en fonction du moment magnétique du système. A cet effet, développons le double produit vectoriel

$$\mathbf{K} = \sum \frac{e}{c} \{\mathbf{v}(\mathbf{rH}) - \mathbf{H}(\mathbf{vr})\} = \sum \frac{e}{c} \left\{ \mathbf{v}(\mathbf{rH}) - \frac{1}{2} \mathbf{H} \frac{d}{dt} \mathbf{r}^2 \right\} .$$

Le second terme s'annule quand on prend la moyenne, de sorte que

$$\overline{\mathbf{K}} = \sum \frac{e}{c} \overline{\mathbf{v}(\mathbf{rH})} = \frac{1}{2c} \sum e \{ \overline{\mathbf{v}(\mathbf{rH})} - \overline{\mathbf{r}(\mathbf{vH})} \}$$

[cette dernière transformation est analogue à celle faite pour obtenir (44,3)] ou en définitive :

$$\overline{\mathbf{K}} = \overline{\mathfrak{m}} \times \mathbf{H}. \qquad (45,1)$$

Notons l'analogie avec la formule (42,6) du cas électrique.

La fonction de Lagrange d'un système de charges dans un champ magnétique extérieur uniforme constant contient le terme supplémentaire (par rapport à la fonction de Lagrange d'un système fermé)

$$L_H = \sum \frac{e}{c} \mathbf{A}\mathbf{v} = \sum \frac{e}{2c} (\mathbf{H} \times \mathbf{r}) \, \mathbf{v} = \sum \frac{e}{2c} (\mathbf{r} \times \mathbf{v}) \, \mathbf{H} \qquad (45,2)$$

(nous nous sommes servis de l'expression (19,4) du potentiel vecteur d'un champ uniforme). Introduisant le moment magnétique du système, nous avons :

$$L_H = \mathfrak{m}\mathbf{H}. \qquad (45,3)$$

Remarquons l'analogie avec le champ électrique : dans un champ électrique uniforme, la fonction de Lagrange d'un système de particules de charge totale nulle et doué de moment dipolaire contient le terme

$$L_E = \mathbf{dE},$$

qui est, dans ce cas, l'énergie potentielle du système de charges, précédée du signe moins (cf. § 42).

Considérons un système de charges accomplissant un mouvement fini (avec des vitesses $v \ll c$) dans le champ électrique central symétrique d'une particule immobile.

Passons du système de coordonnées immobile à un système en rotation uniforme autour d'un axe passant par la particule immobile. En vertu d'une formule connue, la vitesse $\mathbf{v}$ d'une particule dans le nouveau système de coordonnées est liée à sa vitesse $\mathbf{v}'$ dans l'ancien système par la relation

$$\mathbf{v}' = \mathbf{v} + \mathbf{\Omega} \times \mathbf{r},$$

où $\mathbf{r}$ est le rayon vecteur de la particule et $\mathbf{\Omega}$ la vitesse angulaire du système de coordonnées en rotation. Dans le système immobile, on a pour la fonction de Lagrange du système de charges

$$L = \sum \frac{mv'^2}{2} - U,$$

où U est l'énergie potentielle des charges dans le champ électrique extérieur, plus leur énergie d'interaction. U est fonction des distances des charges à la charge immobile et de leurs distances réciproques ; lorsqu'on passe au système de coordonnées tournant, elle reste manifestement invariante. On a, par conséquent, dans le nouveau système l'expression suivante de la fonction de Lagrange

$$L = \sum \frac{m}{2} (\mathbf{v} + \mathbf{\Omega} \times \mathbf{r})^2 - U.$$

Supposons que le rapport e/m de la charge à la masse soit le même pour toutes les particules et posons :

$$\mathbf{\Omega} = \frac{e}{2mc} \mathbf{H}. \tag{45,4}$$

Alors, pour des H suffisamment petits (quand on peut négliger les termes en H^2) la fonction de Lagrange prend la forme :

$$L = \sum \frac{mv^2}{2} + \frac{1}{2c} \sum e (\mathbf{H} \times \mathbf{r}) \mathbf{v} - U.$$

On voit qu'elle coïncide avec la fonction de Lagrange qui décrirait le mouvement des charges considérées dans un système de coordonnées immobile en présence d'un champ magnétique constant [cf. (45,2)].

Par conséquent, on est conduit à ce résultat que, dans le cas non relativiste, le comportement d'un système de charges de rapport e/m identique accomplissant un mouvement fini dans un champ électrique central symétrique et dans un champ magnétique uniforme faible $\mathbf{H}$ est équivalent au comportement de ce même système de charges dans ce même champ électrique dans un référentiel en rotation uniforme de vitesse angulaire (45,3). Cette affirmation est l'expression du *théorème de Larmor*, la vitesse angulaire $\Omega = eH/2mc$ étant appelée *fréquence larmorienne*.

On peut examiner cette question d'un autre point de vue. Lorsque le champ magnétique H est assez faible, la fréquence larmorienne est petite en comparaison des fréquences du mouvement fini du système de charges donné, et on peut considérer que les grandeurs relatives à ce système, dont on a pris les moyennes par rapport aux temps, sont petites par rapport à la période $2\pi/\Omega$. Ces grandeurs varieront lentement (avec la période Ω) dans le temps.

Considérons la variation du moment cinétique moyen du système $\mathbf{M}$. En vertu d'une équation connue de la mécanique, la dérivée de $\mathbf{M}$ est égale au moment $\mathbf{K}$ des forces agissant sur le système. Par conséquent, nous avons, eu égard à (45,1):

$$\frac{d\overline{\mathbf{M}}}{dt} = \overline{\mathbf{K}} = \overline{\mathfrak{m}} \times \mathbf{H}.$$

Si le rapport e/m est le même pour toutes les particules du système, le moment cinétique et le moment magnétique sont proportionnels, et les formules (44,5) et (45,4) nous donnent:

$$\frac{d\overline{\mathbf{M}}}{dt} = -\mathbf{\Omega} \times \overline{\mathbf{M}}. \tag{45,5}$$

Cette équation exprime que le vecteur $\overline{\mathbf{M}}$ (et avec lui le moment magnétique $\overline{\mathfrak{m}}$) tourne avec la vitesse angulaire $-\mathbf{\Omega}$ autour de la direction du champ; la longueur de ce vecteur et l'angle qu'il forme avec cette direction sont constants (c'est ce qu'on appelle la *précession larmorienne*).

CHAPITRE VI

ONDES ÉLECTROMAGNÉTIQUES

§ 46. Equation des ondes

Un champ électromagnétique dans le vide est déterminé par les équations de Maxwell, dans lesquelles il faut poser $\rho = 0$, $\mathbf{j} = 0$. Ecrivons-les encore une fois :

$$\operatorname{rot} \mathbf{E} = -\frac{1}{c}\frac{\partial \mathbf{H}}{\partial t}, \quad \operatorname{div} \mathbf{H} = 0, \tag{46,1}$$

$$\operatorname{rot} \mathbf{H} = \frac{1}{c}\frac{\partial \mathbf{E}}{\partial t}, \quad \operatorname{div} \mathbf{E} = 0. \tag{46,2}$$

Ces équations peuvent admettre des solutions non nulles. Cela signifie que le champ électromagnétique peut exister même en l'absence de charges.

Un champ électromagnétique dans le vide en l'absence de charges porte le nom d'*ondes électromagnétiques.* Nous allons nous occuper maintenant de l'étude des propriétés de ces champs.

En premier lieu, remarquons que ces champs doivent être obligatoirement variables. En effet, dans le cas contraire $\partial \mathbf{H}/\partial t = \partial \mathbf{E}/\partial t = 0$, et les équations (46,1-2) se transforment en les équations (36,1-2) et (43,1-2) d'un champ constant, dans lesquelles, cependant, $\rho = 0$, $\mathbf{j} = 0$. Les solutions de ces équations, qui sont données par les formules (36,8) et (43,5), s'annulent pour $\rho = 0$, $\mathbf{j} = 0$.

Etablissons les équations déterminant les potentiels des ondes électromagnétiques.

On sait déjà que, les potentiels n'étant pas déterminés univoquement, on peut toujours leur imposer une condition supplémentaire. Par conséquent, choisissons les potentiels des ondes électromagnétiques de manière que le potentiel scalaire soit nul :

$$\varphi = 0. \tag{46,3}$$

Alors

$$\mathbf{E} = -\frac{1}{c}\frac{\partial \mathbf{A}}{\partial t}, \quad \mathbf{H} = \operatorname{rot} \mathbf{A}. \tag{46,4}$$

Substituant ces deux expressions dans la première des équations (46,2), il vient:

$$\operatorname{rot} \operatorname{rot} \mathbf{A} = -\Delta \mathbf{A} + \operatorname{grad} \operatorname{div} \mathbf{A} = -\frac{1}{c^2}\frac{\partial^2 \mathbf{A}}{\partial t^2}. \tag{46,5}$$

Bien que nous ayons déjà imposé une condition supplémentaire aux potentiels, le potentiel **A** n'est pas encore tout à fait univoque. Plus précisément, on peut lui ajouter le gradient d'une fonction quelconque ne dépendant pas du temps (sans changer φ toutefois). En particulier, on peut choisir le potentiel de l'onde électromagnétique de telle manière que

$$\operatorname{div} \mathbf{A} = 0. \tag{46,6}$$

En effet, substituant **E** de (46,4) dans $\operatorname{div} \mathbf{E} = 0$, nous obtenons:

$$\operatorname{div} \frac{\partial \mathbf{A}}{\partial t} = \frac{\partial}{\partial t} \operatorname{div} \mathbf{A} = 0,$$

c'est-à-dire que div **A** est fonction des seules coordonnées. On peut toujours annuler cette fonction en ajoutant à **A** le gradient d'une fonction convenable ne dépendant pas du temps.

L'équation (46,5) prend maintenant la forme:

$$\Delta \mathbf{A} - \frac{1}{c^2}\frac{\partial^2 \mathbf{A}}{\partial t^2} = 0. \tag{46,7}$$

Telle est l'équation déterminant le potentiel des ondes électromagnétiques. C'est l'*équation de d'Alembert* ou *équation des ondes* [1].

Appliquant à (46,7) les opérateurs rot et $\partial/\partial t$, on peut s'assurer que les champs **E** et **H** satisfont à de telles équations des ondes.

Nous allons déduire à nouveau l'équation des ondes sous forme quadridimensionnelle. Nous écrirons à cet effet le deuxième groupe d'équations de Maxwell pour un champ en l'absence de charges sous la forme:

$$\frac{\partial F^{ik}}{\partial x^k} = 0$$

---

[1] L'équation des ondes s'écrit parfois sous la forme $\Box \mathbf{A} = 0$, où

$$\Box = -\frac{\partial^2}{\partial x_i \, \partial x^i} = \Delta - \frac{1}{c^2}\frac{\partial^2}{\partial t^2}$$

est l'*opérateur de d'Alembert*.

[l'équation (30,2) avec $j^i=0$]. Substituant ici les F^{ik} exprimées en fonction des potentiels

$$F^{ik}=\frac{\partial A^k}{\partial x_i}-\frac{\partial A^i}{\partial x_k},$$

il vient :

$$\frac{\partial^2 A^k}{\partial x_i\,\partial x^k}-\frac{\partial^2 A^i}{\partial x_k\,\partial x^k}=0. \tag{46,8}$$

Imposons aux potentiels la condition supplémentaire

$$\frac{\partial A^k}{\partial x^k}=0 \tag{46,9}$$

(cette condition est dite de Lorentz, et les potentiels satisfaisant à cette condition sont dits *jaugés par Lorentz*). Alors le premier terme dans (46,8) disparaît et il reste :

$$\frac{\partial^2 A^i}{\partial x_k\,\partial x^k}\equiv g^{kl}\,\frac{\partial^2 A^i}{\partial x^k\,\partial x^l}=0. \tag{46,10}$$

C'est là l'équation des ondes dans le formalisme quadridimensionnel[1].

Sous forme tridimensionnelle la condition (46,9) s'écrit :

$$\frac{1}{c}\frac{\partial\varphi}{\partial t}+\operatorname{div}\mathbf{A}=0. \tag{46,11}$$

Elle est plus générale que les conditions $\varphi=0$, $\operatorname{div}\mathbf{A}=0$ utilisées plus haut ; les potentiels vérifiant celles-ci vérifient également (46,11). A leur différence, toutefois, la condition de Lorentz est douée d'invariance relativiste : les potentiels satisfaisant à cette condition dans un référentiel y satisfont aussi dans tout autre [alors que les conditions (46,3) et (46,6) sont en général violées lorsqu'on passe dans un autre référentiel].

§ 47. Ondes planes

Considérons le cas particulier des ondes électromagnétiques, où le champ ne dépend que d'une seule coordonnée, soit x (et du temps). De telles ondes sont dites *planes*. Les équations du champ prennent alors la forme :

$$\frac{\partial^2 f}{\partial t^2}-c^2\,\frac{\partial^2 f}{\partial x^2}=0, \tag{47,1}$$

où f est n'importe quelle composante des vecteurs $\mathbf{E}$ et $\mathbf{H}$.

---

[1] Notons que la condition (46,9) ne fixe pas pour autant les potentiels d'une manière tout à fait univoque. A savoir, à $\mathbf{A}$ on peut ajouter $\operatorname{grad} f$ et retrancher de φ en même temps $\frac{1}{c}\frac{\partial f}{\partial t}$; encore faut-il que f satisfasse à l'équation des ondes $\Box f=0$, ce dont on s'assure facilement.

Pour résoudre cette équation, recopions-la sous la forme:

$$\left(\frac{\partial}{\partial t}-c\frac{\partial}{\partial x}\right)\left(\frac{\partial}{\partial t}+c\frac{\partial}{\partial x}\right)f=0$$

et introduisons les nouvelles variables

$$\xi=t-\frac{x}{c}, \quad \eta=t+\frac{x}{c},$$

de sorte que

$$t=\frac{1}{2}(\eta+\xi), \quad x=\frac{c}{2}(\eta-\xi).$$

Alors

$$\frac{\partial}{\partial\xi}=\frac{1}{2}\left(\frac{\partial}{\partial t}-c\frac{\partial}{\partial x}\right), \quad \frac{\partial}{\partial\eta}=\frac{1}{2}\left(\frac{\partial}{\partial t}+c\frac{\partial}{\partial x}\right),$$

et l'équation de f prend la forme:

$$\frac{\partial^2 f}{\partial\xi\,\partial\eta}=0.$$

Elle a évidemment pour solution

$$f=f_1(\xi)+f_2(\eta),$$

où f_1 et f_2 sont des fonctions arbitraires. Ainsi,

$$f=f_1\left(t-\frac{x}{c}\right)+f_2\left(t+\frac{x}{c}\right). \qquad (47,2)$$

Soit, par exemple, $f_2=0$, de sorte que $f=f_1(t-x/c)$. Interprétons cette solution. Dans chaque plan $x=\text{const}$ le champ varie avec le temps; à chaque instant, le champ est différent pour divers x. Il est évident que le champ a la même valeur pour les coordonnées x et pour le temps t reliés par la relation $t-x/c=\text{const}$, qui s'écrit encore:

$$x=\text{const}+ct.$$

Cela signifie que si à un certain instant $t=0$ le champ avait au point x de l'espace une valeur déterminée, il reprendra cette même valeur après le laps de temps t à la distance ct du point initial parallèlement à l'axe des x. Nous pouvons dire que toutes les valeurs du champ électromagnétique se propagent dans l'espace le long de l'axe des x avec la vitesse de la lumière.

Ainsi, $f_1(t-x/c)$ représente une onde plane progressant dans le sens positif de l'axe des x. Il est évident que $f_2(t+x/c)$ représente une onde courant dans le sens inverse de l'axe des x.

On a démontré au § 46 que les potentiels d'une onde électromagnétique peuvent être choisis de manière que $\varphi=0$, avec $\operatorname{div}\mathbf{A}=0$.

Choisissons précisément de cette façon les potentiels de l'onde plane que nous examinons maintenant. La condition div $\mathbf{A} = 0$ donne dans ce cas:

$$\frac{\partial A_x}{\partial x} = 0,$$

étant donné que toutes les quantités ne dépendent pas de y et z. En vertu de (47,1) on aura aussi $\partial^2 A_x/\partial t^2 = 0$, soit $\partial A_x/\partial t = $ const. Or, la dérivée $\partial \mathbf{A}/\partial t$ détermine le champ électrique, et nous voyons que la composante non nulle A_x signifierait qu'il existe dans le cas considéré un champ électrique longitudinal constant. Etant donné qu'un tel champ n'a aucun rapport avec l'onde électromagnétique, on peut poser $A_x = 0$.

Ainsi, le potentiel vecteur d'une onde plane peut toujours être choisi perpendiculairement à l'axe des x, c'est-à-dire à la direction de la propagation de cette onde.

Considérons une onde plane courant dans le sens positif de l'axe des x; dans une telle onde, toutes les quantités, en particulier $\mathbf{A}$, sont fonctions seulement de $t - x/c$. Des formules

$$\mathbf{E} = -\frac{1}{c}\frac{\partial \mathbf{A}}{\partial t}, \quad \mathbf{H} = \text{rot}\, \mathbf{A}$$

nous avons, par conséquent:

$$\mathbf{E} = -\frac{1}{c}\mathbf{A}', \quad \mathbf{H} = \nabla \times \mathbf{A} = \nabla\left(t - \frac{x}{c}\right) \times \mathbf{A}' = -\frac{1}{c}\mathbf{n} \times \mathbf{A}', \qquad (47,3)$$

où le signe prime désigne la dérivation par rapport à $t - x/c$, et où $\mathbf{n}$ est le vecteur unité dans la direction de la propagation de l'onde. Substituant la première égalité dans la seconde, nous obtenons:

$$\mathbf{H} = \mathbf{n} \times \mathbf{E}. \qquad (47,4)$$

Nous voyons que les champs électrique et magnétique $\mathbf{E}$ et $\mathbf{H}$ d'une onde plane sont dirigés perpendiculairement à la direction de la propagation de l'onde. Pour cette raison, les ondes électromagnétiques sont dites *transversales*. Il résulte de (47,4) que les champs électrique et magnétique d'une onde plane sont perpendiculaires l'un à l'autre et de même grandeur.

Le flux d'énergie dans une onde plane est

$$\mathbf{S} = \frac{c}{4\pi}\mathbf{E} \times \mathbf{H} = \frac{c}{4\pi}\mathbf{E} \times (\mathbf{n} \times \mathbf{E})$$

et, puisque $\mathbf{En} = 0$,

$$\mathbf{S} = \frac{c}{4\pi}E^2\mathbf{n} = \frac{c}{4\pi}H^2\mathbf{n}.$$

De sorte que le flux d'énergie est dirigé suivant la direction de la propagation de l'onde. Puisque $W = \frac{1}{8\pi}(E^2 + H^2) = \frac{E^2}{4\pi}$ est la densité d'énergie de l'onde, on peut écrire:

$$\mathbf{S} = cW\mathbf{n}, \tag{47,5}$$

car le champ se propage avec la vitesse de la lumière.

L'impulsion de l'unité de volume du champ électromagnétique est $\mathbf{S}/c^2$. Pour une onde plane on a respectivement $(W/c)\,\mathbf{n}$. Remarquons que la relation entre l'énergie W et l'impulsion W/c de l'onde électromagnétique est la même que pour des particules se mouvant avec la vitesse de la lumière [cf. (9,9)].

Le flux d'impulsion d'un champ est donné par le tenseur des contraintes de Maxwell $\sigma_{\alpha\beta}$ (33,3). Supposant, comme avant, que l'onde se propage suivant l'axe des x, on trouve que la seule composante non nulle de $\sigma_{\alpha\beta}$ est

$$\sigma_{xx} = W. \tag{47,6}$$

Comme il se doit, le flux d'impulsion est dirigé dans le sens de la propagation de l'onde et sa grandeur est égale à la densité d'énergie.

Trouvons la loi de transformation de la densité d'énergie d'une onde électromagnétique plane quand on passe d'un référentiel d'inertie à un autre. A cet effet, dans la formule

$$W = \frac{1}{1-\frac{V^2}{c^2}}\left(W' + 2\frac{V}{c^2}S'_x + \frac{V^2}{c^2}\sigma'_{xx}\right)$$

(voir le problème 1 du § 6) il faut substituer

$$S'_x = cW'\cos\alpha', \qquad \sigma'_{xx} = W'\cos^2\alpha',$$

où α' est l'angle (dans le référentiel K') entre l'axe des x' (suivant lequel est dirigée la vitesse $\mathbf{V}$) et la direction de la propagation de l'onde. On trouve en définitive:

$$W = W'\frac{\left(1+\frac{V}{c}\cos\alpha'\right)^2}{1-\frac{V^2}{c^2}}. \tag{47,7}$$

Comme $W = E^2/4\pi = H^2/4\pi$, les valeurs absolues des vecteurs $\mathbf{E}$ et $\mathbf{H}$ d'une onde se transforment comme $\sqrt{W}$.

Problèmes

1. Déterminer la force qui agit sur une paroi réfléchissant (de facteur de réflexion R) une onde électromagnétique plane.

Solution. La force $\mathbf{f}$ agissant sur l'unité d'aire de la paroi est donnée par le flux d'impulsion traversant cette aire; c'est donc le vecteur de composantes

$$f_\alpha = \sigma_{\alpha\beta} N_\beta + \sigma'_{\alpha\beta} N_\beta,$$

où **N** est la normale à la paroi et $\sigma_{\alpha\beta}$ et $\sigma'_{\alpha\beta}$, les composantes des tenseurs des contraintes des ondes incidente et réfléchie. Nous obtenons en vertu de (47,6):

$$\mathbf{f} = W\mathbf{n}(\mathbf{Nn}) + W'\mathbf{n}'(\mathbf{Nn}').$$

Nous avons, d'après la définition du facteur de réflexion, $W' = RW$. En introduisant également l'angle d'incidence θ (et l'angle de réflexion, qui lui est égal) et en passant aux composantes, on trouve la force normale (*pression lumineuse*)

$$f_N = W(1+R)\cos^2\theta$$

et la force tangentielle

$$f_t = W(1-R)\sin\theta\cos\theta.$$

2. Par la méthode d'Hamilton-Jacobi déterminer le mouvement d'une charge dans le champ d'une onde électromagnétique plane.

S o l u t i o n. Equation d'Hamilton-Jacobi sous forme quadridimensionnelle:

$$g^{ik}\left(\frac{\partial S}{\partial x^i} + \frac{e}{c} A_i\right)\left(\frac{\partial S}{\partial x^k} + \frac{e}{c} A_k\right) = m^2 c^2. \tag{1}$$

Le fait que le champ représente une onde plane signifie que les A^i sont des fonctions d'une seule variable indépendante, qu'il est loisible de noter $\xi = k_i x^i$, k^i étant un quadrivecteur constant isotrope: $k_i k^i = 0$ (cf. paragraphe suivant). Nous soumettrons les potentiels à la condition de Lorentz

$$\frac{\partial A^i}{\partial x^i} = \frac{dA^i}{d\xi} k_i = 0;$$

pour le champ variable de l'onde cette condition équivaut à $A^i k_i = 0$.

Nous chercherons la solution de (1) sous la forme:

$$S = -f_i x^i + F(\xi),$$

$f^i = (f^0, \mathbf{f})$ étant un vecteur constant satisfaisant à la condition $f_i f^i = m^2 c^2$ ($S = -f_i x^i$ est la solution de l'équation d'Hamilton-Jacobi pour une charge libre de 4-impulsion $p^i = f^i$). La substitution dans (1) donne:

$$\frac{e^2}{c^2} A_i A^i - 2\gamma \frac{dF}{d\xi} - \frac{2e}{c} f_i A^i = 0,$$

avec la constante $\gamma = k_i f^i$. Tirant F de cette équation, on obtient:

$$S = -f_i x^i - \frac{e}{c\gamma}\int f_i A^i \, d\xi + \frac{e^2}{2\gamma c^2}\int A_i A^i \, d\xi. \tag{2}$$

Passant aux notations tridimensionnelles avec un référentiel fixe, nous prendrons l'axe des x dans la direction de la propagation de l'onde. Alors $\xi = ct - x$, et la constante $\gamma = f^0 - f^1$. Désignant le vecteur à deux dimensions f_y, f_z par $\varkappa$, on déduit de la condition $f_i f^i = (f^0)^2 - (f^1)^2 - \varkappa^2 = m^2c^2$

$$f^0 + f^1 = \frac{m^2c^2 + \varkappa^2}{\gamma}.$$

Prenons les potentiels dans la jauge où $\varphi=0$, $\mathbf{A}(\xi)$ étant contenu dans le plan yz. Ceci fait, l'expression (2) devient:

$$S=\varkappa\mathbf{r}-\frac{\gamma}{2}(ct+x)-\frac{m^2c^2+\varkappa^2}{2\gamma}\xi+\frac{e}{c\gamma}\int\varkappa\mathbf{A}\,d\xi-\frac{e^2}{2\gamma c^2}\int\mathbf{A}^2\,d\xi.$$

En vertu des règles générales (cf. I § 47) pour déterminer le mouvement, on égalera les dérivées $\partial S/\partial\varkappa$, $\partial S/\partial\gamma$ à certaines constantes nouvelles, qu'on pourra annuler par un choix approprié de l'origine des coordonnées et du temps. On trouve de cette façon les équations paramétriques (de paramètre ξ):

$$y=\frac{1}{\gamma}\varkappa_y\xi-\frac{e}{c\gamma}\int A_y\,d\xi,\quad z=\frac{1}{\gamma}\varkappa_z\xi-\frac{e}{c\gamma}\int A_z\,d\xi,$$

$$x=\frac{1}{2}\left(\frac{m^2c^2+\varkappa^2}{\gamma^2}-1\right)\xi-\frac{e}{c\gamma^2}\int\varkappa\mathbf{A}\,d\xi+\frac{e^2}{2\gamma^2c^2}\int\mathbf{A}^2\,d\xi,\quad ct=\xi+x.$$

L'impulsion généralisée $\mathbf{P}=\mathbf{p}+\frac{e}{c}\mathbf{A}$ et l'énergie $\mathscr{E}$ s'obtiennent en dérivant l'action par rapport aux coordonnées et au temps ; il vient:

$$p_y=\varkappa_y-\frac{e}{c}A_y,\quad p_z=\varkappa_z-\frac{e}{c}A_z,$$

$$p_x=-\frac{\gamma}{2}+\frac{m^2c^2+\varkappa^2}{2\gamma}-\frac{e}{c\gamma}\varkappa\mathbf{A}+\frac{e^2}{2\gamma c^2}\mathbf{A}^2;$$

$$\mathscr{E}=(\gamma+p_x)\,c.$$

Si l'on prend la moyenne de ces quantités par rapport au temps, les termes contenant à la première puissance la fonction périodique $\mathbf{A}(\xi)$ s'annulent. Supposons le référentiel choisi de sorte que la particule soit en moyenne au repos, c'est-à-dire que son impulsion moyenne soit nulle. On aura alors:

$$\varkappa=0,\quad \gamma^2=m^2c^2+e^2\overline{\mathbf{A}}^2.$$

Les formules définitives pour déterminer le mouvement deviennent alors:

$$x=\frac{e^2}{2\gamma^2c^2}\int(\mathbf{A}^2-\overline{\mathbf{A}}^2)\,d\xi,\quad y=-\frac{e}{c\gamma}\int A_y\,d\xi,$$

$$z=-\frac{e}{c\gamma}\int A_z\,d\xi,\quad ct=\xi+\frac{e^2}{2\gamma^2c^2}\int(\mathbf{A}^2-\overline{\mathbf{A}}^2)\,d\xi\,; \tag{3}$$

$$p_x=\frac{e^2}{2\gamma c^2}(\mathbf{A}^2-\overline{\mathbf{A}}^2),\quad p_y=-\frac{e}{c}A_y,\quad p_z=-\frac{e}{c}A_z,$$

$$\mathscr{E}=c\gamma+\frac{e^2}{2\gamma c}(\mathbf{A}^2-\overline{\mathbf{A}}^2). \tag{4}$$

§ 48. Onde monochromatique plane

Un cas particulier important des ondes électromagnétiques est celui des ondes dont le champ est une fonction périodique simple du temps. Une telle onde est dite *monochromatique*. Toutes les grandeurs (potentiels, composantes des champs) d'une onde monochromatique dépendent du temps par l'intermédiaire d'un facteur de la forme cos $(\omega t + \alpha)$, ω étant la *fréquence cyclique* de l'onde (nous l'appellerons simplement *fréquence*).

Dans l'équation des ondes l'expression de la dérivée seconde du champ par rapport au temps est maintenant $\partial^2 f/\partial t^2 = -\omega^2 f$, de sorte que la distribution du champ dans l'espace est donnée dans une onde monochromatique par l'équation

$$\Delta f + \frac{\omega^2}{c^2} f = 0. \tag{48,1}$$

Dans une onde plane (se propageant le long de l'axe des x) le champ est seulement fonction de $t - x/c$. Si donc une onde plane est monochromatique, son champ sera une fonction périodique simple de $t - x/c$. Le plus commode pour le potentiel vecteur d'une telle onde est de l'écrire sous forme de partie réelle de l'expression complexe

$$\mathbf{A} = \mathrm{Re}\,\{\mathbf{A}_0 e^{-i\omega(t - x/c)}\}. \tag{48,2}$$

$\mathbf{A}_0$ représente ici un vecteur complexe constant. Il est évident que les vecteurs $\mathbf{E}$ et $\mathbf{H}$ d'une telle onde auront aussi une forme analogue avec la même fréquence ω. La quantité

$$\lambda = \frac{2\pi c}{\omega} \tag{48,3}$$

est appelée *longueur d'onde*; c'est la période de variation du champ selon l'axe des x à l'instant t.

Le vecteur

$$\mathbf{k} = \frac{\omega}{c}\,\mathbf{n} \tag{48,4}$$

(où $\mathbf{n}$ est le vecteur unité dans le sens de la propagation de l'onde) est appelé *vecteur d'onde*. Ce vecteur permet de représenter (48,2) sous la forme:

$$\mathbf{A} = \mathrm{Re}\,\{\mathbf{A}_0 e^{i(\mathbf{kr} - \omega t)}\}; \tag{48,5}$$

cette expression ne dépend pas du choix des axes de coordonnées. Le facteur de i dans l'exponentielle est la *phase* de l'onde.

Tant que nous n'effectuons que des opérations linéaires sur les quantités, point ne sera besoin de prendre la partie réelle et on pourra opérer avec les quantités complexes telles quelles [1]. Ainsi

---

[1] Si deux quantités quelconques $\mathbf{A}(t)$ et $\mathbf{B}(t)$ s'écrivent sous forme complexe:

$$\mathbf{A}(t) = \mathbf{A}_0 e^{-i\omega t}, \quad \mathbf{B}(t) = \mathbf{B}_0 e^{-i\omega t},$$

quand on formera leur produit, il faudra, bien entendu, séparer d'abord la partie réelle. Mais si, comme c'est souvent le cas, seule la valeur moyenne (par rapport au temps) de ce produit nous intéresse, on pourra alors la calculer comme

$$\frac{1}{2}\,\mathrm{Re}\,\{\mathbf{AB}^*\}.$$

substituant

$$\mathbf{A} = \mathbf{A}_0 e^{i(\mathbf{kr}-\omega t)}$$

dans (47,3), nous obtenons une relation entre les vecteurs champs et le potentiel vecteur d'une onde plane monochromatique sous la forme :

$$\mathbf{E} = ik\mathbf{A}, \quad \mathbf{H} = i\mathbf{k} \times \mathbf{A}. \tag{48,6}$$

Examinons en détail la question de la direction du champ d'une onde monochromatique. Pour fixer les idées, nous parlerons du champ électrique

$$\mathbf{E} = \mathrm{Re}\,\{\mathbf{E}_0 e^{i(\mathbf{kr}-\omega t)}\}$$

(tout ce qui sera dit ci-dessous se rapportera aussi, bien entendu, dans la même mesure au champ magnétique). $\mathbf{E}_0$ est un certain vecteur complexe. Son carré $\mathbf{E}_0^2$ sera également, en général, un nombre complexe. Si l'argument de ce nombre est -2α (c'est-à-dire $\mathbf{E}_0^2 = |\,\mathbf{E}_0^2\,|\, e^{-2i\alpha}$), alors le vecteur $\mathbf{b}$ déterminé par

$$\mathbf{E}_0 = \mathbf{b}e^{-i\alpha}, \tag{48,7}$$

aura un carré réel $\mathbf{b}^2 = |\,\mathbf{E}_0\,|^2$. Nous écrirons avec une telle définition

$$\mathbf{E} = \mathrm{Re}\,\{\mathbf{b}e^{i(\mathbf{kr}-\omega t-\alpha)}\}. \tag{48,8}$$

Prenons $\mathbf{b}$ sous la forme :

$$\mathbf{b} = \mathbf{b}_1 + i\mathbf{b}_2,$$

où $\mathbf{b}_1$ et $\mathbf{b}_2$ sont deux vecteurs réels. Etant donné que le carré $\mathbf{b}^2 = b_1^2 - b_2^2 + 2i\mathbf{b}_1\mathbf{b}_2$ doit être une quantité réelle, on doit avoir $\mathbf{b}_1\mathbf{b}_2 = 0$, donc $\mathbf{b}_1$ et $\mathbf{b}_2$ sont orthogonaux. Dirigeons y selon $\mathbf{b}_1$ (l'axe des x est dirigé selon la propagation de l'onde). On déduit alors de (48,8) :

$$E_y = b_1 \cos(\omega t - \mathbf{kr} + \alpha), \quad E_z = \pm\, b_2 \sin(\omega t - \mathbf{kr} + \alpha), \tag{48,9}$$

où l'on a le signe plus ou moins suivant que le vecteur $\mathbf{b}_2$ est dirigé dans le sens positif ou négatif de l'axe des z. De (48,9)

Nous avons en effet :

$$\mathrm{Re}\,\mathbf{A}\;\mathrm{Re}\,\mathbf{B} = \frac{1}{4}\,(\mathbf{A}_0 e^{-i\omega t} + \mathbf{A}_0^* e^{i\omega t})\,(\mathbf{B}_0 e^{-i\omega t} + \mathbf{B}_0^* e^{i\omega t}).$$

Quand on prend la moyenne, les termes contenant les facteurs $e^{\pm 2i\omega t}$ s'annulent et il reste :

$$\overline{\mathrm{Re}\,\mathbf{A}\;\mathrm{Re}\,\mathbf{B}} = \frac{1}{4}\,(\mathbf{AB}^* + \mathbf{A}^*\mathbf{B}) = \frac{1}{2}\,\mathrm{Re}\,(\mathbf{AB}^*).$$

on déduit que

$$\frac{E_y^2}{b_1^2}+\frac{E_z^2}{b_2^2}=1. \tag{48,10}$$

On voit, par conséquent, qu'en chaque point de l'espace le vecteur champ électrique tourne dans le plan perpendiculaire à la direction de la propagation de l'onde et que son extrémité décrit l'ellipse (48,10). Une telle onde est dite *polarisée elliptiquement*. La rotation a lieu dans le même sens ou dans le sens inverse de la rotation d'une vis se vissant sur l'axe des x, selon qu'on a pris le signe plus ou moins dans (48,9).

Si $b_1 = b_2$, l'ellipse (48,10) devient un cercle, c'est-à-dire que le vecteur $\mathbf{E}$ tourne tout en restant de grandeur constante. On dit dans ce cas que l'onde est *polarisée circulairement*. Le choix des directions des axes y et z est alors, évidemment, arbitraire. Notons que dans une telle onde le rapport des composantes sur les axes y et z de l'amplitude complexe $\mathbf{E}_0$ est égal à

$$\frac{E_{0z}}{E_{0y}}=\pm i \tag{48,11}$$

selon que la rotation a lieu dans le sens de vissage ou dans le sens contraire (polarisation droite ou gauche) [1].

Enfin, lorsque b_1 ou b_2 est nul, le champ de l'onde est dirigé partout et toujours parallèlement (ou antiparallèlement) à une seule et même direction. L'onde est alors dite *polarisée rectilignement* ou bien encore polarisée dans un plan. Une onde polarisée elliptiquement peut être considérée, évidemment, comme la superposition de deux ondes polarisées rectilignement.

Revenons à la définition du vecteur d'onde et introduisons le vecteur d'onde quadridimensionnel de composantes

$$k^i=\left(\frac{\omega}{c}, \mathbf{k}\right). \tag{48,12}$$

Le fait que ces quantités forment effectivement un quadrivecteur est évident. On le voit, par exemple, parce qu'elles donnent après multiplication par le quadrivecteur x^i un scalaire, la phase d'onde :

$$k_ix^i=\omega t-\mathbf{kr}. \tag{48,13}$$

Il résulte des définitions (48,4) et (48,12) que le carré du quadrivecteur d'onde est nul :

$$k^ik_i=0. \tag{48,14}$$

---

[1] Le système d'axes x, y, z est, comme toujours, supposé dextrorsum.

Cette relation découle aussi immédiatement du fait que l'expression

$$\mathbf{A} = \mathbf{A}_0 \exp(-ik_i x^i)$$

doit être solution de l'équation des ondes (46,10).

De même que pour toute onde plane, pour une onde monochromatique, se propageant le long de l'axe des x, seules ne sont pas nulles les composantes suivantes du tenseur d'énergie-impulsion (cf. § 47):

$$T^{00} = T^{01} = T^{11} = W.$$

En se servant du quadrivecteur d'onde, on peut recopier ces égalités sous forme tensorielle comme suit:

$$T^{ik} = \frac{Wc^2}{\omega^2} k^i k^k. \qquad (48,15)$$

Enfin, en se servant de la loi de transformation du 4-vecteur d'onde, il est facile de considérer l'*effet Doppler* — la variation de la fréquence ω de l'onde émise par une source en mouvement par rapport à un observateur relativement à la fréquence « propre » ω_0 de cette même source dans le référentiel (K_0) où elle est au repos.

Soit V la vitesse de la source, c'est-à-dire la vitesse du référentiel K_0 par rapport à K. On a, d'après les formules générales de transformation des quadrivecteurs:

$$k^{(0)0} = \frac{k^0 - \frac{V}{c} k^1}{\sqrt{1 - \frac{V^2}{c^2}}}$$

(la vitesse du système K relativement à K_0 est $-V$). Substituant dans cette égalité $k^0 = \omega/c$, $k^1 = k\cos\alpha = \frac{\omega}{c}\cos\alpha$, où α est l'angle (dans K) entre la direction de l'émission de l'onde et la direction du mouvement de la source, et exprimant ω en fonction de ω_0, il vient:

$$\omega = \omega_0 \frac{\sqrt{1 - \frac{V^2}{c^2}}}{1 - \frac{V}{c}\cos\alpha}. \qquad (48,16)$$

Telle est la formule cherchée. Pour $V \ll c$ elle donne, lorsque l'angle α n'est pas trop voisin de $\pi/2$:

$$\omega \approx \omega_0 \left(1 + \frac{V}{c}\cos\alpha\right). \qquad (48,17)$$

Nous avons pour $\alpha = \pi/2$:

$$\omega = \omega_0 \sqrt{1 - \frac{V^2}{c^2}} \approx \omega_0 \left(1 - \frac{V^2}{2c^2}\right); \tag{48,18}$$

dans ce cas, la variation relative de la fréquence est proportionnelle au carré du rapport V/c.

Problèmes

1. Déterminer la direction et la grandeur des axes de l'ellipse de polarisation en fonction de l'amplitude complexe $\mathbf{E}_0$.

Solution. Le problème consiste à déterminer le vecteur $\mathbf{b} = \mathbf{b}_1 + i\mathbf{b}_2$ de carré réel. Nous obtenons de (48,7) :

$$\mathbf{E}_0\mathbf{E}_0^* = b_1^2 + b_2^2, \quad \mathbf{E}_0 \times \mathbf{E}_0^* = -2i\mathbf{b}_1 \times \mathbf{b}_2 \tag{1}$$

ou

$$b_1^2 + b_2^2 = A^2 + B^2, \quad b_1 b_2 = AB \sin \delta,$$

où l'on a posé :

$$|E_{0y}| = A, \quad |E_{0z}| = B, \quad \frac{E_{0z}}{B} = \frac{E_{0y}}{A} e^{i\delta}$$

pour les valeurs absolues de E_{0y} et E_{0z} et la différence de phase (δ) entre ces quantités. D'où

$$b_{1,2} = \sqrt{A^2 + B^2 + 2AB \sin \delta} \pm \sqrt{A^2 + B^2 - 2AB \sin \delta}, \tag{2}$$

qui détermine les grandeurs des demi-axes de l'ellipse de polarisation.

Pour déterminer leurs directions (par rapport à des axes initiaux arbitraires y, z), partons de l'égalité

$$\operatorname{Re} \{(\mathbf{E}_0\mathbf{b}_1)(\mathbf{E}_0^*\mathbf{b}_2)\} = 0,$$

qu'il est facile de vérifier en y posant $\mathbf{E}_0 = (\mathbf{b}_1 + i\mathbf{b}_2)\, e^{-i\alpha}$. Ecrivant cette expression en fonction des coordonnées y, z, on trouve pour l'angle θ entre le vecteur $\mathbf{b}_1$ et l'axe des y :

$$\operatorname{tg} 2\theta = \frac{2AB \cos \delta}{A^2 - B^2}. \tag{3}$$

Le sens de la rotation du champ est déterminé par le signe de la composante sur l'axe des x du vecteur $\mathbf{b}_1 \times \mathbf{b}_2$. Ecrivant à partir de (1) :

$$2i(\mathbf{b}_1 \times \mathbf{b}_2)_x = E_{0z}E_{0y}^* - E_{0z}^*E_{0y} = |E_{0y}|^2 \left\{ \left(\frac{E_{0z}}{E_{0y}}\right) - \left(\frac{E_{0z}}{E_{0y}}\right)^* \right\},$$

on voit que le sens du vecteur $\mathbf{b}_1 \times \mathbf{b}_2$ (dans le sens positif ou négatif de l'axe des x), et par conséquent le signe de la rotation (dans le sens d'une vis se vissant sur l'axe des x ou dans le sens inverse), est donné par le signe de la partie imaginaire du rapport E_{0z}/E_{0y} (plus dans le premier cas et moins dans le second). Cette règle généralise la règle (48,11) pour la polarisation circulaire.

2. Déterminer le mouvement d'une charge dans le champ d'une onde plane monochromatique rectilignement polarisée.

Solution. Prenons la direction du champ $\mathbf{E}$ pour axe des y et écrivons :

$$E_y = E = E_0 \cos \omega\xi, \quad A_y = A = -\frac{cE_0}{\omega} \sin \omega\xi$$

($\xi = t - x/c$). En vertu des formules (3-4) du problème 2 § 47, on trouve (dans le référentiel où la particule est au repos en moyenne) la représentation paramétrique (le paramètre étant $\eta = \omega\xi$) du mouvement:

$$x = -\frac{e^2E_0^2c}{8\gamma^2\omega^3}\sin 2\eta, \qquad y = -\frac{eE_0c}{\gamma\omega^2}\cos\eta, \qquad z = 0;$$

$$t = \frac{\eta}{\omega} - \frac{e^2E_0^2}{8\gamma^2\omega^3}\sin 2\eta, \quad \gamma^2 = m^2c^2 + \frac{e^2E_0^2}{2\omega^2};$$

$$p_x = -\frac{e^2E_0^2}{4\gamma\omega^2}\cos 2\eta, \qquad p_y = \frac{eE_0}{\omega}\sin\eta, \qquad p_z = 0.$$

La charge décrit dans le plan xy une courbe en 8 avec l'axe des y pour axe de symétrie longitudinal.

3. Déterminer le mouvement d'une charge dans le champ d'une onde polarisée circulairement.

S o l u t i o n. On a pour le champ de l'onde:

$$E_y = E_0\cos\omega\xi, \qquad E_z = E_0\sin\omega\xi,$$

$$A_y = -\frac{cE_0}{\omega}\sin\omega\xi, \qquad A_z = \frac{cE_0}{\omega}\cos\omega\xi.$$

Le mouvement est donné par les formules

$$x = 0, \quad y = -\frac{ecE_0}{\gamma\omega^2}\cos\omega t, \qquad z = -\frac{ecE_0}{\gamma\omega^2}\sin\omega t,$$

$$p_x = 0, \quad p_y = \frac{eE_0}{\omega}\sin\omega t, \qquad p_z = -\frac{eE_0}{\omega}\cos\omega t,$$

$$\gamma^2 = m^2c^2 + \frac{c^2E_0^2}{\omega^2}.$$

De sorte que la charge décrit dans le plan yz une circonférence de rayon $ecE_0/\gamma\omega^2$ avec l'impulsion constante $p = eE_0/\omega$; l'impulsion $\mathbf{p}$ est dirigée à chaque instant suivant le champ magnétique $\mathbf{H}$ de l'onde.

§ 49. Décomposition spectrale

Toute onde peut être l'objet d'une décomposition dite spectrale; elle peut être représentée par la superposition d'ondes monochromatiques de diverses fréquences. Le caractère de ces décompositions varie selon le caractère de la dépendance entre le champ et le temps.

On rapporte à une même catégorie les cas où les fréquences des décompositions forment une série discrète de valeurs. Le cas le plus simple de ce genre apparaît lors de la décomposition d'un champ purement périodique (bien que non monochromatique). C'est le développement ordinaire en série de Fourier; il contient des fréquences qui sont des multiples entiers de la fréquence « fondamentale » $\omega_0 = 2\pi/T$, où T est la période du champ. Ecrivons-le sous la forme:

$$f = \sum_{n=-\infty}^{\infty} f_n e^{-i\omega_0 nt} \tag{49,1}$$

(f étant une quelconque des quantités décrivant le champ). Les quantités f_n sont déterminées à partir de la fonction f par les intégrales

$$f_n = \frac{1}{T} \int_{-T/2}^{T/2} f(t)\, e^{in\omega_0 t}\, dt. \tag{49,2}$$

La fonction $f(t)$ étant réelle, on a évidemment:

$$f_{-n} = f_n^*. \tag{49,3}$$

Dans des cas plus complexes le développement peut contenir des fréquences qui sont des multiples entiers (et leurs sommes) de plusieurs fréquences fondamentales distinctes incommensurables.

Lorsqu'on élève au carré la somme (49,1) et qu'on prend la moyenne temporelle des produits de termes à fréquences différentes, on obtient zéro, étant donné que ces termes contiennent des facteurs oscillants. Seuls subsistent les termes de la forme $f_n f_{-n} = |f_n|^2$. De sorte que la moyenne quadratique du champ (l'intensité moyenne de l'onde) est représentée par la somme des intensités des composantes monochromatiques:

$$\overline{f^2} = \sum_{n=-\infty}^{\infty} |f_n|^2 = 2 \sum_{n=1}^{\infty} |f_n|^2 \tag{49,4}$$

(on suppose que la moyenne sur une période de la valeur de la fonction elle-même $f(t)$ est nulle, de sorte que $f_0 = \overline{f} = 0$).

A une autre catégorie se rapportent les champs se développant en intégrale de Fourier, qui contient un spectre continu de fréquences différentes. A cet effet, les fonctions $f(t)$ doivent vérifier des conditions déterminées; il s'agit habituellement de fonctions s'annulant pour $t = \pm\infty$. Un tel développement s'écrit:

$$f(t) = \int_{-\infty}^{+\infty} f_\omega e^{-i\omega t} \frac{d\omega}{2\pi}, \tag{49,5}$$

les composantes de Fourier étant données d'après $f(t)$ par les intégrales

$$f_\omega = \int_{-\infty}^{+\infty} f(t)\, e^{i\omega t}\, dt. \tag{49,6}$$

On a alors comme pour (49,3):

$$f_{-\omega}=f^*_{\omega}. \tag{49,7}$$

Exprimons l'intensité totale de l'onde, c'est-à-dire l'intégrale de f^2 par rapport au temps tout entier, en fonction des intensités des composantes de Fourier. Il vient eu égard à (49, 5-6):

$$\int_{-\infty}^{\infty} f^2\,dt=\int_{-\infty}^{\infty}\left\{f\int_{-\infty}^{\infty} f_\omega e^{-i\omega t}\frac{d\omega}{2\pi}\right\}dt=$$

$$=\int_{-\infty}^{\infty}\left\{f_\omega\int_{-\infty}^{\infty} fe^{-i\omega t}\,dt\right\}\frac{d\omega}{2\pi}=\int_{-\infty}^{\infty} f_\omega f_{-\omega}\frac{d\omega}{2\pi},$$

ou en vertu de (49,7):

$$\int_{-\infty}^{\infty} f^2\,dt=\int_{-\infty}^{\infty}|f_\omega|^2\frac{d\omega}{2\pi}=2\int_{0}^{\infty}|f_\omega|^2\frac{d\omega}{2\pi}. \tag{49,8}$$

§ 50. Lumière partiellement polarisée

De par sa définition même, toute onde monochromatique est nécessairement polarisée. Cependant, on a habituellement affaire à des ondes presque monochromatiques dont les fréquences sont contenues dans un petit intervalle $\Delta\omega$. Considérons une telle onde, et soit ω une certaine fréquence moyenne. Alors, son champ (nous parlerons du champ électrique **E** pour fixer les idées) peut s'écrire en un point donné de l'espace sous la forme:

$$\mathbf{E}=\mathbf{E}_0(t)\,e^{-i\omega t},$$

où l'amplitude complexe $\mathbf{E}_0(t)$ est une certaine fonction du temps variant lentement (pour une onde strictement monochromatique on aurait $\mathbf{E}_0$ = const). $\mathbf{E}_0$ définissant la polarisation de l'onde, cela signifie que la polarisation d'une onde varie avec le temps en chacun de ses points; une telle onde est dite *partiellement polarisée*.

Les propriétés de polarisation des ondes électromagnétiques, notamment de la lumière, s'observent expérimentalement en faisant passer la lumière dans divers corps (par exemple les prismes de Nicol) et en mesurant son intensité. Du point de vue mathématique, on tire des conclusions sur les propriétés de polarisation de la lumière en partant des valeurs de certaines fonctions quadratiques de son champ. Il est bien entendu qu'il s'agit alors des valeurs moyennes de ces fonctions par rapport au temps.

Une fonction quadratique du champ est composée de termes proportionnels aux produits $E_\alpha E_\beta$, $E^*_\alpha E^*_\beta$ ou $E_\alpha E^*_\beta$. Les produits de la forme

$$E_\alpha E_\beta = E_{0\alpha} E_{0\beta} e^{-2i\omega t}, \quad E^*_\alpha E^*_\beta = E^*_{0\alpha} E^*_{0\beta} e^{2i\omega t},$$

contenant les facteurs $e^{\pm 2i\omega t}$ qui oscillent rapidement, s'annulent quand on prend leur moyenne par rapport au temps. Pour ce qui est des produits $E_\alpha E^*_\beta = E_{0\alpha} E^*_{0\beta}$, ils ne contiennent pas de tels facteurs, et, par conséquent, leurs valeurs moyennes ne sont pas nulles. On voit donc que les propriétés d'une lumière partiellement polarisée sont complètement caractérisées par le tenseur

$$J_{\alpha\beta} = \overline{E_{0\alpha} E^*_{0\beta}}. \tag{50,1}$$

Etant donné que le vecteur $\mathbf{E}_0$ est toujours contenu dans le plan perpendiculaire à la direction de l'onde, le tenseur $J_{\alpha\beta}$ a en tout et pour tout quatre composantes (il est supposé dans ce paragraphe que les indices α, β prennent seulement deux valeurs $\alpha, \beta = 1, 2$, qui correspondent aux axes y, z ; l'axe des x est choisi dans la direction de la propagation de l'onde).

La somme des composantes diagonales de $J_{\alpha\beta}$ (notée J) est une quantité réelle — la valeur moyenne du carré du module de $\mathbf{E}_0$ (ou, ce qui revient au même, de $\mathbf{E}$) :

$$J \equiv J_{\alpha\alpha} = \overline{\mathbf{E}_0 \mathbf{E}^*_0}. \tag{50,2}$$

Cette quantité détermine l'intensité de l'onde, mesurée par la densité du flux d'énergie en l'onde. Afin d'éliminer cette quantité qui n'est pas en rapport direct avec les propriétés polarisatoires, introduisons au lieu de $J_{\alpha\beta}$ le tenseur

$$\rho_{\alpha\beta} = \frac{J_{\alpha\beta}}{J}, \tag{50,3}$$

pour lequel $\rho_{\alpha\alpha} = 1$; nous l'appellerons *tenseur de polarisation*.

La définition (50,1) montre que les composantes de $J_{\alpha\beta}$, et donc de $\rho_{\alpha\beta}$, sont liées par la relation

$$\rho_{\alpha\beta} = \rho^*_{\beta\alpha} \tag{50,4}$$

(c'est-à-dire que le tenseur est hermitique). En vertu de ces relations, les composantes diagonales ρ_{11} et ρ_{22} sont réelles (avec $\rho_{11} + \rho_{22} = 1$), et $\rho_{21} = \rho^*_{12}$. De sorte que le tenseur de polarisation est caractérisé par trois paramètres réels.

Déduisons les conditions vérifiées par $\rho_{\alpha\beta}$ pour une lumière complètement polarisée. Dans ce cas $\mathbf{E}_0 = \text{const}$, si bien qu'on a simplement :

$$J_{\alpha\beta} = J\rho_{\alpha\beta} = E_{0\alpha} E^*_{0\beta} \tag{50,5}$$

(sans médiation), c'est-à-dire que les composantes du tenseur peuvent s'écrire sous forme de produits des composantes d'un certain vecteur constant. Il faut et il suffit pour cela que

$$|\rho_{\alpha\beta}| = \rho_{11}\rho_{22} - \rho_{12}\rho_{21} = 0. \tag{50,6}$$

Un cas opposé est celui d'une lumière non polarisée ou *naturelle*. L'absence totale de polarisation signifie que toutes les directions (dans le plan yz) sont équivalentes. En d'autres termes, le tenseur de polarisation doit avoir la forme:

$$\rho_{\alpha\beta} = \frac{1}{2}\delta_{\alpha\beta}. \tag{50,7}$$

Alors le déterminant $|\rho_{\alpha\beta}| = \frac{1}{4}$.

Dans le cas général où la polarisation est arbitraire, ce déterminant a ses valeurs entre 0 et $\frac{1}{4}$ [1]. Nous appellerons degré de polarisation la quantité positive P définie par l'égalité

$$|\rho_{\alpha\beta}| = \frac{1}{4}(1 - P^2). \tag{50,8}$$

Elle varie de 0, pour la lumière non polarisée, à 1 pour la lumière polarisée.

Tout tenseur peut être décomposé en ses parties symétrique et antisymétrique. La première

$$S_{\alpha\beta} = \frac{1}{2}|\rho_{\alpha\beta} + \rho_{\beta\alpha}|$$

est, en vertu de l'hermiticité de $\rho_{\alpha\beta}$, réelle. La partie antisymétrique, elle, est, au contraire, imaginaire pure. De même que tout tenseur antisymétrique d'ordre égal au nombre de dimensions, elle se réduit à un pseudo-scalaire (cf. note p. 31):

$$\frac{1}{2}(\rho_{\alpha\beta} - \rho_{\beta\alpha}) = -\frac{i}{2}e_{\alpha\beta}A,$$

A étant un pseudo-scalaire réel, $e_{\alpha\beta}$ un tenseur antisymétrique unité (de composantes $e_{12} = -e_{21} = 1$). De sorte que le tenseur de polarisation s'écrit sous la forme:

$$\rho_{\alpha\beta} = S_{\alpha\beta} - \frac{i}{2}e_{\alpha\beta}A, \qquad S_{\alpha\beta} = S_{\beta\alpha}, \tag{50,9}$$

c'est-à-dire se réduit à un tenseur symétrique réel et à un pseudo-scalaire.

---

[1] On s'assure sans peine de la positivité du déterminant de n'importe quel tenseur de la forme (50,1) en considérant, pour simplifier les choses, que la médiation est une sommation sur une série de différentes valeurs discrètes et en appliquant l'inégalité algébrique connue

$$\left|\sum_{a,\,b} x_a y_b\right|^2 \leqslant \sum_a |x_a|^2 \sum_b |y_b|^2.$$

Pour une onde circulairement polarisée $\mathbf{E}_0 =$ const, et

$$E_{02} = \pm iE_{01}.$$

Il est facile de voir qu'alors $S_{\alpha\beta} = 0$, et que $A = \pm 1$. Par contre, pour une onde linéairement polarisée le vecteur constant $\mathbf{E}_0$ peut être choisi réel, de sorte que $A = 0$. Dans le cas général A peut être appelé degré de polarisation circulaire; il varie entre $+1$ et -1, ces valeurs limites correspondant respectivement à des ondes circulairement polarisées à droite et à gauche.

Le tenseur réel $S_{\alpha\beta}$, ainsi que tout tenseur symétrique, peut être réduit à ses axes principaux avec deux valeurs principales différentes notées λ_1 et λ_2. Les directions des axes principaux sont orthogonales. Désignant par $\mathbf{n}^{(1)}$ et $\mathbf{n}^{(2)}$ les vecteurs unités de ces directions, on peut mettre $S_{\alpha\beta}$ sous la forme :

$$S_{\alpha\beta} = \lambda_1 n_\alpha^{(1)} n_\beta^{(1)} + \lambda_2 n_\alpha^{(2)} n_\beta^{(2)}, \quad \lambda_1 + \lambda_2 = 1. \tag{50,10}$$

λ_1 et λ_2 sont positifs et varient entre 0 et 1.

Soit $A = 0$, donc $\rho_{\alpha\beta} = S_{\alpha\beta}$. Chacun des deux termes dans (50,10) se présente comme le produit de deux composantes d'un vecteur réel constant ($\sqrt{\lambda_1}\mathbf{n}^{(1)}$ ou $\sqrt{\lambda_2}\mathbf{n}^{(2)}$). Autrement dit, chacun de ces deux termes correspond à la lumière linéairement polarisée. Puis on voit qu'il n'y a pas dans (50,10) de terme contenant le produit des composantes de ces deux ondes. Cela signifie que les deux parties peuvent être considérées comme physiquement indépendantes, on dit qu'elles sont incohérentes. En effet, si deux ondes sont indépendantes, la moyenne du produit $E_\alpha^{(1)} E_\beta^{(2)}$ est égale au produit des moyennes de chacun des facteurs, et puisque chacune d'entre elles est nulle, on a :

$$\overline{E_\alpha^{(1)} E_\beta^{(2)}} = 0.$$

Ainsi, nous sommes conduits à ce résultat que, dans le cas considéré ($A = 0$), une onde partiellement polarisée peut être représentée par la superposition de deux ondes incohérentes (d'intensités proportionnelles à λ_1 et λ_2) linéairement polarisées dans deux directions orthogonales [1]. (Dans le cas général, où le tenseur $\rho_{\alpha\beta}$ est complexe, on peut montrer que la lumière peut être représentée par la superposition de deux ondes incohérentes elliptiquement polarisées, dont les ellipses de polarisation sont semblables et perpendiculaires, cf. prob. 2.)

[1] Le déterminant $|S_{\alpha\beta}| = \lambda_1\lambda_2$; soit $\lambda_1 > \lambda_2$; alors le degré de polarisation défini par (50,8) vaut $P = 1 - 2\lambda_2$. Dans le cas donné ($A = 0$), pour caractériser le degré de polarisation de la lumière, on utilise aussi fréquemment le *coefficient de dépolarisation*, lequel est défini comme le rapport λ_2/λ_1.

Soit φ l'angle entre l'axe 1 (l'axe des y) et $\mathbf{n}^{(1)}$; alors,

$$\mathbf{n}^{(1)}=(\cos\varphi,\ \sin\varphi),\quad \mathbf{n}^{(2)}=(-\sin\varphi,\ \cos\varphi).$$

Introduisant la quantité $l=\lambda_1-\lambda_2$ (soit $\lambda_1>\lambda_2$), mettons les composantes du tenseur (50,10) sous la forme suivante:

$$S_{\alpha\beta}=\frac{1}{2}\begin{pmatrix}1+l\cos 2\varphi & l\sin 2\varphi\\ l\sin 2\varphi & 1-l\cos 2\varphi\end{pmatrix}. \tag{50,11}$$

Ainsi donc, lorsque le choix des axes y, z est arbitraire, les propriétées polarisatoires de l'onde peuvent être caractérisées par les trois paramètres réels suivants: le degré de polarisation circulaire A, le degré de polarisation linéaire maximum l, l'angle φ entre la direction $\mathbf{n}^{(1)}$ de la polarisation maximum et l'axe des y.

On a parfois avantage à se servir de trois autres paramètres:

$$\xi_1=l\sin 2\varphi,\quad \xi_2=A,\quad \xi_3=l\cos 2\varphi \tag{50,12}$$

(*paramètres de Stokes*). Le tenseur de polarisation s'écrit avec ces paramètres:

$$\rho_{\alpha\beta}=\frac{1}{2}\begin{pmatrix}1+\xi_3 & \xi_1-i\xi_2\\ \xi_1+i\xi_2 & 1-\xi_3\end{pmatrix}. \tag{50,13}$$

Tous les trois paramètres ont leurs valeurs comprises entre -1 et $+1$. Le paramètre ξ_3 caractérise la polarisation linéaire suivant les axes des y et z: à $\xi_3=1$ correspond la polarisation linéaire totale suivant l'axe des y et à $\xi_3=-1$, suivant l'axe des z. Le paramètre ξ_1, lui, caractérise la polarisation linéaire dans des directions formant 45° avec l'axe des y: à $\xi_1=1$ correspond la polarisation totale sous l'angle $\varphi=\pi/4$ et à $\xi_1=-1$ sous l'angle $\varphi=$ $=-\pi/4$ [1].

Le déterminant du tenseur (50,13) vaut:

$$|\rho_{\alpha\beta}|=\frac{1}{4}(1-\xi_1^2-\xi_2^2-\xi_3^2). \tag{50,14}$$

Rapprochant de (50,8), on voit que

$$P=\sqrt{\xi_1^2+\xi_2^2+\xi_3^2}. \tag{50,15}$$

Ainsi donc, on peut avoir pour un degré général de polarisation P trois différents types de polarisation, lesquels sont caractérisés

---

[1] Pour une onde à polarisation elliptique totale, d'axes de l'ellipse $\mathbf{b}_1$ et $\mathbf{b}_2$ (cf. § 48), les paramètres de Stokes sont égaux à:

$$\xi_1=0,\quad \xi_2=\pm 2b_1b_2,\quad \xi_3=b_1^2-b_2^2.$$

Alors l'axe des y est dirigé suivant $\mathbf{b}_1$, et les deux signes de ξ_2 correspondent à $\mathbf{b}_2$ dirigé dans le sens positif ou dans le sens négatif de l'axe des z.

par les valeurs des trois quantités ξ_1, ξ_2, ξ_3, dont la somme des carrés est donnée; ces quantités forment en quelque sorte un vecteur de longueur donnée.

Notons que les quantités $\xi_2 = A$ et $\sqrt{\xi_1^2 + \xi_3^2} = l$ sont invariantes par Lorentz. Cette circonstance est largement évidente déjà de la signification de ces quantités en tant que degrés de polarisation circulaire et linéaire [1].

Problèmes

1. Décomposer une lumière arbitraire partiellement polarisée en parties « naturelle » et « polarisée ».

Solution. Une telle décomposition signifie qu'on met le tenseur $J_{\alpha\beta}$ sous la forme:

$$J_{\alpha\beta}=\frac{1}{2}J^{(n)}\delta_{\alpha\beta}+E_{0\alpha}^{(p)}E_{0\beta}^{(p)*}.$$

Le premier terme correspond à la partie naturelle et le second à la partie polarisée de la lumière. Pour déterminer les intensités de ces parties, notons que le déterminant

$$\left|J_{\alpha\beta}-\frac{1}{2}J^{(n)}\delta_{\alpha\beta}\right|=|E_{0\alpha}^{(p)}E_{0\beta}^{(p)*}|=0.$$

Mettant $J_{\alpha\beta}=J\rho_{\alpha\beta}$ sous la forme (50,13) et résolvant cette équation, on obtient:

$$J^{(n)}=J(1-P).$$

L'intensité de la partie polarisée $J^{(p)} = |\mathbf{E}_0^{(p)}|^2 = J - J^{(n)} = JP$.

La partie polarisée de la lumière est, en général, une onde à polarisation elliptique, et les directions des axes de l'ellipse coïncident avec les axes principaux de $S_{\alpha\beta}$. Les grandeurs b_1 et b_2 des axes de l'ellipse et l'angle φ formé par $\mathbf{b}_1$ avec l'axe des y sont déterminés par les égalités

$$b_1^2+b_2^2=JP,\quad 2b_1b_2=J\xi_2,\quad \operatorname{tg}2\varphi=\frac{\xi_2}{\xi_3}.$$

2. Représenter une onde arbitraire partiellement polarisée par la superposition de deux ondes incohérentes elliptiquement polarisées.

Solution. Pour le tenseur hermitique $\rho_{\alpha\beta}$, les « axes principaux » sont déterminés par deux vecteurs unités complexes $\mathbf{n}$ ($\mathbf{nn}^* = 1$) satisfaisant

---

[1] Pour la démontrer directement, notons que, le champ de l'onde étant transversal dans n'importe quel référentiel, il est *a priori* évident que le tenseur $\rho_{\alpha\beta}$ reste à deux dimensions dans le nouveau référentiel. Alors la transformation faisant passer de $\rho_{\alpha\beta}$ à $\rho'_{\alpha\beta}$ conserve la somme des carrés des modules $\rho_{\alpha\beta}\,\rho^*_{\alpha\beta}$ (en effet, la forme de la transformation est indépendante des propriétés polarisatoires concrètes de la lumière, et pour une onde complètement polarisée cette somme est égale à 1 quel que soit le référentiel). Cette transformation étant réelle, les parties réelle et imaginaire du tenseur $\rho_{\alpha\beta}$ (50,9) se transforment indépendamment, d'où l'invariance des sommes des carrés des composantes de chacune d'elles, ces sommes s'exprimant respectivement au moyen de l et A.

aux équations

$$\rho_{\alpha\beta} n_\beta = \lambda n_\alpha. \quad (1)$$

Les valeurs principales λ_1 et λ_2 sont données par les racines de l'équation

$$|\rho_{\alpha\beta} - \lambda \delta_{\alpha\beta}| = 0.$$

Multipliant l'équation (1) par n_α^*, on obtient :

$$\lambda = \rho_{\alpha\beta} n_\alpha^* n_\beta = \frac{1}{J} \overline{|E_{0\alpha} n_\alpha|^2},$$

d'où l'on voit que λ_1, λ_2 ont leurs valeurs réelles et positives. Multipliant les équations

$$\rho_{\alpha\beta} n_\beta^{(1)} = \lambda_1 n_\alpha^{(1)}, \quad \rho_{\alpha\beta}^* n_\beta^{(2)*} = \lambda_2 n_\alpha^*$$

respectivement par $n_\alpha^{(2)*}$ et $n_\alpha^{(1)}$, retranchant membre à membre et utilisant l'hermiticité de $\rho_{\alpha\beta}$, on obtient :

$$(\lambda_1 - \lambda_2)\, n_\alpha^{(1)} n_\alpha^{(2)*} = 0.$$

Il en résulte que $\mathbf{n}^{(1)}\mathbf{n}^{(2)*} = 0$, c'est-à-dire que $\mathbf{n}^{(1)}$ et $\mathbf{n}^{(2)}$ sont orthogonaux.

La décomposition cherchée de l'onde est donnée par la formule

$$\rho_{\alpha\beta} = \lambda_1 n_\alpha^{(1)} n_\beta^{(1)*} + \lambda_2 n_\alpha^{(2)} n_\beta^{(2)*}.$$

On peut toujours choisir l'amplitude complexe de sorte que des deux composantes orthogonales l'une soit réelle et l'autre imaginaire (cf. § 48). Posant

$$n_1^{(1)} = b_1, \quad n_2^{(1)} = ib_2$$

(b_1 et b_2 étant maintenant supposés normés par la condition $b_1^2 + b_2^2 = 1$), on obtient alors de l'équation $\mathbf{n}^{(1)}\mathbf{n}^{(2)*} = 0$:

$$n_1^{(2)} = ib_2, \quad n_2^{(2)} = b_1.$$

D'où l'on voit que les ellipses des deux oscillations elliptiquement polarisées sont semblables (même rapport d'axes), et l'un d'eux est tourné par rapport à l'autre d'un angle droit.

3. Trouver la loi de transformation des paramètres de Stokes dans une rotation des axes y, z d'un angle φ.

S o l u t i o n. La loi cherchée est donnée par le lien entre les paramètres de Stokes et les composantes du tenseur bidimensionnel dans le plan yz par les formules

$$\xi_1' = \xi_1 \cos 2\varphi - \xi_3 \sin 2\varphi, \quad \xi_3' = \xi_1 \sin 2\varphi + \xi_3 \cos 2\varphi, \quad \xi_2' = \xi_2.$$

§ 51. Décomposition du champ électrostatique

Le champ créé par des charges peut être aussi décomposé formellement en ondes planes (en intégrale de Fourier). Cependant, cette décomposition se distingue foncièrement de la décomposition des ondes électromagnétiques dans le vide. En effet, le champ de charges ne vérifie pas l'équation homogène des ondes et, par conséquent, chaque terme du développement ne vérifie pas non plus cette équation. Il en résulte que pour des ondes planes, représentant une décomposition du champ de charges, on n'a pas la relation $k^2 = \omega^2/c^2$, qui a lieu pour des ondes électromagnétiques monochromatiques planes.

Notamment, si l'on représente formellement le champ électrostatique sous forme de superposition d'ondes planes, alors la « fréquence » de ces ondes sera nulle, étant donné que le champ considéré ne dépend pas du temps; en ce qui concerne les vecteurs d'onde, ils ne sont évidemment pas nuls.

Considérons le champ créé par une charge ponctuelle e se trouvant à l'origine des coordonnées. Le potentiel φ de ce champ est déterminé par l'équation (cf. § 36)

$$\Delta\varphi = -4\pi e\delta(\mathbf{r}). \tag{51,1}$$

Développons φ en intégrale spatiale de Fourier, c'est-à-dire représentons-le par

$$\varphi = \int_{-\infty}^{+\infty} e^{i\mathbf{kr}}\varphi_{\mathbf{k}} \frac{d^3k}{(2\pi)^3}, \quad d^3k = dk_x\,dk_y\,dk_z. \tag{51,2}$$

On a alors $\varphi_{\mathbf{k}} = \int \varphi(\mathbf{r})\, e^{-i\mathbf{kr}}\, dV$. Appliquant l'opérateur de Laplace aux deux membres de (51,2), nous obtenons :

$$\Delta\varphi = -\int_{-\infty}^{+\infty} k^2 e^{i\mathbf{kr}}\varphi_{\mathbf{k}} \frac{d^3k}{(2\pi)^3},$$

de sorte que la composante de Fourier de l'expression $\Delta\varphi$ est

$$(\Delta\varphi)_{\mathbf{k}} = -k^2\varphi_{\mathbf{k}}.$$

Par ailleurs, on peut trouver $(\Delta\varphi)_{\mathbf{k}}$, en prenant la composante de Fourier des deux membres de l'équation (51,1) :

$$(\Delta\varphi)_{\mathbf{k}} = -\int 4\pi e\delta(\mathbf{r})\, e^{-i\mathbf{kr}}\, dV = -4\pi e.$$

La comparaison des deux expressions obtenues donne :

$$\varphi_{\mathbf{k}} = \frac{4\pi e}{k^2}. \tag{51,3}$$

Cette formule résout le problème posé.

De façon analogue au potentiel φ, on peut développer aussi le champ

$$\mathbf{E} = \int_{-\infty}^{+\infty} \mathbf{E}_{\mathbf{k}} e^{i\mathbf{kr}} \frac{d^3k}{(2\pi)^3}. \tag{51,4}$$

Eu égard à (51,2) nous avons:

$$\mathbf{E} = -\operatorname{grad} \int_{-\infty}^{+\infty} \varphi_{\mathbf{k}} e^{i\mathbf{kr}} \frac{d^3k}{(2\pi)^3} = -\int i\mathbf{k}\varphi_{\mathbf{k}} e^{i\mathbf{kr}} \frac{d^3k}{(2\pi)^3}.$$

Comparant avec (51,4), on trouve:

$$\mathbf{E}_{\mathbf{k}} = -i\mathbf{k}\varphi_{\mathbf{k}} = -i\frac{4\pi e\mathbf{k}}{k^2}. \tag{51,5}$$

Ce qui montre que le champ d'ondes en lequel on a décomposé le champ coulombien est dirigé selon le vecteur d'onde. Ces ondes peuvent donc être appelées ondes longitudinales.

§ 52. Oscillations propres du champ

Considérons un champ électromagnétique libre (sans charges) localisé dans un certain volume de l'espace. Pour simplifier les calculs qui vont suivre, nous supposerons que ce volume est délimité par un parallélépipède dont les arêtes sont respectivement égales à A, B, C. Dans ces conditions, on peut développer toutes les quantités caractérisant le champ dans ce parallélépipède en série triple de Fourier (selon les trois coordonnées). Nous écrirons cette décomposition (pour le potentiel vecteur, par exemple) sous la forme:

$$\mathbf{A} = \sum_{\mathbf{k}} (\mathbf{a}_{\mathbf{k}} e^{i\mathbf{kr}} + \mathbf{a}_{\mathbf{k}}^{*} e^{-i\mathbf{kr}}), \tag{52,1}$$

qui exprime explicitement la réalité de $\mathbf{A}$. La sommation est étendue ici à toutes les valeurs possibles de $\mathbf{k}$, dont les composantes prennent, comme on sait, les valeurs

$$k_x = \frac{2\pi n_x}{A}, \quad k_y = \frac{2\pi n_y}{B}, \quad k_z = \frac{2\pi n_z}{C}, \tag{52,2}$$

où n_x, n_y, n_z sont des entiers positifs et négatifs. De l'équation $\operatorname{div}\mathbf{A} = 0$ il découle que, pour chaque $\mathbf{k}$:

$$\mathbf{k}\mathbf{a}_{\mathbf{k}} = 0, \tag{52,3}$$

c'est-à-dire que les vecteurs complexes $\mathbf{a}_{\mathbf{k}}$ sont orthogonaux aux vecteurs d'onde correspondants $\mathbf{k}$. Les vecteurs $\mathbf{a}_{\mathbf{k}}$ sont, bien entendu, fonctions du temps; ils vérifient les équations

$$\ddot{\mathbf{a}}_{\mathbf{k}} + c^2k^2\mathbf{a}_{\mathbf{k}} = 0. \tag{52,4}$$

Si les dimensions A, B, C du volume choisi sont suffisamment grandes, alors les valeurs adjacentes de k_x, k_y, k_z (dont n_x, n_y, n_z diffèrent d'une unité) sont très voisines. On peut parler alors du nombre de valeurs possibles de k_x, k_y, k_z dans de petits intervalles Δk_x, Δk_y, Δk_z.

Etant donné que des valeurs voisines, disons de k_x, correspondent à des valeurs de n_x différant d'une unité, le nombre Δn_x de valeurs possibles de k_x dans l'intervalle Δk_x est égal tout simplement à l'intervalle des valeurs de n_x. On trouve donc :

$$\Delta n_x = \frac{A}{2\pi} \Delta k_x, \quad \Delta n_y = \frac{B}{2\pi} \Delta k_y, \quad \Delta n_z = \frac{C}{2\pi} \Delta k_z.$$

Le nombre total Δn de valeurs possibles du vecteur **k** de composantes dans les intervalles Δk_x, Δk_y, Δk_z est égal au produit $\Delta n_x \Delta n_y \Delta n_z$, soit

$$\Delta n = \frac{V}{(2\pi)^3} \Delta k_x \Delta k_y \Delta k_z, \tag{52,5}$$

où $V = ABC$ est le volume du champ.

Il est facile de déterminer à partir de là le nombre de valeurs possibles du vecteur d'onde de valeur absolue dans l'intervalle Δk et de direction dans l'élément d'angle solide Δo. Il suffit à cet effet de passer en coordonnées sphériques dans l'« espace k », et d'écrire au lieu de $\Delta k_x \Delta k_y \Delta k_z$ l'élément de volume dans ces coordonnées. Ainsi,

$$\Delta n = \frac{V}{(2\pi)^3} k^2 \Delta k \Delta o. \tag{52,6}$$

Enfin, le nombre total de valeurs du vecteur d'onde de valeurs absolues k dans l'intervalle Δk et pour toutes les directions est égal à (nous écrirons 4π au lieu de Δo)

$$\Delta n = \frac{V}{2\pi^2} k^2 \Delta k. \tag{52,7}$$

En tant que fonctions du temps, les vecteurs $\mathbf{a}_k$ se réduisent à des fonctions périodiques simples de fréquence $\omega_k = ck$ [cf. équation (52,4)]. Ecrivons la décomposition du champ sous une forme telle qu'elle représente une décomposition en des ondes courantes planes. A cet effet, nous supposerons que les $\mathbf{a}_k$ dépendent du temps par l'intermédiaire du facteur $e^{-i\omega_k t}$:

$$\mathbf{a}_k \sim e^{-i\omega_k t}, \quad \omega_k = ck. \tag{52,8}$$

Alors, chaque terme de la somme (52,1) sera fonction de la seule différence $\mathbf{kr} - \omega_k t$, ce qui correspond à une onde se propageant dans la direction du vecteur **k**.

Calculons l'énergie totale

$$\mathscr{E} = \frac{1}{8\pi} \int (E^2 + H^2) \, dV$$

du champ considéré dans le volume V, en l'exprimant en fonction des quantités $\mathbf{a_k}$. Nous avons pour le champ électrique:

$$\mathbf{E} = -\frac{1}{c}\dot{\mathbf{A}} = -\frac{1}{c}\sum_{\mathbf{k}} (\dot{\mathbf{a}}_{\mathbf{k}} e^{i\mathbf{kr}} + \dot{\mathbf{a}}^*_{\mathbf{k}} e^{-i\mathbf{kr}}),$$

ou compte tenu de (52,8):

$$\mathbf{E} = i\sum_{\mathbf{k}} k(\mathbf{a_k} e^{i\mathbf{kr}} - \mathbf{a}^*_{\mathbf{k}} e^{-i\mathbf{kr}}). \tag{52,9}$$

On trouve pour le champ magnétique $\mathbf{H} = \mathrm{rot}\,\mathbf{A}$:

$$\mathbf{H} = i\sum_{\mathbf{k}} (\mathbf{k}\times\mathbf{a_k} e^{i\mathbf{kr}} - \mathbf{k}\times\mathbf{a}^*_{\mathbf{k}} e^{-i\mathbf{kr}}). \tag{52,10}$$

Lors du calcul des carrés de ces sommes, il faut avoir en vue que tous les produits de termes pour lesquels les vecteurs d'onde $\mathbf{k} \neq \mathbf{k}'$ donnent zéro quand on intègre dans tout le volume. En effet, ces termes contiennent des facteurs de la forme $e^{\pm i\mathbf{qr}}$, $\mathbf{q} = \mathbf{k} \pm \mathbf{k}'$ et, par exemple, l'intégrale

$$\int_0^A e^{i\frac{2\pi}{A}n_x x}\,dx$$

avec n_x entier différent de zéro est nulle. Pour la même raison s'annulent aussi les produits contenant les facteurs $e^{\pm 2i\mathbf{kr}}$. Quant aux termes dont les facteurs exponentiels disparaissent, l'intégration selon dV donne tout simplement le volume V.

On trouve en définitive:

$$\mathscr{E} = \frac{V}{4\pi}\sum_{\mathbf{k}} \{k^2\mathbf{a_k}\mathbf{a}^*_{\mathbf{k}} + (\mathbf{k}\times\mathbf{a_k})(\mathbf{k}\times\mathbf{a}^*_{\mathbf{k}})\}.$$

Mais, puisque $\mathbf{a_k}\mathbf{k} = 0$,

$$(\mathbf{k}\times\mathbf{a_k})(\mathbf{k}\times\mathbf{a}^*_{\mathbf{k}}) = k^2\mathbf{a_k}\mathbf{a}^*_{\mathbf{k}},$$

et nous avons en définitive:

$$\mathscr{E} = \sum_{\mathbf{k}} \mathscr{E}_{\mathbf{k}}, \quad \mathscr{E}_{\mathbf{k}} = \frac{k^2V}{2\pi}\mathbf{a_k}\mathbf{a}^*_{\mathbf{k}}. \tag{52,11}$$

De sorte que l'énergie totale du champ s'exprime sous forme de somme des énergies $\mathscr{E}_{\mathbf{k}}$, liées avec chacune des ondes planes prises séparément.

On peut calculer d'une manière analogue l'impulsion totale du champ:

$$\frac{1}{c^2}\int \mathbf{S}\,dV = \frac{1}{4\pi c}\int \mathbf{E}\times\mathbf{H}\,dV,$$

et on obtient :

$$\sum_{\mathbf{k}} \frac{\mathbf{k}}{k} \frac{\mathscr{E}_{\mathbf{k}}}{c}. \tag{52,12}$$

Ce résultat était à prévoir, étant donnée la relation existant entre l'énergie et l'impulsion des ondes planes (cf. § 47).

La décomposition (52,1) permet de décrire le champ au moyen d'un ensemble discret de variables (les vecteurs $\mathbf{a}_{\mathbf{k}}$), au lieu d'une description par un ensemble continu de variables, qui est en fait celle par le potentiel $\mathbf{A}(x, y, z, t)$ donné en chaque point de l'espace. Nous allons faire maintenant une transformation des variables $\mathbf{a}_{\mathbf{k}}$ permettant de conférer aux équations du champ une forme analogue aux équations canoniques de la mécanique (équations d'Hamilton).

Introduisons les « variables canoniques » réelles $\mathbf{Q}_{\mathbf{k}}$ et $\mathbf{P}_{\mathbf{k}}$ conformément aux relations

$$\mathbf{Q}_{\mathbf{k}} = \sqrt{\frac{V}{4\pi c^2}} (\mathbf{a}_{\mathbf{k}} + \mathbf{a}_{\mathbf{k}}^*), \tag{52,13}$$

$$\mathbf{P}_{\mathbf{k}} = -i\omega_k \sqrt{\frac{V}{4\pi c^2}} (\mathbf{a}_{\mathbf{k}} - \mathbf{a}_{\mathbf{k}}^*) = \dot{\mathbf{Q}}_{\mathbf{k}}.$$

La fonction d'Hamilton du champ s'obtient en substituant ces expressions dans l'énergie (52,11)

$$\mathscr{H} = \sum_{\mathbf{k}} \mathscr{H}_{\mathbf{k}} = \sum_{\mathbf{k}} \frac{1}{2} (\mathbf{P}_{\mathbf{k}}^2 + \omega_{\mathbf{k}}^2 \mathbf{Q}_{\mathbf{k}}^2). \tag{52,14}$$

Alors les équations d'Hamilton $\partial\mathscr{H}/\partial\mathbf{P}_{\mathbf{k}} = \dot{\mathbf{Q}}_{\mathbf{k}}$ coïncident avec les égalités $\mathbf{P}_{\mathbf{k}} = \dot{\mathbf{Q}}_{\mathbf{k}}$, qui sont donc effectivement une conséquence des équations du mouvement [on y est arrivé par un choix approprié du coefficient dans la transformation (52,13)]. Les équations $\partial\mathscr{H}/\partial\mathbf{Q}_{\mathbf{k}} = -\dot{\mathbf{P}}_{\mathbf{k}}$, elles, conduisent aux équations

$$\ddot{\mathbf{Q}}_{\mathbf{k}} + \omega_k^2 \mathbf{Q}_{\mathbf{k}} = 0, \tag{52,15}$$

c'est-à-dire sont identiques aux équations du champ.

Chacun des vecteurs $\mathbf{Q}_{\mathbf{k}}$ et $\mathbf{P}_{\mathbf{k}}$ est perpendiculaire au vecteur d'onde $\mathbf{k}$, c'est-à-dire a deux composantes indépendantes. La direction de ces vecteurs détermine la direction de la polarisation de l'onde courante correspondante. Désignant les deux composantes du vecteur $\mathbf{Q}_{\mathbf{k}}$ (dans le plan perpendiculaire à $\mathbf{k}$) par $Q_{\mathbf{k}j}$, $j = 1, 2$, nous obtenons $\mathbf{Q}_{\mathbf{k}}^2 = \sum_j Q_{\mathbf{k}j}^2$, et d'une manière analogue pour $\mathbf{P}_{\mathbf{k}}$.

Alors,

$$\mathcal{H} = \sum_{\mathbf{k}j} \mathcal{H}_{\mathbf{k}j}, \quad \mathcal{H}_{\mathbf{k}j} = \frac{1}{2}(P_{\mathbf{k}j}^2 + \omega_k^2 Q_{\mathbf{k}j}^2). \tag{52,16}$$

On voit que la fonction d'Hamilton se décompose en la somme de termes indépendants, chacun d'entre eux contenant un seul couple de quantités $Q_{\mathbf{k}j}$, $P_{\mathbf{k}j}$. Chacun de ces termes correspond à une onde courante avec un vecteur d'onde et une polarisation déterminés. En outre, $\mathcal{H}_{\mathbf{k}j}$ a la forme de la fonction d'Hamilton d'un « oscillateur » linéaire accomplissant des oscillations harmoniques simples. C'est pourquoi on considère parfois la décomposition obtenue comme la décomposition du champ en oscillateurs.

Ecrivons les formules exprimant explicitement le champ en fonction des variables $\mathbf{P}_\mathbf{k}$, $\mathbf{Q}_\mathbf{k}$. Il vient de (52,13):

$$\mathbf{a}_\mathbf{k} = \frac{i}{k}\sqrt{\frac{\pi}{V}}(\mathbf{P}_\mathbf{k} - i\omega_k \mathbf{Q}_\mathbf{k}), \quad \mathbf{a}_\mathbf{k}^* = -\frac{i}{k}\sqrt{\frac{\pi}{V}}(\mathbf{P}_\mathbf{k} + i\omega_k \mathbf{Q}_\mathbf{k}). \tag{52,17}$$

Substituant ces expressions dans (52,1), on trouve le potentiel vecteur du champ:

$$\mathbf{A} = \sqrt{\frac{4\pi}{V}} \sum_\mathbf{k} \frac{1}{k}(ck\mathbf{Q}_\mathbf{k} \cos \mathbf{kr} - \mathbf{P}_\mathbf{k} \sin \mathbf{kr}). \tag{52,18}$$

Pour les champs électrique et magnétique on a respectivement:

$$\begin{aligned} \mathbf{E} &= -\sqrt{\frac{4\pi}{V}} \sum_\mathbf{k} (ck\mathbf{Q}_\mathbf{k} \sin \mathbf{kr} + \mathbf{P}_\mathbf{k} \cos \mathbf{kr}), \\ \mathbf{H} &= -\sqrt{\frac{4\pi}{V}} \sum_\mathbf{k} \frac{1}{k} [ck\mathbf{k} \times \mathbf{Q}_\mathbf{k} \sin \mathbf{kr} + \mathbf{k} \times \mathbf{P}_\mathbf{k} \cos \mathbf{kr}]. \end{aligned} \tag{52,19}$$

CHAPITRE VII

PROPAGATION DE LA LUMIÈRE

§ 53. Optique géométrique

Une onde plane se distingue par cette propriété que la direction de sa propagation et son amplitude sont partout identiques. Des ondes électromagnétiques arbitraires ne jouissent pas, bien entendu, de cette propriété.

Néanmoins, souvent des ondes électromagnétiques non planes sont telles qu'on peut les considérer comme planes dans toute petite région de l'espace. A cet effet, il faut évidemment que l'amplitude et la direction de l'onde ne varient presque pas sur une distance de l'ordre de la longueur d'onde.

Cette condition étant satisfaite, on pourra introduire les *surfaces d'onde* en tous les points desquelles la phase de l'onde (à l'instant donné) est la même (les surfaces d'onde d'une onde plane sont évidemment des plans perpendiculaires à la direction de la propagation). Dans toute petite région de l'espace, on pourra parler de la direction de la propagation de l'onde, normale à la surface d'onde. On peut encore introduire la notion de *rayons*, lignes dont les tangentes en chaque point coïncident avec la direction de la propagation de l'onde.

L'étude des lois de la propagation des ondes dans ce cas constitue l'objet de l'*optique géométrique*. Par conséquent, l'optique géométrique interprète la propagation des ondes électromagnétiques, de la lumière en particulier, comme la propagation de rayons, faisant totalement abstraction de leur nature ondulatoire. En d'autres termes, l'optique géométrique correspond au cas limite où les longueurs d'onde sont petites, $\lambda \to 0$.

Etablissons à présent l'équation fondamentale de l'optique géométrique, équation déterminant la direction des rayons. Soit f une grandeur arbitraire décrivant le champ d'une onde (n'importe laquelle des composantes de **E** ou **H**). Pour une onde monochromatique plane f s'écrit:

$$f = ae^{i(\mathbf{kr}-\omega t+\alpha)} = a \exp\,[i\,(-k_i x^i + \alpha)] \tag{53,1}$$

(nous omettons le signe Re; il est sous-entendu que nous avons partout la partie réelle).

Ecrivons l'expression du champ sous la forme:

$$f = ae^{i\psi}. \qquad (53,2)$$

Dans le cas où l'onde n'est pas plane, mais l'optique géométrique est applicable, l'amplitude a est, en général, une fonction des coordonnées et du temps, et la phase ψ, qui s'appelle aussi *eikonale*, n'a pas une forme simple, comme dans (53,1). Il est essentiel, cependant, que l'eikonale ψ soit une quantité grande. On le voit déjà du fait qu'elle varie de 2π dans l'intervalle d'une longueur d'onde, l'optique géométrique correspondant à la limite $\lambda \to 0$.

Dans de petites régions de l'espace et pour des intervalles de temps petits on peut développer l'eikonale ψ en série; aux termes du second ordre près, on a:

$$\psi = \psi_0 + \mathbf{r}\frac{\partial \psi}{\partial \mathbf{r}} + t\frac{\partial \psi}{\partial t}$$

(l'origine des coordonnées et l'origine des temps sont choisies dans la région de l'espace et l'intervalle de temps considérés; les valeurs des dérivées sont prises à l'origine des coordonnées). Comparant cette expression avec (53,1), nous avons:

$$\mathbf{k} = \frac{\partial \psi}{\partial \mathbf{r}} \equiv \operatorname{grad} \psi, \qquad \omega = -\frac{\partial \psi}{\partial t}, \qquad (53,3)$$

étant donné que dans toute petite région de l'espace (et dans des intervalles de temps petits) l'onde peut être considérée comme plane. Avec le formalisme quadridimensionnel les relations (53,3) s'écrivent:

$$k_i = -\frac{\partial \psi}{\partial x^i}, \qquad (53,4)$$

où k_i est le quadrivecteur d'onde.

Nous avons vu au § 48 que les composantes du 4-vecteur k^i sont liées par la relation $k_i k^i = 0$. Substituant dans cette égalité (53,4), il vient

$$\frac{\partial \psi}{\partial x_i}\frac{\partial \psi}{\partial x^i} = 0. \qquad (53,5)$$

C'est l'*équation d'eikonale*, fondamentale en optique géométrique.

On peut aussi établir l'équation d'eikonale en passant directement à la limite $\lambda \to 0$ dans l'équation des ondes. Le champ f vérifie l'équation des ondes

$$\frac{\partial^2 f}{\partial x_i\, \partial x^i} = 0.$$

Substituant dans cette dernière $f = ae^{i\psi}$, nous avons :

$$\frac{\partial^2 a}{\partial x_i \partial x^i} e^{i\psi} + 2i \frac{\partial a}{\partial x_i} \frac{\partial \psi}{\partial x^i} e^{i\psi} + if \frac{\partial^2 \psi}{\partial x_i \partial x^i} - \frac{\partial \psi}{\partial x_i} \frac{\partial \psi}{\partial x^i} f = 0. \quad (53,6)$$

Mais, comme il a été indiqué ci-dessus, l'eikonale ψ est une quantité grande ; on peut donc négliger les trois premiers termes en comparaison du quatrième, et on est conduit de nouveau à l'équation (53,5).

Indiquons encore quelques relations qui, il est vrai, appliquées à la propagation de la lumière dans le vide, conduisent à des résultats évidents *a priori*. Il est essentiel, cependant, que dans leur forme générale ces conclusions soient aussi applicables à la propagation de la lumière dans des milieux matériels.

De la forme de l'équation d'eikonale on déduit une analogie remarquable entre l'optique géométrique et la mécanique des particules matérielles. Le mouvement d'une particule matérielle est déterminé par l'équation d'Hamilton-Jacobi (16,11). Cette équation, tout comme l'équation d'eikonale, est une équation aux dérivées partielles du premier ordre du second degré. On sait que l'action S est liée à l'impulsion $\mathbf{p}$ et à la fonction d'Hamilton $\mathcal{H}$ de la particule par les relations

$$\mathbf{p} = \frac{\partial S}{\partial \mathbf{r}}, \qquad \mathcal{H} = -\frac{\partial S}{\partial t}.$$

Comparant ces formules avec les formules (53,3), on voit que le vecteur d onde joue en optique géométrique le même rôle que l'impulsion d'une particule en mécanique, et la fréquence, le rôle de la fonction d'Hamilton, c'est-à-dire de l'énergie de la particule. La valeur absolue k du vecteur d'onde est liée à la fréquence par la formule $k = \omega/c$. Cette relation est analogue à la relation $p = \mathcal{E}/c$ entre l'impulsion et l'énergie d'une particule de masse nulle lancée à la vitesse de la lumière.

Pour une particule, on a les équations d'Hamilton

$$\dot{\mathbf{p}} = -\frac{\partial \mathcal{H}}{\partial \mathbf{r}}, \qquad \mathbf{v} = \dot{\mathbf{r}} = \frac{\partial \mathcal{H}}{\partial \mathbf{p}}.$$

En vertu de l'analogie indiquée nous pouvons écrire directement une équation semblable pour les rayons

$$\dot{\mathbf{k}} = -\frac{\partial \omega}{\partial \mathbf{r}}, \qquad \dot{\mathbf{r}} = \frac{\partial \omega}{\partial \mathbf{k}}. \quad (53,7)$$

Dans le vide $\omega = ck$, de sorte que $\dot{\mathbf{k}} = 0$, $\mathbf{v} = c\mathbf{n}$ ($\mathbf{n}$ est le vecteur unité dans la direction de la propagation), c'est-à-dire, comme il était à prévoir, dans le vide les rayons sont des droites, que la lumière décrit avec la vitesse c.

L'analogie entre le vecteur d'onde et l'impulsion d'une particule s'exprime d'une manière particulièrement frappante dans la circonstance suivante. Considérons une onde qui soit la superposition d'ondes monochromatiques de fréquences comprises dans un petit intervalle et qui remplisse une région finie de l'espace (ce qu'on appelle un *paquet d'ondes*). Calculons le quadrivecteur impulsion du champ de cette onde, en utilisant la formule (32,6), dans laquelle le tenseur d'énergie-impulsion est donné par (48,15) (pour chaque composante monochromatique). Remplaçant dans cette formule k^i par une certaine valeur moyenne, on obtient une expression de la forme

$$P^i = Ak^i, \tag{53,8}$$

où le coefficient de proportionnalité A entre les deux quadrivecteurs P^i et k^i est un certain scalaire. Cette relation s'écrit sous forme tridimensionnelle :

$$\mathbf{P} = A\mathbf{k}, \quad \mathscr{E} = A\omega. \tag{53,9}$$

Ainsi, on voit que l'impulsion et l'énergie d'un paquet d'ondes se transforment, lorsqu'on passe d'un système de référence à un autre, respectivement comme le vecteur d'onde et la fréquence.

Continuant de la même manière, on peut établir pour l'optique géométrique un principe analogue au principe de moindre action en mécanique. Néanmoins, on ne pourra pas l'écrire sous forme hamiltonienne, $\delta \int L\,dt = 0$, car il est impossible d'introduire pour les rayons une fonction analogue à la fonction de Lagrange pour des particules. En effet, la fonction de Lagrange L d'une particule est liée à la fonction d'Hamilton $\mathscr{H}$ par la relation $L = \mathbf{p}\frac{\partial \mathscr{H}}{\partial \mathbf{p}} - \mathscr{H}$. Remplaçant la fonction d'Hamilton par la fréquence ω et l'impulsion par le vecteur d'onde $\mathbf{k}$, nous devrions écrire pour la fonction de Lagrange en optique $\mathbf{k}\frac{\partial \omega}{\partial \mathbf{k}} - \omega$. Mais cette expression est nulle, puisque $\omega = ck$. L'impossibilité d'une fonction de Lagrange pour les rayons apparaît, du reste, directement de la circonstance mentionnée ci-dessus, d'après laquelle la propagation des rayons est analogue au mouvement de particules de masse nulle.

Si l'onde possède une fréquence déterminée constante ω, alors la dépendance entre son champ et le temps est déterminée par un facteur de la forme $e^{-i\omega t}$. On peut donc écrire pour l'eikonale d'une telle onde

$$\psi = -\omega t + \psi_0(x, y, z), \tag{53,10}$$

où ψ_0 est une fonction des seules coordonnées. L'équation d'eikonale (53,5) prend maintenant la forme

$$(\text{grad}\,\psi_0)^2 = \frac{\omega^2}{c^2}. \qquad (53,11)$$

Les surfaces d'onde sont des surfaces d'eikonale constante, c'est-à-dire une famille de surfaces de la forme $\psi_0(x, y, z) = \text{const}$. Les rayons sont normaux en chaque point à la surface d'onde correspondante ; leur direction est déterminée par le gradient $\nabla\psi_0$.

On sait que, dans le cas où l'énergie est constante, le principe de moindre action pour une particule peut être aussi exprimé sous forme de principe de Maupertuis :

$$\delta S = \delta \int \mathbf{p}\, d\mathbf{l} = 0,$$

où l'intégrale est étendue à la trajectoire de la particule entre deux de ses positions. On suppose aussi que l'impulsion est exprimée en fonction de l'énergie et des différentielles des coordonnées de la particule. Le principe analogue pour les rayons est appelé *principe de Fermat*. Dans ce cas, on peut écrire par analogie :

$$\delta\psi = \delta \int \mathbf{k}\, d\mathbf{l} = 0. \qquad (53,12)$$

Dans le vide $\mathbf{k} = \frac{\omega}{c}\mathbf{n}$, et nous obtenons $(\mathbf{n}\, d\mathbf{l} = dl)$:

$$\delta \int dl = 0, \qquad (53,13)$$

qui correspond à la propagation rectiligne des rayons.

§ 54. Intensité

Ainsi, en optique géométrique une onde lumineuse peut être considérée comme un faisceau de rayons. Cependant, les rayons ne déterminent d'eux-mêmes que la direction de la propagation de la lumière en chaque point ; reste la question de la distribution de l'intensité de la lumière dans l'espace.

Considérons sur une surface d'onde quelconque du faisceau un élément infiniment petit. On sait de la géométrie infinitésimale que toute surface a, en général, en chacun de ses points deux rayons de courbure principaux distincts. Soient ac et bd (fig. 7) les éléments des cercles de courbure principaux menés sur l'élément considéré de la surface d'onde. Alors, les rayons passant par les points a et c concourent au centre de courbure correspondant O_1, et les rayons passant par b et d à l'autre centre de courbure O_2.

Pour des ouvertures données des angles des rayons issus de O_1 et O_2, les longueurs des segments ac et bd sont proportionnelles aux rayons de courbure correspondants R_1 et R_2 (c'est-à-dire aux longueurs O_1O et O_2O) ; l'aire de l'élément de surface est proportionnelle au produit des longueurs ac et bd, c'est-à-dire au produit R_1R_2. En d'autres termes, si l'on considère un élément de surface d'onde

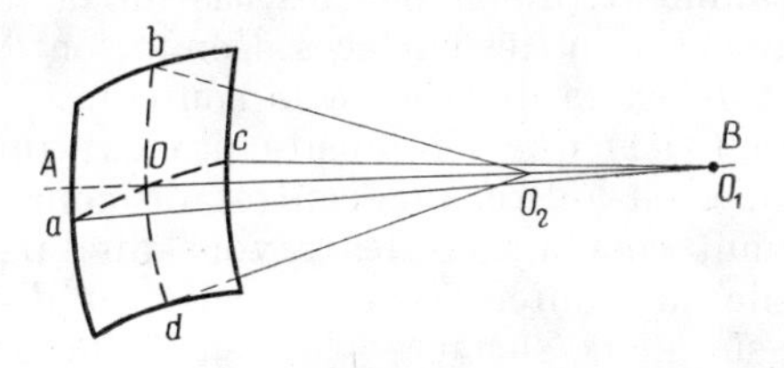

Fig. 7

délimité par une série déterminée de rayons, l'aire de cet élément varie proportionnellement à R_1R_2 lorsqu'on se déplace suivant ces rayons.

Par ailleurs, l'intensité, à savoir la densité du flux d'énergie, est inversement proportionnelle à l'aire de la surface traversée par la quantité donnée d'énergie lumineuse. Par conséquent, nous en venons à la conclusion que

$$I = \frac{\text{const}}{R_1R_2}. \tag{54,1}$$

Cette formule doit être comprise comme suit. Il existe sur chaque rayon (AB sur la fig. 7) deux points déterminés O_1 et O_2 qui sont les centres de courbure de toutes les surfaces d'onde coupant un rayon donné. Les distances OO_1 et OO_2 du point O d'intersection de la surface d'onde avec le rayon aux points O_1 et O_2 sont les rayons de courbure R_1 et R_2 de la surface d'onde au point O. De sorte que la formule (54,1) définit la variation de l'intensité de la lumière le long d'un rayon donné en fonction des distances à des points déterminés sur ce rayon. Soulignons que cette formule ne convient pas à la comparaison d'intensités en divers points d'une seule et même surface d'onde.

Etant donné que l'intensité est déterminée par le carré du module du champ, on peut écrire pour la variation du champ lui-même le long d'un rayon:

$$f = \frac{\text{const}}{\sqrt{R_1R_2}} e^{ikR}, \tag{54,2}$$

où dans le facteur de phase e^{ikR} on entendra par R aussi bien R_1 que R_2; les quantités e^{ikR_1} et e^{ikR_2} diffèrent l'une de l'autre seulement d'un facteur constant (pour un rayon donné), étant donné que la différence $R_1 - R_2$, qui est la distance entre les deux centres de courbure, est constante.

Si les deux rayons de courbure de la surface d'onde coïncident, alors les expressions (54,1) et (54,2) s'écrivent :

$$I = \frac{\text{const}}{R^2}, \qquad f = \frac{\text{const}}{R} e^{ikR}. \tag{54,3}$$

Ceci a lieu, notamment, dans tous les cas où la lumière est émise par une source ponctuelle (les surfaces d'onde sont alors des sphères concentriques, et R est la distance à la source).

Il découle de (54,1) que l'intensité devient infinie aux points $R_1 = 0$, $R_2 = 0$, c'est-à-dire aux centres de courbure des surfaces d'onde. Appliquant ceci à tous les rayons du faisceau, on trouve que l'intensité de la lumière dans le faisceau donné devient, en général, infinie sur deux surfaces : le lieu géométrique des centres de courbure de la surface d'onde. Ces surfaces sont dites *caustiques*. Dans le cas particulier d'un faisceau de rayons de surfaces d'onde sphériques les deux caustiques se réduisent à un point (le *foyer*).

Remarquons que, en vertu des propriétés du lieu des centres de courbure d'une famille de surfaces, propriétés bien connues en géométrie infinitésimale, les rayons enveloppent la caustique.

Il importe de noter que (pour des surfaces d'onde convexes) les centres de courbure des surfaces d'onde peuvent se trouver non pas sur les rayons mêmes, mais sur leur prolongement au-delà du système optique d'où ils sont issus. On parle alors de *caustiques* (ou de *foyers*) *virtuelles*. Dans ce cas l'intensité de la lumière ne devient infinie nulle part.

Pour ce qui est de l'affirmation : « l'intensité de la lumière devient infinie », en fait, il est bien entendu que, quoique très grande aux points de la caustique, l'intensité reste finie (cf. problème du § 59). La discontinuité infinie formelle signifie que l'approximation de l'optique géométrique est inadéquate, en tout cas, au voisinage de la caustique. Le fait que la variation de la phase le long d'un rayon puisse être définie par la formule (54,2) seulement dans des intervalles ne contenant pas de points de contact avec la caustique est aussi dû à cette circonstance. Il sera montré plus bas (§ 59) qu'en fait, la phase diminue de $\pi/2$ quand on passe à proximité de la caustique. Cela signifie que si dans l'intervalle de rayon avant le point de contact avec la première caustique le champ était proportionnel au facteur e^{ikx} (x étant la coordonnée sur le rayon), après son passage au voisinage de la caustique, le champ devient proportionnel au facteur $e^{i(kx-\pi/2)}$. La même chose a lieu au voisinage du point de contact avec la seconde caustique, au-delà duquel le champ est proportionnel à $e^{i(kx-\pi)}$ [1].

[1] Bien que la formule (54,2) ne soit pas valable au voisinage de la caustique, la variation de phase du champ mentionnée correspond au changement de signe (c'est-à-dire à l'apparition du facteur $e^{i\pi}$) de R_1 ou de R_2 dans cette formule.

§ 55. Eikonale angulaire

Un rayon de lumière se propageant dans le vide a, après avoir traversé un corps matériel transparent quelconque, une direction généralement différente de la direction primitive. Ce changement de direction dépend, bien entendu, des propriétés concrètes du corps et de sa forme. Cependant, il apparaît possible d'établir certaines lois générales relatives au changement de la direction des rayons lumineux lors de leur passage dans des corps matériels quelconques. On suppose seulement alors que l'optique géométrique est applicable aux rayons se propageant dans le corps considéré. Nous appellerons de tels corps transparents traversés par des rayons lumineux des *systèmes optiques*.

En vertu de l'analogie indiquée au § 53 entre la propagation des rayons et le mouvement d'une particule, ces mêmes lois générales restent aussi en vigueur pour le changement de la direction de particules se mouvant d'abord en ligne droite dans le vide, puis traversant un champ électromagnétique quelconque et émergeant de nouveau dans le vide. Néanmoins, pour fixer les idées, nous parlerons par la suite de la propagation de rayons lumineux.

Nous avons vu que l'équation d'eikonale, déterminant la propagation des rayons, peut être écrite (pour une lumière de fréquence déterminée) sous la forme (53,11). Ci-dessous nous désignerons, pour la commodité, par ψ l'eikonale ψ_0 divisée par la quantité constante ω/c. L'équation fondamentale de l'optique géométrique prend alors la forme

$$(\nabla\psi)^2 = 1. \qquad (55,1)$$

Toute solution de cette équation décrit un faisceau déterminé de rayons, et la direction du rayon passant par un point donné de l'espace est donnée par le gradient de ψ en ce point. Toutefois, une telle description est insuffisante pour nos fins, puisque nous cherchons des relations générales définissant le passage à travers des systèmes optiques non pas d'un faisceau de rayons déterminé, mais de rayons quelconques. Nous devons donc nous servir de l'eikonale sous une forme telle qu'elle décrive tous les rayons de lumière possibles, c'est-à-dire des rayons passant par n'importe quel couple de points de l'espace. Sous sa forme habituelle, l'eikonale $\psi(\mathbf{r})$ est la phase d'un rayon d'un certain faisceau passant par le point $\mathbf{r}$. Maintenant, nous devons trouver l'eikonale comme fonction $\psi(\mathbf{r}, \mathbf{r}')$ des coordonnées de deux points ($\mathbf{r}$, $\mathbf{r}'$ sont les rayons vecteurs de l'origine et de l'extrémité du rayon). On peut faire passer un rayon par un couple quelconque de points $\mathbf{r}$ et $\mathbf{r}'$, et $\psi(\mathbf{r}, \mathbf{r}')$ est la différence de phase (ou, comme on dit, le *chemin optique*) de ce rayon entre les points $\mathbf{r}$ et $\mathbf{r}'$. Par la suite, nous supposerons toujours que $\mathbf{r}$ et $\mathbf{r}'$ sont les rayons vecteurs de points sur un rayon avant et après son passage dans un système optique.

Si dans $\psi(\mathbf{r}, \mathbf{r}')$ on suppose donné un des rayons vecteurs, soit $\mathbf{r}'$, alors ψ, en tant que fonction de $\mathbf{r}$, décrira un faisceau déterminé, le faisceau des rayons passant par le point $\mathbf{r}'$. ψ vérifiera l'équation (55,1), où la dérivation est faite par rapport aux composantes de $\mathbf{r}$. De même, considérant que $\mathbf{r}$ est donné, on trouve encore une équation pour $\psi(\mathbf{r}, \mathbf{r}')$, de sorte que

$$(\nabla_{\mathbf{r}}\psi)^2 = 1, \qquad (\nabla_{\mathbf{r}'}\psi)^2 = 1. \tag{55,2}$$

La direction d'un rayon est déterminée par le gradient de sa phase. Etant donné que $\psi(\mathbf{r}, \mathbf{r}')$ est la différence de phase aux points $\mathbf{r}'$ et $\mathbf{r}$, la direction du rayon au point $\mathbf{r}'$ sera déterminée par le vecteur $\mathbf{n}' = \partial\psi/\partial\mathbf{r}'$, et au point $\mathbf{r}$ par le vecteur $\mathbf{n} = -\partial\psi/\partial\mathbf{r}$. Il résulte de (55,2) que les vecteurs $\mathbf{n}$ et $\mathbf{n}'$ sont unitaires :

$$\mathbf{n}^2 = \mathbf{n}'^2 = 1. \tag{55,3}$$

Les quatre vecteurs $\mathbf{r}$, $\mathbf{r}'$, $\mathbf{n}$, $\mathbf{n}'$ sont reliés entre eux par une certaine relation, étant donné que deux d'entre eux ($\mathbf{n}$, $\mathbf{n}'$) sont les dérivées par rapport aux deux autres ($\mathbf{r}$, $\mathbf{r}'$) d'une certaine fonction ψ. En ce qui concerne la fonction ψ elle-même, elle vérifie des conditions supplémentaires — les équations (55,2).

Pour trouver les relations entre $\mathbf{n}$, $\mathbf{n}'$, $\mathbf{r}$, $\mathbf{r}'$, il est commode d'introduire au lieu de ψ une autre quantité qui ne serait soumise à aucune condition supplémentaire (c'est-à-dire ne vérifiant aucune autre équation aux dérivées partielles). On peut le faire comme suit. Dans ψ les variables indépendantes sont $\mathbf{r}$ et $\mathbf{r}'$, de sorte que la différentielle $d\psi$ s'écrit :

$$d\psi = \frac{\partial\psi}{\partial\mathbf{r}}\,d\mathbf{r} + \frac{\partial\psi}{\partial\mathbf{r}'}\,d\mathbf{r}' = -\mathbf{n}\,d\mathbf{r} + \mathbf{n}'\,d\mathbf{r}'.$$

Appliquons maintenant la transformation de Legendre faisant passer des variables $\mathbf{r}$ et $\mathbf{r}'$ aux nouvelles variables indépendantes $\mathbf{n}$ et $\mathbf{n}'$:

$$d\psi = -d(\mathbf{n}\mathbf{r}) + \mathbf{r}\,d\mathbf{n} + d(\mathbf{n}'\mathbf{r}') - \mathbf{r}'\,d\mathbf{n}',$$

d'où, introduisant la fonction

$$\chi = \mathbf{n}'\mathbf{r}' - \mathbf{n}\mathbf{r} - \psi, \tag{55,4}$$

nous obtenons :

$$d\chi = -\mathbf{r}\,d\mathbf{n} + \mathbf{r}'\,d\mathbf{n}'. \tag{55,5}$$

La fonction χ est appelée *eikonale angulaire* ; comme le montre (55,5), les variables indépendantes sont $\mathbf{n}$ et $\mathbf{n}'$. La fonction χ n'est plus assujettie à vérifier une condition supplémentaire. En effet, les équations (55,3) expriment maintenant seulement des conditions relatives aux variables indépendantes, qui montrent que des trois composantes n_x, n_y, n_z du vecteur **n** (et de même pour **n**′) seules deux sont indépendantes. Ci-dessous, nous prendrons comme variables indépendantes les composantes n_y, n_z, n'_y, n'_z, de sorte que

$$n_x = \sqrt{1 - n_y^2 - n_z^2}, \quad n'_x = \sqrt{1 - n_y'^2 - n_z'^2}.$$

Substituant ces expressions dans

$$d\chi = -x\,dn_x - y\,dn_y - z\,dn_z + x'\,dn'_x + y'\,dn'_y + z'\,dn'_z,$$

nous avons pour la différentielle $d\chi$:

$$d\chi = -\left(y - \frac{n_y}{n_x}x\right)dn_y - \left(z - \frac{n_z}{n_x}x\right)dn_z + \\ + \left(y' - \frac{n'_y}{n'_x}x'\right)dn'_y + \left(z' - \frac{n'_z}{n'_x}x'\right)dn'_z.$$

On trouve en définitive les équations suivantes :

$$\begin{aligned} y - \frac{n_y}{n_x}x &= -\frac{\partial\chi}{\partial n_y}, \quad & z - \frac{n_z}{n_x}x &= -\frac{\partial\chi}{\partial n_z}, \\ y' - \frac{n'_y}{n'_x}x' &= \frac{\partial\chi}{\partial n'_y}, \quad & z' - \frac{n'_z}{n'_x}x' &= \frac{\partial\chi}{\partial n'_z}, \end{aligned} \tag{55,6}$$

définissant la relation générale cherchée entre **n**, **n**′, **r**, **r**′. La fonction χ caractérise les propriétés concrètes des corps traversés par les rayons (ou encore les propriétés du champ dans le cas du mouvement de particules chargées).

Lorsque **n** et **n**′ sont donnés, chacun des deux couples d'équations (55,6) représente une droite. Ces droites ne sont pas autre chose que les rayons avant et après le passage dans le système optique. De sorte que les équations (55,6) définissent directement la marche des rayons de part et d'autre du système.

§ 56. Faisceaux fins de rayons

Dans l'étude de faisceaux traversant des systèmes optiques, les faisceaux dont tous les rayons convergent en un point (faisceaux *homocentriques*) présentent un intérêt particulier.

Après son passage dans un système optique, un faisceau homocentrique de rayons cesse, en général, d'être tel, c'est-à-dire qu'après la traversée, les rayons ne convergent plus en un point. C'est seulement dans des cas particuliers que des rayons issus d un point lumineux convergent, après avoir traversé un système optique, en un point, l'image du point lumineux [1].

On peut montrer (cf. § 57) que le seul cas où tous les faisceaux homocentriques restent rigoureusement homocentriques après passage dans un système optique est le cas d'identité des images. Le système optique est alors tel qu'il donne pour tout objet une image identique en grandeur et en forme (en d'autres termes, l'image est déduite de l'objet par une translation, une rotation ou une symétrie plane).

Par conséquent, nul système optique ne peut donner une image absolument nette d'un objet (de dimensions finies), hormis le cas trivial de la représentation identique [2]. Une représentation non identique d'objets étendus ne peut être qu'approchée, pas tout à fait nette.

Le cas le plus important où des faisceaux homocentriques se transforment approximativement en faisceaux homocentriques est celui de faisceaux suffisamment fins (c'est-à-dire de faisceaux de faible ouverture d'angle), se propageant au voisinage d'une ligne déterminée (pour le système optique donné). Cette ligne est appelée *axe optique* du système.

Il importe de noter que même les faisceaux de rayons infiniment fins (dans l'espace à trois dimensions) ne sont pas, en général, homocentriques; nous avons vu (fig. 7) que dans ce cas aussi divers rayons se coupent en divers points (c'est le phénomène d'*astigmatisme*). Font exception les points de la surface d'onde où les deux rayons de courbure principaux sont égaux ; au voisinage d'un tel point un élément de surface peut être considéré comme sphérique, et le faisceau fin de rayons correspondant est homocentrique.

Nous considérerons des systèmes optiques doués de symétrie axiale [3]. L'axe de symétrie d'un tel système est en même temps son axe optique. En effet, la surface d'onde d'un faisceau paraxial possède aussi une symétrie axiale ; mais les surfaces de révolution ont au point de leur intersection avec l'axe de symétrie deux rayons de courbure égaux. Il en résulte qu'un faisceau fin se propageant dans cette direction reste homocentrique.

Pour trouver les relations quantitatives générales déterminant les représentations au moyen de faisceaux fins traversant des systè-

---

[1] Le point d'intersection peut se trouver soit sur les rayons eux-mêmes, soit encore sur leur prolongement ; selon l'un ou l'autre de ces cas, l'image est dite réelle ou virtuelle.

[2] Une telle représentation peut être obtenue au moyen de miroirs plans.

[3] On montre que le problème de la représentation par des faisceaux fins se propageant à proximité de l'axe d'un système non doué de symétrie axiale peut être ramené à la représentation par un système symétrique axial, avec rotation consécutive de l'image tout entière par rapport à l'objet.

mes optiques de symétrie axiale, servons-nous des équations (55,6), après avoir préalablement déterminé la forme de la fonction χ dans le cas considéré.

Etant donné que les faisceaux de rayons sont fins et paraxiaux, les vecteurs **n** et **n'** pour chaque faisceau sont dirigés presque parallèlement à l'axe. Si l'on considère que l'axe optique est x, alors les composantes n_y, n_z, n'_y, n'_z sont petites par rapport à l'unité. Pour ce qui est des composantes n_x, n'_x, on a $n_x \approx 1$, et n'_x sera à peu près égale à $+1$ ou -1. Dans le premier cas, les rayons continuent à se propager presque dans leur direction primitive, mais en passant de l'autre côté de l'axe du système optique, qu'on appelle alors une *lentille*. Dans le second cas, les rayons font presque volte-face ; un tel système est un *miroir*.

Utilisant le fait que n_y, n_z, n'_y, n'_z sont petits, développons l'eikonale angulaire $\chi(n_y, n_z, n'_y, n'_z)$ en série en nous limitant aux premiers termes. En vertu de la symétrie axiale du système tout entier, χ doit être invariant par rapport aux rotations du système de coordonnées autour de l'axe optique. On voit qu'il ne peut y avoir de termes du premier ordre proportionnels aux termes du premier degré des composantes sur les axes y et z des vecteurs **n** et **n'** dans le développement de χ, ces termes ne possédant pas l'invariance requise. Parmi les termes du second ordre, les carrés $\mathbf{n}^2$, $\mathbf{n}'^2$ et le produit scalaire $\mathbf{nn}'$ jouissent de la propriété d'invariance. De sorte que, aux termes du troisième ordre près, l'eikonale angulaire d'un système optique de symétrie axiale s'écrit:

$$\chi = \text{const} + \frac{g}{2}(n_y^2 + n_z^2) + f(n_y n'_y + n_z n'_z) + \frac{h}{2}(n_y'^2 + n_z'^2), \quad (56,1)$$

où f, g, h sont des constantes.

Pour fixer les idées, nous considérerons le cas d'une lentille, où on a $n'_x \approx 1$; pour les miroirs, comme il sera montré ci-dessous, toutes les formules ont une forme analogue. Substituons maintenant l'expression (56,1) dans les équations générales (55,6), nous avons:

$$\begin{aligned} n_y(x-g) - fn'_y &= y, \qquad & fn_y + n'_y(x'+h) &= y', \\ n_z(x-g) - fn'_z &= z, \qquad & fn_z + n'_z(x'+h) &= z'. \end{aligned} \quad (56,2)$$

Considérons un faisceau homocentrique issu du point x, y, z ; soit x', y', z' le point où convergent tous les rayons du faisceau après avoir traversé la lentille. Si le premier et le second couple d'équations (56,2) avaient été indépendants, ces quatre équations auraient défini, pour x, y, z, x', y', z' donnés, un système déterminé de valeurs n_y, n_z, n'_y, n'_z, c'est-à-dire que seul un des rayons issus du point x, y, z passerait par le point x', y', z'. Pour que tous les rayons issus de x, y, z passent par le point x', y', z', il faut, par conséquent, que les équations (56,2) ne soient pas indépendantes, c'est-à-dire qu'un couple de ces équations soit une conséquence de l'autre. La condition nécessaire pour qu'une telle dépendance ait lieu est, évidemment, que les coefficients de l'un des couples d'équations soient proportionnels aux coefficients de l'autre couple. On doit donc avoir

$$\frac{x-g}{f} = -\frac{f}{x'+h} = \frac{y}{y'} = \frac{z}{z'}\,; \qquad (56,3)$$

en particulier,

$$(x-g)(x'+h) = -f^2. \qquad (56,4)$$

Les équations obtenues définissent la relation cherchée entre les coordonnées du point image et celles du point objet lorsque la représentation est faite au moyen de faisceaux fins.

Les points $x = g$, $x' = -h$ de l'axe optique sont appelés *foyers principaux* du système optique. Considérons des faisceaux de rayons paraxiaux. Le point émettant un tel faisceau se trouve, évidemment, à l'infini sur l'axe optique, c'est-à-dire que $x = \infty$. On voit sur (56,3) que, dans ce cas, $x' = -h$. Ainsi, les rayons d'un faisceau paraxial traversant un système optique convergent au foyer principal. Inversement, un faisceau de rayons issus d'un foyer principal devient parallèle après avoir traversé le système optique.

Dans les équations (56,3), les coordonnées x et x' sont prises par rapport à une même origine sur l'axe optique. Toutefois, il est plus commode de prendre les coordonnées de l'objet et de l'image par rapport à des origines différentes, qui seront respectivement les foyers principaux. Choisissons pour sens positif des coordonnées le sens de propagation d'un rayon à partir du foyer donné. Désignant les nouvelles coordonnées de l'objet et de l'image par de grandes lettres, nous avons:

$$X = x - g,\quad X' = x' + h,\quad Y = y,\quad Y' = y',\quad Z = z,\quad Z' = z'.$$

Les équations de la représentation (56,3) et (56,4) s'écrivent avec ces nouvelles notations:

$$XX' = -f^2, \qquad (56,5)$$

$$\frac{Y'}{Y} = \frac{Z'}{Z} = \frac{f}{X} = -\frac{X'}{f}. \qquad (56,6)$$

La quantité f est appelée *distance focale principale* du système.

Le rapport Y'/Y est le *grandissement transversal*. En ce qui concerne le grandissement longitudinal, étant donné que les coordonnées ne sont pas simplement proportionnelles, il faudra l'écrire sous forme différentielle, en comparant l'élément de longueur de l'objet (dans la direction de l'axe) avec l'élément de longueur de l'image. (56,5) permet d'écrire pour le *grandissement longitudinal*

$$\left|\frac{dX'}{dX}\right| = \frac{f^2}{X^2} = \left(\frac{Y'}{Y}\right)^2 . \tag{56,7}$$

Ce qui prouve que même pour des objets infiniment petits il est impossible d'obtenir une image géométriquement semblable. Le grandissement longitudinal n'est jamais égal au grandissement transversal (exception faite du cas trivial de la représentation identique).

Un faisceau issu du point $X = f$ sur l'axe optique le recoupe de nouveau au point $X' = -f$; ce sont les points *principaux*. Des équations (56,2) ($n_y X - f n'_y = Y$, $n_z X - f n'_z = Z$) on voit que dans ce cas ($X = f$, $Y = Z = 0$) ont lieu les égalités $n_y = n'_y$, $n_z = n'_z$. Ainsi, tout rayon issu d'un point principal recoupe l'axe optique en l'autre point principal parallèlement à la direction initiale.

Si l'on définit les coordonnées de l'objet et de son image à partir des points principaux (et non point des foyers principaux), on a alors pour ces coordonnées ξ et ξ' :

$$\xi' = X' + f, \quad \xi = X - f.$$

Substituons-les dans (56,5) ; on obtient aisément l'équation de la représentation

$$\frac{1}{\xi} - \frac{1}{\xi'} = -\frac{1}{f} . \tag{56,8}$$

On peut montrer que pour les systèmes optiques de faibles épaisseurs (par exemple, un miroir, une lentille mince) les deux points principaux coïncident presque. L'équation (56,8) est particulièrement commode dans ce cas, étant donné que ξ et ξ' sont repérées pratiquement à partir d'un seul et même point.

Lorsque la distance focale est positive, les images des objets se trouvant en avant (dans le sens du rayon) du foyer ($X > 0$) sont droites ($Y'/Y > 0$) ; de tels systèmes optiques sont dits *convergents*. Si $f < 0$, alors pour $X > 0$ on a $Y'/Y < 0$, c'est-à-dire que l'image est renversée ; de tels systèmes sont dits *divergents*.

Il existe un cas limite non contenu dans les formules (56,8) : c'est le cas où tous les trois coefficients f, g, h sont infinis (la distance focale du système est infinie et ses foyers principaux se trouvent à l'infini). Passant à la limite dans les équations (56,4) en faisant tendre f, g, h vers l'infini, nous avons :

$$x' = \frac{h}{g} x + \frac{f^2 - gh}{g} .$$

Puisque seul le cas où l'objet et l'image se trouvent à distances finies du système optique est digne d'intérêt, f, g, h doivent tendre vers l'infini de manière que les rapports h/g, $(f^2 - gh)/g$ restent finis. Les désignant respectivement par α^2 et β, nous obtenons:

$$x' = \alpha^2 x + \beta.$$

Les équations (56,7) donnent maintenant pour les deux autres coordonnées :

$$\frac{y'}{y} = \frac{z'}{z} = \pm\alpha.$$

Enfin, rapportant encore une fois les coordonnées x et x' à des origines différentes, respectivement à un point arbitraire sur l'axe objet et à l'image de ce point, on obtient en définitive les équations de la représentation sous la forme simple :

$$X' = \alpha^2 X, \quad Y' = \pm\alpha Y, \quad Z' = \pm\alpha Z. \tag{56,9}$$

Par conséquent, les grandissements longitudinaux et transversaux sont constants (mais inégaux). Le cas considéré est dit *télescopique*.

Toutes les formules (56,5) à (56,9) établies pour les lentilles sont applicables dans la même mesure aux miroirs, et même à des systèmes optiques n'ayant pas de symétrie axiale, pourvu que la représentation soit réalisée par des faisceaux minces de rayons paraxiaux. En outre, les coordonnées x de l'objet et de l'image doivent être prises le long de l'axe optique à partir de points adéquats (foyers principaux ou points principaux) dans le sens de la propagation du rayon. Il faut avoir en vue alors que pour les systèmes optiques non doués de symétrie axiale les directions de l'axe optique avant et après le système ne sont pas confondues.

Problèmes

1. Déterminer la distance focale pour le cas de deux systèmes doués de symétrie axiale et dont les axes optiques sont confondus.

Solution. Soient f_1 et f_2 les distances focales des deux systèmes. On a pour chaque système séparément :

$$X_1 X_1' = -f_1^2, \quad X_2 X_2' = -f_2^2.$$

Etant donné que les images formées par le premier système sont des objets pour le second, désignant par l la distance entre le foyer principal arrière du premier système et le foyer avant du second, nous avons $X_2 = X_1' - l$; exprimant X_2' au moyen de X_1, nous obtenons

$$X_2' = \frac{X_1 f_2^2}{f_1^2 + l X_1}$$

ou

$$\left(X_1 + \frac{f_1^2}{l}\right)\left(X_2' - \frac{f_2^2}{l}\right) = -\left(\frac{f_1 f_2}{l}\right)^2,$$

ce qui montre que les foyers principaux du système composé se trouvent aux points $X_1 = -f_1^2/l$, $X_2' = f_2^2/l$, et la distance focale est

$$f = -\frac{f_1 f_2}{l}$$

(pour le choix du signe dans cette expression, il faut écrire l'équation correspondante pour le grandissement transversal).

Lorsque $l = 0$, la distance focale est $f = \infty$, c'est-à-dire que le système composé forme une image télescopique. On a dans ce cas $X_2' = X_1 (f_2/f_1)^2$,

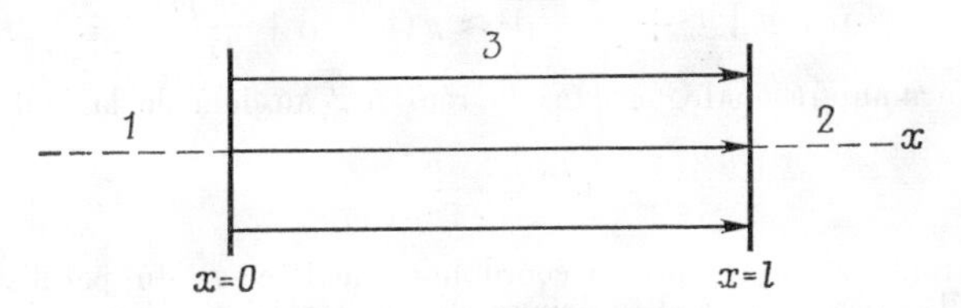

Fig. 8

c'est-à-dire que le paramètre α dans la formule générale (56,9) est égal à $\alpha = f_2/f_1$.

2. Déterminer la distance focale d'une « lentille magnétique » pour des particules chargées formant un champ magnétique longitudinal uniforme dans une région de longueur l (fig. 8) [1].

S o l u t i o n. Lorsqu'une particule se meut dans un champ magnétique son énergie cinétique se conserve; il en résulte que l'équation d'Hamilton-Jacobi pour l'action réduite S_0 (r) (l'action totale est $S = -\mathscr{E}t + S_0$) s'écrit

$$\left(\nabla S_0 - \frac{e}{c}\mathbf{A}\right)^2 = p^2,$$

où

$$p^2 = \frac{\mathscr{E}^2}{c^2} - m^2c^2 = \text{const}.$$

Utilisant la formule (19,4) du potentiel vecteur d'un champ magnétique uniforme, nous avons pour l'équation d'Hamilton-Jacobi, l'axe des x étant dirigé selon le champ et étant considéré comme l'axe d'un système optique doué de symétrie axiale:

$$\left(\frac{\partial S_0}{\partial x}\right)^2 + \left(\frac{\partial S_0}{\partial r}\right)^2 + \frac{e^2}{4c^2} H^2 r^2 = p^2, \tag{1}$$

où r est la distance à l'axe des x, et S_0 une fonction de x et r.

Pour des faisceaux fins paraxiaux de particules la coordonnée r étant petite, nous chercherons S_0 sous forme de série des puissances de r. Les deux premiers termes de cette série sont:

$$S_0 = px + \frac{1}{2}\sigma(x) r^2, \tag{2}$$

où $\sigma(x)$ satisfait à l'équation

$$p\sigma'(x) + \sigma^2 + \frac{e^2}{4c^2} H^2 = 0. \tag{3}$$

[1] Par exemple, le champ dans un solénoïde long, en négligeant les altérations de l'uniformité du champ aux extrémités du solénoïde.

On a dans la région *1* devant la lentille :

$$\sigma^{(1)}=\frac{p}{x-x_1},$$

où $x_1<0$ est une constante. Cette solution correspond à un faisceau libre de particules lancées en lignes droites à partir du point $x=x_1$ sur l'axe optique dans la région *1*. En effet, l'action pour le mouvement libre d'une particule d'impulsion p dirigée dans le sens opposé au point $x=x_1$ est

$$S_0=p\sqrt{r^2+(x-x_1)^2}\approx p(x-x_1)+\frac{pr^2}{2(x-x_1)}.$$

On a d'une manière analogue dans la région *2* au-delà de la lentille:

$$\sigma^{(2)}=\frac{p}{x-x_2},$$

où la constante x_2 représente la coordonnée de l'image du point x_1.

Dans la région *3* à l'intérieur de la lentille, l'équation (3) a pour solution :

$$\sigma^{(3)}=\frac{eH}{2c}\operatorname{ctg}\left(\frac{eH}{2cp}x+C\right),$$

où C est une constante arbitraire.

Les constantes C et x_2 (x_1 étant donné) sont déterminées par les conditions de continuité de $\sigma(x)$ pour $x=0$ et $x=l$:

$$-\frac{p}{x_1}=\frac{eH}{2c}\operatorname{ctg}C,\qquad \frac{p}{l-x_2}=\frac{eH}{2c}\operatorname{ctg}\left(\frac{eH}{2cp}l+C\right).$$

Eliminant la constante C de ces égalités, il vient :

$$(x_1-g)(x_2+h)=-f^2,$$

où [1]

$$g=\frac{2cp}{eH}\operatorname{ctg}\frac{eHl}{2cp},\qquad h=g-l,\qquad f=\frac{2cp}{eH\sin\frac{eHl}{2cp}}.$$

§ 57. Représentation par des faisceaux larges de rayons

La représentation d'objets au moyen de faisceaux fins de rayons, considérée au paragraphe précédent, est approchée ; elle est d'autant plus précise (nette) que les faisceaux sont plus fins. Passons maintenant à la question de la représentation d'objets par des faisceaux de rayons d'épaisseur arbitraire.

Contrairement à la représentation d'images par des faisceaux fins, pouvant être réalisée au moyen de tout système optique doué de symétrie axiale, la représentation par des faisceaux épais n'est possible qu'au moyen de systèmes optiques adéquatement agencés.

[1] f a été pris avec le signe convenable, mais pour l'établir il faudrait une étude spéciale.

Même avec cette restriction, et comme il a été indiqué au § 56, on ne pourra guère obtenir les images de tous les points de l'espace.

Les raisonnements ultérieurs sont fondés sur l'importante remarque suivante. Supposons que tous les rayons issus d'un point O se récoupent en un point O' après avoir traversé un système optique. Il est facile de voir que le chemin optique ψ est le même pour tous ces rayons. En effet, au voisinage de chacun des points O et O' les surfaces d'onde pour les rayons se coupant en ces points sont des sphères de centres en O et O', ces sphères se réduisant à la limite aux points O et O'. Or, les surfaces d'onde sont des surfaces de phase constante ; il s'ensuit que les variations de phase le long de divers rayons entre leurs points d'intersection avec deux surfaces d'onde déterminées sont identiques. Il résulte de ce qui vient d'être dit qu'il y a aussi égalité (pour divers rayons) des variations totales de la phase entre les points O et O'.

Trouvons les conditions nécessaires pour la représentation d'un petit segment de droite au moyen d'un faisceau large ; dans ces conditions l'image sera aussi un petit segment de droite. Orientons les axes (nous les appellerons ξ et ξ') suivant ces segments et soient O et O' les origines, prises en deux points correspondants sur l'objet et l'image. Soit ψ le chemin optique pour des rayons issus de O et convergeant en O'. Pour des rayons issus d'un point infiniment voisin de O de coordonnée $d\xi$ et convergeant au point image de coordonnée $d\xi'$, le chemin optique est $\psi + d\psi$, où

$$d\psi = \frac{\partial \psi}{\partial \xi} d\xi + \frac{\partial \psi}{\partial \xi'} d\xi'.$$

Introduisons le « grandissement »

$$\alpha_\xi = \frac{d\xi'}{d\xi}$$

en tant que rapport des longueurs de l'élément image $d\xi'$ et de l'élément objet $d\xi$. Etant donné que le segment objet est petit, on peut considérer que le grandissement α est constant le long du segment. Ecrivant de même, comme d'habitude, $\partial\psi/\partial\xi = -n_\xi$, $\partial\psi/\partial\xi' = n'_\xi$ (n_ξ, n'_ξ étant les cosinus des angles entre le rayon et respectivement les axes ξ et ξ'), nous avons :

$$d\psi = (\alpha n'_\xi - n_\xi)\, d\xi.$$

Comme pour tout couple point objet et point image se correspondant, le chemin optique $\psi + d\psi$ doit être le même pour tous les rayons issus du point de coordonnée $d\xi$ et convergeant au point $d\xi'$. Ce qui nous donne la condition :

$$\alpha_\xi n'_\xi - n_\xi = \text{const.} \qquad (57,1)$$

Telle est la condition que doit vérifier la marche des rayons dans un système optique lorsqu'on représente un petit segment de droite par des faisceaux larges. La relation (57,1) doit avoir lieu pour tous les rayons issus du point O.

Appliquons maintenant la condition obtenue à la représentation par un système optique doué de symétrie axiale.

Commençons par chercher l'image d'un segment de droite porté par l'axe optique du système (l'axe des x); par raison de symétrie, il est évident que l'image sera aussi portée par l'axe. En vertu de la symétrie axiale du système, le rayon confondu avec l'axe ($n_x = 1$) ne change pas de direction lors de la traversée du système, c'est-à-dire que $n'_x = 1$. Il s'ensuit que la constante dans (57,1) est égale, dans le cas donné, à $\alpha_x - 1$, et on peut recopier (57,1) sous la forme:

$$\frac{1-n_x}{1-n'_x} = \alpha_x.$$

Désignant par θ et θ' les angles formés par les rayons avec l'axe optique aux points objet et image, nous obtenons:

$$1-n_x = 1-\cos\theta = 2\sin^2\frac{\theta}{2},\quad 1-n'_x = 2\sin^2\frac{\theta'}{2}.$$

De sorte qu'on obtient la condition de représentation sous la forme:

$$\frac{\sin\frac{\theta}{2}}{\sin\frac{\theta'}{2}} = \text{const} = \sqrt{\alpha_x}. \tag{57,2}$$

Considérons maintenant la représentation d'un petit morceau de plan perpendiculaire à l'axe d'un système optique doué de symétrie axiale; il est clair que l'image sera aussi perpendiculaire à l'axe. Appliquant (57,1) à un segment arbitraire se trouvant dans le plan image, nous avons:

$$\alpha_r \sin\theta' - \sin\theta = \text{const},$$

où θ et θ' sont, comme auparavant, les angles entre le rayon et l'axe optique. Pour les rayons issus du point d'intersection du plan objet avec l'axe optique et confondus avec cet axe ($\theta = 0$), on doit avoir aussi, par raison de symétrie, $\theta' = 0$. Il en résulte que const $= 0$, et on obtient la condition de représentation sous la forme:

$$\frac{\sin\theta}{\sin\theta'} = \text{const} = \alpha_r. \tag{57,3}$$

En ce qui concerne la représentation d'objets à trois dimensions au moyen de faisceaux larges, il est facile de voir qu'elle est impossible, même lorsque le volume de l'objet est petit, les conditions (57,2) et (57,3) étant incompatibles.

§ 58. Les limites de l'optique géométrique

Par définition d'une onde plane monochromatique, son amplitude est partout et toujours la même. Une telle onde est infinie dans toutes les directions de l'espace et existe à tous les instants compris entre $-\infty$ et $+\infty$. Toute onde **c** dont l'amplitude n'est pas toujours et partout la même ne peut être que plus ou moins monochromatique. Nous allons nous occuper maintenant du *degré d'achromatisme* des ondes.

Considérons une onde électromagnétique dont l'amplitude est en chaque point de l'espace fonction du temps. Soit ω_0 une certaine fréquence moyenne de l'onde. Alors le champ de l'onde (électrique par exemple) au point donné est de la forme $\mathbf{E}_0(t)e^{-i\omega_0 t}$. Ce champ, qui n'est pas, bien entendu, monochromatique, peut être, toutefois, décomposé en composantes monochromatiques, c'est-à-dire en intégrale de Fourier. L'amplitude de la composante de cette décomposition de fréquence ω est proportionnelle à l'intégrale

$$\int_{-\infty}^{+\infty} \mathbf{E}_0(t)\, e^{i(\omega-\omega_0)t}\, dt.$$

Le facteur $e^{i(\omega-\omega_0)t}$ est une fonction périodique, dont la valeur moyenne est nulle. Si $\mathbf{E}_0$ était constant en général, l'intégrale serait exactement nulle pour tous les $\omega \neq \omega_0$. Mais si $\mathbf{E}_0(t)$ est variable tout en variant peu dans un intervalle de temps de l'ordre $1/(\omega - \omega_0)$, alors l'intégrale est presque nulle; elle est d'autant plus petite que $\mathbf{E}_0$ varie plus lentement. Pour que l'intégrale soit notablement différente de zéro, il faut que $\mathbf{E}_0(t)$ varie d'une manière sensible dans un intervalle de temps de l'ordre de $1/(\omega - \omega_0)$.

Désignons par Δt un ordre de grandeur des temps pendant lesquels l'amplitude de l'onde varie sensiblement au point considéré de l'espace. Des considérations apportées il résulte que les fréquences, qui se distinguent le plus de ω_0, entrant dans la décomposition spectrale de cette onde avec des intensités notables, sont déterminées par la condition $1/(\omega - \omega_0) \sim \Delta t$. Désignant par $\Delta\omega$ l'intervalle des fréquences (autour de la fréquence moyenne ω_0) dans la décomposition spectrale, on obtient la relation

$$\Delta\omega\Delta t \sim 1. \tag{58,1}$$

On voit qu'effectivement l'onde est d'autant plus monochromatique (c'est-à-dire que $\Delta\omega$ est d'autant plus petit) que Δt est plus grand, c'est-à-dire que son amplitude varie plus lentement en chaque point de l'espace.

Il est facile d'établir des relations analogues à (58,1) pour le vecteur d'onde. Soient Δx, Δy, Δz des ordres de grandeur des distances suivant les axes x, y, z, pour lesquels l'amplitude de l'onde varie sensiblement. A l'instant donné, le champ, en tant que fonction des coordonnées, s'écrit :

$$\mathbf{E}_0(\mathbf{r})\, e^{i\mathbf{k}_0\mathbf{r}},$$

où $\mathbf{k}_0$ est une certaine valeur moyenne du vecteur d'onde. Exactement comme pour l'établissement de (58,1), on peut trouver un intervalle $\Delta\mathbf{k}$ de valeurs du vecteur d'onde contenues dans le développement de l'onde en intégrale de Fourier :

$$\Delta k_x \Delta x \sim 1, \quad \Delta k_y \Delta y \sim 1, \quad \Delta k_z \Delta z \sim 1. \tag{58,2}$$

Considérons, notamment, une onde ayant été émise pendant un certain intervalle de temps fini. Désignons par Δt l'ordre de grandeur de cet intervalle. L'amplitude au point donné de l'espace varie en tout cas notablement dans le temps Δt pendant lequel l'onde traverse complètement ce point. En vertu des relations (58,1), on peut dire maintenant que le « degré d'achromatisme » d'une telle onde $\Delta\omega$ ne peut être d'aucune manière plus petit que $1/\Delta t$ (mais il peut être plus grand assurément) :

$$\Delta\omega \gtrsim \frac{1}{\Delta t}. \tag{58,3}$$

D'une manière analogue, Δx, Δy, Δz étant des ordres de grandeur de l'onde dans l'espace, on trouve pour les intervalles des valeurs des composantes du vecteur d'onde entrant dans le développement de l'onde :

$$\Delta k_x \gtrsim \frac{1}{\Delta x}, \quad \Delta k_y \gtrsim \frac{1}{\Delta y}, \quad \Delta k_z \gtrsim \frac{1}{\Delta z}. \tag{58,4}$$

Il résulte de ces formules que si l'on a un faisceau de lumière de largeur finie, alors la direction de la propagation de la lumière dans un tel faisceau ne peut être rigoureusement constante. Dirigeant l'axe x selon la direction (moyenne) de la lumière dans le faisceau, nous obtenons :

$$\theta_y \gtrsim \frac{1}{k\Delta y} \sim \frac{\lambda}{\Delta y}, \tag{58,5}$$

où θ_y est l'ordre de grandeur de l'écart du faisceau de sa direction moyenne dans le plan xy, et λ la longueur d'onde.

Par ailleurs, la formule (58,5) répond à la question de la netteté limite des images optiques. Un faisceau de lumière dont tous les rayons devraient se couper en un point selon l'optique géométrique forme en fait une image qui n'est pas un point, mais une tache.

Pour la largeur Δ de cette tache, on a, en vertu de (58,5):

$$\Delta \sim \frac{1}{k\theta} \sim \frac{\lambda}{\theta}, \tag{58,6}$$

où θ est l'angle de l'ouverture de ce faisceau. Cette formule peut être appliquée non seulement à l'image, mais aussi à l'objet. Plus précisément, on peut affirmer que si l'on observe un faisceau de lumière émis par un point lumineux, on ne peut distinguer ce point d'un corps de dimension λ/θ. Par conséquent, la formule (58,6) définit le *pouvoir de résolution* limite d'un microscope. La valeur minimum de Δ, atteinte pour $\theta \sim 1$, est λ, en pleine conformité avec le fait que les limites de l'optique géométrique sont déterminées par la longueur d'onde de la lumière.

Problème

Trouver l'ordre de grandeur de la largeur minimum d'un faisceau lumineux formé par un faisceau parallèle à la distance l du diaphragme.

Solution. Désignons par d la dimension du diaphragme. L'expression (58,5) donne pour l'angle de déviation des rayons (« angle de diffraction ») la valeur $\sim \lambda/d$, d'où la largeur du faisceau est de l'ordre de $d + \frac{\lambda}{d} l$. Le minimum de cette grandeur est $\sim \sqrt{\lambda l}$.

§ 59. Diffraction

Les lois de l'optique géométrique sont rigoureusement exactes seulement dans le cas idéal où la longueur d'onde peut être consi dérée comme infiniment petite. Moins cette condition est respectée, et plus on s'écarte de l'optique géométrique. Les phénomènes observés par suite de ces écarts portent le nom de phénomènes de *diffraction*.

On observe des phénomènes de diffraction lorsque, par exemple, la lumière rencontre sur son chemin [1] des obstacles, des corps opaques (que nous appellerons *écrans*) de forme quelconque, ou encore lorsque la lumière passe dans des ouvertures pratiquées dans des écrans opaques. Si les lois de l'optique géométrique étaient rigoureusement observées, il devrait y avoir derrière les écrans des zones d'« *ombre* » nettement délimitées des régions éclairées. La diffraction est la cause qu'au lieu d'avoir une frontière nette entre la lumière et l'ombre on a une image assez complexe de la distribution

[1] Ci-dessous, nous parlerons, pour fixer les idées, de la diffraction de la lumière ; tout ce qui suit concerne, bien entendu, n'importe quelle onde électromagnétique.

de l'intensité de la lumière. Ces phénomènes de diffraction sont d'autant plus marqués que les dimensions des écrans et des trous sont petites, ou que la longueur d'onde est plus grande.

La théorie de la diffraction a pour tâche, la disposition et la forme des corps étant données (ainsi que la disposition des sources de lumière), de déterminer la distribution de la lumière, c'est-à-dire le champ électromagnétique dans tout l'espace. La résolution exacte de ce problème n'est possible que par l'équation des ondes avec les conditions aux limites sur les surfaces des corps, dépendant, en outre, des propriétés optiques du matériau. Une telle résolution implique habituellement de très grandes difficultés mathématiques.

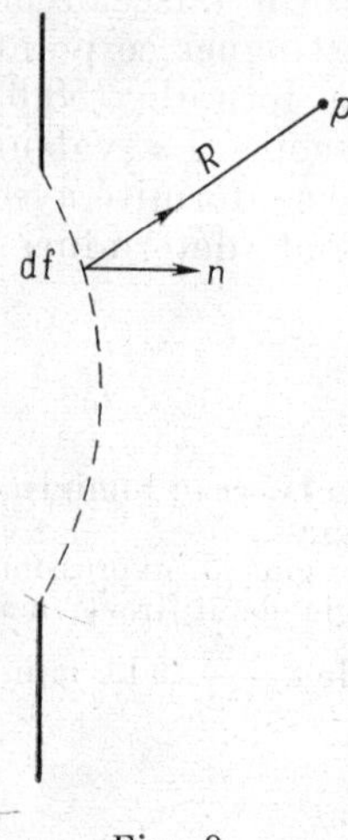

Fig. 9

Néanmoins, dans bien des cas, les méthodes de résolution approchée du problème de la distribution de la lumière au voisinage de la frontière de l'ombre sont suffisantes. Cette méthode est applicable lorsqu'on s'écarte peu de l'optique géométrique. On suppose par là même, primo, que toutes les dimensions sont grandes par rapport à la longueur d'onde (ceci concerne aussi bien les écrans et les trous que les distances des corps aux points d'émission et d'observation de la lumière) ; secundo, on ne considère que de faibles écarts de la lumière par rapport à la direction des rayons définis par l'optique géométrique.

Considérons un écran quelconque avec une ouverture laissant passer la lumière de sources données. La figure 9 représente cet écran en coupe (trait plein) ; la lumière va de gauche à droite. On désignera par u n'importe laquelle des composantes du champ **E** ou **H**. On supposera alors que u est un champ dépendant seulement des coordonnées, c'est-à-dire sans le facteur $e^{-i\omega t}$ donnant la dépendance du temps. Nous nous proposons de déterminer l'intensité de la lumière, c'est-à-dire le champ u, en tout point d'observation P derrière l'écran. Quand on résout ce problème approximativement, lorsqu'on s'écarte peu de l'optique géométrique, on peut admettre qu'aux points de l'ouverture le champ est le même que s'il n'y avait pas d'écran. En d'autres termes, les valeurs du champ sont ici celles qui résultent de l'optique géométrique. Pour ce qui est des points se trouvant immédiatement derrière l'écran, on peut supposer que le champ y est nul. Il est évident, par ailleurs, que les propriétés de l'écran lui-même (le matériau dont il est fait) ne jouent aucun rôle en général. Il est aussi évident que, dans les cas considérés, seule la forme du bord de l'ouverture importe pour la diffraction, la forme de l'écran opaque n'étant pas essentielle.

Imaginons une surface recouvrant l'ouverture et limitée par ses bords (cette surface est figurée en coupe en pointillé sur la fig. 9). Divisons cette surface en éléments d'aire df, petits par rapport aux dimensions de l'ouverture, mais grands par rapport à la longueur d'onde de la lumière. On peut alors admettre que chaque élément atteint par l'onde lumineuse est devenu lui-même une source d'onde lumineuse se propageant dans tous les sens à partir de cet élément. On considérera que le champ en P est la superposition des champs émis par tous les éléments df de la surface recouvrant l'ouverture (*principe d'Huyghens*).

Le champ créé par l'élément df au point P est, évidemment, proportionnel à la valeur u du champ sur l'élément df lui-même (rappelons que le champ est supposé sur df tel qu'il serait en l'absence d'écran). En outre, il est proportionnel à la projection df_n de l'aire de df sur le plan perpendiculaire à la direction $\mathbf{n}$ du rayon venu de la source sur df. Ceci est dû au fait que, quelle que soit la forme de l'élément df, il est traversé par des rayons identiques, pourvu que sa projection df_n soit invariable, ce qui fait que son action sur le champ en P est identique.

Ainsi, le champ créé en P par l'élément df est proportionnel à $u\,df_n$. En outre, il faut encore tenir compte de la variation de l'amplitude et de la phase de l'onde lors de sa propagation de df au point P. La loi de cette variation est donnée par la formule (54,3). Il faut donc multiplier encore $u\,df_n$ par le facteur $\frac{1}{R}e^{ikR}$ (où R est la distance de df à P, et k la valeur absolue du vecteur d'onde de la lumière), et on trouve que le champ cherché est

$$au\frac{e^{ikR}}{R}\,df_n,$$

où a est, pour l'instant, une constante inconnue. Le champ total en P, qui est la superposition des champs créés par tous les df, est donc

$$u_P = a\int \frac{ue^{ikR}}{R}\,df_n, \tag{59,1}$$

où l'intégrale est prise sur la surface délimitée par les bords de l'ouverture. A l'approximation considérée, cette intégrale ne dépend pas, bien entendu, de la forme de cette surface. La formule (59,1) convient aussi bien à la diffraction autour d'un écran, où la lumière peut se propager librement. Dans ce cas, la surface d'intégration dans (59,1) s'étend dans tous les sens à partir du bord de l'écran.

Pour déterminer la constante a, considérons une onde plane se propageant selon l'axe des x; les surfaces d'onde sont parallèles au plan yz. Soit u la valeur du champ dans le plan yz. Alors, au point P, que nous prenons sur l'axe x, le champ est égal à $u_P = ue^{ikx}$. Par ailleurs, on peut définir le champ en P à partir de la formule (59,1), en prenant pour surface d'intégration le plan yz, par exemple. Dans ces conditions, étant donné que l'angle de diffraction est petit, seuls interviennent dans l'intégrale les points du plan yz qui sont voisins de l'origine des coordonnées, c'est-à-dire les points dont $y, z \ll x$ (x est la coordonnée du point P). Alors

$$R = \sqrt{x^2 + y^2 + z^2} \approx x + \frac{y^2 + z^2}{2x}$$

et (59,1) donne :

$$u_P = au \frac{e^{ikx}}{x} \int_{-\infty}^{+\infty} e^{ik\frac{y^2}{2x}} dy \int_{-\infty}^{+\infty} e^{ik\frac{z^2}{2x}} dz.$$

Ici u est constant (le champ dans le plan yz) ; dans le facteur $1/R$ on peut poser $R \approx x = \text{const}$. Par la substitution $y = \xi\sqrt{2x/k}$, les intégrales ci-dessus prennent la forme :

$$\int_{-\infty}^{+\infty} e^{i\xi^2} d\xi = \int_{-\infty}^{+\infty} \cos \xi^2 \, d\xi + i \int_{-\infty}^{+\infty} \sin \xi^2 \, d\xi = \sqrt{\frac{\pi}{2}}(1+i),$$

et on obtient :

$$u_P = aue^{ikx} \frac{2i\pi}{k}.$$

Par ailleurs $u_P = ue^{ikx}$, donc

$$a = \frac{k}{2\pi i}.$$

Substituant cette dernière expression dans (59,1), on trouve en définitive la solution du problème posé sous la forme :

$$u_P = \int \frac{ku}{2\pi i R} e^{ikR} df_n. \tag{59,2}$$

Lors de l'établissement de la formule (59,2), on a supposé, en fait, que la source de lumière était ponctuelle et que la lumière elle-même était rigoureusement monochromatique. Le cas d'une source réelle étendue rayonnant de la lumière achromatique ne demande pas cependant une étude spéciale. Etant donnée l'indépendance totale (l'incohérence) de la lumière rayonnée par les divers points de la source et l'incohérence des diverses composantes spectrales de la lumière rayonnée, le résultat global de la diffraction se réduit tout simplement à la somme des distributions de l'intensité provenant de la diffraction de chacune des composantes indépendantes de la lumière.

Servons-nous de la formule (59,2) pour résoudre la question du changement de phase de part et d'autre du point de contact d'un rayon avec sa caustique (cf. fin § 54). Prenons pour surface d'intégration dans (59,2) une surface d'onde quelconque et cherchons le champ u_P au point P se trouvant sur un certain rayon à la distance x de son point d'intersection avec une surface d'onde donnée (nous prenons ce point pour origine des coordonnées O et pour plan yz le plan tangent à la surface d'onde en O). Pendant l'intégration dans (59,2) il suffit de se limiter à un petit domaine de la surface d'onde au voisinage de O. Si les surfaces xy et xz ont été choisies de manière à coïncider avec les plans principaux de courbure de la surface d'onde en O, l'équation de cette surface s'écrit alors au voisinage de ce point

$$X = \frac{y^2}{2R_1} + \frac{z^2}{2R_2},$$

où R_1 et R_2 sont les rayons de courbure. Quant à la distance R du point de la surface d'onde de coordonnées X, y, z au point P de coordonnées x, 0, 0, elle est égale à

$$R = \sqrt{(x-X)^2 + y^2 + z^2} \approx x + \frac{y^2}{2}\left(\frac{1}{x} - \frac{1}{R_1}\right) + \frac{z^2}{2}\left(\frac{1}{x} - \frac{1}{R_2}\right).$$

On peut admettre que le champ u est constant sur la surface d'onde; il en est de même de $1/R$. Puisque seule la variation de la phase nous intéresse, nous omettrons le coefficient et écrirons simplement

$$u_P \sim \frac{1}{i}\int e^{ikR}\, df_n \approx \frac{e^{ikx}}{i}\int_{-\infty}^{+\infty} e^{ik\frac{y^2}{2}\left(\frac{1}{x}-\frac{1}{R_1}\right)} dy \cdot \int_{-\infty}^{+\infty} e^{ik\frac{z^2}{2}\left(\frac{1}{x}-\frac{1}{R_2}\right)} dz. \quad (59,3)$$

Les centres de courbure de la surface d'onde se trouvent sur le rayon considéré aux points $x = R_1$ et $x = R_2$; ce sont les points de contact du rayon avec les deux caustiques. Soit $R_2 < R_1$. Lorsque $x < R_2$ les coefficients de i dans les exposants des expressions se trouvant sous les deux signes somme (en dy et dz) sont positifs et chacune de ces intégrales est proportionnelle à $(1 + i)$. On a, par conséquent, sur le morceau de rayon avant le point de contact avec la première caustique $u_P \sim e^{ikx}$. Lorsque $R_2 < x < R_1$, c'est-à-dire sur le segment de rayon entre les deux points de contact, l'intégrale en dy est proportionnelle à $1 + i$ et l'intégrale en dz à $1 - i$, de sorte que leur produit ne contient pas i. Aussi avons-nous $u_P \sim -ie^{ikx} = e^{i(kx-\pi/2)}$, c'est-à-dire qu'au moment où le rayon passe au voisinage de la première caustique la phase varie en outre de $-\pi/2$. Enfin, lorsque $x > R_1$, on a $u_P \sim -e^{ikx} = e^{i(kx-\pi)}$, c'est-à-dire que la phase varie encore une fois de $-\pi/2$ quand le rayon passe au voisinage de la seconde caustique.

Problème

Déterminer la distribution de l'intensité de la lumière au voisinage du point de contact d'un rayon avec la caustique.

Solution. Pour résoudre ce problème utilisons la formule (59,2), l'intégration étant faite sur une surface d'onde quelconque suffisamment éloignée du point de contact considéré du rayon avec la caustique. Sur la fig. 10 ab est la coupe de cette surface d'onde, et $a'b'$ la coupe de la caustique; $a'b'$ est la développée de la courbe ab. Nous cherchons la distribution de l'intensité au voisinage du point de contact O du rayon QO avec la caustique; on suppose

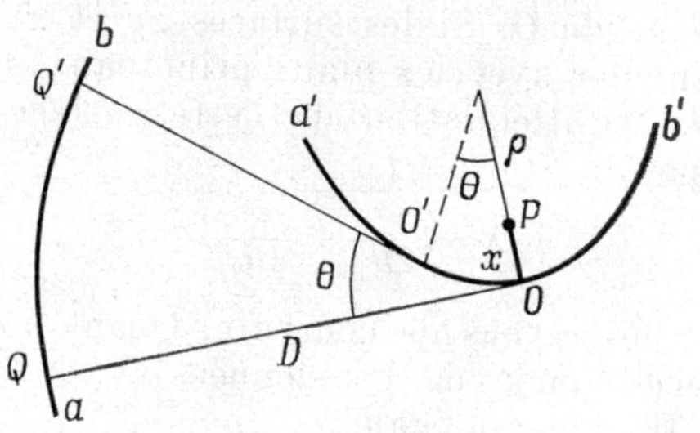

Fig. 10

que la longueur D du segment QO de rayon est suffisamment grande. Désignons par x la distance sur la normale à la caustique à partir de O, x étant positif pour les points de la normale se trouvant du côté du centre de courbure.

L'expression sous le signe somme dans (59,2) est une fonction de la distance R d'un point arbitraire Q' sur la surface d'onde jusqu'au point P. Il est bien connu que, pour une développée, la somme de la longueur du segment $Q'O'$ tangent en O' et de la longueur de l'arc OO' est égale à la longueur du segment QO tangent en O. Lorsque les points O et O' sont voisins, on a $OO' = \theta\rho$ (ρ étant le rayon de courbure de la caustique en O). Par conséquent, $Q'O' = D - \theta\rho$. La distance $Q'O$ (en ligne droite) est à peu près égale à (l'angle θ étant supposé petit) :

$$Q'O \approx Q'O' + \rho \sin\theta = D - \theta\rho + \rho \sin\theta \approx D - \frac{\rho\theta^3}{6}.$$

Enfin, la distance $R = Q'P$ est égale à $R \approx Q'O - x \sin\theta \approx Q'O - x\theta$, c'est-à-dire

$$R \approx D - x\theta - \frac{1}{6}\rho\theta^3.$$

Substituant cette expression dans (59,2), nous avons :

$$u_P \sim \int_{-\infty}^{+\infty} e^{-ikx\theta - \frac{ik\rho}{6}\theta^3} d\theta = 2\int_0^{\infty} \cos\left(kx\theta + \frac{k\rho}{6}\theta^3\right) d\theta$$

(le facteur $1/D$, variant lentement, dans l'expression sous le signe somme n'est pas essentiel par rapport au facteur exponentiel, et nous le supposons constant). Introduisant la nouvelle variable d'intégrale $\xi = (k\rho/2)^{1/3}\theta$, nous obtenons

$$u_P \sim \Phi\left(x\sqrt[3]{\frac{2k^2}{\rho}}\right),$$

où $\Phi(t)$ est la fonction d'Airy [1]. Nous écrirons pour l'intensité $I \sim |u_P|^2$:

$$I = 2A\left(\frac{2k^2}{\rho}\right)^{1/6} \Phi^2\left(x\sqrt[3]{\frac{2k^2}{\rho}}\right)$$

(pour le choix de la constante voir ci-dessous).

On en déduit pour les x positifs grands la formule asymptotique

$$I \approx \frac{A}{2\sqrt{x}} \exp\left(-\frac{4x^{3/2}}{3}\sqrt{\frac{2k^2}{\rho}}\right),$$

ce qui montre que l'intensité diminue exponentiellement (région d'« ombre »). Pour les x négatifs grands on a :

$$I \approx \frac{2A}{\sqrt{-x}} \sin^2\left[\frac{2(-x)^{3/2}}{3}\sqrt{\frac{2k^2}{\rho}} + \frac{\pi}{4}\right],$$

c'est-à-dire que l'intensité oscille rapidement; la valeur moyenne de I relativement à ces oscillations est

$$\overline{I} = \frac{A}{\sqrt{-x}},$$

ce qui explicite le sens de la constante A : elle définit l'intensité loin de la caustique résultant de l'optique géométrique, abstraction faite des effets de diffraction.

La valeur maximum, égale à 0,949, est atteinte par la fonction $\Phi(t)$ pour $t = -1{,}02$; respectivement, l'intensité maximum est atteinte pour $x\,(2k^2/\rho)^{1/3} =$

---

[1] La fonction d'Airy $\Phi(t)$ est définie par la formule

$$\Phi(t) = \frac{1}{\sqrt{\pi}} \int_0^\infty \cos\left(\frac{\xi^3}{3} + \xi t\right) d\xi \tag{1}$$

(cf. III § b). Pour les t positifs grands $\Phi(t)$ décroît exponentiellement suivant la loi asymptotique

$$\Phi(t) \approx \frac{1}{2t^{1/4}} \exp\left(-\frac{2}{3}t^{3/2}\right). \tag{2}$$

Pour les grandes valeurs négatives de t la fonction $\Phi(t)$ oscille avec une amplitude décroissante suivant la loi

$$\Phi(t) \approx \frac{1}{(-t)^{1/4}} \sin\left[\frac{2}{3}(-t)^{3/2} + \frac{\pi}{4}\right]. \tag{3}$$

La fonction d'Airy est liée à la fonction de Macdonald (fonction d'Hankel modifiée) d'ordre 1/3 :

$$\Phi(t) = \sqrt{\frac{t}{3\pi}}\, K_{1/3}\left(\frac{2}{3}t^{3/2}\right). \tag{4}$$

La formule (2) correspond à l'expression asymptotique de $K_\nu(t)$:

$$K_\nu(t) \approx \sqrt{\frac{\pi}{2t}}\, e^{-t}.$$

$= -1{,}02$, où

$$I = 2{,}03 A k^{1/3} \rho^{-1/6}$$

(au point de contact même du rayon avec la caustique, $x = 0$, on a $I = 0{,}89\, A k^{1/3} \rho^{-1/6}$, étant donné que $\Phi(0) = 0{,}629$). Ainsi, au voisinage de la caustique l'intensité est proportionnelle à $k^{1/3}$, c'est-à-dire à $\lambda^{-1/3}$ (λ est la longueur d'onde). Lorsque $\lambda \to 0$, comme il résultait aussi du § 54, l'intensité tend vers l'infini.

§ 60. Diffraction de Fresnel

Lorsque la source et le point P, où l'on cherche l'intensité de la lumière, se trouvent à distance finie de l'écran, dans la détermination de l'intensité en P seule intervient une petite région de la

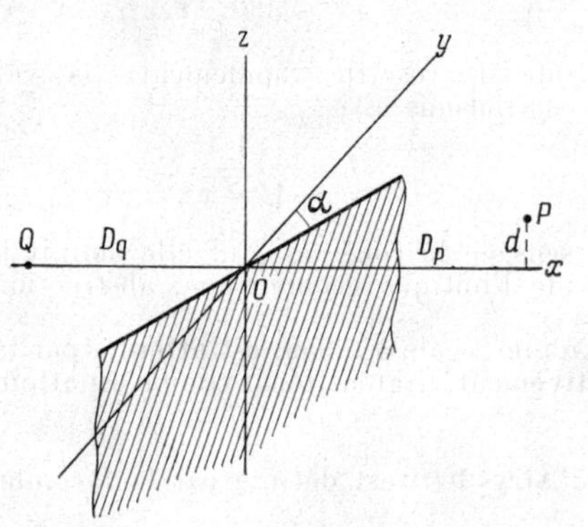

Fig. 11

surface d'onde, à laquelle est étendue l'intégration dans (59,2); cette région se trouve au voisinage de la droite réunissant la source et le point P. En effet, étant donné que l'on s'écarte peu de l'optique géométrique, l'intensité de la lumière arrivant en P de divers points de la surface d'onde diminue très rapidement au fur et à mesure que l'on s'éloigne de ladite droite. Les phénomènes de diffraction où n'interviennent que de petits éléments de la surface d'onde sont appelés *diffraction de Fresnel*.

Considérons la diffraction de Fresnel par un écran quelconque. En vertu de la propriété mentionnée ci-dessus, seule intervient alors (le point P étant donné) une petite portion du bord de l'écran. Mais une petite portion du bord peut toujours être considérée comme étant rectiligne. Aussi entendrons-nous dans ce qui suit par bord précisément une telle portion rectiligne.

Prenons pour plan xy le plan passant par la source Q (fig. 11) et par la ligne définissant le bord de l'écran. Choisissons le plan xz perpendiculaire à ce dernier de sorte qu'il passe par le point Q et le point d'observation P, où l'on cherche l'intensité de la lumière. Enfin, prenons l'origine O sur la ligne définie par le bord de l'écran, après quoi la position des trois axes se trouve complètement déterminée.

Soit D_q la distance de la source Q à l'origine. Désignons par D_p la coordonnée x du point d'observation P, et sa coordonnée z, c'est-à-dire la distance au plan xy, par d. Selon l'optique géométrique, la lumière ne pourrait atteindre que les points situés au-dessus du plan xy ; la région située en-dessous de ce plan resterait dans l'ombre (région d'ombre géométrique).

Nous allons déterminer maintenant la distribution de l'intensité de la lumière derrière l'écran au voisinage de la frontière de l'ombre géométrique, c'est-à-dire pour des d petits (relativement à D_p et D_q). d négatif signifie que P se trouve dans la région d'ombre géométrique.

Prenons pour surface d'intégration dans (59,2) le demi-plan passant par le bord de l'écran et perpendiculaire au plan xy. Les coordonnées x et y des points de cette surface sont liées par la relation $x = y \operatorname{tg} \alpha$ (α est l'angle entre la ligne du bord de l'écran et l'axe y), la coordonnée z étant positive. Le champ de l'onde issue de la source Q à la distance R_q de cette dernière est proportionnel au facteur $\exp(ikR_q)$. Il en résulte que le champ u sur la surface d'intégration est proportionnel à

$$u \sim \exp\left[ik\sqrt{y^2+z^2+(D_q+y\operatorname{tg}\alpha)^2}\right].$$

Dans l'intégrale (59,2) il faudra remplacer maintenant R par son expression

$$R=\sqrt{y^2+(z-d)^2+(D_p-y\operatorname{tg}\alpha)^2}.$$

Sous le signe somme, les facteurs variant lentement ne sont pas essentiels par rapport à l'exponentielle. On peut donc considérer $1/R$ comme constant et remplacer df_n par $dydz$. On trouve alors pour le champ au point P :

$$u_P \sim \int_{-\infty}^{+\infty}\int_0^{\infty} \exp\left[ik\sqrt{(D_q+y\operatorname{tg}\alpha)^2+y^2+z^2}+\right.$$
$$\left.+\sqrt{(D_p-y\operatorname{tg}\alpha)^2+y^2+(z-d)^2}\right]dy\,dz. \qquad (60,1)$$

Comme nous l'avons déjà dit, la lumière venant au point P provient essentiellement des points du plan d'intégration voisins de O. Il en résulte que dans l'intégrale (60,1) seules les petites valeurs (par rapport à D_q et D_p) de y et z interviennent. On a :

$$\sqrt{(D_q+y\operatorname{tg}\alpha)^2+y^2+z^2} \approx D_q+\frac{y^2\sec^2\alpha+z^2}{2D_q}+y\operatorname{tg}\alpha,$$
$$\sqrt{(D_p-y\operatorname{tg}\alpha)^2+y^2+(z-d)^2} \approx D_p+\frac{y^2\sec^2\alpha+(z-d)^2}{2D_p}-y\operatorname{tg}\alpha.$$

Substituons dans (60,1). Puisque seul le champ en tant que fonction de la distance d nous intéresse, nous omettons le facteur constant $\exp[ik(D_p + D_q)]$; l'intégrale en dy donne aussi une expression ne contenant pas d, que nous omettons de même. Dans ces conditions nous obtenons :

$$u_P \sim \int_0^\infty \exp\left[ik\left(\frac{1}{2D_q}z^2 + \frac{1}{2D_p}\right)(z-d)^2\right]dz.$$

On peut recopier cette expression sous la forme suivante :

$$u_P \sim \exp\left[ik\frac{d^2}{2(D_p+D_q)}\right]\int_0^\infty \exp\left[ik\frac{\frac{1}{2}\left[\left(\frac{1}{D_p}+\frac{1}{D_q}\right)z-\frac{d}{D_p}\right]^2}{\frac{1}{D_p}+\frac{1}{D_q}}\right]dz. \tag{60,2}$$

L'intensité de la lumière est déterminée par le carré du champ, c'est-à-dire par le carré du module $|u_P|^2$. Donc le facteur se trouvant devant l'intégrale n'est pas essentiel pour calculer l'intensité, étant donné que le produit par son conjugué est l'unité. Une substitution évidente donne pour l'intégrale l'expression

$$u_P \sim \int_{-w}^\infty e^{i\eta^2}\,d\eta, \tag{60,3}$$

où

$$w = d\sqrt{\frac{kD_q}{2D_p(D_q+D_p)}}. \tag{60,4}$$

Ainsi, l'intensité I au point P est

$$I = \frac{I_0}{2}\left|\sqrt{\frac{2}{\pi}}\int_{-w}^\infty e^{i\eta^2}\,d\eta\right|^2 =$$

$$= \frac{I_0}{2}\left[\left(C(w^2)+\frac{1}{2}\right)^2 + \left(S(w^2)+\frac{1}{2}\right)^2\right], \tag{60,5}$$

où

$$C(z) = \sqrt{\frac{2}{\pi}}\int_0^{\sqrt{z}} \cos\eta^2\,d\eta, \quad S(z) = \sqrt{\frac{2}{\pi}}\int_0^{\sqrt{z}} \sin\eta^2\,d\eta$$

sont les intégrales de Fresnel. La formule (60,5) résout le problème posé, en définissant l'intensité de la lumière comme une fonction de d; I_0 est l'intensité dans la région éclairée en des points suffisamment éloignés de la limite de l'ombre, c'est-à-dire pour $w \gg 1$ (à la limite $w \to \infty$ on a $C(\infty) = S(\infty) = 1/2$).

Les régions d'ombre géométrique correspondent à des w négatifs. Il est facile d'établir la forme asymptotique de la fonction $I(w)$ pour de grandes valeurs négatives de w. Nous procéderons ainsi. Intégrons par parties:

$$\int_{|w|}^{\infty} e^{i\eta^2} d\eta = -\frac{1}{2i|w|} e^{iw^2} + \frac{1}{2i} \int_{|w|}^{\infty} e^{i\eta^2} \frac{d\eta}{\eta^2}.$$

Intégrant dans le second membre encore une fois par parties et itérant ce processus, on obtient une série de puissances de $1/|w|$:

$$\int_{|w|}^{\infty} e^{i\eta^2} d\eta = e^{iw^2} \left(-\frac{1}{2i|w|} + \frac{1}{4|w|^3} - \ldots \right). \tag{60,6}$$

Bien qu'une série infinie de cette forme ne converge pas, déjà son premier terme fournit une bonne représentation de la fonction de gauche pour des $|w|$ suffisamment grands, étant donné que pour de tels $|w|$ les termes successifs tendent rapidement vers zéro. (De telles séries sont dites asymptotiques.) De sorte que l'on obtient pour l'intensité $I(w)$ (60,5) la formule asymptotique suivante, valable pour les w négatifs grands:

$$I = \frac{I_0}{4\pi w^2}. \tag{60,7}$$

On voit que dans la région d'ombre géométrique, loin de sa frontière, l'intensité tend vers zéro comme l'inverse du carré de la distance à la frontière de l'ombre.

Considérons maintenant les valeurs positives de w, c'est-à-dire la région au-dessus du plan xy. Ecrivons:

$$\int_{-w}^{\infty} e^{i\eta^2} d\eta = \int_{-\infty}^{+\infty} e^{i\eta^2} d\eta - \int_{-\infty}^{-w} e^{i\eta^2} d\eta = (1+i)\sqrt{\frac{\pi}{2}} - \int_{w}^{\infty} e^{i\eta^2} d\eta.$$

Pour des w suffisamment grands on peut utiliser la représentation asymptotique de l'intégrale de droite, et l'on a:

$$\int_{-w}^{\infty} e^{i\eta^2} d\eta \approx (1+i)\sqrt{\frac{\pi}{2}} + \frac{1}{2iw} e^{iw^2}. \tag{60,8}$$

Substituant cette expression dans (60,5), nous obtenons:

$$I = I_0 \left[1 + \sqrt{\frac{1}{\pi}} \frac{\sin\left(w^2 - \frac{\pi}{4}\right)}{w} \right]. \tag{60,9}$$

Par conséquent, dans la région éclairée, loin du bord de l'ombre, l'intensité possède une infinité de maxima et minima, de sorte que le rapport I/I_0 oscille de part et d'autre de l'unité. L'amplitude de ces oscillations diminue quand w augmente comme l'inverse de la distance du bord de l'ombre géométrique, et les lieux des maxima et minima se resserrent progressivement.

Pour des valeurs petites de w la fonction $I(w)$ a qualitativement le même comportement (fig. 12). Dans la région d'ombre géométrique

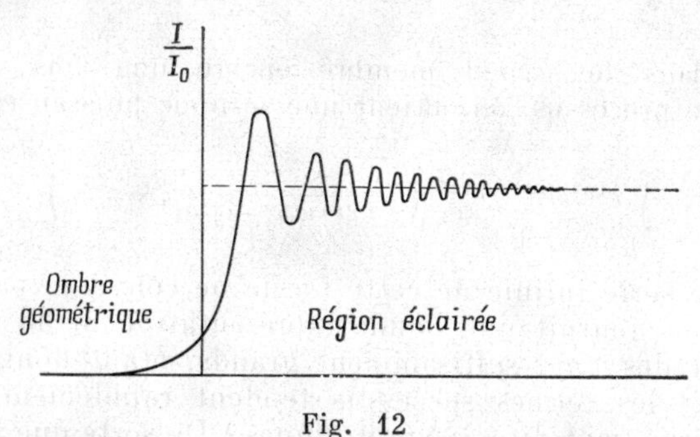

Fig. 12

l'intensité tombe monotonement lorsqu'on s'éloigne de la frontière de l'ombre (sur cette frontière même on a $I/I_0 = {}^1/_4$). Pour des w positifs, l'intensité a des maxima et minima successifs. Au premier maximum, le plus grand, $I/I_0 = 1{,}37$.

§ 61. Diffraction de Fraunhofer

Les effets de diffraction dus à l'incidence sur des écrans de faisceaux plans parallèles présentent un intérêt particulier pour les applications physiques. Par suite de la diffraction le faisceau perd son parallélisme et il apparaît de la lumière progressant dans des directions différentes de la direction initiale. Posons le problème de la détermination de la distribution en directions de l'intensité de la lumière diffractée à de grandes distances derrière l'écran (une telle position du problème répond à la *diffraction de Fraunhofer*). En outre, nous supposerons que l'on s'écarte peu de l'optique géométrique, c'est-à-dire que les angles de déviation à partir de la direction initiale des rayons sont petits (angles de diffraction).

On pourrait résoudre le problème posé en partant de la formule générale (59,2) où l'on passe à la limite en éloignant indéfiniment des écrans la source et le point d'observation. Une particularité caractéristique du cas considéré est que dans l'intégrale définissant l'intensité de la lumière diffractée toute la surface d'onde sur laquelle on intègre joue un rôle essentiel (contrairement au cas de la diffraction de Fresnel, où seules les régions de la surface d'onde voisines des bords des écrans intervenaient effectivement) [1].

Cependant, il est plus simple de reprendre le problème, sans recourir à la formule générale (59,2).

Désignons par u_0 le champ derrière les écrans qui aurait lieu si les lois de l'optique géométrique étaient rigoureusement observées. Il représente une onde plane, dont la section transversale comprend, néanmoins, des régions (correspondant à l'« ombre » des écrans opaques) où le champ est nul. Désignons par S la partie du plan de la section transversale où le champ u_0 est différent de zéro ; étant donné que tout plan de ce genre est une surface d'onde d'une onde plane, on a $u_0 = \text{const}$ sur toute l'aire S.

En réalité, cependant, une onde de section transversale dont l'aire est bornée ne peut être rigoureusement plane (cf. § 58). Son développement spatial de Fourier contient des composantes avec des vecteurs d'onde de diverses directions, ce qui est une source de diffraction.

Développons le champ u_0 en intégrale double de Fourier suivant les coordonnées y et z dans le plan de la section transversale de l'onde. On a pour les composantes de Fourier :

$$u_{\mathbf{q}} = \iint_S u_0 e^{-i\mathbf{qr}}\, dy\, dz, \tag{61,1}$$

où les $\mathbf{q}$ sont des vecteurs constants dans le plan yz ; l'intégration est effectuée en fait seulement sur la partie S du plan yz où u_0 n'est pas nul. Si $\mathbf{k}$ est le vecteur d'onde de l'onde incidente, alors à la composante du champ $u_{\mathbf{q}}e^{i\mathbf{qr}}$ correspond le vecteur $\mathbf{k}' = \mathbf{k} + \mathbf{q}$. De sorte que le vecteur $\mathbf{q} = \mathbf{k}' - \mathbf{k}$ définit la variation du vecteur d'onde de la lumière pendant la diffraction. Puisque les valeurs absolues sont $k = k' = \omega/c$, il résulte que les petits angles de diffraction θ_y, θ_z dans les plans xy et xz sont liés avec les composantes

---

[1] On obtient facilement des critères de diffraction de Fresnel et de Fraunhofer en revenant à la formule (60,2) et l'appliquant, par exemple, à une fente de largeur a (au lieu du bord d'un écran isolé). L'intégration en dz dans (60,2) sera faite alors entre 0 et a. La diffraction de Fresnel correspond au cas où dans l'exponentielle sous le signe somme le terme en z^2 est essentiel et la borne supérieure de l'intégrale peut être remplacée par l'infini. On doit avoir à cet effet

$$ka^2\left(\frac{1}{D_p}+\frac{1}{D_q}\right) \gg 1.$$

Au contraire, si cette inégalité est inversée, on peut omettre le terme en z^2 ; c'est le cas de la diffraction de Fraunhofer.

du vecteur **q** par les relations

$$q_y = \frac{\omega}{c}\theta_y, \quad q_z = \frac{\omega}{c}\theta_z. \qquad (61,2)$$

Lorsque l'on s'écarte peu de l'optique géométrique, on peut admettre que les composantes du développement du champ u_0 coïncident avec celles du champ réel de la lumière diffractée, de sorte que la formule (61,1) résout le problème posé.

La distribution de l'intensité de la lumière diffractée est déterminée par le carré $|u_{\mathbf{q}}|^2$ comme fonction du vecteur **q**. Le lien quantitatif avec l'intensité de la lumière incidente est donné par la formule

$$\int\int u_0^2 \, dy \, dz = \int\int |u_{\mathbf{q}}|^2 \frac{dq_y \, dq_z}{(2\pi)^2} \qquad (61,3)$$

(comparer avec (49,8)). Ceci montre que l'intensité relative de la diffraction dans l'élément d'angle solide $d_o = d\theta_y \, d\theta_z$ est donnée par la quantité

$$\frac{|u_{\mathbf{q}}|^2}{u_0^2} \frac{dq_y \, dq_z}{(2\pi)^2} = \left(\frac{\omega}{2\pi c}\right)^2 \left|\frac{u_{\mathbf{q}}}{u_0}\right|^2 do. \qquad (61,4)$$

Considérons la diffraction de Fraunhofer dans le cas de deux écrans « complémentaires » : le premier écran a une ouverture là où l'autre est opaque et inversement. Soient $u^{(1)}$ et $u^{(2)}$ les champs de la lumière diffractée par ces écrans (la lumière incidente étant identique dans les deux cas). Etant donné que $u_{\mathbf{q}}^{(1)}$ et $u_{\mathbf{q}}^{(2)}$ s'expriment au moyen des intégrales (61,1) étendues aux surfaces des ouvertures dans les écrans et que les ouvertures dans l'un et l'autre écran se complètent mutuellement et occupent tout le plan, il résulte que la somme $u_{\mathbf{q}}^{(1)} + u_{\mathbf{q}}^{(2)}$ est la composante de Fourier du champ obtenu en l'absence d'écrans, c'est-à-dire tout simplement de la lumière incidente. Mais la lumière incidente représente une onde rigoureusement plane avec une direction de propagation déterminée, donc $u_{\mathbf{q}}^{(1)} + u_{\mathbf{q}}^{(2)} = 0$ pour tout **q** non nul. De sorte que $u_{\mathbf{q}}^{(1)} = -u_{\mathbf{q}}^{(2)}$, ou pour les intensités correspondantes,

$$|u_{\mathbf{q}}^{(1)}|^2 = |u_{\mathbf{q}}^{(2)}|^2, \quad \mathbf{q} \neq 0. \qquad (61,5)$$

Ce qui signifie que des écrans complémentaires donnent des distributions identiques de l'intensité de la lumière diffractée (*principe de Babinet*).

Rappelons ici une conséquence intéressante du principe de Babinet. Considérons un corps noir quelconque, c'est-à-dire un corps absorbant intégralement toute la lumière incidente. Selon l'optique géométrique, lorsqu'un tel corps est éclairé par un faisceau parallèle, il devrait se former derrière lui une région d'ombre géométrique, dont l'aire de la section serait égale à l'aire de la section du corps perpendiculairement à la direction de l'incidence de la lumière. Mais la diffraction entraîne une déviation partielle de la lumière par rapport à sa direction initiale. Au total, à grande distance derrière le corps il n'y a pas d'ombre, et, en même temps que la lumière se propageant dans la direction initiale, il y aura aussi une certaine quantité de lumière progressant sous de petits angles relativement à la direction initiale. Il est aisé de déterminer l'intensité de cette lumière dite diffuse. A cet effet, remarquons, qu'en vertu du principe de Babinet, la quantité de lumière déviée par suite de la diffraction sur le corps considéré est égale à la quantité de lumière qui a dévié lors de la diffraction par une ouverture découpée dans un écran opaque dont la forme et l'aire coïncident avec la forme et l'aire de la section transversale du corps. Mais lorsqu'il y a diffraction de Fraunhofer par une ouverture il y a déviation de toute la lumière traversant l'ouverture. Il en résulte que la quantité totale de lumière diffusée par le corps noir est égale à la quantité de lumière qui atteint sa surface et qui y est absorbée.

Problèmes

1. Déterminer la diffraction de Fraunhofer lorsqu'une onde plane tombe normalement sur une fente infinie (de largeur $2a$) à bords parallèles découpée dans un écran opaque.

Solution. Prenons le plan de la fente pour plan yz, l'axe des z étant dirigé selon la fente (fig. 13 représente la coupe de l'écran). Lorsque la lumière

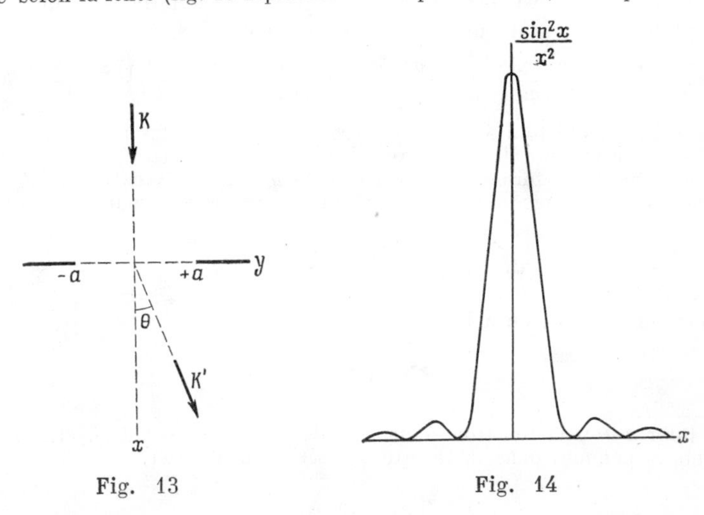

Fig. 13 Fig. 14

tombe normalement, le plan de la fente est une des surfaces d'onde, que nous prendrons pour surface d'intégration dans (61,1). Etant donné que la fente est infinie, la lumière ne dévie que dans le plan xy (l'intégrale (61,1) s'annule pour $q_z \neq 0$). Donc le développement du champ u_0 doit s'effectuer seulement suivant la coordonnée y:

$$u_q = u_0 \int_{-a}^{a} e^{-iqy}\,dy = \frac{2u_0}{q}\sin qa.$$

L'intensité de la lumière diffractée dans l'intervalle des angles $d\theta$ est

$$dI = \frac{I_0}{2a}\left|\frac{u_q}{u_0}\right|^2 \frac{dq}{2\pi} = \frac{I_0}{\pi a k}\frac{\sin^2 ka\theta}{\theta^2}\,d\theta,$$

où $k = \omega/c$, I_0 étant l'intensité totale de la lumière tombant sur la fente. $dI/d\theta$, en tant que fonction de l'angle de diffraction, a la forme représentée sur la fig. 14. Lorsque θ augmente de part et d'autre de la valeur $\theta = 0$, l'intensité passe par une série de maxima dont les hauteurs diminuent rapidement. Les maxima sont séparés aux points $\theta = n\pi/ka$ (les n sont les entiers) par des minima, où l'intensité est nulle.

2. Même problème pour la diffraction par un réseau, écran plan traversé d'une série de fentes parallèles identiques (la largeur d'une fente est $2a$, la largeur de la bande opaque séparant deux fentes voisines $2b$, le nombre de fentes N).

S o l u t i o n. Choisissons le plan du réseau pour plan yz, l'axe des z étant dirigé parallèlement aux fentes. La diffraction aura lieu de nouveau dans le plan xy, et l'intégration dans (61,1) donne:

$$u_q = u'_q \sum_{n=0}^{N-1} e^{-2inqd} = u'_q \frac{1-e^{-2iNqd}}{1-e^{-2iqd}},$$

où $d = a+b$, et u'_q est le résultat de l'intégration faite sur une fente. Utilisant les résultats du problème 1, on obtient:

$$dI = \frac{I_0 a}{N\pi}\left(\frac{\sin Nqd}{\sin qd}\right)^2\left(\frac{\sin qa}{qa}\right)^2 dq = \frac{I_0}{N\pi a k}\left(\frac{\sin Nk\theta d}{\sin k\theta d}\right)^2 \frac{\sin^2 ka\theta}{\theta^2}\,d\theta$$

(I_0 étant l'intensité totale de la lumière traversant toutes les fentes).

Lorsque le nombre de fentes est grand ($N \to \infty$), cette formule peut être mise sous une autre forme. Pour les valeurs $q = \pi n/d$ (n entier) dI/dq a des maxima; au voisinage d'un tel maximum (c'est-à-dire pour $qd = n\pi + \varepsilon$, ε petit)

$$dI = I_0 a\left(\frac{\sin qa}{qa}\right)^2 \frac{\sin^2 N\varepsilon}{\pi N\varepsilon^2}\,dq.$$

Mais lorsque $N \to \infty$, on a la formule[1]

$$\lim_{N\to\infty} \frac{\sin^2 Nx}{\pi N x^2} = \delta(x).$$

[1]) Pour $x \neq 0$ la fonction à gauche de l'égalité est nulle, et, en vertu de formules connues dans la théorie des séries de Fourier,

$$\lim_{N\to\infty}\left(\frac{1}{\pi}\int_{-a}^{a} f(x)\,\frac{\sin^2 Nx}{Nx^2}\,dx\right) = f(0).$$

D'où l'on voit que les propriétés de cette fonction coïncident effectivement avec les propriétés de la « fonction » δ (voir note p. 97).

On a, par conséquent, au voisinage de tout maximum:

$$dI = I_0 \frac{a}{d} \left(\frac{\sin qa}{qa} \right)^2 \delta(\varepsilon)\, d\varepsilon,$$

c'est-à-dire que les maxima ont à la limite une largeur infiniment petite, et l'intensité totale de la lumière au n-ième maximum est

$$I^{(n)} = I_0 \frac{d}{\pi^2 a} \frac{\sin^2 (n\pi a/d)}{n^2} .$$

3. Déterminer la distribution de l'intensité en directions lorsqu'il y a diffraction de lumière tombant normalement sur une ouverture circulaire de rayon a.

S o l u t i o n. Introduisons les coordonnées cylindriques z, r, φ , l'axe des z passant par le centre de l'ouverture perpendiculairement à son plan. Il est évident que la diffraction est symétrique par rapport à l'axe des z, de sorte que le vecteur $\mathbf{q}$ a seulement une composante radiale $q_r = q = k\theta$. Comptant l'angle φ à partir de la direction de $\mathbf{q}$ et intégrant dans (61,1) sur le plan de l'ouverture, on trouve:

$$u_q = u_0 \int_0^a \int_0^{2\pi} e^{-iqr \cos \varphi} r\, d\varphi\, dr = 2\pi u_0 \int_0^a J_0(qr)\, r\, dr,$$

où J_0 est la fonction de Bessel d'ordre zéro. Utilisant la formule connue

$$\int_0^a J_0(qr)\, r\, dr = \frac{a}{q} J_1(aq),$$

nous avons:

$$u_q = \frac{2\pi u_0 a}{q} J_1(aq),$$

et en vertu de (61,4) on trouve en définitive l'intensité de la lumière diffractée dans l'élément d'angle solide do:

$$dI = I_0 \frac{J_1^2(ak\theta)}{\pi\theta^2}\, do,$$

où I_0 est l'intensité totale de la lumière tombant sur l'ouverture.

CHAPITRE VIII

CHAMP DE CHARGES EN MOUVEMENT

§ 62. Potentiels retardés

Au chapitre V nous avons étudié le champ constant créé par des charges au repos, et au chapitre VI un champ variable, mais en l'absence de charges. Nous allons étudier maintenant les champs variables en présence de charges animées de mouvements arbitraires.

Déduisons les équations déterminant les potentiels du champ créé par des charges en mouvement. Il est commode de procéder avec le formalisme quadridimensionnel en répétant la déduction faite à la fin du § 46, à cette différence près qu'on se servira des équations de Maxwell (30,2)

$$\frac{\partial F^{ik}}{\partial x^k} = -\frac{4\pi}{c} j^i$$

avec second membre. Un tel second membre apparaît aussi dans l'équation (46,8), et après qu'on a soumis les potentiels à la condition de Lorentz

$$\frac{\partial A^i}{\partial x^i} = 0, \text{ c'est-à-dire que } \frac{1}{c}\frac{\partial \varphi}{\partial t} + \operatorname{div} \mathbf{A} = 0, \tag{62,1}$$

on obtient :

$$\frac{\partial^2 A^i}{\partial x_k \partial x^k} = \frac{4\pi}{c} j^i. \tag{62,2}$$

Telle est l'équation déterminant les potentiels d'un champ électromagnétique arbitraire. Sous forme tridimensionnelle, elle se décompose en deux équations — respectivement pour $\mathbf{A}$ et φ :

$$\Delta \mathbf{A} - \frac{1}{c^2}\frac{\partial^2 \mathbf{A}}{\partial t^2} = -\frac{4\pi}{c}\mathbf{j}, \tag{62,3}$$

$$\Delta \varphi - \frac{1}{c^2}\frac{\partial^2 \varphi}{\partial t^2} = -4\pi\rho. \tag{62,4}$$

Pour un champ constant elles se réduisent aux équations que nous connaissons (36,4) et (43,4), et à des équations d'onde homogènes pour un champ variable sans charges.

La solution des équations linéaires avec seconds membres (62,3-4) peut être représentée, comme on sait, comme la somme de la solution de ces équations sans second membre et d'une intégrale particulière de ces équations avec second membre. Pour trouver cette intégrale particulière, divisons tout l'espace en des éléments infinitésimaux et déterminons le champ créé par une charge se trouvant dans un élément de volume. En vertu de la linéarité des équations le champ réel sera égal à la somme des champs créés par tous les éléments de ce genre.

La charge de dans l'élément de volume donné est, en général, une fonction du temps. Si l'on prend l'origine des coordonnées dans l'élément de volume considéré, alors la densité de charge est $\rho = de(t)\,\delta(\mathbf{R})$, où $\mathbf{R}$ est la distance à l'origine. De sorte que nous devons résoudre l'équation

$$\Delta\varphi - \frac{1}{c^2}\frac{\partial^2\varphi}{\partial t^2} = -4\pi\, de(t)\,\delta(\mathbf{R}). \tag{62,5}$$

$\delta(\mathbf{R})$ est nul partout sauf à l'origine des coordonnées, et on a l'équation

$$\Delta\varphi - \frac{1}{c^2}\frac{\partial^2\varphi}{\partial t^2} = 0. \tag{62,6}$$

Il est évident que dans le cas considéré φ est doué de symétrie centrale, c'est-à-dire qu'il est seulement fonction de R. Si l'on écrit, par conséquent, l'opérateur de Laplace en coordonnées sphériques, (62,6) prend la forme:

$$\frac{1}{R^2}\frac{\partial}{\partial R}\left(R^2\frac{\partial\varphi}{\partial R}\right) - \frac{1}{c^2}\frac{\partial^2\varphi}{\partial t^2} = 0.$$

Pour résoudre cette équation, faisons la substitution $\varphi = \chi(R, t)/R$. Nous obtenons alors pour χ:

$$\frac{\partial^2\chi}{\partial R^2} - \frac{1}{c^2}\frac{\partial^2\chi}{\partial t^2} = 0.$$

Mais c'est là l'équation des ondes planes, dont la solution est (cf. § 47):

$$\chi = f_1\left(t - \frac{R}{c}\right) + f_2\left(t + \frac{R}{c}\right).$$

Etant donné que nous cherchons seulement une intégrale particulière de l'équation, il suffit de retenir une seule des fonctions f_1 et f_2. Habituellement il est commode de prendre $f_2 = 0$ (voir plus bas). Alors le potentiel φ s'écrit partout, hormis l'origine:

$$\varphi = \frac{\chi\left(t - \frac{R}{c}\right)}{R}. \tag{62,7}$$

La fonction χ dans cette égalité est pour l'instant arbitraire; choisissons-la de manière à avoir une valeur exacte pour le potentiel aussi bien à l'origine des coordonnées. Autrement dit, on doit choisir χ de sorte que l'équation (62,5) soit satisfaite à l'origine. Il est facile de le faire, en remarquant que pour $R \to 0$ le potentiel lui-même tend vers l'infini et que, par conséquent, ses dérivées par rapport aux coordonnées croissent plus vite que les dérivées par rapport au temps. Par conséquent, pour $R \to 0$ on peut négliger dans l'équation (62,5) le terme $\frac{1}{c^2}\frac{\partial^2\varphi}{\partial t^2}$ en comparaison de $\Delta\varphi$. Alors. elle se réduit à l'équation déjà connue (36,9), conduisant à la loi de Coulomb. De sorte qu'au voisinage de l'origine la formule (62,7) doit se ramener à la loi de Coulomb, ce qui entraîne $\chi(t) = de(t)$, c'est-à-dire

$$\varphi = \frac{de\left(t - \frac{R}{c}\right)}{R} .$$

Il est facile de passer de là à la solution de l'équation (62,4) pour une distribution arbitraire des charges $\rho(x, y, z, t)$. A cet effet, il suffit d'écrire $de = \rho\, dV$ (dV est l'élément de volume) et d'intégrer dans tout l'espace. A la solution de l'équation non homogène (62,4) ainsi obtenue on peut ajouter encore la solution φ_0 de cette équation sans second membre. De sorte que la solution générale a la forme:

$$\varphi(\mathbf{r}, t) = \int \frac{1}{R}\rho\left(\mathbf{r}', t - \frac{R}{c}\right) dV' + \varphi_0, \qquad \mathbf{R} = \mathbf{r} - \mathbf{r}', \quad dV' = dx'\,dy'\,dz', \tag{62,8}$$

avec $\mathbf{r} = (x, y, z)$, $\mathbf{r}' = (x', y', z')$; R est la distance entre l'élément de volume dV et le « point d'observation » où l'on cherche la valeur du potentiel. Nous écrirons cette expression sous forme condensée:

$$\varphi = \int \frac{\rho_{t-R/c}}{R} dV + \varphi_0, \tag{62,9}$$

où l'indice $t - R/c$ signifie que la valeur de ρ doit être prise à l'instant $t - R/c$, le signe prime affectant dV étant omis.

On a d'une manière analogue pour le potentiel vecteur:

$$\mathbf{A} = \frac{1}{c}\int \frac{\mathbf{j}_{t-R/c}}{R} dV + \mathbf{A}_0, \tag{62,10}$$

où $\mathbf{A}_0$ est la solution de l'équation (62,3) sans le second membre.

Les expressions (62,9-10) (sans φ_0 et $\mathbf{A}_0$) sont appelées *potentiels retardés.*

Dans le cas de charges immobiles (c'est-à-dire où la densité ρ ne dépend pas du temps) la formule (62,9) se réduit à la formule déjà connue (36,8) pour le potentiel d'un champ électrostatique ; en ce qui concerne la formule (62,10), elle se réduit (après avoir pris la moyenne) dans le cas d'un mouvement stationnaire des charges à la formule (43,5) du potentiel vecteur d'un champ magnétique constant.

Les quantités φ_0 et $\mathbf{A}_0$ dans (62,9-10) seront déterminées de sorte que les conditions du problème soient satisfaites. A cet effet, il suffirait, évidemment, de se donner les conditions initiales, c'est-à-dire le champ à l'instant initial. Toutefois, on n'a pas habituellement affaire à de telles conditions initiales. On les remplace par des conditions à de grandes distances du système de charges pendant le temps tout entier. Plus précisément, on soumet le système à un rayonnement extérieur donné. Dans ces conditions, le champ qui résulte de l'interaction de ce système avec le rayonnement ne peut se distinguer du champ extérieur que par le rayonnement émis par le système. Un tel rayonnement émis par le système doit avoir aux grandes distances l'aspect d'une onde qui le fuit, c'est-à-dire se propageant dans le sens des R croissants. Mais les potentiels retardés satisfont précisément à cette condition. Ainsi, ces derniers représentent un champ issu du système, et φ_0 et $\mathbf{A}_0$ doivent être identifiés avec le champ extérieur agissant sur lui.

§ 63. Potentiels de Liénard-Wiechert

Déterminons les potentiels du champ créé par une charge ponctuelle accomplissant un mouvement donné sur sa trajectoire $\mathbf{r} = \mathbf{r}_0(t)$.

En vertu des formules des potentiels retardés le champ est déterminé au point d'observation $P(x, y, z)$ à l'instant t par l'état du mouvement de la charge à l'instant antérieur t', pour lequel le temps de propagation du signal lumineux du point où se trouve la charge $\mathbf{r}_0(t')$ au point d'observation P coïncide justement avec la différence $t - t'$. Soit $\mathbf{R}(t) = \mathbf{r} - \mathbf{r}_0(t)$ le rayon vecteur mené de la charge e au point P ; c'est, avec $\mathbf{r}_0(t)$, une fonction donnée du temps. Alors l'instant t' est déterminé par l'équation

$$t' + \frac{R(t')}{c} = t. \tag{63,1}$$

Pour chaque valeur de t cette équation n'a qu'une seule racine t' [1].

[1] Cette circonstance est assez évidente par elle-même, mais on peut aussi vérifier directement sa légitimité. Prenons à cet effet un point P de coordonnées x, y, z et un instant d'observation t pour origine O d'un système quadridimensionnel de coordonnées et construisons le cône de lumière (§ 2) de sommet en O. La nappe inférieure de ce cône, qui embrasse la région du « passé absolu »

Dans le référentiel où la particule est au repos à l'instant t', le champ au point d'observation à l'instant t est donné simplement par le potentiel coulombien, c'est-à-dire que

$$\varphi = \frac{e}{R(t')}, \quad \mathbf{A} = 0. \tag{63,2}$$

Les expressions des potentiels dans un référentiel arbitraire s'obtiennent à présent en écrivant un 4-vecteur qui, pour $\mathbf{v} = 0$, donnerait pour φ et $\mathbf{A}$ les valeurs (63,2). Notant que, eu égard à (63,1), l'expression (63,2) de φ peut encore s'écrire sous la forme :

$$\varphi = \frac{e}{c\,(t-t')},$$

on trouve que le 4-vecteur cherché est

$$A^i = e\frac{u^i}{R_k u^k}, \tag{63,3}$$

u^k étant la 4-vitesse de la charge, $R^k = [c\,(t - t'),\ \mathbf{r} - \mathbf{r}']$, et x', y', z', t' étant liés par la relation (63,1) ; celle-ci peut être notée sous la forme invariante :

$$R_k R^k = 0. \tag{63,4}$$

Passant de nouveau aux notations tridimensionnelles, on obtient pour les potentiels du champ créé par une charge animée d'un mouvement arbitraire les expressions suivantes :

$$\varphi = \frac{e}{\left(R - \frac{\mathbf{vR}}{c}\right)}, \quad \mathbf{A} = \frac{e\mathbf{v}}{c\left(R - \frac{\mathbf{vR}}{c}\right)}, \tag{63,5}$$

où $\mathbf{R}$ est le rayon vecteur mené du point où se trouve la charge au point d'observation P, et toutes les quantités dans les seconds membres des égalités devant être prises à l'instant t' défini par (63,1). Les potentiels du champ sous la forme (63,5) sont appelés *potentiels de Liénard-Wiechert*.

Pour calculer les champs électrique et magnétique d'après les formules

$$\mathbf{E} = -\frac{1}{c}\frac{\partial \mathbf{A}}{\partial t} - \operatorname{grad}\varphi, \quad \mathbf{H} = \operatorname{rot}\mathbf{A},$$

(relativement à l'événement O) est le lieu géométrique des points d'univers tels qu'un signal lumineux émis par ces points atteint le point d'univers O. Pour ce qui est des points d'intersection de cette hypersurface avec la ligne d'univers du mouvement de la charge, ils correspondent précisément aux racines de (63,1). Mais comme la vitesse d'une particule est toujours inférieure à celle de la lumière, sa ligne d'univers est en tout point plus inclinée sur l'axe des temps que le cône de lumière. Il en résulte que la ligne d'univers de la particule ne peut couper la nappe inférieure du cône lumineux qu'en un seul point.

il faut dériver φ et $\mathbf{A}$ par rapport aux coordonnées x, y, z du point et au temps t d'observation. Or, les formules (63,5) expriment les potentiels en fonction de t', et seulement au moyen des relations (63,1) comme fonctions implicites de x, y, z, t. Il faudra donc pour calculer les dérivées cherchées, calculer préalablement les dérivées par rapport à t'. Dérivons la relation $R(t') = c(t - t')$ par rapport à t; nous avons:

$$\frac{\partial R}{\partial t} = \frac{\partial R}{\partial t'}\frac{\partial t'}{\partial t} = -\frac{\mathbf{Rv}}{R}\frac{\partial t'}{\partial t} = c\left(1 - \frac{\partial t'}{\partial t}\right)$$

(on obtient l'expression de $\partial R/\partial t'$ en dérivant l'identité $R^2 = \mathbf{R}^2$ et en substituant $\partial \mathbf{R}(t')/\partial t' = -\mathbf{v}(t')$; le signe moins provient de ce que $\mathbf{R}$ est le rayon vecteur mené de la charge e au point P, et non pas l'inverse). D'où

$$\frac{\partial t'}{\partial t} = \frac{1}{1 - \frac{\mathbf{vR}}{Rc}}. \tag{63,6}$$

D'une manière analogue, on obtient en dérivant les mêmes relations par rapport aux coordonnées:

$$\operatorname{grad} t' = -\frac{1}{c}\operatorname{grad} R(t') = -\frac{1}{c}\left(\frac{\partial R}{\partial t'}\operatorname{grad} t' + \frac{\mathbf{R}}{R}\right),$$

d'où

$$\operatorname{grad} t' = -\frac{\mathbf{R}}{c\left(R - \frac{\mathbf{Rv}}{c}\right)}. \tag{63,7}$$

A l'aide de ces formules, il n'est pas difficile de calculer les champs $\mathbf{E}$ et $\mathbf{H}$. Omettant les calculs intermédiaires, nous donnons le résultat obtenu:

$$\mathbf{E} = e\frac{1 - \frac{v^2}{c^2}}{\left(R - \frac{\mathbf{Rv}}{c}\right)^3}\left(\mathbf{R} - \frac{\mathbf{v}}{c}R\right) + \frac{e}{c^2\left(R - \frac{\mathbf{Rv}}{c}\right)^3}\mathbf{R} \times$$

$$\times\left\{\left(\mathbf{R} - \frac{\mathbf{v}}{c}R\right) \times \dot{\mathbf{v}}\right\}, \tag{63,8}$$

$$\mathbf{H} = \frac{1}{R}\mathbf{R} \times \mathbf{E}. \tag{63,9}$$

On a ici $\dot{\mathbf{v}} = \partial\mathbf{v}/\partial t'$; toutes les quantités dans les seconds membres des égalités sont prises à l'instant t'. Il est intéressant de remarquer que le champ magnétique est partout perpendiculaire au champ électrique.

Le champ électrique (63,8) est formé de deux parties de caractères différents. Le premier terme dépend seulement de la vitesse de la particule (mais non pas de son accélération) et varie aux grandes distances comme $1/R^2$. Le second terme dépend de l'accélération et varie comme $1/R$ pour les R grands. Nous verrons plus bas (§ 66) que ce dernier terme est lié aux ondes électromagnétiques rayonnées par la particule.

Le premier terme, qui est indépendant de l'accélération, doit correspondre au champ créé par une charge en mouvement uniforme. En effet, la vitesse étant constante, la différence

$$\mathbf{R}_{t'} - \frac{\mathbf{v}}{c} R_{t'} = \mathbf{R}_{t'} - \mathbf{v}(t - t')$$

est la distance $\mathbf{R}_t$ de la charge au point d'observation à cet instant. Il est facile de s'assurer par une vérification directe que

$$R_{t'} - \frac{1}{c} \mathbf{R}_{t'} \mathbf{v} = \sqrt{R_t^2 - \frac{1}{c^2} (\mathbf{v} \times \mathbf{R}_t)^2} = R_t \sqrt{1 - \frac{v^2}{c^2} \sin^2 \theta_t},$$

où θ_t est l'angle entre $\mathbf{R}_t$ et $\mathbf{v}$. En définitive, on trouve que le premier terme dans (63,8) coïncide avec l'expression (38,8).

Problème

Déduire les potentiels de Liénard-Wiechert par intégration dans les formules (62,9-10).

Solution. Ecrivons la formule (62,8) sous la forme:

$$\varphi(\mathbf{r}, t = \int \int \frac{\rho(\mathbf{r}', \tau)}{|\mathbf{r} - \mathbf{r}'|} \delta\left(\tau - t + \frac{1}{c} |\mathbf{r} - \mathbf{r}'|\right) d\tau \, dV'$$

[et de même pour $\mathbf{A}(\mathbf{r}, t)$], en y introduisant la fonction δ, qui a pour effet d'éliminer les arguments implicites dans la fonction ρ. Pour une charge ponctuelle décrivant une trajectoire donnée $\mathbf{r} = \mathbf{r}_0(t)$, on a:

$$\rho(\mathbf{r}', \tau) = e\delta[\mathbf{r}' - \mathbf{r}_0(\tau)].$$

Substituant cette expression et intégrant sur dV', il vient:

$$\varphi(\mathbf{r}, t) = e \int \frac{d\tau}{|\mathbf{r} - \mathbf{r}_0(\tau)|} \delta\left[\tau - t + \frac{1}{c} |\mathbf{r} - \mathbf{r}_0(\tau)|\right].$$

On intègre sur $d\tau$ à l'aide de la formule

$$\delta[F(\tau)] = \frac{\delta(\tau - t')}{F'(t')}$$

[t' étant la racine de l'équation $F(t') = 0$] et on obtient la formule (63,5).

§ 64. Décomposition spectrale des potentiels retardés

Le champ créé par des charges en mouvement peut être décomposé en ondes monochromatiques. Les potentiels d'une composante monochromatique prise séparément s'écrivent $\varphi_\omega e^{-i\omega t}$, $\mathbf{A}_\omega e^{-i\omega t}$. Les densités de charge et de courant du système donnant naissance au champ peuvent être également l'objet d'une décomposition spectrale. Il est clair qu'une composante monochromatique déterminée du champ est créée par les composantes correspondantes de ρ et $\mathbf{j}$.

Pour exprimer les composantes spectrales du champ en fonction des composantes des densités de charge et de courant, substituons dans (62,9) au lieu de φ et ρ respectivement $\varphi_\omega e^{-i\omega t}$ et $\rho_\omega e^{-i\omega t}$. On trouve alors:

$$\varphi_\omega e^{-i\omega t} = \int \rho_\omega \frac{e^{-i\omega(t-R/c)}}{R} dV.$$

Divisant les deux membres par $e^{-i\omega t}$ et introduisant la valeur absolue du vecteur d'onde $k=\omega/c$, nous obtenons:

$$\varphi_\omega = \int \rho_\omega \frac{e^{ikR}}{R} dV. \tag{64,1}$$

On obtient d'une manière analogue pour $\mathbf{A}_\omega$:

$$\mathbf{A}_\omega = \int \mathbf{j}_\omega \frac{e^{ikR}}{cR} dV. \tag{64,2}$$

Notons que la formule (64,1) représente la généralisation de la solution de l'équation de Poisson pour une équation plus générale de la forme:

$$\Delta\varphi_\omega + k^2\varphi_\omega = -4\pi\rho_\omega \tag{64,3}$$

(déduite de l'équation (62,4) lorsque ρ, φ dépendent du temps par l'intermédiaire du facteur $e^{-i\omega t}$).

Dans le développement en intégrale de Fourier la composante de Fourier de la densité de charge est

$$\rho_\omega = \int_{-\infty}^{+\infty} \rho e^{i\omega t} dt.$$

Substituant cette expression dans (64,1), on trouve:

$$\varphi_\omega = \int_{-\infty}^{+\infty} \int \frac{\rho}{R} e^{i(\omega t + kR)} dV\, dt. \tag{64,4}$$

Ici, il faut encore passer d'une distribution continue de la densité de charge à des charges ponctuelles, du mouvement desquelles il est virtuellement question. Ainsi, si l'on a en tout une seule charge ponctuelle, on pose :

$$\rho = e\delta\,[\mathbf{r} - \mathbf{r}_0(t)],$$

où $\mathbf{r}_0(t)$ est le rayon vecteur de la charge, qui est une fonction donnée du temps. Substituant cette expression dans (64,4) et intégrant selon dV [ce qui revient à remplacer $\mathbf{r}$ par $\mathbf{r}_0(t)$], on obtient :

$$\varphi_\omega = e \int_{-\infty}^{+\infty} \frac{1}{R(t)} e^{i\omega[t+R(t)/c]}\, dt, \qquad (64,5)$$

où maintenant $R(t)$ est la distance de la particule en mouvement au point d'observation. D'une manière analogue, on obtient pour le potentiel vecteur :

$$\mathbf{A}_\omega = \frac{e}{c} \int_{-\infty}^{+\infty} \frac{\mathbf{v}(t)}{R(t)} e^{i\omega[t+R(t)/c]}\, dt, \qquad (64,6)$$

où $\mathbf{v} = \dot{\mathbf{r}}_0(t)$ est la vitesse de la particule.

Des formules analogues à (64,5-6) peuvent être écrites aussi dans le cas où le développement spectral des densités de charge et de courant contient une série discrète de fréquences. Ainsi, pour le mouvement périodique (de période $T = 2\pi/\omega_0$) d'une charge ponctuelle, la décomposition spectrale du champ ne contient que des fréquences de la forme $n\omega_0$ et les composantes correspondantes du potentiel vecteur sont

$$\mathbf{A}_n = \frac{e}{cT} \int_0^T \frac{\mathbf{v}(t)}{R(t)} e^{in\omega_0[t+R(t)/c]}\, dt \qquad (64,7)$$

(et d'une manière analogue pour φ_n). Dans les cas (64,6-7) les composantes de Fourier sont déterminées conformément au § 49.

Problème

Décomposer le champ d'une charge en mouvement rectiligne uniforme en ondes planes.

Solution. Nous procéderons comme au § 51. Ecrivons la densité de charge sous la forme $\rho = e\delta(\mathbf{r} - \mathbf{v}t)$, où $\mathbf{v}$ est la vitesse de la particule. Prenant la composante de Fourier de l'équation $\Box\varphi = -4\pi e\delta(\mathbf{r} - \mathbf{v}t)$, on trouve :

$$(\Box\varphi)_{\mathbf{k}} = -4\pi e \cdot e^{-i(\mathbf{vk})t}.$$

Par ailleurs, de

$$\varphi = \int e^{i\mathbf{kr}} \varphi_{\mathbf{k}} \frac{d^3k}{(2\pi)^3}$$

nous avons :

$$(\square\,\varphi)_{\mathbf{k}} = -k^2\varphi_{\mathbf{k}} - \frac{1}{c^2}\frac{\partial^2\varphi_{\mathbf{k}}}{\partial t^2}.$$

De sorte que

$$\frac{1}{c^2}\frac{\partial^2\varphi_{\mathbf{k}}}{\partial t^2} + k^2\varphi_{\mathbf{k}} = 4\pi e\cdot e^{-i(\mathbf{kv})t},$$

d'où en définitive :

$$\varphi_{\mathbf{k}} = 4\pi e\,\frac{e^{-i(\mathbf{kv})t}}{k^2 - \left(\frac{\mathbf{kv}}{c}\right)^2}.$$

Ceci montre qu'une onde du vecteur d'onde $\mathbf{k}$ possède la fréquence $\omega = \mathbf{kv}$.

On trouve d'une manière analogue pour le potentiel vecteur :

$$\mathbf{A}_{\mathbf{k}} = \frac{4\pi e}{c}\,\frac{\mathbf{v}e^{-i(\mathbf{kv})t}}{k^2 - \left(\frac{\mathbf{kv}}{c}\right)^2}.$$

On a, enfin, pour le champ :

$$\mathbf{E}_{\mathbf{k}} = -i\mathbf{k}\varphi_{\mathbf{k}} + \frac{i(\mathbf{kv})}{c}\mathbf{A}_{\mathbf{k}} = i4\pi e\,\frac{-\mathbf{k} + \frac{(\mathbf{kv})\,\mathbf{v}}{c^2}}{k^2 - \left(\frac{\mathbf{kv}}{c}\right)^2}\,e^{-i(\mathbf{kv})t},$$

$$\mathbf{H}_{\mathbf{k}} = i\mathbf{k}\times\mathbf{A}_{\mathbf{k}} = i\,\frac{4\pi e}{c}\,\frac{\mathbf{k}\times\mathbf{v}}{k^2 - \left(\frac{\mathbf{kv}}{c}\right)^2}\,e^{-i(\mathbf{kv})t}.$$

§ 65. Fonction de Lagrange limitée aux termes du second ordre

En mécanique classique un système de particules en interaction peut être décrit à l'aide d'une fonction de Lagrange dépendant seulement des coordonnées et des vitesses de ces particules (à un seul et même instant). Une telle possibilité est due, somme toute, à la circonstance qu'en mécanique la vitesse de propagation des interactions est supposée infinie.

Nous savons déjà qu'en vertu de la limitation de la vitesse de transmission des interactions le champ doit être considéré comme un système indépendant, possédant ses propres « degrés de liberté ». Il en résulte que si l'on a un système de particules en interaction (de charges), on doit pour décrire ce système le considérer comme étant constitué par ces particules et le champ. Ceci étant, quand on tient compte de la limitation de la vitesse de transmission des interactions, il est impossible de donner une description rigoureuse d'un système de particules en interaction au moyen d'une fonction de

Lagrange dépendant seulement des coordonnées et des vitesses des particules et ne contenant aucune grandeur liée avec les « degrés de liberté » propres du champ.

Toutefois, lorsque les vitesses v de toutes les particules sont petites par rapport à la vitesse de la lumière, alors le système de charges peut être décrit au moyen d'une certaine fonction de Lagrange approchée. En outre, il apparaît possible d'introduire la fonction de Lagrange décrivant le système non pas forcément en faisant abstraction de toutes les puissances de v/c (fonction de Lagrange classique), mais en se limitant aux termes d'ordre v^2/c^2. Cette dernière circonstance est due au fait que le rayonnement d'ondes électromagnétiques par les particules en mouvement (et, partant, la naissance d'un champ « indépendant ») n'apparaît qu'en troisième approximation en v/c (cf. ci-dessous, § 67) [1].

Remarquons préalablement qu'à l'approximation zéro, c'est-à-dire quand on omet complètement le retard des potentiels, la fonction de Lagrange pour un système de charges s'écrit :

$$L^{(0)} = \sum_a \frac{m_a v_a^2}{2} - \sum_{a>b} \frac{e_a e_b}{R_{ab}} \tag{65,1}$$

(la sommation est étendue aux charges constituant le système). Le second terme est l'énergie potentielle d'interaction telle qu'elle serait pour des charges immobiles.

Pour obtenir l'approximation suivante, procédons ainsi. La fonction de Lagrange pour une charge e_a se trouvant dans un champ extérieur est

$$L_a = -mc^2 \sqrt{1 - \frac{v_a^2}{c^2}} - e_a \varphi + \frac{e_a}{c} \mathbf{A} \mathbf{v}_a. \tag{65,2}$$

Choisissant une charge quelconque du système, nous définirons les potentiels du champ créé par toutes les autres charges au point où se trouve la première et nous les exprimerons en fonction des coordonnées et des vitesses des charges créant ce champ (justement, ceci ne peut être fait qu'approximativement : φ étant limité aux termes de l'ordre de v^2/c^2 et $\mathbf{A}$ aux termes de l'ordre de v/c). Substituant les expressions ainsi obtenues pour les potentiels dans l'expression de L_a donnée ci-dessus, on obtient la fonction de Lagrange pour l'une des charges du système (le mouvement des autres étant donné). D'où l'on peut trouver sans difficulté L pour le système tout entier.

---

[1] Dans des cas particuliers, l'apparition du rayonnement peut être repoussée à la cinquième approximation en v/c ; dans ce cas, il existe une fonction de Lagrange aux termes du cinquième ordre près en v/c (cf. prob. 2 § 75).

Nous partirons des expressions des potentiels retardés:

$$\varphi = \int \frac{\rho_{t-R/c}}{R} dV, \quad \mathbf{A} = \frac{1}{c} \int \frac{\mathbf{j}_{t-R/c}}{R} dV.$$

Si les vitesses de toutes les charges sont petites par rapport à la vitesse de la lumière, alors la distribution des charges ne varie pas notablement pendant le temps R/c. Par conséquent, on peut développer $\rho_{t-R/c}$ et $\mathbf{j}_{t-R/c}$ en série des puissances de R/c. On trouve ainsi pour le potentiel scalaire, aux termes du troisième ordre près:

$$\varphi = \int \frac{\rho \, dV}{R} - \frac{1}{c} \frac{\partial}{\partial t} \int \rho \, dV + \frac{1}{2c^2} \frac{\partial^2}{\partial t^2} \int R\rho \, dV$$

(ρ sans indices est pris à l'instant t; on peut évidemment sortir les signes de dérivation par rapport au temps de sous le signe somme). Mais $\int \rho \, dV$ est la charge totale constante du système. Il en résulte que le second terme dans l'expression obtenue est nul, de sorte que

$$\varphi = \int \frac{\rho \, dV}{R} + \frac{1}{2c^2} \frac{\partial^2}{\partial t^2} \int R\rho \, dV. \tag{65,3}$$

On peut procéder de la même façon pour $\mathbf{A}$. Mais l'expression du potentiel vecteur en fonction de la densité de courant contient déjà $1/c$, et après substitution dans la fonction de Lagrange est multipliée encore une fois par $1/c$. Etant donné que nous cherchons la fonction de Lagrange aux termes du troisième ordre près, il suffit dans le développement de $\mathbf{A}$ de se borner au premier terme, c'est-à-dire

$$\mathbf{A} = \frac{1}{c} \int \frac{\rho \mathbf{v}}{R} dV \tag{65,4}$$

(nous avons substitué $\mathbf{j} = \rho \mathbf{v}$).

Supposons en premier lieu que le champ soit créé par une seule charge ponctuelle e. Nous avons alors de (65,3) et (65,4):

$$\varphi = \frac{e}{R} + \frac{e}{2c^2} \frac{\partial^2 R}{\partial t^2}, \quad \mathbf{A} = \frac{e\mathbf{v}}{cR}, \tag{65,5}$$

où R est la distance à la charge.

Prenons au lieu de φ et $\mathbf{A}$ d'autres potentiels φ' et $\mathbf{A}'$ et effectuons la transformation de jauge (cf. § 18):

$$\varphi' = \varphi - \frac{1}{c} \frac{\partial f}{\partial t}, \quad \mathbf{A}' = \mathbf{A} + \operatorname{grad} f,$$

où l'on prend pour f la fonction

$$f = \frac{e}{2c} \frac{\partial R}{\partial t}.$$

Il vient alors[1]:

$$\varphi' = \frac{e}{R}, \quad \mathbf{A}' = \frac{e\mathbf{v}}{cR} + \frac{e}{2c} \nabla \frac{\partial R}{\partial t}.$$

Pour calculer $\mathbf{A}'$, remarquons que $\nabla \frac{\partial R}{\partial t} = \frac{\partial}{\partial t} \nabla R$. L'opération ∇ est appliquée ici aux coordonnées du point d'observation, où l'on cherche la valeur de $\mathbf{A}'$. Il en résulte que le gradient ∇R est égal au vecteur unité $\mathbf{n}$ dirigé de la charge e au point d'observation, de sorte que

$$\mathbf{A}' = \frac{e\mathbf{v}}{cR} + \frac{e}{2c} \dot{\mathbf{n}}.$$

Puis écrivons :

$$\dot{\mathbf{n}} = \frac{\partial}{\partial t} \left(\frac{\mathbf{R}}{R} \right) = \frac{\dot{\mathbf{R}}}{R} - \frac{\mathbf{R}\dot{R}}{R^2}.$$

Mais la dérivée $-\dot{\mathbf{R}}$, le point d'observation étant donné, est la vitesse $\mathbf{v}$ de la charge, et on détermine facilement la dérivée $\dot{R}$ en dérivant l'identité $R^2 = \mathbf{R}^2$, c'est-à-dire en écrivant :

$$R\dot{R} = \mathbf{R}\dot{\mathbf{R}} = -\mathbf{R}\mathbf{v}.$$

De sorte que

$$\dot{\mathbf{n}} = \frac{-\mathbf{v} + \mathbf{n}(\mathbf{n}\mathbf{v})}{R}.$$

Substituant cette expression de $\mathbf{A}'$, nous obtenons en définitive :

$$\varphi' = \frac{e}{R}, \quad \mathbf{A}' = \frac{e[\mathbf{v} + (\mathbf{v}\mathbf{n})\,\mathbf{n}]}{2cR}. \tag{65,6}$$

Lorsque le champ est créé non par une charge mais par plusieurs, il faut, évidemment, sommer ces expressions par rapport à toutes les charges.

Les substituant ensuite dans (65,2), on trouve la fonction de Lagrange L_a de la charge e_a (le mouvement de toutes les autres charges étant donné). Il faudra alors développer aussi le premier terme dans (65,2) en puissances de v_a/c, en se limitant aux termes du second ordre. De sorte qu'on trouve :

$$L_a = \frac{m_a v_a^2}{2} + \frac{1}{8} \frac{m_a v_a^4}{c^2} - e_a \sum_b{}' \frac{e_b}{R_{ab}} + \\ + \frac{e_a}{2c^2} \sum_b{}' \frac{e_b}{R_{ab}} [\mathbf{v}_a \mathbf{v}_b + (\mathbf{v}_a \mathbf{n}_{ab})(\mathbf{v}_b \mathbf{n}_{ab})]$$

[1] Ces potentiels ne vérifient plus la condition de Lorentz (62,1), et donc les équations (62,3-4) non plus.

(la sommation est étendue à toutes les charges, sauf e_a ; $\mathbf{n}_{ab}$ est le vecteur unité de la direction de e_a à e_b).

D'où il n'est plus difficile de trouver la fonction de Lagrange pour le système tout entier. On conçoit aisément que cette fonction ne soit pas égale à la somme L_a pour toutes les charges, mais qu'elle ait la forme:

$$L = \sum_a \frac{m_a v_a^2}{2} + \sum_a \frac{m_a v_a^4}{8c^2} - \sum_{a>b} \frac{e_a e_b}{R_{ab}} + \\ + \sum_{a>b} \frac{e_a e_b}{2c^2 R_{ab}} [\mathbf{v}_a \mathbf{v}_b + (\mathbf{v}_a \mathbf{n}_{ab})(\mathbf{v}_b \mathbf{n}_{ab})]. \quad (65,7)$$

En effet, pour chacune des charges, le mouvement des autres charges étant donné, cette fonction devient la fonction L_a écrite ci-dessus. L'expression (65,7) est la fonction de Lagrange cherchée du système de charges aux termes du troisième ordre près (obtenue pour la première fois par *Darwin*, 1922).

Enfin, déterminons encore la fonction d'Hamilton pour un système de charges avec la même approximation. On pourrait procéder en appliquant les règles générales permettant de trouver $\mathcal{H}$ d'après L ; cependant, il est plus simple de procéder comme suit. Les deuxième et quatrième termes dans (65,7) représentent une petite correction à $L^{(0)}$ (65,1). Par ailleurs, on sait de la mécanique que L et $\mathcal{H}$ variant peu, leurs accroissements ont la même valeur absolue et des signes contraires (la variation de L étant considérée pour des coordonnées et des vitesses données, et la variation de $\mathcal{H}$ pour des coordonnées et des impulsions données; cf. I § 40).

On peut, par conséquent, écrire $\mathcal{H}$ immédiatement, déduisant de

$$\mathcal{H}^{(0)} = \sum_a \frac{p_a^2}{2m_a} + \sum_{a>b} \frac{e_a e_b}{R_{ab}}$$

les mêmes second et quatrième termes de (65,7), en y remplaçant préalablement les vitesses par les impulsions en se servant des relations de première approximation $\mathbf{v}_a = \mathbf{p}_a/m_a$. De sorte que

$$\mathcal{H} = \sum_a \frac{p_a^2}{2m_a} + \sum_{a>b} \frac{e_a e_b}{R_{ab}} - \sum_a \frac{p_a^4}{8c^2 m_a^3} - \\ - \sum_{a>b} \frac{e_a e_b}{2c^2 m_a m_b R_{ab}} [\mathbf{p}_a \mathbf{p}_b + (\mathbf{p}_a \mathbf{n}_{ab})(\mathbf{p}_b \mathbf{n}_{ab})]. \quad (65,8)$$

Problèmes

1. Déterminer (aux termes du troisième ordre près) le centre d'inertie d'un système de particules en interaction.

Solution. Le problème se résout le plus simplement par application de la formule

$$\mathbf{R}=\frac{\sum\limits_a \mathscr{E}_a\mathbf{r}_a+\int W\mathbf{r}\,dV}{\sum\limits_a \mathscr{E}_a+\int W\,dV}$$

[cf. (14,6)], où $\mathscr{E}_a$ est l'énergie cinétique de la particule (y compris son énergie de repos) et W la densité d'énergie du champ créé par les particules. Etant donné que les $\mathscr{E}_a$ contiennent les quantités grandes m_ac^2, il suffit pour obtenir l'approximation suivante de retenir dans $\mathscr{E}_a$ et W seulement les termes ne contenant pas c, c'est-à-dire l'énergie cinétique non relativiste des particules et l'énergie du champ électrostatique. On a :

$$\int W\mathbf{r}\,dV=\frac{1}{8\pi}\int E^2\mathbf{r}\,dV=\frac{1}{8\pi}\int(\nabla\varphi)^2\,\mathbf{r}\,dV=$$
$$=\frac{1}{8\pi}\int\left(d\mathbf{f}\nabla\frac{\varphi^2}{2}\right)\mathbf{r}-\frac{1}{8\pi}\int\nabla\frac{\varphi^2}{2}\,dV-\frac{1}{8\pi}\int\varphi\Delta\varphi\cdot\mathbf{r}\,dV\,;$$

l'intégrale étendue à la surface à l'infini s'évanouit ; la seconde intégrale se transforme également en intégrale de surface et s'évanouit aussi, et dans la troisième on substitue $\Delta\varphi=-4\pi\rho$. Cela donne :

$$\int W\mathbf{r}\,dV=\frac{1}{2}\int\rho\varphi\mathbf{r}\,dV=\frac{1}{2}\sum_a e_a\varphi_a\mathbf{r}_a,$$

où φ_a est le potentiel créé au point $\mathbf{r}_a$ par toutes les charges, sauf e_a [1].

On trouve en définitive :

$$\mathbf{R}=\frac{1}{\mathscr{E}}\sum_a\mathbf{r}_a\left(m_ac^2+\frac{p_a^2}{2m_a}+\frac{e_a}{2}\sum_b{}'\,\frac{e_b}{R_{ab}}\right)$$

(sommation par rapport à tous les b, sauf $b=a$), où

$$\mathscr{E}=\sum_a\left(m_ac^2+\frac{p_a^2}{2m_a}+\sum_{a>b}\frac{e_ae_b}{R_{ab}}\right)$$

est l'énergie totale du système. Ainsi, à l'approximation considérée, les coordonnées du centre d'inertie peuvent être exprimées effectivement en fonction des quantités se rapportant uniquement aux particules.

2. Ecrire la fonction d'Hamilton en deuxième approximation pour un système de deux particules, en y excluant le mouvement du système considéré comme un tout.

Solution. Prenons un référentiel dans lequel la somme des impulsions des deux particules est nulle. Ecrivant les impulsions comme dérivées de l'ac-

---

[1] L'exclusion du champ propre des particules correspond à la « renormalisation » des masses (voir note p. 123).

tion, nous avons:

$$\mathbf{p}_1 + \mathbf{p}_2 = \frac{\partial S}{\partial \mathbf{r}_1} + \frac{\partial S}{\partial \mathbf{r}_2} = 0.$$

Ce qui montre que, dans le référentiel considéré, l'action est une fonction de la différence $\mathbf{r} = \mathbf{r}_2 - \mathbf{r}_1$ des rayons vecteurs des deux particules. On a, par conséquent, $\mathbf{p}_2 = -\mathbf{p}_1 = \mathbf{p}$, où $\mathbf{p} = \partial S / \partial \mathbf{r}$ est l'impulsion du mouvement relatif des particules.

La fonction d'Hamilton est

$$\mathcal{H} = \frac{p^2}{2}\left(\frac{1}{m_1} + \frac{1}{m_2}\right) + \frac{e_1 e_2}{r} - \frac{p^4}{8c^2}\left(\frac{1}{m_1^3} + \frac{1}{m_2^3}\right) + \frac{e_1 e_2}{2 m_1 m_2 c^2 r}\,[p^2 + (\mathbf{p}\mathbf{n})^2].$$

CHAPITRE IX

RAYONNEMENT D'ONDES ÉLECTROMAGNÉTIQUES

§ 66. Champ d'un système de charges aux grandes distances

Considérons le champ créé par un système de charges en mouvement à des distances grandes par rapport aux dimensions propres du système.

Choisissons l'origine des coordonnées en un point quelconque O à l'intérieur du système de charges. Soient $\mathbf{R}_0$ le rayon vecteur mené de O au point d'observation P du champ et $\mathbf{n}$ le vecteur unité de cette direction. Soient encore $\mathbf{r}$ le rayon vecteur de l'élément de charge $de = \rho\, dV$ et $\mathbf{R}$ le rayon vecteur joignant de au point P ; il est évident que $\mathbf{R} = \mathbf{R}_0 - \mathbf{r}$.

A de grandes distances du système $R_0 \gg r$ et on a approximativement :

$$R = |\mathbf{R}_0 - \mathbf{r}| \approx R_0 - \mathbf{nr}.$$

Substituons ceci dans les formules (62, 9-10) des potentiels retardés. Dans les dénominateurs des expressions sous les signes d'intégration, on peut négliger $\mathbf{rn}$ par rapport à R_0. On ne pourra pas négliger ce terme dans $t - R/c$ en général ; une telle possibilité est déterminée ici non pas par les grandeurs relatives de R_0/c et $\mathbf{rn}/c$, mais par les variations de ρ et $\mathbf{j}$ pendant le temps $\mathbf{rn}/c$. Etant donné que pendant l'intégration R_0 est une constante et qu'on peut le sortir de sous le signe somme, on trouve pour les potentiels du champ à de grandes distances du système de charges les expressions suivantes :

$$\varphi = \frac{1}{R_0} \int \rho_{t - \frac{R_0}{c} + \frac{\mathbf{rn}}{c}}\, dV, \tag{66,1}$$

$$\mathbf{A} = \frac{1}{cR_0} \int \mathbf{j}_{t - \frac{R_0}{c} + \frac{\mathbf{rn}}{c}}\, dV. \tag{66,2}$$

A des distances suffisamment grandes du système, le champ peut être considéré, dans des régions assez petites, comme une onde plane. Il faut à cet effet que les distances soient grandes non seulement par rapport aux dimensions du système, mais encore par rapport aux longueurs des ondes électromagnétiques rayonnées par le système. Une telle région est dite *zone d'ondes* de rayonnement.

Dans une onde plane les champs **E** et **H** sont liés entre eux par la relation (47,4) $\mathbf{E} = \mathbf{H} \times \mathbf{n}$. Etant donné que $\mathbf{H} = \text{rot}\,\mathbf{A}$, il suffit pour déterminer complètement le champ dans la zone d'ondes de calculer seulement le potentiel vecteur. Nous avons dans une onde plane $\mathbf{H} = \dot{\mathbf{A}} \times \mathbf{n}/c$ [cf. (47,3)], où le point sur une lettre indique la dérivation par rapport au temps [1]. Ainsi, connaissant **A**, on trouve **H** et **E** d'après les formules [2]

$$\mathbf{H} = \frac{1}{c}\dot{\mathbf{A}} \times \mathbf{n}, \quad \mathbf{E} = \frac{1}{c}(\dot{\mathbf{A}} \times \mathbf{n}) \times \mathbf{n}. \tag{66,3}$$

Notons qu'aux grandes distances le champ est inversement proportionnel à la distance R_0 au système rayonnant. Il faut noter de même que le temps t entre dans les expressions (66,1-3) partout en combinaison $t - R_0/c$ avec la distance R_0.

Pour le rayonnement d'une charge ponctuelle en mouvement arbitraire il est commode d'avoir recours aux potentiels de Liénard-Wiechert. A des distances grandes on peut remplacer dans la formule (63,5) le rayon vecteur variable **R** par la quantité constante $\mathbf{R}_0$, et il faut poser dans la condition (63,1) déterminant t_1 $R = R_0 - \mathbf{r}_0\mathbf{n}$ [$\mathbf{r}_0(t)$ est le rayon vecteur de la charge]. De sorte que [3]

$$\mathbf{A} = \frac{e\mathbf{v}(t')}{cR_0\left(1 - \frac{\mathbf{n}\mathbf{v}(t')}{c}\right)}, \tag{66,4}$$

où t' est déterminé par l'égalité

$$t' - \frac{1}{c}\mathbf{r}_0(t')\,\mathbf{n} = t - \frac{R_0}{c}. \tag{66,5}$$

Les ondes électromagnétiques rayonnées par le système emportent avec elles une énergie déterminée. Le flux d'énergie est donné par le vecteur de Poynting, qui est dans une onde plane

$$\mathbf{S} = c\,\frac{H^2}{4\pi}\,\mathbf{n}.$$

---

[1] On peut aussi vérifier directement cette formule dans le cas donné en calculant le rotationnel de l'expression (66,2), les termes en $1/R_0^2$ étant négligés par rapport au terme $\sim 1/R_0$.

[2] La formule $\mathbf{E} = -\dot{\mathbf{A}}/c$ [cf. (47,3)] n'est pas applicable ici, étant donné que les potentiels φ, **A** ne vérifient pas les conditions supplémentaires auxquelles ils étaient assujettis au § 47.

[3] Dans la formule (63,8) pour un champ électrique l'approximation examinée se traduit par le fait qu'on néglige le premier terme par rapport au second.

On détermine l'intensité dI du rayonnement dans l'élément d'angle solide do comme la quantité d'énergie traversant en l'unité de temps l'élément $df = R_0^2 do$ d'une surface sphérique de centre à l'origine des coordonnées et de rayon R_0. Cette quantité est égale, il est évident, à la densité du flux d'énergie S multipliée par df, c'est-à-dire que l'on a:

$$dI = c \frac{H^2}{4\pi} R_0^2 do. \tag{66,6}$$

Etant donné que le champ H est inversement proportionnel à R_0, on voit que la quantité d'énergie rayonnée par le système en l'unité de temps dans l'élément d'angle solide do est la même pour toutes les distances (la différence $t - R_0/c$ étant la même). Il doit en être ainsi, bien entendu, car l'énergie rayonnée par le système se propage dans le milieu ambiant avec la vitesse c et nulle part elle ne s'accumule ni s'évanouit.

Etablissons les formules pour la décomposition spectrale du champ des ondes rayonnées par le système. On peut les obtenir directement des formules du § 64. Substituant dans (64,2) $R = R_0 - \mathbf{rn}$ (dans le dénominateur de l'expression sous le signe somme, on peut se borner à la substitution $R = R_0$), on obtient pour la composante de Fourier du potentiel vecteur:

$$\mathbf{A}_\omega = \frac{e^{ikR_0}}{cR_0} \int \mathbf{j}_\omega e^{-i\mathbf{kr}} dV \tag{66,7}$$

(où $\mathbf{k} = k\mathbf{n}$). Les composantes $\mathbf{H}_\omega$ et $\mathbf{E}_\omega$ sont déterminées par les formules (66,3). Remplaçant dans ces formules $\mathbf{H}$, $\mathbf{E}$, $\mathbf{A}$ respectivement par $\mathbf{H}_\omega e^{-i\omega t}$, $\mathbf{E}_\omega e^{-i\omega t}$, $\mathbf{A}_\omega e^{-i\omega t}$ et supprimant ensuite le terme $e^{-i\omega t}$, nous obtenons:

$$\mathbf{H}_\omega = i\mathbf{k} \times \mathbf{A}_\omega, \qquad \mathbf{E}_\omega = \frac{ic}{\omega} \mathbf{k} \times (\mathbf{A}_\omega \times \mathbf{k}). \tag{66,8}$$

Parlant de la distribution spectrale de l'intensité du rayonnement, il importe de distinguer les développements en intégrale et en série de Fourier. On a affaire à l'intégrale de Fourier lorsqu'il s'agit du rayonnement accompagnant les chocs de particules chargées. Alors il y a intérêt à considérer la quantité totale d'énergie rayonnée pendant le temps du choc (et respectivement perdue par les particules en collision). Soit $d\mathcal{E}_{\mathbf{n}\omega}$ l'énergie de rayonnement dans l'élément d'angle solide do sous forme d'ondes, avec des fréquences comprises dans l'intervalle $d\omega$. En vertu de la formule générale (49,8), la part du rayonnement total relatif à l'intervalle de fréquence $d\omega/2\pi$ s'obtient de l'expression ordinaire de l'intensité en remplaçant le carré du champ par le carré du module de sa composante de Fourier et en multipliant en même temps par 2. Par conséquent, on a au lieu de (66,6):

$$d\mathscr{E}_{n\omega} = \frac{c}{2\pi} |\mathbf{H}_\omega|^2 R_0^2 do \frac{d\omega}{2\pi}. \tag{66,9}$$

Si les charges accomplissent un mouvement périodique, alors le champ de rayonnement doit être développé en série de Fourier. En vertu de la formule générale (49,4), l'intensité d'une composante du développement en série de Fourier se déduit de l'expression ordinaire de l'intensité en remplaçant le champ par sa composante de Fourier et en multipliant en même temps par 2. De sorte que l'intensité du rayonnement dans l'élément d'angle solide do avec la fréquence $\omega = n\omega_0$ est

$$dI_n = \frac{c}{2\pi} |\mathbf{H}_n|^2 R_0^2 do. \tag{66,10}$$

Enfin, écrivons les formules définissant les composantes de Fourier du champ de rayonnement directement en partant du mouvement des charges rayonnantes. On a pendant le développement en intégrale de Fourier:

$$\mathbf{j}_\omega = \int_{-\infty}^{+\infty} \mathbf{j} e^{i\omega t} dt.$$

Substituant ceci dans (66,7) et passant ensuite de la distribution continue des courants à une charge ponctuelle décrivant la trajectoire $\mathbf{r}_0 = \mathbf{r}_0(t)$ (cf. § 64), nous avons:

$$\mathbf{A}_\omega = \frac{e^{ikR_0}}{cR_0} \int_{-\infty}^{+\infty} e\mathbf{v}(t)\, e^{i[\omega t - \mathbf{k}\mathbf{r}_0(t)]} dt. \tag{66,11}$$

De $\mathbf{v} = d\mathbf{r}_0/dt$ on tire $\mathbf{v}\,dt = d\mathbf{r}_0$, et cette formule peut être recopiée sous forme d'intégrale curviligne le long de la trajectoire de la charge:

$$\mathbf{A}_\omega = e\,\frac{e^{ikR_0}}{cR_0} \int e^{i(\omega t - \mathbf{k}\mathbf{r}_0)} d\mathbf{r}_0. \tag{66,12}$$

La composante de Fourier du champ magnétique s'écrit, en vertu de (66,8), sous la forme:

$$\mathbf{H}_\omega = e\frac{i\omega e^{ikR_0}}{c^2 R_0} \int e^{i(\omega t - \mathbf{k}\mathbf{r}_0)} \mathbf{n} \times d\mathbf{r}_0. \tag{66,13}$$

Si la charge accomplit un mouvement périodique sur une trajectoire fermée, alors le champ se développe en série de Fourier. On obtient les composantes du développement en remplaçant dans les formules (66,11-13) l'intégration sur le temps tout entier par une médiation sur la période T du mouvement (cf. définitions au § 49). Ainsi, on a pour la composante de Fourier du champ magnétique de fréquence $\omega = n\omega_0 = 2\pi n/T$

$$\mathbf{H}_n = e\frac{2\pi i n e^{ikR_0}}{c^2T^2R_0}\int_0^T e^{i(n\omega_0 t - \mathbf{k}\mathbf{r}_0(t))}\mathbf{n}\times\mathbf{v}(t)\cdot dt =$$

$$= e\frac{2\pi i n e^{ikR_0}}{c^2T^2R_0}\oint e^{i(n\omega_0 t - \mathbf{k}\mathbf{r}_0)}\mathbf{n}\times d\mathbf{r}_0. \qquad (66,14)$$

La seconde intégrale est étendue à l'orbite fermée de la particule.

Problème

Déduire l'expression quadridimensionnelle pour la décomposition spectrale de la 4-impulsion rayonnée au cours du mouvement d'une charge sur une trajectoire donnée.

Solution. Portant (66,8) dans (66,9) et considérant qu'en vertu de la condition de Lorentz (62,1) $k\varphi_\omega = \mathbf{k}\mathbf{A}_\omega$, on trouve:

$$d\mathcal{E}_{\mathbf{n}\omega} = \frac{c}{2\pi}(k^2|\mathbf{A}_\omega|^2 - |\mathbf{k}\mathbf{A}_\omega|^2)R_0^2\,do\,\frac{d\omega}{2\pi} =$$

$$= \frac{c}{2\pi}k^2(|\mathbf{A}_\omega|^2 - |\varphi_\omega|^2)R_0^2\,do\,\frac{d\omega}{2\pi} =$$

$$= -\frac{c}{2\pi}k^2A_{i\omega}A_\omega^{i*}R_0^2\,do\,\frac{d\omega}{2\pi}.$$

Mettant le 4-potentiel $A_{i\omega}$ sous une forme analogue à (66,12), on obtient :

$$d\mathcal{E}_{\mathbf{n}\omega} = -\frac{k^2e^2}{4\pi^2}\chi_i\chi^{i*}\,do\,dk,$$

χ^i désignant le 4-vecteur

$$\chi^i = \int \exp(-ik_lx^l)\,dx^i,$$

l'intégrale étant prise sur la ligne d'univers de la particule. Enfin, passant aux notations quadridimensionnelles [notamment à l'élément de 4-volume dans l'espace k, cf. (10,1a)], on obtient pour la 4-impulsion rayonnée l'expression suivante:

$$dP^i = -\frac{e^2k^i}{2\pi^2c}\chi_i\chi^i\delta(k_mk^m)\,d^4k.$$

§ 67. Rayonnement dipolaire

On peut négliger le temps $\mathbf{rn}/c$ dans les expressions sous les signes d'intégration des potentiels retardés (66,1-2) si la distribution des charges varie peu pendant ce temps. On trouve facilement les conditions dans lesquelles ceci a lieu. Soit T un ordre de grandeur du temps au cours duquel la distribution des charges dans le système varie notablement. Le rayonnement de ce système aura, évidemment, une période de l'ordre de T (c'est-à-dire une fréquence de l'ordre de $1/T$). Soit encore a l'ordre de grandeur des dimensions du système. On a alors pour le temps $\mathbf{rn}/c \sim a/c$. Pour que la distribution ne varie pas sensiblement en ce laps de temps, il faut que $a/c \ll T$. Mais cT n'est autre que la longueur λ de l'onde émise. De sorte que la condition $a \ll cT$ peut être mise sous la forme:

$$a \ll \lambda, \tag{67,1}$$

c'est-à-dire que les dimensions du système doivent être petites par rapport à la longueur de l'onde rayonnée.

Notons que la condition (67,1) peut être obtenue aussi de (66,7). Dans l'expression sous le signe somme $\mathbf{r}$ varie dans un intervalle de l'ordre de grandeur des dimensions du système, étant donné que $\mathbf{j}$ est nul en dehors du système. Il en résulte que l'exposant $i\mathbf{kr}$ est petit et peut être négligé pour des ondes telles que $ka \ll 1$, ce qui équivaut à (67,1).

On peut recopier cette condition sous une autre forme encore en remarquant que $T \sim a/v$, de sorte que $\lambda \sim ca/v$, si v est l'ordre de grandeur de la vitesse des charges. Nous obtenons alors de $a \ll \lambda$:

$$v \ll c, \tag{67,2}$$

c'est-à-dire que les vitesses des charges doivent être petites par rapport à la vitesse de la lumière.

Nous supposerons cette condition réalisée et nous étudierons le rayonnement à des distances du système rayonnant grandes par rapport à la longueur d'onde (donc grandes, en tout cas, par rapport aux dimensions du système). Comme il a été indiqué au § 66, à de telles distances le champ peut être assimilé à une onde plane, et il suffit pour le définir de calculer seulement le potentiel vecteur.

Le potentiel vecteur (66,2) s'écrit maintenant:

$$\mathbf{A} = \frac{1}{cR_0} \int \mathbf{j}_{t'}\, dV, \tag{67,3}$$

où le temps est $t' = t - R_0/c$ et ne dépend plus des variables d'intégration. Substituant $\mathbf{j} = \rho\mathbf{v}$, recopions (67,3) sous la forme:

$$\mathbf{A} = \frac{1}{cR_0}\left(\sum e\mathbf{v}\right),$$

où la sommation est étendue à toutes les charges du système; pour abréger l'écriture, nous omettrons l'indice t': toutes les quantités dans les seconds membres seront prises à l'instant t'. Or,

$$\sum e\mathbf{v} = \frac{d}{dt}\sum e\mathbf{r} = \dot{\mathbf{d}},$$

où $\mathbf{d}$ est le moment dipolaire du système. De sorte que

$$\mathbf{A} = \frac{1}{cR_0} \dot{\mathbf{d}}. \tag{67,4}$$

On trouve au moyen des formules (66,3) que le champ magnétique est

$$\mathbf{H} = \frac{1}{c^2 R_0} \ddot{\mathbf{d}} \times \mathbf{n}, \tag{67,5}$$

et le champ électrique

$$\mathbf{E} = \frac{1}{c^2 R_0} (\ddot{\mathbf{d}} \times \mathbf{n}) \times \mathbf{n}. \tag{67,6}$$

Notons qu'à l'approximation considérée le rayonnement est défini par la dérivée seconde du moment dipolaire du système. Un tel rayonnement est dit *dipolaire*.

Etant donné que $\mathbf{d} = \sum e\mathbf{r}$, on a $\ddot{\mathbf{d}} = \sum e\dot{\mathbf{v}}$. Ainsi, les charges ne peuvent rayonner que si elles possèdent une accélération. Les charges en mouvement uniforme ne rayonnent pas. Ceci résulte d'ailleurs du principe de relativité, car une charge en mouvement uniforme peut être considérée dans un référentiel galiléen où elle se trouve au repos, et on sait que les charges immobiles ne rayonnent pas.

Substituant (67,5) dans (66,6), on obtient l'intensité du rayonnement dipolaire:

$$dI = \frac{1}{4\pi c^3} (\ddot{\mathbf{d}} \times \mathbf{n})^2 \, do = \frac{\ddot{\mathbf{d}}^2}{4\pi c^3} \sin^2 \theta \, do, \tag{67,7}$$

où θ est l'angle entre les vecteurs $\ddot{\mathbf{d}}$ et $\mathbf{n}$. C'est la quantité d'énergie rayonnée par le système en l'unité de temps dans l'élément d'angle solide do ; notons que la distribution angulaire du rayonnement est donnée par le facteur $\sin^2 \theta$.

Substituant $do = 2\pi \sin \theta d\theta$ et intégrant sur $d\theta$ de 0 à π, on obtient le rayonnement total

$$I = \frac{2}{3c^3} \ddot{\mathbf{d}}^2. \tag{67,8}$$

Dans le cas d'une seule charge se mouvant dans un champ extérieur on a $\mathbf{d} = e\mathbf{r}$ et $\ddot{\mathbf{d}} = e\mathbf{w}$, où $\mathbf{w}$ est l'accélération de la charge. Ainsi, le rayonnement total d'une charge en mouvement est

$$I = \frac{2e^2 w^2}{3c^3}. \tag{67,9}$$

Notons qu'un système fermé constitué de particules dont le rapport de la charge à la masse est le même pour toutes les particules ne peut rayonner (dipolairement). En effet, le moment dipolaire d'un tel système est

$$\mathbf{d} = \sum e\mathbf{r} = \sum \frac{e}{m} m\mathbf{r} = \text{const} \sum m\mathbf{r},$$

où la constante est le rapport de la charge à la masse, le même pour toutes les particules. Or, $\sum m\mathbf{r} = \mathbf{R} \sum m$ où $\mathbf{R}$ est le rayon vecteur du centre d'inertie du système (rappelons que l'on a pour toutes les vitesses $v \ll c$, de sorte que la mécanique non relativiste est applicable). Il en résulte que $\ddot{\mathbf{d}}$ est proportionnel à l'accélération du centre d'inertie, c'est-à-dire qu'il est nul, du fait que le centre d'inertie est animé d'un mouvement uniforme.

Ecrivons encore les formules de la décomposition spectrale de l'intensité du rayonnement dipolaire. Pour le rayonnement résultant d'une collision, introduisons la quantité $d\mathscr{E}_\omega$ d'énergie rayonnée pendant toute la durée de la collision sous forme d'ondes de fréquences dans l'intervalle $d\omega/2\pi$ (cf. § 66). On l'obtient en remplaçant dans (67,8) le vecteur $\ddot{\mathbf{d}}$ par sa composante de Fourier $\ddot{\mathbf{d}}_\omega$ et en multipliant en même temps par 2 :

$$d\mathscr{E}_\omega = \frac{4}{3c^3} (\ddot{\mathbf{d}}_\omega)^2 \frac{d\omega}{2\pi}.$$

On a d'après la définition de la composante de Fourier :

$$\ddot{\mathbf{d}}_\omega e^{-i\omega t} = \frac{d^2}{dt^2} (\mathbf{d}_\omega e^{-i\omega t}) = -\omega^2 \mathbf{d}_\omega e^{-i\omega t},$$

d'où $\ddot{\mathbf{d}}_\omega = -\omega^2 \mathbf{d}_\omega$. De sorte que l'on obtient :

$$d\mathscr{E}_\omega = \frac{4\omega^4}{3c^3} |\mathbf{d}_\omega|^2 \frac{d\omega}{2\pi}. \tag{67,10}$$

Dans le cas d'un mouvement périodique de particules, on obtient d'une manière analogue l'intensité du rayonnement de fréquence $\omega = n\omega_0$ sous la forme :

$$I_n = \frac{4\omega_0^4 n^4}{3c^3} |\mathbf{d}_n|^2. \tag{67,11}$$

Problèmes

1. Déterminer le rayonnement d'un dipôle $\mathbf{d}$ tournant dans un plan avec la vitesse angulaire constante Ω [1].

---

[1] Le rayonnement d'un rotateur et d'une toupie symétrique doués de moment dipolaire se rapporte à ce cas. Dans le premier cas le rôle de **d** est joué par le moment dipolaire total du rotateur, et dans le second, par la projection du moment dipolaire de la toupie dans le plan perpendiculaire à l'axe de sa précession (c'est-à-dire à la direction du moment total de la rotation).

Solution. Prenant pour plan de rotation le plan xy, nous avons:

$$d_x = d_0 \cos \Omega t, \qquad d_y = d_0 \sin \Omega t.$$

Etant donné que ces fonctions sont monochromatiques, le rayonnement sera également monochromatique et de fréquence $\omega = \Omega$. D'après la formule (67,7) on trouve pour la distribution angulaire moyenne du rayonnement (relativement à la période de rotation):

$$\overline{dI} = \frac{d_0^2 \Omega^4}{8\pi c^3} (1 + \cos^2 \vartheta)\, do,$$

où ϑ est l'angle entre la direction $\mathbf{n}$ du rayonnement et l'axe des z. Le rayonnement total est

$$\bar{I} = \frac{2 d_0^2 \Omega^4}{3c^3}.$$

La polarisation du rayonnement est déterminée par la direction du vecteur $\ddot{\mathbf{d}} \times \mathbf{n} = \omega^2 \mathbf{n} \times \mathbf{d}$. Projetant ce vecteur sur le plan $\mathbf{n}z$ et sur la direction perpendiculaire à ce plan, on trouve que le rayonnement est polarisé elliptiquement, avec pour rapport des demi-grands axes $n_z = \cos \vartheta$; notamment, le rayonnement dans la direction de l'axe des z est polarisé circulairement.

2. Déterminer la distribution angulaire du rayonnement d'un système de charges animé d'un mouvement d'ensemble de vitesse $\mathbf{v}$ si l'on connaît la distribution dans le référentiel où le système, considéré comme un tout, est au repos.

Solution. Soit

$$dI' = f(\cos \theta', \varphi')\, do', \qquad do' = d(\cos \theta')\, d\varphi'$$

l'intensité du rayonnement dans le référentiel K' lié au système de charges en mouvement (θ', φ' sont les angles de coordonnées polaires, l'axe polaire étant dirigé selon le mouvement du système). L'énergie $d\mathcal{E}$ rayonnée dans le temps dt dans le système immobile (du laboratoire) K est liée au rayonnement d'énergie $d\mathcal{E}'$ dans K' par la transformation

$$d\mathcal{E}' = \frac{d\mathcal{E} - \mathbf{V}\, d\mathbf{P}}{\sqrt{1 - \frac{V^2}{c^2}}} = d\mathcal{E}\, \frac{1 - \frac{V}{c} \cos \theta}{\sqrt{1 - \frac{V^2}{c^2}}}$$

(l'impulsion du rayonnement progressant dans une direction donnée est liée à son énergie par la relation $|d\mathbf{P}| = d\mathcal{E}/c$). Les angles polaires θ, θ' de la direction du rayonnement dans les systèmes K et K' sont liés par les formules (5,6) (on a pour les azimuts $\varphi = \varphi'$). Enfin, il correspond au temps dt' dans le système K' le temps $dt = dt'/\sqrt{1 - V^2/c^2}$ dans le système K. On trouve en définitive pour l'intensité $dI = d\mathcal{E}/dt$ dans le système K:

$$dI = \frac{\left(1 - \frac{V^2}{c^2}\right)^2}{\left(1 - \frac{V}{c} \cos \theta\right)^3} f\left(\frac{\cos \theta - \frac{V}{c}}{1 - \frac{V}{c} \cos \theta}, \varphi\right) do.$$

Ainsi, pour un dipôle se mouvant dans la direction de son axe, $f = \text{const} \cdot \sin^2 \theta'$, et la formule obtenue donne :

$$dI = \text{const} \frac{\left(1 - \frac{V^2}{c^2}\right)^3 \sin^2 \theta}{\left(1 - \frac{V}{c} \cos \theta\right)^5} do.$$

§ 68. Rayonnement dipolaire pendant les chocs

Dans les problèmes de rayonnement de choc (appelé *rayonnement de freinage*) on a rarement à étudier le rayonnement dû au choc de deux particules décrivant des trajectoires déterminées. On a habituellement à considérer la diffusion d'un faisceau tout entier de particules qui se déplacent parallèlement, et le problème consiste à déterminer le rayonnement total rapporté à l'unité de densité de flux des particules.

Si la densité du flux de particules dans le faisceau est égale à l'unité (c'est-à-dire s'il passe une particule en l'unité de temps à travers l'unité de section du faisceau), alors le nombre de particules dans le faisceau dont le « paramètre d'impact » est compris entre ρ et $\rho + d\rho$, est égal à $2\pi\rho\, d\rho$ (l'aire de l'anneau délimité par les cercles de rayons ρ et $\rho + d\rho$). Il en résulte que le rayonnement total cherché sera obtenu en multipliant le rayonnement total $\Delta\mathscr{E}$ d'une particule (de paramètre d'impact donné) par $2\pi\rho\, d\rho$ et en intégrant en $d\rho$ de 0 à ∞. La quantité ainsi définie a la dimension du produit de l'énergie par l'aire. Nous l'appellerons *rayonnement efficace* (par analogie avec la section efficace de diffusion) et nous la désignerons par $\varkappa$:

$$\varkappa = \int_0^\infty \Delta\mathscr{E} \cdot 2\pi\rho\, d\rho. \tag{68.1}$$

On peut définir de la même manière le rayonnement efficace dans un élément d'angle solide do déterminé, dans un intervalle déterminé de fréquences $d\omega$ et ainsi de suite [1].

Etablissons une formule générale définissant la distribution angulaire du rayonnement lorsqu'un faisceau de particules est diffusé dans un champ central symétrique, en supposant le rayonnement dipolaire.

---

[1] Lorsque la quantité à intégrer dépend de l'angle sous lequel se trouve la projection du moment dipolaire de la particule dans le plan de la section transversale du flux, il convient alors d'en prendre préalablement la moyenne par rapport à toutes les directions dans ce plan, et c'est seulement après qu'on la multipliera par $2\pi\rho d\rho$ et l'intégrera.

L'intensité du rayonnement (à chaque instant) d'une particule est donnée par la formule (67,7), dans laquelle $\mathbf{d}$ est le moment dipolaire de la particule par rapport au centre de diffusion [1]. Prenons d'abord la moyenne de cette expression sur toutes les directions du vecteur $\ddot{\mathbf{d}}$ dans le plan de la section transversale du faisceau. Etant donné que $(\ddot{\mathbf{d}} \times \mathbf{n})^2 = \ddot{\mathbf{d}}^2 - (\mathbf{n}\ddot{\mathbf{d}})^2$, il conviendra de prendre la moyenne seulement de la quantité $(\mathbf{n}\ddot{\mathbf{d}})^2$. En vertu de la symétrie centrale du champ diffusant et du parallélisme du faisceau incident de particules, la diffusion (et avec elle le rayonnement) possède une symétrie axiale par rapport à un axe passant par le centre. Prenons-le pour axe des x. Par raison de symétrie il est évident que les premières puissances de $\ddot{d}_y$, $\ddot{d}_z$ s'annulent quand on en prend les moyennes, et comme on ne prend pas la moyenne de $\ddot{d}_x$, nous avons:

$$\overline{\ddot{d}_x \ddot{d}_y} = \overline{\ddot{d}_x \ddot{d}_z} = 0.$$

Par ailleurs, les valeurs moyennes de $\ddot{d}_y^2$ et $\ddot{d}_z^2$ sont égales, de sorte que

$$\overline{\ddot{d}_y^2} = \overline{\ddot{d}_z^2} = \frac{1}{2}(\ddot{\mathbf{d}}^2 - \ddot{d}_x^2).$$

Compte tenu de tout cela, on trouve sans peine:

$$\overline{(\ddot{\mathbf{d}} \times \mathbf{n})^2} = \frac{1}{2}(\ddot{\mathbf{d}}^2 + \ddot{d}_x^2) + \frac{1}{2}(\ddot{\mathbf{d}}^2 - 3\ddot{d}_x^2)\cos^2\theta,$$

où θ est l'angle entre la direction $\mathbf{n}$ du rayonnement et l'axe des x.

Intégrant l'intensité par rapport au temps et au paramètre d'impact, on obtient finalement l'expression suivante, déterminant le rayonnement efficace en fonction de la direction:

$$d\varkappa_{\mathbf{n}} = \frac{do}{4\pi c^3}\left(A + B\,\frac{3\cos^2\theta - 1}{2}\right), \tag{68,2}$$

où

$$A = \frac{2}{3}\int_0^\infty \int_{-\infty}^\infty \ddot{\mathbf{d}}^2\, dt\, 2\pi\rho\, d\rho, \qquad B = \frac{1}{3}\int_0^\infty \int_{-\infty}^\infty (\ddot{\mathbf{d}}^2 - 3\ddot{d}_x^2)\, dt\, 2\pi\rho\, d\rho. \tag{68,3}$$

Le second terme dans (68,2) a été écrit sous une forme telle qu'il s'annule quand on en prend la moyenne par rapport à toutes les

---

[1] En fait, il s'agit habituellement du moment dipolaire de deux particules — des particules diffusée et diffusante — par rapport à leur centre d'inertie commun.

directions, de sorte que le rayonnement efficace total est $\varkappa = A/c^3$. Remarquons le fait que la distribution angulaire du rayonnement est symétrique par rapport au plan passant par le centre de diffusion perpendiculairement au faisceau — l'expression (68,2) ne change pas lorsqu'on change θ en $\pi - \theta$. Cette propriété est spécifique du rayonnement dipolaire et on la perd quand on passe à des approximations supérieures en v/c.

L'intensité du rayonnement de freinage peut être divisée en deux parties: en intensité de rayonnement polarisé dans le plan d'émission passant par l'axe des x et la direction $\mathbf{n}$ (appelons-le plan xy), et en intensité de rayonnement polarisé dans le plan perpendiculaire xz.

Le champ électrique est dirigé selon le vecteur

$$\mathbf{n} \times (\mathbf{n} \times \ddot{\mathbf{d}}) = \mathbf{n}(\mathbf{n}\ddot{\mathbf{d}}) - \ddot{\mathbf{d}}$$

[cf. (67,6)]. La composante de ce vecteur dans la direction perpendiculaire au plan xy est $-\ddot{d}_z$ et sa projection sur le plan xy est $|\sin\theta \cdot \ddot{d}_x - \cos\theta \cdot \ddot{d}_y|$ (il est plus commode de définir cette dernière par la composante en z du champ magnétique, qui lui est égale, de direction $\ddot{\mathbf{d}} \times \mathbf{n}$).

Elevant $\mathbf{E}$ au carré et prenant la moyenne sur toutes les directions du vecteur $\ddot{\mathbf{d}}$ dans le plan yz, on voit avant tout que le produit des projections dans le plan xy et dans le plan qui lui est perpendiculaire s'annule. Cela signifie que l'intensité peut être effectivement représentée comme la somme de deux parties indépendantes: des intensités du rayonnement polarisé dans deux plans orthogonaux.

L'intensité du rayonnement dont le vecteur champ électrique est perpendiculaire au plan xy est déterminée par la moyenne du carré du $\ddot{d}_z^2 = \frac{1}{2}(\ddot{\mathbf{d}}^2 - \ddot{d}_x^2)$. On obtient pour la partie correspondante du rayonnement efficace l'expression

$$d\varkappa_{\mathbf{n}}^{\perp} = \frac{do}{4\pi c^3} \frac{1}{2} \int_0^\infty \int_{-\infty}^{\infty} (\ddot{\mathbf{d}}^2 - \ddot{d}_x^2)\, dt\, 2\pi\rho\, d\rho. \qquad (68,4)$$

Notons que cette partie du rayonnement est isotrope en directions. Point n'est besoin d'écrire l'expression du rayonnement efficace dont la direction du champ électrique se trouve dans le plan xy, car il est évident que

$$d\varkappa_{\mathbf{n}}^{\perp} + d\varkappa_{\mathbf{n}}^{\parallel} = d\varkappa_{\mathbf{n}}.$$

D'une manière analogue, on peut obtenir l'expression de la distribution angulaire du rayonnement efficace dans un intervalle déterminé de fréquences :

$$d\varkappa_{\mathbf{n}\omega} = \frac{do}{2\pi c^3}\left[A(\omega) + B(\omega)\,\frac{3\cos^2\theta - 1}{2}\right]\frac{d\omega}{2\pi}, \tag{68,5}$$

où

$$A(\omega) = \frac{2\omega^4}{3}\int_0^\infty \mathbf{d}_\omega^2 2\pi\rho\, d\rho, \qquad B(\omega) = \frac{\omega^4}{3}\int_0^\infty (\mathbf{d}_\omega^2 - 3d_{x\omega}^2)\, 2\pi\rho\, d\rho. \tag{68,6}$$

§ 69. Rayonnement de freinage de petites fréquences

Dans la distribution spectrale du rayonnement de freinage, la majeure partie de l'intensité est caractérisée par des fréquences de l'ordre de $\omega \sim 1/\tau$, où τ est l'ordre de grandeur de la durée du choc. Toutefois, ce n'est pas cette région du spectre (dont on ne peut obtenir aucune formule générale) que nous examinerons ici, mais la « queue » de la distribution pour des fréquences petites satisfaisant à la condition

$$\omega\tau \ll 1. \tag{69,1}$$

Nous ne supposerons pas alors que les vitesses des particules en collision sont petites par rapport à la vitesse de la lumière, comme au paragraphe précédent ; les formules ci-dessous sont valables pour des vitesses arbitraires.

Dans l'intégrale

$$\mathbf{H}_\omega = \int_{-\infty}^{+\infty} \mathbf{H} e^{i\omega t}\, dt$$

le champ du rayonnement $\mathbf{H}$ est notablement différent de zéro seulement pour des durées de l'ordre de τ. Par conséquent, les conditions (69,1) étant observées, on peut considérer que $\omega t \ll 1$ sous le signe somme, de sorte que $e^{i\omega t}$ peut être remplacé par l'unité ; alors

$$\mathbf{H}_\omega = \int_{-\infty}^{+\infty} \mathbf{H}\, dt.$$

Substituant ici $\mathbf{H} = \dot{\mathbf{A}} \times \mathbf{n}/c$ et intégrant par rapport au temps, on trouve :

$$\mathbf{H}_\omega = \frac{1}{c}(\mathbf{A}_2 - \mathbf{A}_1) \times \mathbf{n}, \tag{69,2}$$

où $\mathbf{A}_2 - \mathbf{A}_1$ est la variation du potentiel vecteur du champ créé par les particules durant la collision.

On obtient le rayonnement total (de fréquence ω) pendant la durée d'une collision en substituant (69,2) dans (66,9):

$$d\mathcal{E}_{\mathbf{n}\omega}=\frac{R_0^2}{4c\pi^3}[(\mathbf{A}_2-\mathbf{A}_1)\times\mathbf{n}]^2\,do\,d\omega. \qquad (69,3)$$

Pour le potentiel vecteur, on peut se servir de son expression sous la forme de Liénard-Wiechert (66,4), et nous obtenons:

$$d\mathcal{E}_{\mathbf{n}\omega}=\frac{1}{4\pi^2c^3}\left\{\sum e\left(\frac{\mathbf{v}_2\times\mathbf{n}}{1-\frac{1}{c}\,\mathbf{n}\mathbf{v}_2}-\frac{\mathbf{v}_1\times\mathbf{n}}{1-\frac{1}{c}\,\mathbf{n}\mathbf{v}_1}\right)\right\}^2 do\,d\omega, \qquad (69,4)$$

où $\mathbf{v}_1$ et $\mathbf{v}_2$ sont les vitesses des particules avant et après la diffusion, et la somme étant étendue aux deux particules se choquant. Remarquons que le coefficient de $d\omega$ ne dépend pas de la fréquence. En d'autres termes, pour des fréquences petites [condition (69,1)], la distribution spectrale du rayonnement ne dépend pas de la fréquence, c'est-à-dire que $d\mathcal{E}_{\mathbf{n}\omega}/d\omega$ tend vers une limite constante lorsque $\omega\to 0$ [1].

Dans le cas où les vitesses des particules qui s'entre-heurtent sont petites par rapport à la vitesse de la lumière, (69,4) se réduit à

$$d\mathcal{E}_{\mathbf{n}\omega}=\frac{1}{4\pi^2c^3}\left[\sum e\,(\mathbf{v}_2-\mathbf{v}_1)\times\mathbf{n}\right]^2 do\,d\omega. \qquad (69,5)$$

Cette expression correspond à un rayonnement dipolaire dont le potentiel vecteur est donné par la formule (67,4).

Un cas intéressant d'application des formules établies est le rayonnement engendré par l'émission d'une particule chargée nouvelle (par exemple quand une particule β est émise par un noyau). Il faut considérer alors que le processus est un changement instantané de la vitesse de la particule, de zéro à la valeur qu'elle prend (en vertu de la symétrie de la formule (69,5) par rapport à la transposition de $\mathbf{v}_1$ et $\mathbf{v}_2$, le rayonnement engendré par ce processus coïncide avec le rayonnement qui accompagnerait le processus inverse, l'arrêt instantané de la particule). Il est essentiel que, le « temps » du processus donné tendant vers zéro $\tau\to 0$, en fait toutes les fréquences vérifient la condition (69,1) [2].

---

[1] Intégrant sur le paramètre d'impact, on peut obtenir un résultat analogue pour le rayonnement efficace pendant la diffusion d'un faisceau de particules. Toutefois, il faut avoir en vue que ce résultat n'est pas valable pour le rayonnement efficace lors d'interactions coulombiennes de particules en collision, étant donné que l'intégrale en $d\rho$ diverge (comme un logarithme) pour les ρ grands. Nous verrons au paragraphe suivant que dans ce cas le rayonnement efficace pour des fréquences petites dépend logarithmiquement de la fréquence et ne reste donc pas constant.

[2] La validité des formules est toutefois limitée par la condition quantique que $\hbar\omega$ soit petit par rapport à l'énergie cinétique totale de la particule.

Problème

Déterminer la distribution spectrale du rayonnement total dû à l'émission d'une particule chargée douée de la vitesse v.

Solution. En vertu de la formule (69,4) (où l'on pose $\mathbf{v}_2 = \mathbf{v}$, $\mathbf{v}_1 = 0$), on a

$$d\mathscr{E}_\omega = d\omega \frac{e^2v^2}{4\pi^2c^3} \int_0^\pi \frac{\sin^2\theta}{\left(1-\frac{v}{c}\cos\theta\right)^2} 2\pi \sin\theta \, d\theta.$$

Le calcul de l'intégrale conduit au résultat[1] :

$$d\mathscr{E}_\omega = \frac{e^2}{\pi c}\left(\frac{c}{v}\ln\frac{c+v}{c-v}-2\right) d\omega. \quad (1)$$

Lorsque $v \ll c$, cette formule se réduit à

$$d\mathscr{E}_\omega = \frac{2e^2v^2}{3\pi c^3}\, d\omega,$$

pouvant être obtenue aussi directement de (69,5).

§ 70. Rayonnement lors d'interaction coulombienne

Dans ce paragraphe, nous nous proposons d'établir, à titre de documentation, un certain nombre de formules relatives au rayonnement dipolaire d'un système de deux particules chargées: on suppose que les vitesses des particules sont petites par rapport à la vitesse de la lumière.

Le mouvement uniforme du système considéré comme un tout (c'est-à-dire le mouvement de son centre d'inertie) ne présente pas d'intérêt, étant donné qu'il ne donne pas lieu à un rayonnement; il s'ensuit que nous devons considérer seulement le mouvement relatif des particules. Prenons l'origine des coordonnées au centre d'inertie. Alors le moment dipolaire du système $\mathbf{d} = e_1\mathbf{r}_1 + e_2\mathbf{r}_2$ s'écrit sous la forme:

$$\mathbf{d} = \frac{e_1m_2 - e_2m_1}{m_1+m_2}\,\mathbf{r} = \mu\left(\frac{e_1}{m_1} - \frac{e_2}{m_2}\right)\mathbf{r}, \quad (70,1)$$

où les indices 1 et 2 se rapportent aux deux particules, $\mathbf{r} = \mathbf{r}_1 - \mathbf{r}_2$ est le rayon vecteur de l'une à l'autre et $\mu = \frac{m_1m_2}{m_1+m_2}$ la masse réduite.

---

[1] Bien que la condition (69,1) ait lieu, comme il a été indiqué, pour toutes les fréquences, en vertu de l'« instantanéité » du processus, il est cependant impossible d'obtenir le rayonnement total de l'énergie en intégrant l'expression (1) en $d\omega$; l'intégrale diverge pour les grandes fréquences. Outre la violation de la condition de « classicisme » aux grandes fréquences, la cause de la divergence dans notre cas est due à ce que la formulation du problème classique, où la particule a, à l'instant initial, une accélération infinie, est incorrecte.

Commençons par le rayonnement accompagnant le mouvement elliptique de deux particules s'attirant selon la loi de Coulomb. On sait de la mécanique (cf. I § 15) que ce mouvement peut être décrit comme le mouvement d'une particule de masse μ sur une ellipse, d'équation polaire

$$1+\varepsilon\cos\varphi=\frac{a(1-\varepsilon^2)}{r}, \qquad (70,2)$$

où le demi-grand axe a et l'excentricité ε sont égaux à

$$a=\frac{\alpha}{2|\mathscr{E}|}, \qquad \varepsilon=\sqrt{1-\frac{2|\mathscr{E}|M^2}{\mu\alpha^2}}. \qquad (70,3)$$

Ici $\mathscr{E}$ est l'énergie totale des particules (sans l'énergie de repos !), négative lorsque le mouvement est fini ; $M=\mu r^2\dot{\varphi}$ est le moment cinétique et α la constante de la formule de Coulomb :

$$\alpha=|e_1e_2|.$$

Les coordonnées peuvent être exprimées en fonction du temps sous forme d'équations paramétriques

$$r=a(1-\varepsilon\cos\xi), \quad t=\sqrt{\frac{\mu a^3}{\alpha}}(\xi-\varepsilon\sin\xi). \qquad (70,4)$$

Une description complète de l'ellipse a lieu lorsque le paramètre ξ varie de zéro à 2π ; la période du mouvement est

$$T=2\pi\sqrt{\frac{\mu a^3}{\alpha}}.$$

Déterminons les composantes de Fourier du moment dipolaire. En vertu de la périodicité du mouvement il s'agit de développement en série de Fourier. Etant donné que le moment dipolaire est proportionnel au rayon vecteur $\mathbf{r}$, le problème revient à calculer la composante de Fourier des coordonnées $x=r\cos\varphi$ et $y=r\sin\varphi$. La dépendance entre x, y et le temps est donnée par les équations paramétriques

$$x=a(\cos\xi-\varepsilon), \quad y=a\sqrt{1-\varepsilon^2}\sin\xi, \quad \omega_0 t=\xi-\varepsilon\sin\xi. \qquad (70,5)$$

On a introduit ici la fréquence

$$\omega_0=\frac{2\pi}{T}=\sqrt{\frac{\alpha}{\mu a^3}}=\frac{(2|\mathscr{E}|)^{3/2}}{\alpha\mu^{1/2}}.$$

Au lieu des composantes de Fourier des coordonnées, il est plus commode de calculer les composantes de Fourier des vitesses, utilisant le fait que $\dot{x}_n = -i\omega_0 n x_n$, $\dot{y}_n = -i\omega_0 n y_n$. On a :

$$x_n = \frac{\dot{x}_n}{-i\omega_0 n} = \frac{i}{\omega_0 n T} \int_0^T e^{i\omega_0 n t} \dot{x}\, dt.$$

Or, $\dot{x}\, dt = dx = -a \sin \xi\, d\xi$; si au lieu d'intégrer en dt on intègre en $d\xi$, on a donc :

$$x_n = -\frac{ia}{2\pi n} \int_0^{2\pi} e^{in(\xi - \varepsilon \sin \xi)} \sin \xi\, d\xi.$$

On trouve d'une manière analogue :

$$y_n = \frac{ia\sqrt{1-\varepsilon^2}}{2\pi n} \int_0^{2\pi} e^{in(\xi-\varepsilon \sin \xi)} \cos \xi\, d\xi = \frac{ia\sqrt{1-\varepsilon^2}}{2\pi n \varepsilon} \int_0^{2\pi} e^{in(\xi-\varepsilon \sin \xi)}\, d\xi$$

(passant de la première intégrale à la seconde, on écrit sous le signe d'intégration $\cos \xi \equiv \left(\cos \xi - \frac{1}{\varepsilon}\right) + \frac{1}{\varepsilon}$; alors l'intégrale du premier terme s'intègre et donne zéro. Enfin, utilisons la formule connue de la théorie des fonctions de Bessel :

$$\frac{1}{2\pi} \int_0^{2\pi} e^{i(n\xi - x \sin \xi)}\, d\xi = \frac{1}{\pi} \int_0^{\pi} \cos (n\xi - x \sin \xi)\, d\xi = J_n(x), \qquad (70,6)$$

où $J_n(x)$ est la fonction de Bessel d'ordre entier n. On obtient en définitive les formules suivantes pour les composantes de Fourier cherchées :

$$x_n = \frac{a}{n} J'_n(n\varepsilon), \qquad y_n = \frac{ia\sqrt{1-\varepsilon^2}}{n\varepsilon} J_n(n\varepsilon) \qquad (70,7)$$

(le signe prime affectant une fonction de Bessel signifie qu'on en prend la dérivée par rapport à son argument).

On obtient les expressions de l'intensité des composantes monochromatiques du rayonnement en substituant x_ω et y_ω dans la formule

$$I_n = \frac{4\omega_0^4 n^4}{3c^3} \mu^2 \left(\frac{e_1}{m_1} - \frac{e_2}{m_2}\right)^2 (|x_\omega|^2 + |y_\omega|^2)$$

[cf. (67,11)]. Exprimant en outre a et ω_0 en fonction des caractéristiques des particules, on obtient en définitive :

$$I_n = \frac{64 n^2 \mathscr{E}^4}{3c^3 \alpha^2} \left(\frac{e_1}{m_1} - \frac{e_2}{m_2}\right)^2 \left[J_n'^2(n\varepsilon) + \frac{1-\varepsilon^2}{\varepsilon^2} J_n^2(n\varepsilon)\right]. \qquad (70,8)$$

Ecrivons, en particulier, une formule asymptotique pour l'intensité des harmoniques très élevées (pour les grands n) pour mouvement sur une orbite quasi parabolique (ε voisin de 1). A cet effet utilisons la formule asymptotique

$$J_n(n\varepsilon) \approx \frac{1}{\sqrt{\pi}} \left(\frac{2}{n}\right)^{1/3} \Phi\left[\left(\frac{n}{2}\right)^{2/3}(1-\varepsilon^2)\right],$$
$$n \gg 1, \qquad 1-\varepsilon \ll 1, \tag{70,9}$$

Φ étant la fonction d'Airy (définie en note p. 201)[1]. Il vient en substituant dans (70,8) :

$$I_n = \frac{64 \cdot 2^{2/3}}{3\pi} \frac{n^{4/3}\mathscr{E}^4}{c^3\alpha^2} \left(\frac{e_1}{m_1} - \frac{e_2}{m_2}\right)^2 \left\{(1-\varepsilon^2)\Phi^2 \times \left[\left(\frac{n}{2}\right)^{2/3}(1-\varepsilon^2)\right] + \right.$$
$$\left. + \left(\frac{2}{n}\right)^{2/3} \Phi'^2 \left[\left(\frac{n}{2}\right)^{2/3}(1-\varepsilon^2\right]\right\}. \tag{70,10}$$

Ce résultat peut aussi s'exprimer à l'aide de la fonction de Macdonald K_ν :

$$I_n = \frac{64}{9\pi^2} \frac{n^2\mathscr{E}^4}{c^3\alpha^2} \left(\frac{e_1}{m_1} - \frac{e_2}{m_2}\right)^2 \times$$
$$\times \left\{K^2_{1/3}\left[\frac{n}{3}(1-\varepsilon^2)^{3/2}\right] + K^2_{2/3}\left[\frac{n}{3}(1-\varepsilon^2)^{3/2}\right]\right\}$$

(les formules nécessaires sont données en note p. 267).

Considérons à présent le choc de deux particules chargées qui s'attirent. Leur mouvement relatif peut être décrit comme le mouvement d'une particule de masse μ sur l'hyperbole

$$1 + \varepsilon \cos\varphi = \frac{a(\varepsilon^2 - 1)}{r}, \tag{70,11}$$

où

$$a = \frac{\alpha}{2\mathscr{E}}, \quad \varepsilon = \sqrt{1 + \frac{2\mathscr{E}M^2}{\mu\alpha^2}} \tag{70,12}$$

---

[1] Lorsque $n \gg 1$, dans l'intégrale

$$J_n(n\varepsilon) = \frac{1}{\pi}\int_0^\pi \cos[n(\xi - \varepsilon\sin\xi)]\,d\xi$$

le rôle principal est joué par les ξ petits (pour des ξ non petits l'expression sous le signe somme oscille rapidement). Par conséquent, on développe l'argument du cosinus suivant les puissances de ξ:

$$J_n(n\varepsilon) = \frac{1}{\pi}\int_0^\infty \cos\left[n\left(\frac{1-\varepsilon^2}{2}\xi + \frac{\xi^3}{6}\right)\right] d\xi\,;$$

en vertu de la convergence rapide de l'intégrale, la borne supérieure a été remplacée par ∞ ; le terme contenant ξ^3 doit être conservé, étant donnée la présence dans le terme du premier ordre du petit coefficient $1 - \varepsilon \approx (1 - \varepsilon^2)/2$. L'intégrale obtenue se ramène par une substitution évidente à la forme (70,9).

(maintenant $\mathscr{E} > 0$). La dépendance de r du temps est donnée par les équations paramétriques

$$r = a(\varepsilon \operatorname{ch} \xi - 1), \quad t = \sqrt{\frac{\mu a^3}{\alpha}}(\varepsilon \operatorname{sh} \xi - \xi), \tag{70,13}$$

où le paramètre ξ va de $-\infty$ à $+\infty$. On a pour les coordonnées x, y:

$$x = a(\varepsilon - \operatorname{ch} \xi), \qquad y = a\sqrt{\varepsilon^2 - 1} \operatorname{sh} \xi. \tag{70,14}$$

Le calcul des composantes de Fourier (il s'agit maintenant de développement en intégrale de Fourier) s'effectue exactement comme dans le cas précédent. Nous avons en définitive:

$$x_\omega = \frac{\pi a}{\omega} H_{i\nu}^{(1)\prime}(i\nu\varepsilon), \quad y_\omega = -\frac{\pi a \sqrt{\varepsilon^2 - 1}}{\omega\varepsilon} H_{i\nu}^{(1)}(i\nu\varepsilon), \tag{70,15}$$

où $H_{i\nu}^{(1)}$ est la fonction d'Hankel de première espèce d'ordre $i\nu$ et où l'on a posé:

$$\nu = \frac{\omega}{\sqrt{\alpha/\mu a^3}} = \frac{\omega}{\mu v_0^3} \tag{70,16}$$

(v_0 est la vitesse relative des particules à l'infini; l'énergie est $\mathscr{E} = \mu v_0^2/2$)[1]. Pendant les calculs, on s'est servi de la formule connue

$$\int_{-\infty}^{+\infty} e^{p\xi - ix \operatorname{sh} \xi} d\xi = i\pi H_p^{(1)}(ix). \tag{70,17}$$

Substituant (70,15) dans la formule

$$d\mathscr{E}_\omega = \frac{4\omega^4\mu^2}{3c^3}\left(\frac{e_1}{m_1} - \frac{e_2}{m_2}\right)^2 (|x_\omega|^2 + |y_\omega|^2)\frac{d\omega}{2\pi}$$

[cf. (67,10)], on obtient:

$$d\mathscr{E}_\omega = \frac{\pi\mu^2\alpha^2\omega^2}{6c^3\mathscr{E}^2}\left(\frac{e_1}{m_1} - \frac{e_2}{m_2}\right)^2 \left\{[H_{i\nu}^{(1)\prime}(i\nu\varepsilon)]^2 - \frac{\varepsilon^2 - 1}{\varepsilon^2}[H_{i\nu}^{(1)}(i\nu\varepsilon)]^2\right\} d\omega. \tag{70,18}$$

Le « rayonnement efficace » de la diffusion d'un faisceau de particules lancées parallèlement (cf. § 68) présente un grand intérêt. Pour le calculer, multiplions $d\mathscr{E}_\omega$ par $2\pi\rho d\rho$ et intégrons sur tous les ρ de zéro à l'infini. Remplaçons l'intégration en $d\rho$ par une intégration en $d\varepsilon$ (de 1 à ∞), notant que $2\pi\rho d\rho = 2\pi a^2 \varepsilon d\varepsilon$; cette relation

---

[1] Notons que la fonction $H_{i\nu}^{(1)}(i\nu\varepsilon)$ est purement imaginaire et sa dérivée $H_{i\nu}^{(1)\prime}(i\nu\varepsilon)$, réelle.

provient des définitions (70,12), où le moment M et l'énergie $\mathscr{E}$ sont liés avec le paramètre d'impact ρ et la vitesse v_0 par les relations

$$M = \mu\rho v_0, \qquad \mathscr{E} = \frac{\mu v_0^2}{2}.$$

L'intégrale obtenue s'intègre au moyen de la formule

$$z\left[Z_p'^2 + \left(\frac{p^2}{z^2} - 1\right)\right] Z_p^2\Big] = \frac{d}{dz}(zZ_pZ_p'),$$

où $Z_p(z)$ est une solution quelconque de l'équation de Bessel d'ordre p [1]. Notant que lorsque $\varepsilon \to \infty$ la fonction d'Hankel $H_{i\nu}^{(1)}(i\nu\varepsilon)$ s'annule, on obtient en définitive la formule suivante:

$$d\varkappa_\omega = \frac{4\pi^2\alpha^3\omega}{3c^3\mu v_0^5}\left(\frac{e_1}{m_1} - \frac{e_2}{m_2}\right)^2 |H_{i\nu}^{(1)}(i\nu)|\, H_{i\nu}^{(1)\prime}(i\nu)\, d\omega. \qquad (70,19)$$

Examinons plus particulièrement les cas limites où les fréquences sont petites ou grandes. Dans l'intégrale

$$\int_{-\infty}^{+\infty} e^{i\nu(\xi - \operatorname{sh}\xi)}\, d\xi = i\pi H_{i\nu}(i\nu) \qquad (70,20)$$

de définition de la fonction d'Hankel, seul intervient l'intervalle des valeurs de ξ pour lequel l'exposant est de l'ordre de l'unité. Il en résulte que pour des fréquences petites ($\nu \ll 1$) l'intervalle des ξ grands est essentiel. Mais pour de tels ξ on a $\operatorname{sh}\xi \gg \xi$. De sorte qu'approximativement

$$H_{i\nu}^{(1)}(i\nu) \approx -\frac{i}{\pi}\int_{-\infty}^{+\infty} e^{-i\nu \operatorname{sh}\xi}\, d\xi = H_0^{(1)}(i\nu).$$

On trouve d'une manière analogue que

$$H_{i\nu}^{(1)\prime}(i\nu) \approx H_0^{(1)\prime}(i\nu).$$

Utilisant enfin l'expression approchée (pour des x petits) connue en théorie des fonctions de Bessel:

$$iH_0^{(1)}(ix) \approx \frac{2}{\pi}\ln\frac{2}{\gamma x}$$

($\gamma = e^C$, où C est la constante d'Euler; $\gamma = 1{,}781\ldots$), on obtient l'expression suivante pour le rayonnement efficace aux petites

---

[1] Cette formule est une conséquence directe de l'équation de Bessel

$$Z'' + \frac{1}{z}Z' + \left(1 - \frac{p^2}{z^2}\right)Z = 0.$$

fréquences :

$$d\varkappa_\omega = \frac{16\alpha^2}{3v_0^2c^3}\left(\frac{e_1}{m_1}-\frac{e_2}{m_2}\right)^2 \ln\left(\frac{2\mu v_0^3}{\gamma\omega\alpha}\right) d\omega \text{ pour } \omega \ll \frac{\mu v_0^3}{\alpha}. \quad (70,21)$$

Elle dépend de la fréquence comme son logarithme.

Pour des fréquences grandes ($\nu \gg 1$), ce sont, au contraire, les petites valeurs de ξ qui sont essentielles. Par conséquent, on développera l'exposant de l'expression sous le signe somme d'après les puissances de ξ, ce qui donne approximativement :

$$H_{i\nu}^{(1)}(i\nu) \approx -\frac{i}{\pi}\int_{-\infty}^{+\infty} \exp\left(-\frac{i\nu}{6}\xi^3\right) d\xi =$$

$$= -\frac{2i}{\pi}\operatorname{Re}\left\{\int_0^{+\infty} \exp\left(-\frac{i\nu}{6}\xi^3\right) d\xi\right\}.$$

La substitution $i\nu\xi^3/6 = \eta$ ramène cette intégrale à la fonction Γ, et on obtient en définitive :

$$H_{i\nu}^{(1)}(i\nu) \approx -\frac{i}{\pi\sqrt{3}}\left(\frac{6}{\nu}\right)^{1/3}\Gamma\left(\frac{1}{3}\right).$$

On trouve de la même manière :

$$H_{i\nu}^{(1)\prime}(i\nu) \approx \frac{1}{\pi\sqrt{3}}\left(\frac{6}{\nu}\right)^{2/3}\Gamma\left(\frac{2}{3}\right).$$

Enfin, utilisant la formule bien connue dans la théorie des fonctions Γ

$$\Gamma(x)\,\Gamma(1-x) = \frac{\pi}{\sin \pi x},$$

on obtient pour le rayonnement efficace aux grandes fréquences :

$$d\varkappa_\omega = \frac{16\pi\alpha^2}{3^{3/2}v_0^2c^3}\left(\frac{e_1}{m_1}-\frac{e_2}{m_2}\right)^2 d\omega \text{ pour } \omega \gg \frac{\mu v_0^3}{\alpha}, \quad (70,22)$$

expression ne dépendant pas de la fréquence.

Passons maintenant au rayonnement de freinage lors du choc de deux particules se repoussant selon la loi $U = \alpha/r$ ($\alpha > 0$). Le mouvement évolue sur une hyperbole

$$-1 + \varepsilon\cos\varphi = \frac{a(\varepsilon^2-1)}{r}; \quad (70,23)$$

$$x = a(\varepsilon + \operatorname{ch}\xi), \quad y = a\sqrt{\varepsilon^2-1}\operatorname{sh}\xi, \quad t = \sqrt{\frac{\mu a^3}{\alpha}}(\varepsilon\operatorname{sh}\xi + \xi) \quad (70,24)$$

[a et ε sont tirés de (70,12)]. Tous les calculs se ramènent directement aux précédents, et point n'est besoin de les refaire. En effet, l'intégrale

$$x_\omega = \frac{ia}{\omega} \int_{-\infty}^{+\infty} e^{i\nu(\varepsilon \operatorname{sh} \xi + \xi)} \operatorname{sh} \xi \, d\xi$$

pour la composante de Fourier de la coordonnée x se ramène par la substitution $\xi \to i\pi - \xi$ à la même intégrale, multipliée par $e^{-\pi\nu}$, que pour le cas de l'attraction ; la même chose a lieu pour y_ω.

Par conséquent, les expressions des composantes de Fourier de x_ω, y_ω dans le cas de la répulsion se distinguent des expressions respectives pour le cas de l'attraction par le facteur $e^{-2\pi\nu}$. Donc, dans les formules relatives au rayonnement apparaîtront des facteurs nouveaux $e^{-2\pi\nu}$. Notamment, on retrouve pour les fréquences petites la formule précédente (70,21) (étant donné que pour $\nu \ll 1$, $e^{-\pi\nu} \approx \approx 1$).

Pour les grandes fréquences, le rayonnement efficace s'écrit :

$$d\varkappa_\omega = \frac{16\pi\alpha^2}{3^{3/2} v_0^2 c^3} \left(\frac{e_1}{m_1} - \frac{e_2}{m_2} \right)^2 \exp\left(-\frac{2\pi\omega\alpha}{\mu v_0^3} \right) d\omega \quad \text{pour } \omega \gg \frac{\mu v_0^3}{\alpha} . \quad (70,25)$$

Il décroît exponentiellement lorsque la fréquence croît.

Problèmes

1. Déterminer l'intensité totale moyenne du rayonnement lorsque deux charges qui s'attirent sont en mouvement elliptique.

Solution. Avec l'expression (70,1) pour le moment dipolaire on a pour l'intensité totale du rayonnement :

$$I = \frac{2\mu^2}{3c^3} \left(\frac{e_1}{m_1} - \frac{e_2}{m_2} \right)^2 \ddot{\mathbf{r}}^2 = \frac{2\alpha^2}{3c^3} \left(\frac{e_1}{m_1} - \frac{e_2}{m_2} \right)^2 \frac{1}{r^4} ,$$

où nous avons utilisé l'équation du mouvement $\mu\ddot{\mathbf{r}} = -\alpha\mathbf{r}/r^3$. Exprimons la coordonnée r en fonction de φ conformément à l'équation de l'orbite (70,2) et remplaçons l'intégration par rapport au temps par l'intégration par rapport à φ (de 0 à 2π) en faisant la substitution $dt = \mu r^2 d\varphi/M$. On trouve en définitive pour l'intensité moyenne :

$$\bar{I} = \frac{1}{T} \int_0^T I \, dT = \frac{2^{3/2}}{3c^3} \left(\frac{e_1}{m_1} - \frac{e_2}{m_2} \right)^2 \frac{\mu^{5/2}\alpha^3 |\mathscr{E}|^{3/2}}{M^5} \left(3 - \frac{2|\mathscr{E}| M^2}{\mu\alpha^2} \right) .$$

2. Déterminer le rayonnement total $\Delta\mathscr{E}$ résultant du choc de deux particules chargées.

Solution. Dans le cas d'attraction la trajectoire est l'hyperbole (70,11), et dans le cas de répulsion, l'hyperbole (70,23). Les asymptotes de l'hyperbole forment avec son axe l'angle φ_0 déterminé par $\pm \cos \varphi_0 = 1/\varepsilon$, et l'angle de déviation des particules (dans le système de coordonnées où le centre d'inertie est au repos) est $\chi = |\pi - 2\varphi_0|$. Le calcul s'effectue comme pour le problème 1 (l'intégrale en $d\varphi$ étant prise entre $-\varphi_0$ et φ_0). On trouve en définitive dans le cas d'attraction:

$$\Delta\mathscr{E}=\frac{\mu^3 v_0^5}{3c^3\alpha}\operatorname{tg}^3\frac{\chi}{2}\left[(\pi+\chi)\left(1+3\operatorname{tg}^2\frac{\chi}{2}\right)+6\operatorname{tg}\frac{\chi}{2}\right]\left(\frac{e_1}{m_1}-\frac{e_2}{m_2}\right)^2,$$

et dans le cas de répulsion:

$$\Delta\mathscr{E}=\frac{\mu^3 v_0^5}{3c^3\alpha}\operatorname{tg}^3\frac{\chi}{2}\left[(\pi-\chi)\left(1+3\operatorname{tg}^2\frac{\chi}{2}\right)-6\operatorname{tg}\frac{\chi}{2}\right]\left(\frac{e_1}{m_1}-\frac{e_2}{m_2}\right)^2.$$

Dans les deux cas, χ est l'angle positif déterminé par la relation

$$\operatorname{ctg}\frac{\chi}{2}=\frac{\mu v_0^2\rho}{\alpha}.$$

Lorsque deux charges répulsives se heurtent de front, le passage à la limite $\rho\to 0$, $\chi\to\pi$ donne:

$$\Delta\mathscr{E}=\frac{8\mu^3 v_0^5}{45c^3\alpha}\left(\frac{e_1}{m_1}-\frac{e_2}{m_2}\right)^2.$$

3. Déterminer le rayonnement efficace total de diffusion d'un flux de particules dans un champ coulombien répulsif.

Solution. La quantité cherchée est

$$\varkappa=\int_0^\infty\int_{-\infty}^\infty I\,dt\cdot 2\pi\rho\,d\rho=\frac{2\alpha^2}{3c^3}\left(\frac{e_1}{m_1}-\frac{e_2}{m_2}\right)^2 2\pi\int_0^\infty\int_{-\infty}^\infty\frac{1}{r^4}\,dt\cdot\rho\,d\rho.$$

Remplaçons l'intégration par rapport au temps par une intégration en dr étendue à la trajectoire de la charge, en écrivant $dt=dr/v_r$, où la vitesse $v_r=\dot{r}$ s'exprime en fonction de r d'après la formule

$$v_r=\sqrt{\frac{2}{\mu}\left[\mathscr{E}-\frac{M^2}{2\mu r^2}-U(r)\right]}=\sqrt{v_0^2-\frac{\rho^2 v_0^2}{r^2}-\frac{2\alpha}{\mu r}}.$$

On intègre en dr de l'infini jusqu'au minimum de distance du centre $r_0=r_0(\rho)$ (le point où $v_r=0$), puis de r_0 à l'infini; ceci revient à prendre le double de l'intégrale de r_0 à l'infini. Il est commode de calculer l'intégrale double en changeant l'ordre d'intégration, en intégrant d'abord en $d\rho$ puis en dr. On obtient:

$$\varkappa=\frac{8\pi}{9}\frac{\alpha\mu v_0}{c^3}\left(\frac{e_1}{m_1}-\frac{e_2}{m_2}\right)^2.$$

4. Déterminer la distribution angulaire du rayonnement total lorsqu'une charge croise une autre, la vitesse étant assez grande (bien que petite par rapport à la vitesse de la lumière) pour qu'on puisse considérer que la déviation à partir de la ligne droite est infime.

Solution. L'angle de déviation est petit si l'énergie cinétique $\mu v^2/2$ est grande par rapport à l'énergie potentielle, dont l'ordre de grandeur est α/ρ ($\mu v^2\gg\alpha/\rho$). Choisissons le plan du mouvement pour plan xy, avec l'origine des coordonnées au centre d'inertie, l'axe des x étant dirigé selon la vitesse. En première approximation la trajectoire est la droite $x=vt$, $y=\rho$. A l'approximation suivante, on déduit des équations du mouvement:

$$\mu\ddot{x}=\frac{\alpha}{r^2}\frac{x}{r}\approx\frac{\alpha vt}{r^3},\qquad \mu\ddot{y}=\frac{\alpha}{r^2}\frac{y}{r}\approx\frac{\alpha\rho}{r^3},$$

où

$$r=\sqrt{x^2+y^2}\approx\sqrt{\rho^2+v^2t^2}.$$

Nous obtenons en vertu de la formule (67,7) :

$$d\mathscr{E}_{\mathbf{n}}=do\frac{\mu^2}{4\pi c^3}\left(\frac{e_1}{m_1}-\frac{e_2}{m_2}\right)^2\int\limits_{-\infty}^{+\infty}(\ddot{x}^2+\ddot{y}^2-(\ddot{x}n_x+\ddot{y}n_y)^2]\,dt,$$

où $\mathbf{n}$ est le vecteur unité dans la direction de do. Exprimant la fonction sous le signe somme en fonction de t et intégrant, il vient :

$$d\mathscr{E}_{\mathbf{n}}=\frac{\alpha^2}{32vc^3\rho^3}\left(\frac{e_1}{m_1}-\frac{e_2}{m_2}\right)^2(4-n_x^2-3n_y^2)do.$$

§ 71. Rayonnement quadrupolaire et magnéto-dipolaire

Examinons à présent le rayonnement dû aux termes suivants du développement du potentiel vecteur d'après les puissances du rapport a/λ des dimensions du système à la longueur d'onde, que l'on supposera petit comme auparavant. Bien que ces termes soient en général petits par rapport au premier (le terme dipolaire), ils sont essentiels lorsque le moment dipolaire du système est nul, de sorte qu'il n'y a pas de rayonnement dipolaire.

Développant dans (66,2)

$$\mathbf{A}=\frac{1}{cR_0}\int\mathbf{j}_{t'+\mathbf{rn}/c}\,dV$$

l'expression sous le signe somme selon les puissances de $\mathbf{rn}/c$ et conservant maintenant les deux premiers termes, nous avons :

$$\mathbf{A}=\frac{1}{cR_0}\int\mathbf{j}_{t'}\,dV+\frac{1}{c^2R_0}\frac{\partial}{\partial t'}\int(\mathbf{rn})\,\mathbf{j}_{t'}\,dV.$$

Substituant ici $\mathbf{j}=\rho\mathbf{v}$ et passant à des charges ponctuelles, on trouve :

$$\mathbf{A}=\frac{1}{cR_0}\sum e\mathbf{v}+\frac{1}{c^2R_0}\frac{\partial}{\partial t}\sum e\mathbf{v}\,(\mathbf{rn}). \qquad (71,1)$$

Ici, aussi bien que dans la suite, nous omettrons (comme au § 67), pour abréger l'écriture, l'indice t' dans toutes les quantités du second membre.

Ecrivons dans le deuxième terme :

$$\mathbf{v}\,(\mathbf{rn})=\frac{1}{2}\frac{\partial}{\partial t}\mathbf{r}\,(\mathbf{nr})+\frac{1}{2}\mathbf{v}\,(\mathbf{nr})-\frac{1}{2}\mathbf{r}\,(\mathbf{nv})=\frac{1}{2}\frac{\partial}{\partial t}\mathbf{r}\,(\mathbf{nr})+\frac{1}{2}(\mathbf{r}\times\mathbf{v})\times\mathbf{n}.$$

On trouve alors pour $\mathbf{A}$ l'expression

$$\mathbf{A}=\frac{\dot{\mathbf{d}}}{cR_0}+\frac{1}{2c^2R_0}\frac{\partial^2}{\partial t^2}\sum e\mathbf{r}\,(\mathbf{nr})+\frac{1}{cR_0}\dot{\mathfrak{m}}\times\mathbf{n}, \qquad (71,2)$$

où $\mathbf{d}$ est le moment dipolaire du système, et $\mathfrak{m} = \frac{1}{2c} \sum e\mathbf{r} \times \mathbf{v}$ son moment magnétique. Pour continuer la transformation, notons que l'on peut ajouter à $\mathbf{A}$, sans changer le champ, un vecteur arbitraire proportionnel à $\mathbf{n}$, les champs $\mathbf{E}$ et $\mathbf{H}$ ne changeant pas alors en vertu des formules (66,3). On peut donc écrire au lieu de (71,2) aussi bien

$$\mathbf{A} = \frac{\dot{\mathbf{d}}}{cR_0} + \frac{1}{6c^2R_0} \frac{\partial^2}{\partial t^2} \sum e\,[3\mathbf{r}\,(\mathbf{nr}) - \mathbf{n}r^2] + \frac{1}{cR_0} \dot{\mathfrak{m}} \times \mathbf{n}.$$

Mais l'expression sous le signe $\partial^2/\partial t^2$ est le produit $n_\beta D_{\alpha\beta}$ du vecteur $\mathbf{n}$ par le tenseur du moment quadrupolaire $D_{\alpha\beta} = \sum e\,(3x_\alpha x_\beta - \delta_{\alpha\beta}r^2)$ (cf. § 41). Introduisant le vecteur $\mathbf{D}$ de composantes $D_\alpha = D_{\alpha\beta}n_\beta$, on trouve l'expression définitive du potentiel vecteur:

$$\mathbf{A} = \frac{\dot{\mathbf{d}}}{cR_0} + \frac{1}{6c^2R_0} \ddot{\mathbf{D}} + \frac{1}{cR_0} \dot{\mathfrak{m}} \times \mathbf{n}. \tag{71,3}$$

Connaissant $\mathbf{A}$, on peut à présent déterminer les champs $\mathbf{H}$ et $\mathbf{E}$ au moyen des formules générales (66,3) :

$$\begin{aligned} \mathbf{H} &= \frac{1}{c^2R_0} \left\{ \ddot{\mathbf{d}} \times \mathbf{n} + \frac{1}{6c} \dddot{\mathbf{D}} \times \mathbf{n} + (\ddot{\mathfrak{m}} \times \mathbf{n}) \times \mathbf{n} \right\}, \\ \mathbf{E} &= \frac{1}{c^2R_0} \left\{ (\ddot{\mathbf{d}} \times \mathbf{n}) \times \mathbf{n} + \frac{1}{6c} (\dddot{\mathbf{D}} \times \mathbf{n}) \times \mathbf{n} + \mathbf{n} \times \ddot{\mathfrak{m}} \right\}. \end{aligned} \tag{71,4}$$

L'intensité dI du rayonnement dans l'angle solide do est déterminée conformément à (66,6). Nous déterminerons ici le rayonnement total, c'est-à-dire l'énergie rayonnée par le système en l'unité de temps dans toutes les directions. A cet effet, prenons la moyenne de dI relativement à toutes les directions $\mathbf{n}$; le rayonnement total est égal au produit par 4π de cette moyenne. Lorsqu'on prend la moyenne du carré du champ magnétique, tous les produits deux à deux du premier, du second et du troisième terme dans $\mathbf{H}$ s'évanouissent, de sorte qu'il ne reste que les moyennes quadratiques de chacun d'eux. On obtient après des calculs non compliqués [1]:

$$I = \frac{2}{3c^3} \ddot{\mathbf{d}}^2 + \frac{1}{180c^5} \dddot{D}_{\alpha\beta}^2 + \frac{2}{3c^3} \ddot{\mathfrak{m}}^2. \tag{71,5}$$

---

[1] Indiquons une méthode pratique du calcul de la moyenne des produits des composantes d'un vecteur unité. Le tenseur $\overline{n_\alpha n_\beta}$, qui est symétrique, ne peut s'exprimer qu'au moyen du tenseur unité $\delta_{\alpha\beta}$. Notant également que sa trace est égale à 1, on a :

$$\overline{n_\alpha n_\beta} = \frac{1}{3} \delta_{\alpha\beta}.$$

La moyenne du produit de quatre composantes est

$$\overline{n_\alpha n_\beta n_\gamma n_\delta} = \frac{1}{15} (\delta_{\alpha\beta}\delta_{\gamma\delta} + \delta_{\alpha\gamma}\delta_{\beta\delta} + \delta_{\alpha\delta}\delta_{\beta\gamma}).$$

Le second membre est formé au moyen de tenseurs unités et constitue un tenseur d'ordre quatre symétrique sur tous les indices ; on détermine ensuite le ocefficient en contractant sur deux paires d'indices, ce qui donne finalement 1.

De sorte que le rayonnement total comprend trois parties indépendantes ; ce sont respectivement les rayonnements dipolaire, *quadrupolaire* et *magnéto-dipolaire*.

Notons que le rayonnement magnéto-dipolaire ne figure virtuellement pas dans nombre de cas. Ainsi, il n'existe pas pour un système dont le rapport de la charge à la masse est le même pour toutes les particules en mouvement (dans ce cas, il n'y a pas non plus de rayonnement dipolaire, comme il a été spécifié au § 67). En effet, pour un tel système, le moment magnétique est proportionnel au moment cinétique (cf. § 44), et, en vertu de la loi de conservation de ce dernier, on a $\dot{\mathfrak{m}} = 0$. Pour la même raison (cf. problème du § 44), il n'y a pas de rayonnement magnéto-dipolaire pour tout système composé de deux particules seulement (ce que, toutefois, l'on ne peut affirmer pour le rayonnement dipolaire).

Problème

Calculer le rayonnement efficace total de diffusion d'un flux de particules chargées par des particules identiques.

Solution. Le rayonnement dipolaire (et magnéto-dipolaire) n'existe pas lorsque s'entre-heurtent des particules identiques, de sorte qu'il faut calculer le rayonnement quadrupolaire. Le tenseur du moment quadrupolaire d'un système de deux particules identiques (par rapport à leur centre d'inertie commun) est

$$D_{\alpha\beta} = \frac{e}{2}(3x_\alpha x_\beta - r^2\delta_{\alpha\beta}),$$

où les x_α sont les composantes du rayon vecteur $\mathbf{r}$ entre les particules. Après avoir dérivé trois fois $D_{\alpha\beta}$, exprimons les trois premières dérivées par rapport au temps des coordonnées x_α en fonction de la vitesse relative v_α des particules comme suit :

$$\dot{x}_\alpha = v_\alpha, \quad \mu\ddot{x}_\alpha = \frac{m}{2}\ddot{x}_\alpha = \frac{e^2 x_\alpha}{r^3}, \quad \frac{m}{2}\dddot{x}_\alpha = e^2\frac{v_\alpha r - 3x_\alpha v_r}{r^4},$$

où $v_r = \mathbf{vr}/r$ est la composante radiale de la vitesse (la seconde égalité est l'équation du mouvement de la charge, et la troisième est obtenue par dérivation de la seconde). Le calcul donne l'expression suivante pour l'intensité :

$$I = \frac{1}{180c^5}\dddot{D}_{\alpha\beta}^2 = \frac{2e^6}{15m^2c^5}\frac{1}{r^4}(v^2 + 11v_\varphi^2)$$

$(v^2 = v_r^2 + v_\varphi^2)$; nous exprimons v et v_φ en fonction de r au moyen des égalités

$$v^2 = v_0^2 - \frac{4e^2}{mr}, \quad v_\varphi = \frac{\rho v_0}{r}.$$

Nous remplaçons l'intégration par rapport au temps par une intégration en dr, comme pour le problème 3 du § 70, c'est-à-dire en écrivant :

$$dt=\frac{dr}{v_r}=\frac{dr}{\sqrt{v_0^2-\frac{\rho^2 v_0^2}{r^2}-\frac{4e^2}{mr}}}.$$

Dans l'intégrale double (en dr et $d\rho$) intégrons d'abord en $d\rho$, puis en dr. On obtient, en définitive, le résultat :

$$\varkappa=\frac{4\pi}{9}\frac{e^4 v_0^3}{mc^5}.$$

§ 72. Champ de rayonnement à faibles distances

Les formules du rayonnement dipolaire ont été établies pour le champ à des distances grandes par rapport à la longueur d'onde (et *a fortiori* par rapport aux dimensions du système rayonnant). Dans ce paragraphe, nous supposerons, comme avant, que la longueur d'onde est grande par rapport aux dimensions du système, mais nous examinerons le champ à des distances qui, bien que grandes par rapport aux dimensions du système, sont comparables à la longueur d'onde.

La formule (67,4) du potentiel vecteur

$$\mathbf{A}=\frac{1}{cR_0}\dot{\mathbf{d}} \tag{72,1}$$

reste en vigueur tout comme avant, car pour l'établir on a utilisé seulement le fait que R_0 était grand par rapport aux dimensions du système. Néanmoins, le champ ne pourra plus être considéré désormais, même dans des régions petites, comme une onde plane. Il en résulte que les formules (67,5) et (67,6) pour les champs électrique et magnétique ne sont plus applicables, et pour les calculer, il faudra déterminer préalablement aussi bien $\mathbf{A}$ que φ.

Quant à la formule du potentiel scalaire, on peut la déduire de l'expression de $\mathbf{A}$ directement au moyen de la condition générale (62,1)

$$\operatorname{div}\mathbf{A}+\frac{1}{c}\frac{\partial\varphi}{\partial t}=0,$$

imposée aux potentiels. En y substituant (72,1) et en intégrant par rapport au temps, on trouve :

$$\varphi=-\operatorname{div}\frac{\mathbf{d}}{R_0}. \tag{72,2}$$

Nous n'écrivons pas la constante d'intégration (fonction arbitraire des coordonnées), étant donné que seule la partie variable du potentiel nous intéresse. Rappelons que dans la formule (72,2), tout comme dans (72,1), la valeur de **d** doit être prise à l'instant $t' = t - R_0/c$ [1].

Il n'est plus difficile à présent de calculer les champs électrique et magnétique. En vertu des formules habituelles reliant **E** et **H** aux potentiels, on trouve:

$$\mathbf{H} = \frac{1}{c} \operatorname{rot} \frac{\dot{\mathbf{d}}}{R_0}, \tag{72,3}$$

$$\mathbf{E} = \operatorname{grad} \operatorname{div} \frac{\mathbf{d}}{R_0} - \frac{1}{c^2} \frac{\ddot{\mathbf{d}}}{R_0}. \tag{72,4}$$

On peut recopier l'expression de **E** sous une autre forme, en remarquant que $\mathbf{d}_{t'}/R_0$ [comme toute fonction des coordonnées et du temps de la forme $\frac{1}{R_0} f\left(t - \frac{R_0}{c}\right)$] satisfait à l'équation des ondes

$$\frac{1}{c^2} \frac{\partial^2}{\partial t^2} \frac{\mathbf{d}}{R_0} = \Delta \frac{\mathbf{d}}{R_0}.$$

Utilisant de même la formule connue

$$\operatorname{rot} \operatorname{rot} \mathbf{a} = \operatorname{grad} \operatorname{div} \mathbf{a} - \Delta \mathbf{a},$$

on trouve que

$$\mathbf{E} = \operatorname{rot} \operatorname{rot} \frac{\mathbf{d}}{R_0}. \tag{72,5}$$

Les formules obtenues déterminent le champ à des distances comparables à la longueur d'onde. Dans toutes ces formules, on ne peut, bien entendu, sortir $1/R_0$ de sous le signe de dérivation par rapport aux coordonnées, étant donné que le rapport des termes contenant $1/R_0^2$ aux termes en $1/R_0$ est précisément de l'ordre de λ/R_0.

Enfin, écrivons les formules pour les composantes du champ de Fourier. Pour déterminer $\mathbf{H}_\omega$, substituons dans la formule (72,3) à **H** et **d** leurs composantes monochromatiques, soit respectivement $\mathbf{H}_\omega e^{-i\omega t}$ et $\mathbf{d}_\omega e^{-i\omega t}$. Il faut, toutefois, se rappeler que les quantités dans les seconds membres des égalités (72,1-5) sont prises à l'instant $t' = t - R_0/c$. Par conséquent, on doit substituer à **d** l'expression

$$\mathbf{d}_\omega e^{-i\omega(t - R_0/c)} = \mathbf{d}_\omega e^{-i\omega t + ikR_0}.$$

---

[1] On introduit parfois le vecteur de Hertz

$$\mathbf{Z} = -\frac{1}{R_0} \mathbf{d}\left(t - \frac{R_0}{c}\right).$$

Alors

$$\mathbf{A} = -\frac{1}{c} \dot{\mathbf{Z}}, \quad \varphi = \operatorname{div} \mathbf{Z}.$$

Substituant et simplifiant par $e^{-i\omega t}$, on trouve:

$$\mathbf{H}_\omega = -ik \operatorname{rot}\left(\mathbf{d}_\omega \frac{e^{ikR_0}}{R_0}\right) = ik\mathbf{d}_\omega \times \nabla \frac{e^{ikR_0}}{R_0},$$

ou, après dérivation,

$$\mathbf{H}_\omega = ik\,(\mathbf{d}_\omega \times \mathbf{n})\left(\frac{ik}{R_0} - \frac{1}{R_0^2}\right) e^{ikR_0}, \tag{72,6}$$

où $\mathbf{n}$ est le vecteur unité dans la direction $\mathbf{R}_0$.

On trouve d'une manière analogue en partant de (72,4):

$$\mathbf{E}_\omega = k^2\mathbf{d}_\omega \frac{e^{ikR_0}}{R_0} + (\mathbf{d}_\omega\nabla)\,\nabla \frac{e^{ikR_0}}{R_0},$$

ou, en dérivant,

$$\mathbf{E}_\omega = \mathbf{d}_\omega \left(\frac{k^2}{R_0} + \frac{ik}{R_0^2} - \frac{1}{R_0^3}\right) e^{ikR_0} + \mathbf{n}\,(\mathbf{n}\mathbf{d}_\omega)\left(-\frac{k^2}{R_0} - \frac{3ik}{R_0^2} + \frac{3}{R_0^3}\right) e^{ikR_0}. \tag{72,7}$$

A des distances grandes par rapport à la longueur d'onde $(kR_0 \gg 1)$ on peut omettre dans les formules (72,5-6) les termes en $1/R_0^2$ et $1/R_0^3$, et on retrouve le champ de la « zone d'ondes »:

$$\mathbf{E}_\omega = \frac{k^2}{R_0}\,\mathbf{n} \times (\mathbf{d}_\omega \times \mathbf{n})\, e^{ikR_0}, \qquad \mathbf{H}_\omega = -\frac{k^2}{R_0}\,\mathbf{d}_\omega \times \mathbf{n} e^{ikR_0}.$$

Pour des distances petites par rapport à la longueur d'onde $(kR_0 \ll 1)$ on négligera les termes en $1/R_0$ et $1/R_0^2$ et on posera $e^{ikR_0} \approx 1$; alors

$$\mathbf{E}_\omega = \frac{1}{R_0^3}\{3\mathbf{n}\,(\mathbf{d}_\omega\mathbf{n}) - \mathbf{d}_\omega\},$$

ce qui correspond au champ électrique dipolaire statistique (§ 40); à cette approximation, le champ magnétique n'intervient pas naturellement.

Problème

Déterminer les potentiels du champ des rayonnements quadrupolaire et magnéto-dipolaire à faibles distances.

Solution. Supposant, pour abréger, qu'il n'y ait pas de rayonnement dipolaire, on a (comparer avec les calculs faits au § 71):

$$\mathbf{A} = \frac{1}{c}\int \mathbf{j}_{t-R/c}\frac{dV}{R} \approx -\frac{1}{c}\int (\mathbf{r}\nabla)\,\frac{\mathbf{j}_{t-R_0/c}}{R_0}\,dV,$$

où le développement de l'expression sous le signe somme se fait suivant les puissances de $\mathbf{r} = \mathbf{R}_0 - \mathbf{R}$. Contrairement à ce que nous avons fait au § 71, on ne peut sortir ici le facteur $1/R_0$ de sous le signe de dérivation. Sortons ce signe de sous le signe somme et recopions la formule en utilisant les notations tensorielles:

$$A_\alpha = -\frac{1}{c}\frac{\partial}{\partial X_\beta}\int \frac{x_\beta j_\alpha}{R_0}\,dV$$

(les X_β désignent les composantes du rayon vecteur $\mathbf{R}_0$). Passant de l'intégrale à une somme étendue aux charges, il vient :

$$A_\alpha = -\frac{1}{c}\frac{\partial}{\partial X_\beta}\frac{\left(\sum e v_\alpha x_\beta\right)_{t'}}{R_0}.$$

Par le même procédé qu'au § 71, on décompose cette expression en ses parties quadrupolaire et magnéto-dipolaire. On calcule les potentiels scalaires correspondants au moyen du potentiel vecteur de même que dans le texte. On trouve, en définitive, pour le rayonnement quadrupolaire :

$$A_\alpha = -\frac{1}{6c}\frac{\partial}{\partial X_\beta}\frac{\dot{D}_{\alpha\beta}}{R_0}, \quad \varphi = \frac{1}{6}\frac{\partial^2}{\partial X_\alpha \partial X_\beta}\frac{D_{\alpha\beta}}{R_0},$$

et pour le rayonnement magnéto-dipolaire :

$$\mathbf{A} = \operatorname{rot}\frac{\mathfrak{m}}{R_0}, \quad \varphi = 0$$

(toutes les quantités dans les seconds membres sont prises, comme d'habitude, à l'instant $t' = t - R_0/c$).

Les champs du rayonnement magnéto-dipolaire sont :

$$\mathbf{E} = -\frac{1}{c}\operatorname{rot}\frac{\dot{\mathfrak{m}}}{R_0}, \quad \mathbf{H} = \operatorname{rot}\operatorname{rot}\frac{\dot{\mathfrak{m}}}{R_0}.$$

Comparant avec (72,3) et (72,4), on voit que **H** et **E** dans le cas magnéto-dipolaire s'expriment en fonction de $\mathfrak{m}$ tout comme respectivement **E** et —**H** en fonction de **d** dans le cas électrique dipolaire.

Les composantes spectrales des potentiels du rayonnement quadrupolaire sont

$$A_\alpha^{(\omega)} = \frac{ik}{6} D_{\alpha\beta}^{(\omega)}\frac{\partial}{\partial X_\beta}\frac{e^{ikR_0}}{R_0}, \quad \varphi^{(\omega)} = \frac{1}{6} D_{\alpha\beta}^{(\omega)}\frac{\partial^2}{\partial X_\alpha \partial X_\beta}\frac{e^{ikR_0}}{R_0}.$$

Nous ne donnerons pas ici les expressions du champ, étant donné qu'elles sont volumineuses.

§ 73. Rayonnement d'une charge en mouvement rapide

Considérons maintenant une particule chargée animée d'une vitesse non négligeable par rapport à celle de la lumière.

Les formules du § 67, établies en supposant que $v \ll c$, ne sont pas applicables à ce cas directement. Toutefois, on peut considérer la particule dans le référentiel où elle se trouve au repos à l'instant considéré ; dans ce référentiel les formules mentionnées sont évidemment applicables (notons que ceci est possible seulement dans le cas d'une seule particule en mouvement ; pour plusieurs particules, il n'existe pas, en général, de référentiel où elles se trouveraient au repos toutes ensemble).

Ainsi, dans le référentiel indiqué, la particule rayonne dans le temps dt l'énergie

$$d\mathscr{E} = \frac{2e^2}{3c^3} w^2 \, dt \tag{73,1}$$

[en vertu de la formule (67,9)], où w_0 est l'accélération de la particule dans ce même système. L'impulsion totale qu'elle « rayonne » est nulle dans le référentiel considéré:

$$d\mathbf{P} = 0. \tag{73,2}$$

En effet, le rayonnement de l'impulsion est déterminé par l'intégrale de la densité du flux d'impulsion dans le champ du rayonnement, prise sur une surface fermée entourant la particule. Mais, en vertu des propriétés de symétrie du rayonnement dipolaire, les impulsions rayonnées dans des directions opposées ont la même grandeur et des signes contraires; il en résulte que cette intégrale est identiquement nulle.

Pour passer dans un référentiel arbitraire, recopions les formules (73,1) et (73,2) avec quatre indices. Il est facile de voir que le « rayonnement » de 4-impulsion dP^i doit être écrit sous la forme:

$$dP^i = -\frac{2e^2}{3c} \frac{du^k}{ds} \frac{du_k}{ds} dx^i = -\frac{2e^2}{3c} \frac{du^k}{ds} \frac{du_k}{ds} u^i \, ds. \tag{73,3}$$

En effet, dans le référentiel où la particule est au repos, les composantes spatiales du quadrivecteur vitesse u^i sont nulles et $\frac{du^k}{ds}\frac{du_k}{ds} = -\frac{w^2}{c^4}$; il s'ensuit que les composantes spatiales de dP^i s'annulent, et la composante temporelle donne l'égalité (73,1).

Le rayonnement total de 4-impulsion pendant le temps où la particule traverse le champ électromagnétique donné est égal à l'intégrale de l'expression (73,3), soit

$$\Delta P^i = -\frac{2e^2}{3c} \int \frac{du^k}{ds} \frac{du_k}{ds} dx^i. \tag{73,4}$$

Mettons cette formule sous une autre forme en exprimant la 4-accélération du^i/ds au moyen du tenseur du champ électromagnétique extérieur en nous servant des équations du mouvement (23,4):

$$mc \frac{du_k}{ds} = \frac{e}{c} F_{kl} u^l.$$

On obtient alors:

$$\Delta P^i = -\frac{2e^4}{3m^2c^5} \int (F_{kl} u^l)(F^{km} u_m) \, dx^i. \tag{73,5}$$

La composante temporelle de l'équation (73,4) ou (73,5) donne le rayonnement total d'énergie $\Delta\mathscr{E}$. Substituant aux quantités quadridimensionnelles leurs expressions en fonction des quantités tridimensionnelles, nous obtenons:

$$\Delta\mathscr{E}=\frac{2e^2}{3c^3}\int\limits_{-\infty}^{+\infty}\frac{w^2-\frac{(\mathbf{v}\times\mathbf{w})^2}{c^2}}{\left(1-\frac{v^2}{c^2}\right)^3}\,dt \tag{73,6}$$

($\mathbf{w}=\dot{\mathbf{v}}$ est l'accélération de la particule), ou bien en fonction des champs électrique et magnétique extérieurs:

$$\Delta\mathscr{E}=\frac{2e^4}{3m^2c^3}\int\limits_{-\infty}^{+\infty}\frac{\left\{\mathbf{E}+\frac{1}{c}\,\mathbf{v}\times\mathbf{H}\right\}^2-\frac{1}{c^2}(\mathbf{E}\mathbf{v})^2}{1-\frac{v^2}{c^2}}\,dt. \tag{73,7}$$

Les expressions du rayonnement total d'impulsion se distinguent par le facteur supplémentaire $\mathbf{v}$ sous le signe somme.

La formule (73,7) montre que, pour des vitesses voisines de la vitesse de la lumière, le rayonnement total d'énergie en l'unité de temps dépend de la vitesse de la particule pour l'essentiel comme $(1-v^2/c^2)^{-1}$, soit proportionnellement au carré de l'énergie de la particule en mouvement. Seul fait exception le cas où le mouvement a lieu dans un champ électrique parallèlement au champ. Dans ce cas, le facteur $(1-v^2/c^2)$ se trouvant au dénominateur se simplifie avec le même facteur au numérateur, et le rayonnement ne dépend pas alors de l'énergie de la particule.

Enfin, arrêtons-nous à la question de la distribution angulaire du rayonnement d'une particule en mouvement rapide. Pour résoudre ce problème, il est commode d'utiliser les expressions de Liénard-Wiechert (63,8) et (63,9) pour le champ. Aux grandes distances, nous ne devons y garder que le terme du plus bas degré en $1/R$ [le second terme dans la formule (63,8)]. Introduisant le vecteur unité $\mathbf{n}$ dans la direction du rayonnement ($\mathbf{R}=\mathbf{n}R$), on obtient:

$$\mathbf{E}=\frac{e}{c^2R}\,\frac{\mathbf{n}\times\left\{\left(\mathbf{n}-\frac{\mathbf{v}}{c}\right)\times\mathbf{w}\right\}}{\left(1-\frac{\mathbf{n}\mathbf{v}}{c}\right)^3},\qquad \mathbf{H}=\mathbf{n}\times\mathbf{E}, \tag{73,8}$$

où toutes les quantités dans les seconds membres sont prises à l'instant retardé $t'=t-R/c$.

L'intensité du rayonnement dans l'angle solide do est $dI=\frac{c}{4\pi}E^2R^2do$. Développant le carré E^2, on trouve:

$$dI=\frac{e^2}{4\pi c^3}\left\{\frac{2(\mathbf{n}\mathbf{w})(\mathbf{v}\mathbf{w})}{c\left(1-\frac{\mathbf{v}\mathbf{n}}{c}\right)^5}+\frac{\mathbf{w}^2}{\left(1-\frac{\mathbf{v}\mathbf{n}}{c}\right)^4}-\frac{\left(1-\frac{v^2}{c^2}\right)(\mathbf{n}\mathbf{w})^2}{\left(1-\frac{\mathbf{v}\mathbf{n}}{c}\right)^6}\right\}do. \tag{73,9}$$

Si l'on veut déterminer la distribution angulaire du rayonnement total durant le mouvement tout entier de la charge, il faut intégrer l'intensité par rapport au temps. En outre, il faut se rappeler que l'expression intégrée est une fonction de t' ; il faut donc écrire :

$$dt = \frac{\partial t}{\partial t'}\,dt' = \left(1 - \frac{\mathbf{nv}}{c}\right) dt' \qquad (73,10)$$

[cf. (63,6)], après quoi on intégrera directement en dt'. De sorte que l'on a l'expression suivante pour le rayonnement total dans l'élément d'angle solide do :

$$d\mathscr{E}_{\mathbf{n}} = \frac{e^2}{4\pi c^3}\,do \int \left\{ \frac{2\,(\mathbf{nw})\,(\mathbf{vw})}{c\left(1 - \frac{\mathbf{vn}}{c}\right)^4} + \frac{\mathbf{w}^2}{\left(1 - \frac{\mathbf{vn}}{c}\right)^3} - \frac{\left(1 - \frac{v^2}{c^2}\right)(\mathbf{nw})^2}{\left(1 - \frac{\mathbf{vn}}{c}\right)^5} \right\} dt'. \qquad (73,11)$$

Comme le montre (73,9), la distribution angulaire dans le cas général est assez compliquée. Dans le cas ultrarelativiste ($1 - v/c \ll 1$), elle est douée d'une particularité caractéristique due à l'existence de puissances élevées de la différence $1 - \mathbf{vn}/c$ dans les dénominateurs des divers termes de cette expression, c'est-à-dire l'intensité est grande dans un intervalle restreint d'angles où la différence $1 - \mathbf{vn}/c$ est petite. Désignant par θ l'angle petit entre $\mathbf{n}$ et $\mathbf{v}$, nous avons :

$$1 - \frac{v}{c}\cos\theta \approx 1 - \frac{v}{c} + \frac{\theta^2}{2};$$

cette différence est petite ($\sim 1 - v/c$) lorsque $\theta \sim \sqrt{1 - v/c}$ ou, ce qui revient au même,

$$\theta \sim \sqrt{1 - \frac{v^2}{c^2}}. \qquad (73,12)$$

Ainsi, une particule ultrarelativiste rayonne principalement dans le sens de son mouvement dans l'intervalle d'angles (73,12) autour de la direction de la vitesse.

Indiquons encore que lorsque la vitesse et l'accélération de la particule sont arbitraires, il existe toujours deux directions où l'intensité du rayonnement s'annule. Ce sont les directions pour lesquelles le vecteur $\mathbf{n} - \mathbf{v}/c$ est parallèle au vecteur $\mathbf{w}$, et il en résulte que le champ (73,8) s'annule (voir aussi le problème 2 à la fin de ce paragraphe).

Ecrivons encore les formules plus simples auxquelles se réduit (73,9) dans deux cas particuliers.

Lorsque la vitesse et l'accélération de la particule sont colinéaires, on a :

$$\mathbf{H}=\frac{e}{c^2R}\frac{\mathbf{w}\times\mathbf{n}}{\left(1-\frac{\mathbf{vn}}{c}\right)^3},$$

et pour l'intensité

$$dI=\frac{e^2}{4\pi c^3}\frac{w^2\sin^2\theta}{\left(1-\frac{v}{c}\cos\theta\right)^6}do. \qquad (73,13)$$

Elle est naturellement symétrique autour de la direction commune de **v** et **w** et s'annule dans le sens de la vitesse ($\theta = 0$) et contre la vitesse ($\theta = \pi$). Dans le cas ultrarelativiste, l'intensité comme fonction de θ a un double maximum brutal dans la région (73,12) avec « chute » jusqu'à zéro pour $\theta = 0$.

Lorsque la vitesse et l'accélération sont orthogonales, il vient de (73,9) :

$$dI=\frac{e^2w^2}{4\pi c^3}\left[\frac{1}{\left(1-\frac{v}{c}\cos\theta\right)^4}-\frac{\left(1-\frac{v^2}{c^2}\right)\sin^2\theta\cos^2\varphi}{\left(1-\frac{v}{c}\cos\theta\right)^6}\right]do, \qquad (73,14)$$

où θ est, comme avant, l'angle entre **n** et **v**, et φ l'azimut du vecteur **n** relativement au plan défini par **v** et **w**. Cette intensité n'est symétrique que par rapport au plan **vw** et s'annule dans deux directions dans ce plan, formant les angles $\theta = \arccos(v/c)$ avec la vitesse.

Problèmes

1. Déterminer le rayonnement total d'une particule relativiste de charge e_1 de paramètre d'impact ρ dans le champ coulombien d'un centre immobile (de potentiel $\varphi = e_2/r$).

Solution. Lorsqu'elle traverse un champ, une particule relativiste ne dévie presque pas [1]. On pourra donc considérer que la vitesse **v** est constante dans (73,7), ce qui donne pour le champ au point où se trouve la particule :

$$\mathbf{E}=\frac{e_2\mathbf{r}}{r^3}\approx\frac{e_2\mathbf{r}}{(\rho^2+v^2t^2)^{3/2}},$$

avec $x=vt$, $y=\rho$. Intégrant dans (73,7) par rapport au temps, on obtient :

$$\Delta\mathscr{E}=\frac{\pi e_1^4e_2^2}{12m^2c^3\rho^3v}\frac{4c^2-v^2}{c^2-v^2}.$$

[1] Lorsque $v\sim c$, il ne peut y avoir de déviation d'un angle sensible que pour des paramètres d'impact de l'ordre de $\rho\sim e^2/mc^2$ n'admettant pas un examen classique.

2. Déterminer les directions où s'annule l'intensité du rayonnement d'une particule en mouvement.

S o l u t i o n. Il résulte de la construction géométrique (fig. 15) que les directions cherchées **n** se trouvent dans le plan passant par **v** et **w** et forment avec **w** l'angle χ déterminé par la relation

$$\sin\chi = \frac{v}{c}\sin\alpha,$$

où α est l'angle entre **v** et **w**.

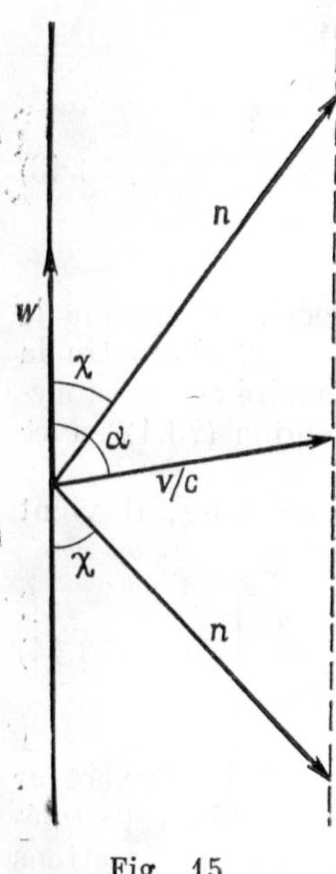

Fig. 15

§ 74. Rayonnement d'une charge dans un champ magnétique uniforme constant

Examinons le rayonnement d'une charge décrivant avec une vitesse quelconque un cercle dans un champ magnétique uniforme constant. Le rayon r de l'orbite et la fréquence cyclique ω_H s'expriment en fonction du champ H et de la vitesse v de la particule au moyen des formules (cf. § 21) :

$$r = \frac{mcv}{eH\sqrt{1-\frac{v^2}{c^2}}}, \quad \omega_H = \frac{v}{r} = \frac{eH}{mc}\sqrt{1-\frac{v^2}{c^2}}. \tag{74,1}$$

L'intensité totale du rayonnement dans toutes les directions est déterminée par la formule (73,7) (sans intégration par rapport au temps), où l'on doit poser $\mathbf{E} = 0$ et $\mathbf{H} \perp \mathbf{v}$:

$$I = \frac{2e^4H^2v^2}{3m^2c^5\left(1-\frac{v^2}{c^2}\right)}. \tag{74,2}$$

On voit que l'intensité totale est proportionnelle au carré de l'impulsion de la particule.

Lorsque c'est la distribution angulaire du rayonnement qui nous intéresse, il faut alors se servir de la formule (73,11). Il y a intérêt à considérer la moyenne de l'intensité dans une période du mouvement. Nous intégrerons respectivement (73,11) sur une période de rotation de la particule sur son cercle et nous diviserons le résultat obtenu par la période $T = 2\pi/\omega_H$.

Prenons le plan de l'orbite pour plan xy (l'origine au centre du cercle), et menons le plan yz par la direction du rayonnement **k** (fig. 16). Le champ magnétique sera dirigé dans le sens négatif de l'axe des z (le sens du mouvement de la particule représenté sur la fig. 16 correspond à une charge positive e). Soit encore θ l'angle entre la direction du rayonnement **k** et l'axe des y, et $\varphi = \omega_H t$ celui entre le rayon vecteur de la particule et l'axe des x. Alors, le cosinus de l'angle entre **k** et **v** est $\cos\theta\cos\varphi$ (le vecteur **v** est contenu dans le plan xy et il est, à chaque instant, perpendiculaire au rayon vecteur de la particule). Nous exprimerons l'accélération **w** de la particule en fonction de **H** et de **v** conformément à l'équation du mouvement [cf. (21,1)]:

$$\mathbf{w} = \frac{e}{mc}\sqrt{1-\frac{v^2}{c^2}}\,\mathbf{v}\times\mathbf{H}.$$

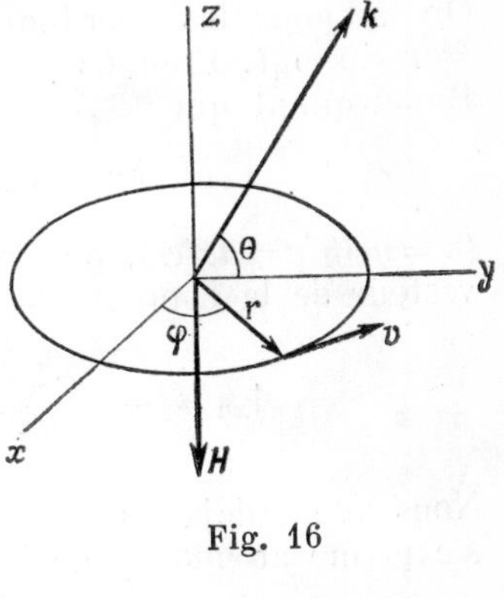

Fig. 16

On obtient après un calcul simple:

$$dI = do\,\frac{e^4H^2v^2}{8\pi^2m^2c^5}\left(1-\frac{v^2}{c^2}\right)\times$$

$$\times\int_0^{2\pi}\frac{\left(1-\frac{v^2}{c^2}\right)\sin^2\theta+\left(\frac{v}{c}-\cos\theta\cos\varphi\right)^2}{\left(1-\frac{v}{c}\cos\theta\cos\varphi\right)^5}\,d\varphi \tag{74,3}$$

(l'intégration par rapport au temps a été remplacée par une intégration en $d\varphi = \omega_H\,dt$). Le calcul de l'intégrale est élémentaire, bien qu'assez volumineux. On trouve en définitive la formule

$$dI = do\,\frac{e^4H^2v^2\left(1-\frac{v^2}{c^2}\right)}{8\pi m^2c^5}\times$$

$$\times\left[\frac{2+\frac{v^2}{c^2}\cos^2\theta}{\left(1-\frac{v^2}{c^2}\cos^2\theta\right)^{5/2}}-\frac{\left(1-\frac{v^2}{c^2}\right)\left(4+\frac{v^2}{c^2}\cos^2\theta\right)\cos^2\theta}{4\left(1-\frac{v^2}{c^2}\cos^2\theta\right)^{7/2}}\right]. \tag{74,4}$$

Le rapport des intensités du rayonnement sous l'angle $\theta = \pi/2$ (perpendiculairement au plan de l'orbite) et sous l'angle $\theta = 0$ (dans le plan de l'orbite) est

$$\frac{(dI/do)_0}{(dI/do)_{\pi/2}} = \frac{4+3\frac{v^2}{c^2}}{8\left(1-\frac{v^2}{c^2}\right)^{5/2}}. \tag{74,5}$$

Lorsque $v \to 0$ ce rapport tend vers $^1/_2$, mais il devient très grand lorsque les vitesses sont voisines de celle de la lumière. Nous reviendrons encore là-dessus plus bas.

Considérons à présent la distribution spectrale du rayonnement. Etant donné que le mouvement de la charge est périodique, il s'agit du développement en série de Fourier. Il est commode de commencer les calculs par le potentiel vecteur. On a pour cette composante de Fourier la formule [cf. (66,12)]

$$\mathbf{A}_n = e\frac{e^{ikR_0}}{cR_0T}\oint \exp\{i(\omega_H nt - \mathbf{kr})\}\, d\mathbf{r},$$

où l'intégrale est étendue à la trajectoire de la particule (un cercle). On a pour les coordonnées de la particule: $x = r\cos\omega_H t$, $y = r\sin\omega_H t$. Prenons pour variable d'intégration l'angle $\varphi = \omega_H t$. Remarquant que

$$\mathbf{kr} = kr\cos\theta\sin\varphi = \frac{nv}{c}\cos\theta\sin\varphi$$

$(k = n\omega_H/c = nv/cr)$, on trouve pour la composante en x du potentiel vecteur de la composante de Fourier:

$$A_{xn} = -\frac{ev}{2\pi cR_0}e^{ikR_0}\int_0^{2\pi} e^{in\left(\varphi - \frac{v}{c}\cos\theta\sin\varphi\right)}\sin\varphi\, d\varphi.$$

Nous avons déjà eu affaire à une telle intégrale au § 70. Elle s'exprime au moyen de la dérivée d'une fonction de Bessel:

$$A_{xn} = -\frac{iev}{cR_0}e^{ikR_0}J'_n\left(\frac{nv}{c}\cos\theta\right). \tag{74,6}$$

On calcule d'une manière analogue A_{yn}:

$$A_{yn} = \frac{e}{R_0\cos\theta}e^{ikR_0}J_n\left(\frac{nv}{c}\cos\theta\right). \tag{74,7}$$

Quant à la composante sur l'axe des z, il est évident qu'elle est nulle.

En vertu des formules du § 66 on a pour l'intensité du rayonnement de fréquence $\omega = n\omega_H$ dans l'élément d'angle solide do:

$$dI_n = \frac{c}{2\pi}|\mathbf{H}_n|^2 R_0^2\, do = \frac{c}{2\pi}|\mathbf{k}\times\mathbf{A}_n|^2 R_0^2\, do.$$

Remarquant que

$$|\mathbf{A}\times\mathbf{k}|^2 = A_x^2k^2 + A_y^2k^2\sin^2\theta,$$

et substituant les expressions (74,6-7), on obtient pour l'intensité du rayonnement la formule suivante (*G. Schott*, 1912):

$$dI_n = \frac{n^2e^4H^2}{2\pi c^3m^2}\left(1-\frac{v^2}{c^2}\right)\left[\operatorname{tg}^2\theta\cdot J_n^2\left(\frac{nv}{c}\cos\theta\right) + \frac{v^2}{c^2}J_n'^2\left(\frac{nv}{c}\cos\theta\right)\right]do. \tag{74,8}$$

Pour déterminer l'intensité totale du rayonnement de fréquence $\omega = n\omega_H$ dans toutes les directions, il faut intégrer cette expression sur tous les angles. Toutefois l'intégration ne peut être faite sous forme finie. Après plusieurs transformations utilisant des relations connues en théorie des fonctions de Bessel, l'intégrale à calculer peut être mise sous la forme [1]:

$$I_n = \frac{2e^4H^2}{m^2c^2v}\left(1-\frac{v^2}{c^2}\right)\left[n\frac{v^2}{c^2}J'_{2n}\left(\frac{2nv}{c}\right) - n^2\left(1-\frac{v^2}{c^2}\right)\int_0^{v/c} J_{2n}(2n\xi)\,d\xi\right]. \quad (74,9)$$

Examinons plus en détail le cas ultrarelativiste, la vitesse du mouvement de la particule étant voisine de celle de la lumière.

Posant $v = c$ au numérateur de (74,2), on trouve que l'intensité totale du rayonnement de freinage magnétique dans le cas ultrarelativiste est proportionnelle au carré de l'énergie $\mathscr{E}$ de la particule:

$$I = \frac{2e^4H^2}{3m^2c^3}\left(\frac{\mathscr{E}}{mc^2}\right)^2. \quad (74,10)$$

La distribution angulaire du rayonnement est dans ce cas extrêmement anisotrope. Elle est essentiellement concentrée dans le voisinage du plan de l'orbite. Il est facile d'évaluer la largeur angulaire $\Delta\theta$ contenant la plus grande partie du rayonnement à partir de la condition $1 - \frac{v^2}{c^2}\cos^2\theta \sim 1 - \frac{v^2}{c^2}$. Il est évident que

$$\Delta\theta \sim \sqrt{1-\frac{v^2}{c^2}} = \frac{mc^2}{\mathscr{E}} \quad (74,11)$$

[ce résultat est, bien sûr, conforme à la distribution angulaire de l'intensité instantanée considérée au paragraphe précédent, cf. (73,12) [2]].

La distribution spectrale du rayonnement dans le cas ultrarelativiste a elle aussi un caractère spécifique (*L. Artsimovitch* et *I. Pomérantchouk*, 1945).

Nous verrons plus loin que, dans ce cas, le rôle principal dans le rayonnement incombe aux fréquences avec de très grands n. Ceci étant, on pourra se servir de la formule asymptotique (70,9), en vertu de laquelle on a:

$$J_{2n}(2n\xi) \approx \frac{1}{\sqrt{\pi}\,n^{1/3}}\Phi\left[n^{2/3}(1-\xi^2)\right]. \quad (74,12)$$

---

[1] On peut trouver les calculs dans le livre: *G. A. Schott*, Electromagnetic Radiation, § 84, Cambridge, 1912.

[2] Il n'y aura pas lieu de confondre l'angle θ de ce paragraphe avec l'angle θ entre **n** et **v** du § 73.

Substituant dans (74,9), on obtient la formule suivante pour la distribution spectrale du rayonnement pour les n grands[1]:

$$I_n = \frac{2e^4H^2}{\sqrt{\pi}\, m^2c^3} \frac{mc^2}{\mathscr{E}} \sqrt{u} \left[-\Phi'(u) - \frac{u}{2} \int_u^\infty \Phi(u)\, du \right], \quad (74,13)$$

$$u = n^{2/3} \left(\frac{mc^2}{\mathscr{E}} \right)^2 .$$

Pour $u \to 0$, l'expression entre crochets tend vers la limite constante $\Phi'(0) = -0,4587\ldots$[2]. Aussi a-t-on pour $u \ll 1$:

$$I_n = 0,52 \frac{e^4H^2}{m^2c^3} \left(\frac{mc^2}{\mathscr{E}} \right)^2 n^{1/3}, \quad 1 \ll n \ll \left(\frac{\mathscr{E}}{mc^2} \right)^3 . \quad (74,14)$$

Pour $u \gg 1$, on peut se servir de l'expression asymptotique connue de la fonction d'Airy (cf. note p. 201), ce qui donne:

$$I_n = \frac{e^4H^2n^{1/2}}{2\sqrt{\pi}\, m^2c^3} \left(\frac{mc^2}{\mathscr{E}} \right)^{5/2} \exp\left[-\frac{2}{3} n \left(\frac{mc^2}{\mathscr{E}} \right)^3 \right], \quad n \gg \left(\frac{\mathscr{E}}{mc^2} \right)^3, \quad (74,15)$$

c'est-à-dire que l'intensité décroît exponentiellement aux très grands n.

La distribution spectrale présente donc un maximum pour $n \sim (\mathscr{E}/mc^2)^3$, et le rayonnement est localisé pour l'essentiel dans le domaine des fréquences

$$\omega \sim \omega_H \left(\frac{\mathscr{E}}{mc^2} \right)^3 = \frac{eH}{mc} \left(\frac{\mathscr{E}}{mc^2} \right)^2 . \quad (74,16)$$

Ces fréquences sont très grandes par rapport à la distance ω_H entre deux d'entre elles voisines. En d'autres termes, le spectre de rayonnement est formé d'un très grand nombre de raies voisines, c'est-à-dire qu'il a un caractère quasi continu. De sorte qu'on peut introduire au lieu de la fonction de distribution I_n la distribution à fréquences continues $\omega = n\omega_H$, écrivant:

$$dI = I_n\, dn = I_n \frac{d\omega}{\omega_H} .$$

---

[1] Pendant la substitution l'une des bornes de l'intégrale ($n^{2/3}$) a été remplacée, avec la précision requise, par l'infini, et l'on a posé $v = c$ partout où il a été possible. Bien que dans l'intégrale (74,9) figurent aussi bien des ξ non voisins de 1, l'utilisation de la formule (74,12) est permise, car l'intégrale converge rapidement à sa borne inférieure.

[2] On a, en vertu de la définition de la fonction d'Airy,

$$\Phi'(0) = -\frac{1}{\sqrt{\pi}} \int_0^\infty \xi \sin\frac{\xi^3}{3}\, d\xi = -\frac{1}{\sqrt{\pi}\cdot 3^{1/3}} \int_0^\infty x^{-1/3} \sin x\, dx = -\frac{3^{1/6}\Gamma(2/3)}{2\sqrt{\pi}} .$$

Pour les calculs il est commode d'exprimer cette distribution au moyen de la fonction de Macdonald K_ν [1]. Moyennant des transformations simples de (74,13), elle peut être mise sous la forme:

$$dI = d\omega \frac{\sqrt{3}}{2\pi} \frac{e^3 H}{mc^2} F\left(\frac{\omega}{\omega_c}\right), \quad F(\xi) = \xi \int_{\xi}^{\infty} K_{5/3}(\xi)\, d\xi, \quad (74,17)$$

où l'on a posé:

$$\omega_c = \frac{3eH}{2mc}\left(\frac{\mathscr{E}}{mc^2}\right)^2. \quad (74,18)$$

La fig. 17 représente le graphique de $F(\xi)$.

Faisons enfin quelques remarques sur le cas où la particule décrit non pas un cercle, mais une hélice, avec une vitesse longitudinale

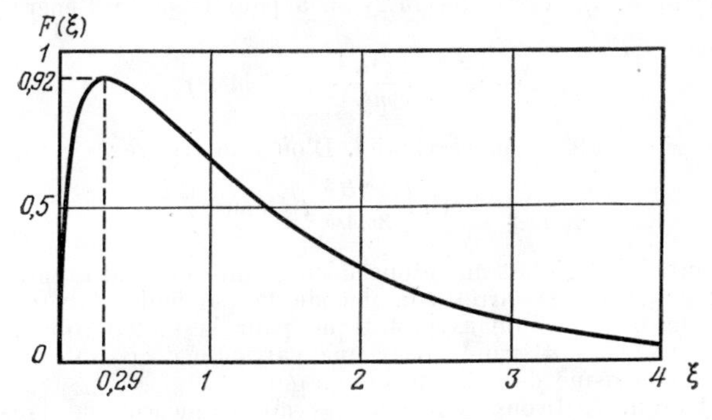

Fig. 17

(relativement au champ) $v_{||} = v \cos\chi$ (χ est l'angle entre **H** et **v**). La fréquence du mouvement de rotation est donnée par la même formule (74,1), mais **v** décrit non pas un cercle, mais la surface d'un cône axé sur **H** et d'angle au sommet 2χ. L'intensité totale du rayonnement (comprise comme l'énergie totale perdue par la particule en 1 s) diffère de (74,2) par la substitution à H de $H_\perp = H \sin\chi$.

[1] Le lien entre la fonction d'Airy et $K_{1/3}$ est donné par la formule (4) dans la note p. 201. Dans les transformations ultérieures on utilise les relations de récurrence

$$K_{\nu-1}(x) - K_{\nu+1}(x) = -\frac{2\nu}{x} K_\nu, \quad 2K'_\nu(x) = -K_{\nu-1}(x) - K_{\nu+1}(x),$$

avec $K_{-\nu}(x) = K_\nu(x)$. On trouve notamment sans peine que

$$\Phi'(t) = -\frac{t}{\sqrt{3\pi}} K_{2/3}\left(\frac{2}{3} t^{3/2}\right).$$

Dans le cas ultrarelativiste le rayonnement est localisé dans les directions du voisinage du « cône des vitesses ». La distribution spectrale et l'intensité totale (comprises dans ledit sens) se déduisent de (74,17) et (74,10) par la substitution $H \to H_{\perp}$. Mais s'il s'agit de l'intensité observée dans lesdites directions par un observateur immobile, on devra introduire dans les formules le facteur $\left(1-\frac{v_{\parallel}}{c}\cos\chi\right)^{-1} \approx \sin^{-2}\chi$ qui tient compte du rapprochement du radiateur par rapport à l'observateur, qui s'opère avec la vitesse $v_{\parallel}\cos\chi$.

Problèmes

1. Déterminer la variation de l'énergie en fonction du temps pour une charge décrivant une orbite circulaire dans un champ magnétique uniforme constant, et perdant de l'énergie par rayonnement.

Solution. En vertu de (74,2) on a pour la perte d'énergie par unité de temps:

$$-\frac{d\mathscr{E}}{dt}=\frac{2e^4H^2}{3m^4c^7}(\mathscr{E}^2-m^2c^4)$$

($\mathscr{E}$ est l'énergie totale de la particule). D'où l'on trouve:

$$\frac{\mathscr{E}}{mc^2}=\operatorname{cth}\left(\frac{2e^4H^2}{3m^3c^5}t+\text{const}\right).$$

Lorsque t croît, l'énergie est monotone décroissante et tend asymptotiquement vers la valeur $\mathscr{E}=mc^2$ (arrêt complet de la particule) lorsque $t\to\infty$.

2. Trouver une formule asymptotique pour la distribution spectrale du rayonnement pour les n grands pour une particule décrivant un cercle avec une vitesse non voisine de celle de la lumière.

Solution. Utilisons la formule asymptotique connue dans la théorie des fonctions de Bessel:

$$J_n(n\varepsilon)=\frac{1}{\sqrt{2\pi n}\,(1-\varepsilon^2)^{1/4}}\left[\frac{\varepsilon}{1+\sqrt{1-\varepsilon^2}}\,e^{\sqrt{1-\varepsilon^2}}\right]^n,$$

valable pour $n(1-\varepsilon^2)^{3/2}\gg 1$. A l'aide de cette formule, on tire de (74,9):

$$I_n=\frac{e^4H^2\sqrt{n}}{2\sqrt{\pi}\,m^2c^3}\left(1-\frac{v^2}{c^2}\right)^{5/4}\left[\frac{v/c}{1+\sqrt{1-\frac{v^2}{c^2}}}\,e^{\sqrt{1-v^2/c^2}}\right]^{2n}.$$

Cette formule convient pour $n(1-v^2/c^2)^{3/2}\gg 1$; si, par ailleurs, $1-v^2/c^2$ est petit, cette formule se réduit à (74,15).

3. Trouver la polarisation du rayonnement d'une charge dans un champ magnétique uniforme constant.

Solution. Le champ électrique $\mathbf{E}_n$ se calcule d'après le potentiel vecteur $\mathbf{A}_n$ (74,6-7) d'après la formule

$$\mathbf{E}_n=\frac{i}{k}(\mathbf{k}\times\mathbf{A}_n)\times\mathbf{k}=-\frac{i}{k}\mathbf{k}(\mathbf{k}\mathbf{A}_n)+ik\mathbf{A}_n.$$

Soient $\mathbf{e}_1$, $\mathbf{e}_2$ des vecteurs unités dans un plan perpendiculaire à $\mathbf{k}$, $\mathbf{e}_1$ étant parallèle à l'axe des x, et $\mathbf{e}_2$ étant contenu dans le plan yz [ils ont pour composantes

santes: $\mathbf{e}_1 = (1, 0, 0)$, $\mathbf{e}_2 = (0, \sin\theta, -\cos\theta)$]; les vecteurs $\mathbf{e}_1$, $\mathbf{e}_2$, $\mathbf{k}$ forment un système dextrorsum. Le champ électrique s'écrit alors:

$$\mathbf{E}_n = ik\, A_{xn}\mathbf{e}_1 + ik \sin\theta A_{yn}\mathbf{e}_2$$

ou bien, en omettant les facteurs inessentiels:

$$\mathbf{E}_n \backsim \frac{v}{c} J'_n \left(\frac{nv}{c}\cos\theta\right)\mathbf{e}_1 + \operatorname{tg}\theta\, J_n\left(\frac{nv}{c}\cos\theta\right) i\mathbf{e}_2.$$

L'onde est elliptiquement polarisée (cf. § 48).

Dans le cas ultrarelativiste, pour les n grands et les angles θ petits les fonctions J_n et J'_n s'expriment au moyen de $K_{1/3}$ et $K_{2/3}$, et nous poserons dans leurs arguments:

$$1 - \frac{v^2}{c^2}\cos^2\theta \approx 1 - \frac{v^2}{c^2} + \theta^2 = \left(\frac{mc^2}{\mathcal{E}}\right)^2 + \theta^2.$$

Il vient finalement:

$$\mathbf{E}_n = \mathbf{e}_1 \psi K_{2/3}\left(\frac{n}{3}\psi^3\right) + i\mathbf{e}_2\theta K_{1/3}\left(\frac{n}{3}\psi^3\right), \qquad \psi = \sqrt{\left(\frac{mc^2}{\mathcal{E}}\right)^2 + \theta^2}.$$

Pour $\theta = 0$, la polarisation elliptique dégénère en polarisation linéaire suivant $\mathbf{e}_1$. Pour les θ grands ($|\theta| \gg mc^2/\mathcal{E}$, $n\theta^3 \gg 1$), on a $K_{1/3}(x) \approx K_{2/3}(x) \approx \sqrt{\pi/2x}\, e^{-x}$, et la polarisation tend à devenir circulaire: $\mathbf{E}_n \backsim \mathbf{e}_1 \pm i\mathbf{e}_2$; toutefois, l'intensité du rayonnement devient alors exponentiellement petite. Dans le domaine intermédiaire des angles le petit axe de l'ellipse est dirigé suivant $\mathbf{e}_2$, et le grand axe suivant $\mathbf{e}_1$. Le sens de rotation dépend du signe de l'angle θ ($\theta > 0$ si $\mathbf{H}$ et $\mathbf{k}$ sont situés de part et d'autre du plan de l'orbite, comme sur la fig. 16).

§ 75. Freinage de rayonnement

Il a été démontré au § 65 que le développement des potentiels du champ d'un système de charges en série des puissances de v/c conduit, en seconde approximation, à la fonction de Lagrange, déterminant complètement (à cette approximation) le mouvement des charges. Prenons maintenant les termes d'ordres plus élevés dans le développement et voyons quels sont les effets résultant de ces termes.

Dans le développement du potentiel scalaire

$$\varphi = \int \frac{1}{R}\rho_{t-R/c}\, dV$$

le terme du troisième ordre en $1/c$ est

$$\varphi^{(3)} = -\frac{1}{6c^3}\frac{\partial^3}{\partial t^3}\int R^2 \rho\, dV. \tag{75,1}$$

Pour les mêmes raisons que lorsqu'on a établi (65,3), on ne doit retenir dans le développement du potentiel vecteur que le terme du second ordre en $1/c$, c'est-à-dire

$$\mathbf{A}^{(2)} = -\frac{1}{c^2}\frac{\partial f}{\partial t}\int \mathbf{j}\, dV. \tag{75,2}$$

Faisons la transformation des potentiels :

$$\varphi' = \varphi - \frac{1}{c}\frac{\partial f}{\partial t}, \quad \mathbf{A}' = \mathbf{A} + \operatorname{grad} f,$$

et choisissons la fonction f de sorte que le potentiel scalaire $\varphi^{(3)}$ s'annule :

$$f = -\frac{1}{6c^2}\frac{\partial^2}{\partial t^2}\int R^2\rho\, dV.$$

Alors le nouveau potentiel vecteur sera égal à

$$\mathbf{A}'^{(2)} = -\frac{1}{c^2}\frac{\partial}{\partial t}\int \mathbf{j}\, dV - \frac{1}{6c^2}\frac{\partial^2}{\partial t^2}\nabla\int R^2\rho\, dV =$$
$$= -\frac{1}{c^2}\frac{\partial}{\partial t}\int \mathbf{j}\, dV - \frac{1}{3c^2}\frac{\partial^2}{\partial t^2}\int \mathbf{R}\rho\, dV.$$

En remplaçant ces dernières intégrales par des sommes étendues aux diverses charges, on obtient pour le premier terme du second membre l'expression $-\frac{1}{c^2}\sum e\dot{\mathbf{v}}$. Dans le second terme, écrivons $\mathbf{R} = \mathbf{R}_0 - \mathbf{r}$, où $\mathbf{R}_0$ et $\mathbf{r}$ ont leur signification usuelle (cf. § 66) ; alors $\dot{\mathbf{R}} = -\dot{\mathbf{r}} = -\mathbf{v}$, et le second terme devient $\frac{1}{3c^2}\sum e\dot{\mathbf{v}}$. De sorte que

$$\mathbf{A}'^{(2)} = -\frac{2}{3c^2}\sum e\dot{\mathbf{v}}. \tag{75,3}$$

Le champ magnétique correspondant à ce potentiel est nul ($\mathbf{H} = \operatorname{rot} \mathbf{A}'^{(2)} = 0$), étant donné que $\mathbf{A}'^{(2)}$ ne contient pas les coordonnées sous forme explicite. On a pour le champ électrique $\mathbf{E} = -\dot{\mathbf{A}}'^{(2)}/c$:

$$\mathbf{E} = \frac{2}{3c^3}\dddot{\mathbf{d}}, \tag{75,4}$$

où $\mathbf{d}$ est le moment dipolaire du système.

Ainsi, les termes du troisième ordre dans le développement du champ font apparaître des forces supplémentaires agissant sur les charges, qui ne sont pas contenues dans la fonction de Lagrange (65,7) ; ces forces dépendent des dérivées par rapport au temps des accélérations des charges.

Considérons un système de charges accomplissant un mouvement stationnaire [1] et calculons le travail moyen effectué par le champ

[1] Plus exactement, un mouvement qui serait stationnaire, abstraction faite du rayonnement, qui entraîne l'amortissement progressif du mouvement.

(75,4) dans l'unité de temps. Chaque charge e est soumise à une force $\mathbf{f} = e\mathbf{E}$, soit

$$\mathbf{f} = \frac{2e}{3c^3}\dddot{\mathbf{d}}. \tag{75,5}$$

Dans l'unité de temps cette force effectue un travail égal à $\mathbf{fv}$; le travail total de déplacement de toutes les charges est égal à la somme étendue aux charges :

$$\sum \mathbf{fv} = \frac{2}{3c^3}\dddot{\mathbf{d}} \sum e\mathbf{v} = \frac{2}{3c^3}\dddot{\mathbf{d}}\dot{\mathbf{d}} = \frac{2}{3c^3}\frac{d}{dt}(\dot{\mathbf{d}}\ddot{\mathbf{d}}) - \frac{2}{3c^3}\ddot{\mathbf{d}}^2.$$

Le premier terme s'évanouit, quand on en prend la moyenne par rapport au temps, de sorte que le travail moyen est

$$\overline{\sum \mathbf{fv}} = -\frac{2}{3c^3}\overline{\ddot{\mathbf{d}}^2}. \tag{75,6}$$

Mais l'expression du second membre n'est autre que (au signe près) le rayonnement moyen d'énergie du système dans l'unité de temps [cf. (67,8)]. Ainsi, les forces (75,5) résultant de la troisième approximation décrivent l'action inverse du rayonnement sur les charges. Ces forces portent le nom de *freinage de rayonnement* ou de *forces de freinage lorentziennes*.

En même temps que la perte d'énergie, il y a aussi dans le système de charges rayonnantes perte de moment cinétique. La diminution du moment cinétique par unité de temps, $d\mathbf{M}/dt$, peut être facilement calculée au moyen des expressions des forces de freinage. On obtient par dérivation du moment cinétique $\mathbf{M} = \sum \mathbf{r} \times \mathbf{p}$ par rapport au temps, $\dot{\mathbf{M}} = \sum \mathbf{r} \times \dot{\mathbf{p}}$, puisque $\sum \dot{\mathbf{r}} \times \mathbf{p} = \sum m\mathbf{v} \times \mathbf{v} \equiv 0$. Remplaçant la dérivée de l'impulsion de la particule par rapport au temps par la force de frottement (75,5) agissant sur elle, on trouve :

$$\dot{\mathbf{M}} = \sum \mathbf{r} \times \mathbf{f} = \frac{2}{3c^3}\sum e\mathbf{r} \times \dddot{\mathbf{d}} = \frac{2}{3c^3}\mathbf{d} \times \dddot{\mathbf{d}}.$$

Nous cherchons la valeur moyenne dans le temps de la perte de moment cinétique pour un mouvement stationnaire, de même que nous cherchions plus haut la perte moyenne d'énergie. Ecrivant :

$$\mathbf{d} \times \dddot{\mathbf{d}} = \frac{d}{dt}\mathbf{d} \times \ddot{\mathbf{d}} - \dot{\mathbf{d}} \times \ddot{\mathbf{d}}$$

et remarquant que la dérivée totale par rapport au temps (le premier terme) disparaît quand on en prend la moyenne, on trouve en définitive l'expression suivante de la perte moyenne de moment cinétique pour le système rayonnant :

$$\overline{\frac{d\mathbf{M}}{dt}} = -\frac{2}{3c^3}\overline{\dot{\mathbf{d}} \times \ddot{\mathbf{d}}}. \tag{75,7}$$

Il y a aussi freinage de rayonnement dans le cas d'une seule charge en mouvement dans un champ extérieur. Il s'écrit :

$$\mathbf{f} = \frac{2e^2}{3c^3}\ddot{\mathbf{v}}. \tag{75,8}$$

Il est toujours possible pour une particule de choisir un référentiel où elle repose à l'instant donné. Si l'on calcule pour un tel système les termes suivants du développement du champ créé par la charge, on voit aisément que tous ces termes s'annulent lorsque le rayon vecteur **R** allant de la charge au point d'observation tend vers zéro. De sorte que dans le cas d'une seule charge la formule (75,8) est l'expression exacte de l'action inverse du rayonnement dans le référentiel où la charge est au repos.

Il faut avoir en vue, cependant, que la description de l'action de la charge « sur elle-même » au moyen de la force de freinage n'est pas tout à fait satisfaisante et implique des contradictions. L'équation du mouvement d'une charge, en l'absence de champ extérieur, sollicitée seulement par la force (75,8) s'écrit :

$$m\dot{\mathbf{v}} = \frac{2e^2}{3c^3}\ddot{\mathbf{v}}.$$

Cette équation possède, outre la solution triviale $\mathbf{v} = \text{const}$, une solution telle que l'accélération $\dot{\mathbf{v}}$ est proportionnelle à $\exp(3mc^3t/2e^2)$, c'est-à-dire croît indéfiniment avec le temps. Cela signifie par exemple qu'une charge traversant un champ devrait « s'accélérer » indéfiniment à la sortie du champ. L'absurdité de ce résultat montre la limitation de la formule (75,8).

La question peut se poser de savoir comment l'électrodynamique, qui satisfait à la loi de conservation de l'énergie, peut conduire au résultat absurde qu'une particule libre augmente indéfiniment son énergie. En réalité, les racines de cette difficulté se trouvent dans la « masse propre » électromagnétique infinie des particules élémentaires, dont il a été question au § 37. Lorsque nous attribuons dans les équations du mouvement une masse finie à la charge, par là même nous lui attribuons, en fait, formellement une « masse propre » négative infinie d'origine non électromagnétique, qui, avec la masse électromagnétique, fait que la masse de la particule devient finie. Mais comme la soustraction de deux infinis n'est pas une opération mathématique tout à fait correcte, elle conduit à un certain nombre de difficultés dont celle qui vient d'être indiquée.

Dans le système de coordonnées où la vitesse de la particule est petite, l'équation du mouvement s'écrit, compte tenu du freinage de rayonnement,

$$m\dot{\mathbf{v}} = e\mathbf{E} + \frac{e}{c}\mathbf{v}\times\mathbf{H} + \frac{2e^2}{3c^3}\ddot{\mathbf{v}}. \tag{75,9}$$

En vertu des considérations exposées, cette équation n'est applicable que dans la mesure où la force de freinage est petite par rapport à la force avec laquelle le champ extérieur agit sur la charge.

Pour expliciter le sens physique de cette condition, procédons comme suit. Dans le référentiel où la charge est au repos à l'instant donné, la dérivée seconde de la vitesse par rapport au temps est, abstraction faite de la force de freinage :

$$\ddot{\mathbf{v}} = \frac{e}{m}\dot{\mathbf{E}} + \frac{e}{mc}\dot{\mathbf{v}} \times \mathbf{H}.$$

Substituons dans le second terme (avec la même approximation) $\dot{\mathbf{v}} = e\mathbf{E}/m$; nous obtenons :

$$\ddot{\mathbf{v}} = \frac{e}{m}\dot{\mathbf{E}} + \frac{e^2}{m^2 c}\mathbf{E} \times \mathbf{H}.$$

Il en résulte que la force de freinage sera constituée de deux termes :

$$\mathbf{f} = \frac{2e^3}{3mc^3}\dot{\mathbf{E}} + \frac{2e^4}{3m^2c^4}\mathbf{E} \times \mathbf{H}. \tag{75,10}$$

Si ω est la fréquence du mouvement, alors $\dot{\mathbf{E}}$ est proportionnel à $\omega\mathbf{E}$ et, par conséquent, le premier terme est de l'ordre de $\frac{e^3\omega}{mc^3}E$; le second terme est de l'ordre de $\frac{e^4}{m^2c^4}EH$. Il s'ensuit que la condition de petitesse des forces de freinage par rapport à la force extérieure eE agissant sur la charge donne, primo,

$$\frac{e^2}{mc^3}\omega \ll 1,$$

ou bien, en introduisant la longueur d'onde $\lambda \sim c/\omega$,

$$\lambda \gg \frac{e^2}{mc^2}. \tag{75,11}$$

Ainsi, la formule (75,8) du freinage de rayonnement n'est applicable que dans le cas où la longueur d'onde rencontrant la charge est grande par rapport à son « rayon » e^2/mc^2. On voit que les distances de l'ordre de e^2/mc^2 représentent de nouveau la limite au-delà de laquelle l'électrodynamique devient intrinsèquement contradictoire (cf. § 37).

Secundo, comparant le deuxième terme dans la force de freinage avec la force eE, on trouve la condition

$$H \ll \frac{m^2c^4}{e^3}. \tag{75,12}$$

Ainsi, il faut également que le champ lui-même ne soit pas trop grand. Les champs de l'ordre de m^2c^4/e^3 sont aussi une limite au-delà de laquelle l'électrodynamique classique conduit à des contradictions internes. Là encore il faut avoir en vue que l'électrodynamique devient inapplicable, par suite d'effets quantiques, déjà pour des champs bien plus petits [1].

Rappelons, pour éviter tout malentendu, que la longueur d'onde dans (75,11) et la grandeur du champ dans (75,12) sont rapportées au référentiel où la particule se trouve au repos à l'instant donné.

Problèmes

1. Déterminer le temps de « chute » l'une sur l'autre de deux charges attractives en mouvement elliptique (de vitesse petite par rapport à celle de la lumière) et perdant de l'énergie par rayonnement.

Solution. Supposant que la perte relative d'énergie en une révolution est petite, on peut admettre que la dérivée par rapport au temps de l'énergie est égale à l'intensité moyenne du rayonnement (déterminée dans le problème 1 du § 70) :

$$\frac{d|\mathscr{E}|}{dt}=\frac{(2|\mathscr{E}|)^{3/2}\mu^{5/2}\alpha^3}{3c^3M^5}\left(\frac{e_1}{m_1}-\frac{e_2}{m_2}\right)^2\left(3-\frac{2|\mathscr{E}|M^2}{\mu\alpha^2}\right), \tag{1}$$

où $\alpha = |e_1e_2|$. En même temps que de l'énergie, les particules perdent aussi du moment cinétique. La perte de moment dans l'unité de temps est donnée par la formule (75,7) ; en y substituant l'expression (70,1) pour $\mathbf{d}$ et remarquant que $\mu\ddot{\mathbf{r}} = -\alpha\mathbf{r}/r^3$ et $\mathbf{M} = \mu\mathbf{r}\times\mathbf{v}$, on trouve :

$$\frac{d\mathbf{M}}{dt}=-\frac{2\alpha}{3c^3}\left(\frac{e_1}{m_1}-\frac{e_2}{m_2}\right)^2\frac{\mathbf{M}}{r^3}.$$

Prenons la moyenne de cette expression dans une période du mouvement. Etant donné que $\mathbf{M}$ varie lentement, il suffira dans le second membre de prendre la moyenne de r^{-3} ; on calcule cette valeur moyenne exactement comme on l'a fait au problème 1 § 70 pour la valeur moyenne de r^{-4}. On trouve en définitive pour la perte moyenne de moment par unité de temps l'expression suivante :

$$\frac{dM}{dt}=-\frac{2\alpha(2\mu|\mathscr{E}|)^{3/2}}{3c^3M^2}\left(\frac{e_1}{m_1}-\frac{e_2}{m_2}\right)^2 \tag{2}$$

(ici, comme dans (1), on a omis la barre indiquant la valeur moyenne). Faisant le quotient de (1) par (2), on obtient l'équation différentielle

$$\frac{d|\mathscr{E}|}{dM}=-\frac{\mu\alpha^2}{2M^3}\left(3-2\frac{|\mathscr{E}|M^2}{\mu\alpha^2}\right),$$

qui donne par intégration :

$$|\mathscr{E}|=\frac{\mu\alpha^2}{2M^2}\left(1-\frac{M^3}{M_0^3}\right)+\frac{|\mathscr{E}_0|}{M_0}M. \tag{3}$$

La constante d'intégration a été choisie de manière que l'on ait $\mathscr{E}=\mathscr{E}_0$ pour $M=M_0$, où M_0 et $\mathscr{E}_0$ sont les valeurs initiales du moment et de l'énergie des particules.

A la « chute » des particules l'une sur l'autre il correspond $M\to 0$. (3) montre, comme cela doit être, qu'alors $\mathscr{E}\to-\infty$.

[1] Pour des champs de l'ordre de $m^2c^3/\hbar e$, où $\hbar$ est la constante de Planck.

Notons que le produit $|\mathscr{E}|M^2$ tend vers $\mu\alpha^2/2$, et il résulte de la formule (70,3) que l'excentricité $\varepsilon \to 0$, c'est-à-dire que l'orbite s'arrondit au fur et à mesure que les particules se rapprochent. Substituant (3) dans (2), on détermine la dérivée dt/dM, exprimée en fonction de M, après quoi l'intégration en dM de M_0 à zéro donne le temps de chute:

$$t_{\text{chute}}=\frac{c^3M_0^5}{\alpha\sqrt{2|\mathscr{E}_0|\mu^3}}\left(\frac{e_1}{m_1}-\frac{e_2}{m_2}\right)^{-2}\left(\sqrt{\mu\alpha^2}+\sqrt{2M_0^2|\mathscr{E}_0|}\right)^{-2}.$$

2. Trouver la fonction de Lagrange limitée au quatrième ordre d'un système de deux particules identiques chargées[1] (*J. Smorodinski* et *V. Goloubenkov*, 1956).

S o l u t i o n. Il est commode de faire les calculs selon un schéma quelque peu différent de celui utilisé au § 65. Partons de l'expression de la fonction de Lagrange des particules et de leur champ

$$L=\int\left\{\frac{1}{8\pi}(\mathbf{E}^2-\mathbf{H}^2)+\frac{1}{c}\,\mathbf{jA}-\rho\varphi\right\}dV-\sum_a m_ac^2\sqrt{1-\frac{v_a^2}{c^2}}\,.$$

Ecrivant ici:

$$\mathbf{E}^2-\mathbf{H}^2=\mathbf{E}\left(-\frac{1}{c}\frac{\partial\mathbf{A}}{\partial t}-\nabla\varphi\right)-\mathbf{H}\,\mathrm{rot}\,\mathbf{A}$$

et intégrant par parties, on obtient:

$$\frac{1}{8\pi}\int(\mathbf{E}^2-\mathbf{H}^2)\,dV=-\frac{1}{8\pi}\oint\{\mathbf{E}\varphi+\mathbf{A}\times\mathbf{H}\}\,d\mathbf{f}-\frac{1}{8\pi c}\frac{d}{dt}\int\mathbf{EA}\,dV-\frac{1}{2}\int\left(\frac{1}{c}\,\mathbf{jA}-\rho\varphi\right)dV.$$

Pour un système sans rayonnement dipolaire, l'intégrale sur la surface à l'infini n'apporte rien aux termes de l'ordre de $1/c^4$. Quant au terme contenant la dérivée totale par rapport au temps, on peut l'omettre dans la fonction de Lagrange. De sorte que les termes cherchés du quatrième ordre de la fonction de Lagrange sont contenus dans l'expression

$$L=\frac{1}{2}\int\left(\frac{1}{c}\mathbf{jA}-\rho\varphi\right)dV-\sum_a m_ac^2\sqrt{1-\frac{v_a^2}{c^2}}\,.$$

Continuant le développement fait au § 65, on trouve les termes du quatrième ordre dans les potentiels (φ et $\mathbf{A}/c$) du champ créé par la charge 1 au point où se trouve la charge 2:

$$\varphi_1(2)=\frac{e}{24c^4}\frac{\partial^4R^3}{\partial t^4},\quad \frac{1}{c}\mathbf{A}_1(2)=\frac{e}{2c^4}\frac{\partial^2}{\partial t^2}(R\mathbf{v}_1).$$

En faisant la transformation (18,3) avec la fonction adéquate f, on peut mettre ces potentiels sous la forme équivalente:

$$\varphi_1(2)=0,\quad \frac{1}{c}\mathbf{A}_1(2)=\frac{e}{2c^4}\left[\frac{\partial^2}{\partial t^2}(R\mathbf{v}_1)+\frac{1}{12}\frac{\partial^3}{\partial t^3}(\nabla R^3)\right]\tag{1}$$

[1] Voir note p. 222. Les termes du troisième ordre de la fonction de Lagrange disparaissent automatiquement: les termes de l'ordre correspondant du champ créé par les particules sont déterminés par la dérivée par rapport au temps du moment dipolaire [cf. (75,3)], qui est conservé dans le cas donné.

(la dérivation $\partial/\partial t$ est faite en fixant la position du point d'observation, soit le point 2; la dérivation ∇ concerne les coordonnées du point d'observation).

Les termes du quatrième ordre dans la fonction de Lagrange sont donnés à présent par l'expression [1]:

$$L^{(4)}=\frac{e}{2c}[\mathbf{A}_1(2)\,\mathbf{v}_2+\mathbf{A}_2(1)\,\mathbf{v}_1]+\frac{m}{16c^4}(v_1^6+v_2^6). \qquad (2)$$

Effectuant dans (1) une partie des dérivations, mettons $\mathbf{A}_1(2)$ sous la forme:

$$\frac{1}{c}\mathbf{A}_1(2)=\frac{e}{8c^4}\frac{\partial \mathbf{F}_1}{\partial t}, \qquad \mathbf{F}_1=\frac{\partial}{\partial t}[3R\mathbf{v}_1-R\mathbf{n}(\mathbf{n}\mathbf{v}_1)]$$

(où $\mathbf{n}$ est le vecteur unité mené de 1 à 2). Avant de continuer les calculs, il est commode d'exclure immédiatement de $L^{(4)}$ les termes contenant les dérivées des vitesses par rapport au temps d'ordre supérieur à un; remarquons à cet effet que

$$\frac{1}{c}\mathbf{A}_1(2)\,\mathbf{v}_2=\frac{e}{8c^4}\mathbf{v}_2\frac{\partial \mathbf{F}_1}{\partial t}=\frac{e}{8c^4}\left\{\frac{d}{dt}(\mathbf{v}_2\mathbf{F}_1)-(\mathbf{v}_2\nabla)(\mathbf{v}_2\mathbf{F}_1)-\mathbf{F}_1\dot{\mathbf{v}}_2\right\},$$

où

$$\frac{d}{dt}(\mathbf{v}_2\mathbf{F}_1)=\frac{\partial}{\partial t}(\mathbf{v}_2\mathbf{F}_1)+(\mathbf{v}_2\nabla)(\mathbf{v}_2\mathbf{F}_1)$$

est la dérivée totale par rapport au temps (dérivation par rapport aux deux extrémités du vecteur $\mathbf{R}$!) et peut être exclue de la fonction de Lagrange. Quant aux accélérations, on les élimine de l'expression obtenue au moyen des équations du mouvement de première approximation: $m\dot{\mathbf{v}}_1=-e^2\mathbf{n}/R^2$, $m\dot{\mathbf{v}}_2=e^2\mathbf{n}/R^2$. Après un calcul assez long, on trouve en définitive:

$$L^{(4)}=\frac{e^2}{8c^4R}\left\{[-v_1^2v_2^2+2(\mathbf{v}_1\mathbf{v}_2)^2-3(\mathbf{n}\mathbf{v}_1)^2(\mathbf{n}\mathbf{v}_2)^2+\right.$$
$$\left.+(\mathbf{n}\mathbf{v}_1)^2v_2^2+(\mathbf{n}\mathbf{v}_2)^2v_1^2]+\frac{e^2}{mR}[-v_1^2-v_2^2+3(\mathbf{n}\mathbf{v}_1)^2+3(\mathbf{n}\mathbf{v}_2)^2]+\frac{2e^4}{m^2R^2}\right\}+$$
$$+\frac{m}{16c^4}(v_1^6+v_2^6).$$

De la symétrie résultant de l'identité des deux particules, on voit à l'avance que, dans le référentiel où leur centre d'inertie est au repos, on a $\mathbf{v}_1=-\mathbf{v}_2$. Il vient alors pour les termes du quatrième ordre dans la fonction de Lagrange

$$L^{(4)}=\frac{e^2}{8c^4R}\left\{\frac{1}{16}[v^4-3(\mathbf{n}\mathbf{v})^4+2(\mathbf{n}\mathbf{v})^2v^2]+\right.$$
$$\left.+\frac{e^2}{2mR}[3(\mathbf{n}\mathbf{v})^2-v^2]+\frac{2e^4}{m^2R^2}\right\}+\frac{mv^6}{2^9c^4},$$

où $\mathbf{v}=\mathbf{v}_2-\mathbf{v}_1$.

---

[1] On a omis ici les termes infinis dus à l'action sur les particules de leurs propres champs. Cette opération correspond à la « renormalisation » des masses entrant dans la fonction de Lagrange (cf. note p. 123).

§ 76. Freinage de rayonnement dans le cas relativiste

Etablissons l'expression relativiste du freinage de rayonnement (pour une seule charge), valable aussi lorsque le mouvement évolue avec des vitesses de l'ordre de celle de la lumière. Cette force représente à présent un quadrivecteur g^i, qui viendra compléter l'équation du mouvement de la charge, écrite avec le formalisme quadridimensionnel:

$$mc\frac{du^i}{ds}=\frac{e}{c}F^{ik}u_k+g^i. \qquad (76,1)$$

Pour déterminer g^i, remarquons que pour $v \ll c$ ses trois composantes spatiales doivent se réduire aux composantes du vecteur $\mathbf{f}/c$ (75,8). Il est facile de voir que le 4-vecteur $\frac{2e^2}{3c}\frac{d^2u^i}{ds^2}$ jouit de cette propriété. Toutefois, il ne satisfait pas à l'identité $g^iu_i=0$, qui a lieu pour les composantes de tout 4-vecteur force. Pour satisfaire à cette condition, il faut ajouter à l'expression écrite un certain 4-vecteur formé avec le quadrivecteur vitesse u^i et ses dérivées. Les trois composantes spatiales de ce vecteur doivent s'annuler pour le cas limite $\mathbf{v}=0$, pour ne pas affecter la valeur, juste, de $\mathbf{f}$ déjà donnée par l'expression $\frac{2e^2}{3c}\frac{d^2u^i}{ds^2}$. Le 4-vecteur u^i jouit de cette propriété, et il en résulte que le terme complémentaire doit être de la forme αu^i. Il faut choisir le scalaire α de manière à satisfaire à la relation $g^iu_i=0$. On trouve, en définitive:

$$g^i=\frac{2e^2}{3c}\left(\frac{d^2u^i}{ds^2}-u^iu^k\frac{d^2u_k}{ds^2}\right). \qquad (76,2)$$

On peut recopier la formule obtenue sous une autre forme, exprimant, en vertu des équations du mouvement, les dérivées d^2u^i/ds^2 en fonction du tenseur du champ électromagnétique extérieur agissant sur la particule:

$$\frac{du^i}{ds}=\frac{e}{mc^2}F^{ik}u_k, \qquad \frac{d^2u^i}{ds^2}=\frac{e}{mc^2}\frac{\partial F^{ik}}{\partial x^l}u_ku^l+\frac{e^2}{m^2c^4}F^{ik}F_{kl}u^l.$$

Faisant la substitution, il faut noter que le produit contracté du tenseur $\partial F^{ik}/\partial x^l$ antisymétrique, par rapport aux indices i, k, et du tenseur symétrique u_iu_k donne zéro. Ainsi,

$$g^i=\frac{2e^3}{3mc^3}\frac{\partial F^{ik}}{\partial x^l}u_ku^l-\frac{2e^4}{3m^2c^5}F^{il}F_{kl}u^k+\frac{2e^4}{3m^2c^5}(F_{kl}u^l)(F^{km}u_m)u^i. \qquad (76,3)$$

L'intégrale de la 4-force g^i sur la ligne d'univers du mouvement de la charge traversant le champ donné doit coïncider (au signe près) avec le rayonnement total par la charge de 4-impulsion ΔP^i

[de même que la valeur moyenne du travail de la force **f** dans le cas non relativiste coïncide avec l'intensité du rayonnement dipolaire, cf. (75,6)]. Il est facile de voir qu'il en est bien ainsi. Le premier terme dans (76,2) s'annule après intégration, car la particule n'a pas d'accélération à l'infini, c'est-à-dire que $du^i/ds = 0$. Nous intégrerons le second terme par parties, ce qui donne :

$$-\int g_i\, dx^i = \frac{2e^2}{3c}\int u^k \frac{d^2u_k}{ds^2}\, ds = -\frac{2e^2}{3c}\int \frac{du_k}{ds}\frac{du^k}{ds}\, ds,$$

cette expression coïncidant exactement avec (73,4).

Lorsque la vitesse de la particule tend vers c, la quantité croissant le plus vite dans les coordonnées spatiales du 4-vecteur (76,3) provient du terme contenant les produits trois à trois des composantes de la 4-vitesse. Conservant, par conséquent, seulement ce terme dans (76,3) et tenant compte du lien (9,18) entre les composantes spatiales du 4-vecteur g^i et la force tridimensionnelle **f**, on trouve pour cette dernière :

$$\mathbf{f} = \frac{2e^4}{3m^2c^5}(F_{kl}u^l)(F^{km}u_m)\,\mathbf{v}.$$

Par conséquent, dans ce cas la force **f** est opposée à la vitesse de la particule ; dirigeant l'axe des x selon la vitesse et développant les expressions quadridimensionnelles, on obtient :

$$f_x = -\frac{2e^4}{3m^2c^4}\,\frac{(E_y-H_z)^2+(E_z+H_y)^2}{1-\frac{v^2}{c^2}} \tag{76,4}$$

(partout, sauf au dénominateur, on a posé $v = c$). On voit que pour une particule ultrarelativiste la force de freinage est proportionnelle au carré de son énergie.

Remarquons le fait suivant digne d'intérêt. On a démontré au paragraphe précédent que les expressions obtenues pour le freinage de rayonnement n'étaient applicables que lorsque la grandeur du champ est petite par rapport à m^2c^4/e^3 dans le référentiel où la particule est au repos (le système K_0). Soit F un ordre de grandeur du champ extérieur dans le référentiel K, où la particule se meut avec la vitesse v. Alors, dans K_0 le champ a pour ordre de grandeur $F/\sqrt{1-v^2/c^2}$ (voir les formules de transformation au § 24). Il en résulte que F doit satisfaire à la condition

$$\frac{e^3F}{m^2c^4\sqrt{1-\frac{v^2}{c^2}}} \ll 1. \tag{76,5}$$

Par ailleurs, l'ordre de grandeur du quotient de la force de freinage (76,4) par la force extérieure ($\sim eF$) est

$$\frac{e^3F}{m^2c^4\left(1-\frac{v^2}{c^2}\right)},$$

et l'on voit que l'observation de la condition (76,5) n'exclut pas pour la force de freinage la possibilité d'être grande (lorsque l'énergie de la particule est suffisamment grande) relativement à la force ordinaire de Lorentz agissant sur une charge dans un champ électromagnétique [1]. Ainsi, il peut arriver que pour une particule ultra-relativiste le freinage de rayonnement soit la force fondamentale agissant sur elle.

Dans ce cas, on peut admettre que la perte d'énergie (cinétique) par la particule lorsqu'elle décrit l'unité d'arc est égale à la seule force de freinage f_x ; compte tenu de ce que cette dernière est proportionnelle au carré de l'énergie de la particule, on a :

$$-\frac{d\mathscr{E}_{\text{cin}}}{dx}=k(x)\,\mathscr{E}_{\text{cin}}^2,$$

où l'on a désigné par $k(x)$ le coefficient, dépendant de x, s'exprimant, conformément à (76,4), en fonction des composantes transversales du champ. Intégrant cette équation différentielle, on trouve :

$$\frac{1}{\mathscr{E}_{\text{cin}}}=\frac{1}{\mathscr{E}_0}+\int_{-\infty}^{x}k(x)\,dx,$$

où $\mathscr{E}_0$ est l'énergie initiale de la particule (l'énergie pour $x\to-\infty$). En particulier, l'énergie finale $\mathscr{E}_1$ de la particule (lorsqu'elle a traversé le champ) est donnée par la formule

$$\frac{1}{\mathscr{E}_1}=\frac{1}{\mathscr{E}_0}+\int_{-\infty}^{+\infty}k(x)\,dx.$$

On voit que lorsque $\mathscr{E}_0\to\infty$, l'énergie finie $\mathscr{E}_1$ tend vers une constante, ne dépendant pas de $\mathscr{E}_0$ (*I. Pomérantchouk*, 1939). Il en résulte qu'après la traversée du champ, l'énergie de la particule ne

---

[1] Soulignons que ce résultat ne contredit en aucune façon la déduction faite plus haute de l'expression relativiste du quadrivecteur force g^i, qui supposait sa « petitesse » par rapport au quadrivecteur force $\frac{e}{c}F^{ik}u_k$. Il suffit que soit observée la condition de petitesse des composantes d'un 4-vecteur par rapport à l'autre ne serait-ce que dans un référentiel ; en vertu de l'invariance relativiste, les formules quadridimensionnelles obtenues à partir d'une telle hypothèse seront automatiquement exactes dans tout autre référentiel.

peut dépasser la valeur $\mathscr{E}_{\text{crit}}$ définie par l'égalité

$$\frac{1}{\mathscr{E}_{\text{crit}}}=\int_{-\infty}^{+\infty} k(x)\,dx$$

ou bien, substituant l'expression de $k(x)$,

$$\frac{1}{\mathscr{E}_{\text{crit}}}=\frac{2}{3m^2c^4}\left(\frac{e^2}{mc^2}\right)^2\int_{-\infty}^{+\infty}[(E_y-H_z)^2+(E_z+H_y)^2]\,dx. \quad (76,6)$$

Problèmes

1. Déterminer l'énergie limite que peut posséder une particule après avoir traversé le champ d'un dipôle magnétique $\mathfrak{m}$; le vecteur $\mathfrak{m}$ et la vitesse sont coplanaires.

Solution. Prenons pour plan xz le plan défini par le vecteur $\mathfrak{m}$ et la vitesse, la particule se mouvant parallèlement à l'axe x à la distance ρ de cette dernière. On a pour les composantes transversales du champ du dipôle magnétique agissant sur la particule [cf. (44,4)] :

$$H_y=0,\quad H_z=\frac{3(\mathfrak{m}\mathbf{r})\,z-\mathfrak{m}_z r^2}{r^5}=$$

$$=\frac{\mathfrak{m}}{(\rho^2+x^2)^{5/2}}\{3(\rho\cos\varphi+x\sin\varphi)\,\rho-(\rho^2+x^2)\cos\varphi\}$$

(φ est l'angle entre $\mathfrak{m}$ et l'axe des z). Substituant dans (76,6) et intégrant, on obtient :

$$\frac{1}{\mathscr{E}_{\text{crit}}}=\frac{\mathfrak{m}^2\pi}{64m^2c^4\rho^5}\left(\frac{e^2}{mc^2}\right)^2(15+26\cos^2\varphi).$$

2. Ecrire l'expression tridimensionnelle de la force de freinage dans le cas relativiste.

Solution. Calculant les composantes spatiales du 4-vecteur (76,3), on obtient :

$$\mathbf{f}=\frac{2e^3}{3mc^3}\left(1-\frac{v^2}{c^2}\right)^{-1/2}\left\{\left(\frac{\partial}{\partial t}+(\mathbf{v}\nabla)\right)\mathbf{E}+\frac{1}{c}\mathbf{v}\times\left(\frac{\partial}{\partial t}+(\mathbf{v}\nabla)\right)\mathbf{H}\right\}+$$

$$+\frac{2e^4}{3m^2c^4}\left\{\mathbf{E}\times\mathbf{H}+\frac{1}{c}\mathbf{H}\times(\mathbf{H}\times\mathbf{v})+\frac{1}{c}\mathbf{E}(\mathbf{v}\mathbf{E})\right\}-$$

$$-\frac{2e^4}{3m^2c^5\left(1-\frac{v^2}{c^2}\right)}\mathbf{v}\left\{\left(\mathbf{E}+\frac{1}{c}\mathbf{v}\times\mathbf{H}\right)^2-\frac{1}{c^2}(\mathbf{E}\mathbf{v})^2\right\}.$$

§ 77. Décomposition spectrale d'un rayonnement dans le cas ultrarelativiste

On a montré plus haut (§ 73) que le rayonnement d'une particule ultrarelativiste est dirigé principalement en avant, dans le sens de la vitesse de la particule : il est contenu presque entièrement dans le petit intervalle d'angles

$$\Delta\theta \sim \sqrt{1-\frac{v^2}{c^2}}$$

autour de la direction de $\mathbf{v}$.

La relation entre la grandeur de cet intervalle et l'angle total α de la déviation de la particule lorsqu'elle traverse un champ électromagnétique extérieur est essentielle pour calculer la décomposition spectrale du rayonnement.

On peut évaluer l'angle α comme suit. La variation transversale (perpendiculairement au mouvement) de l'impulsion de la particule est de l'ordre de grandeur du produit de la force transversale eF [1] par le temps de traversée du champ $t \sim a/v \approx a/c$ (où a est la distance à laquelle le champ est sensiblement différent de zéro). Le rapport de cette quantité à l'impulsion

$$p = \frac{mv}{\sqrt{1-\frac{v^2}{c^2}}} \approx \frac{mc}{\sqrt{1-\frac{v^2}{c^2}}}$$

détermine l'ordre de grandeur du petit angle α:

$$\alpha \sim \frac{eFa}{mc^2}\sqrt{1-\frac{v^2}{c^2}}\,.$$

Divisons par $\Delta\theta$; on a:

$$\frac{\alpha}{\Delta\theta} \sim \frac{eFa}{mc^2}\,. \qquad (77,1)$$

Remarquons que ce rapport ne dépend pas de la vitesse de la particule et qu'il est entièrement déterminé par les propriétés du champ extérieur.

Supposons d'abord que

$$eFa \gg mc^2, \qquad (77,2)$$

c'est-à-dire que l'angle total de déviation de la particule soit grand par rapport à $\Delta\theta$. On peut alors affirmer que le rayonnement dans une direction donnée a lieu principalement sur l'arc de la trajectoire où la vitesse de la particule est presque parallèle à cette direction (l'angle qu'elle forme avec cette dernière est compris dans l'intervalle $\Delta\theta$) et que la longueur de cet arc est petite par rapport à a. Sur un tel arc le champ F peut être considéré comme constant, et comme

[1] Si l'on dirige l'axe des x dans la direction du mouvement de la particule, alors $(eF)^2$ est la somme des carrés des composantes sur les axes des y et des z de la force lorentzienne $e\mathbf{E}+\frac{e}{c}\mathbf{v}\times\mathbf{H}$, où l'on peut poser $v \approx c$:

$$F^2 = (E_y - H_z)^2 + (E_z + H_y)^2.$$

un petit arc de courbe peut être assimilé à un arc de cercle, on peut appliquer les résultats obtenus au § 74 pour le rayonnement pendant un mouvement circulaire uniforme (remplaçant en même temps H par F). En particulier, on peut affirmer que la plus grande partie du rayonnement est concentrée dans l'intervalle de fréquences

$$\omega \sim \frac{eF}{mc\left(1-\frac{v^2}{c^2}\right)} \tag{77,3}$$

[cf. (74,16)].

Dans le cas limite opposé

$$eFa \ll mc^2 \tag{77,4}$$

l'angle total de déviation de la particule est petit par rapport à $\Delta\theta$. Alors, le rayonnement tout entier a lieu principalement dans un intervalle étroit d'angles $\Delta\theta$ autour de la direction du mouvement et est déterminé par toute la trajectoire de la particule.

Pour calculer la décomposition spectrale de l'intensité dans ce cas, il est commode de partir de l'expression du champ dans la zone d'ondes de rayonnement sous la forme de Liénard-Wiechert (73,8). Calculons la composante de Fourier

$$\mathbf{E}_\omega = \int_{-\infty}^{+\infty} \mathbf{E} e^{i\omega t}\, dt.$$

L'expression dans le second membre de la formule (73,8) est une fonction de l'instant retardé t', déterminé par la condition $t' = t - R(t')/c$. On a à de grandes distances de la particule se mouvant avec une vitesse presque constante $\mathbf{v}$:

$$t' \approx t - \frac{R_0}{c} + \frac{1}{c}\mathbf{nr}(t') \approx t - \frac{R_0}{c} + \frac{1}{c}\mathbf{nv}t'$$

($\mathbf{r} = \mathbf{r}(t) \approx \mathbf{v}t$ est le rayon vecteur de la particule), ou

$$t = t'\left(1 - \frac{\mathbf{nv}}{c}\right) + \frac{R_0}{c}.$$

Remplaçons l'intégration en dt par une intégration en dt', posant:

$$dt = \left(1 - \frac{\mathbf{nv}}{c}\right) dt';$$

on obtient:

$$\mathbf{E}_\omega = \frac{e}{c^2}\frac{e^{ikR_0}}{R_0\left(1-\frac{\mathbf{nv}}{c}\right)^2}\int_{-\infty}^{+\infty} \mathbf{n} \times \left\{\left(\mathbf{n} - \frac{\mathbf{v}}{c}\right) \times \mathbf{w}(t')\right\} e^{i\omega t'\left(1-\frac{\mathbf{nv}}{c}\right)}\, dt'.$$

La vitesse $\mathbf{v}$ est considérée partout ici comme une grandeur constante; seule l'accélération $\mathbf{w}(t')$ est variable. Posant :

$$\omega' = \omega\left(1 - \frac{\mathbf{nv}}{c}\right) \qquad (77,5)$$

et introduisant la composante de Fourier de l'accélération correspondant à cette fréquence, nous écrirons $\mathbf{E}_\omega$ sous la forme :

$$\mathbf{E}_\omega = \frac{e}{c^2}\frac{e^{ikR_0}}{R_0}\left(\frac{\omega}{\omega'}\right)^2 \mathbf{n} \times \left\{\left(\mathbf{n} - \frac{\mathbf{v}}{c}\right) \times \mathbf{w}_{\omega'}\right\}.$$

Enfin, compte tenu de (66,9), on trouve en définitive pour l'énergie rayonnée dans l'angle solide do et de fréquence dans $d\omega$:

$$d\mathscr{E}_{\mathbf{n}\omega} = \frac{e^2}{2\pi c^3}\left(\frac{\omega}{\omega'}\right)^4 \left|\mathbf{n} \times \left\{\left(\mathbf{n} - \frac{\mathbf{v}}{c}\right) \times \mathbf{w}_{\omega'}\right\}\right|^2 do \frac{d\omega}{2\pi}. \qquad (77,6)$$

On évalue facilement l'ordre de grandeur des fréquences dans l'intervalle desquelles est concentrée la plus grande partie du rayonnement dans le cas (77,4), en remarquant que la composante de Fourier $\mathbf{w}_{\omega'}$ est sensiblement différente de zéro seulement si le temps $1/\omega'$, ou, ce qui revient au même,

$$\frac{1}{\omega\left(1 - \frac{v^2}{c^2}\right)}$$

est du même ordre que le temps $a/v \sim a/c$ au cours duquel l'accélération de la particule varie sensiblement. On trouve, par conséquent,

$$\omega \sim \frac{c}{a\left(1 - \frac{v^2}{c^2}\right)}. \qquad (77,7)$$

La dépendance entre ces fréquences et l'énergie est la même que dans (77,3), mais le coefficient est différent.

Dans l'étude que l'on a faite [pour les deux cas (77,2) et (77,4)], on a supposé que la perte totale d'énergie de la particule lors de la traversée du champ était relativement petite. Montrons à présent que le problème du rayonnement d'une particule ultrarelativiste dont la perte totale d'énergie est de l'ordre de son énergie initiale se rapporte au premier cas considéré.

On peut définir la perte d'énergie de la particule dans le champ comme le travail de la force lorentzienne de frottement. Le travail de la force (76,4) sur une distance $\sim a$ a pour ordre de grandeur

$$af \sim \frac{e^4 F^2 a}{m^2 c^4 \left(1 - \frac{v^2}{c^2}\right)}.$$

Pour qu'il soit comparable à l'énergie totale de la particule $mc^2/\sqrt{1 - v^2/c^2}$, le champ doit exister à des distances

$$a \sim \frac{m^3 c^6}{e^4 F^2}\sqrt{1 - \frac{v^2}{c^2}}.$$

Mais alors la condition (77,2) est automatiquement satisfaite

$$aeF \sim \frac{m^3c^6}{e^3F}\sqrt{1-\frac{v^2}{c^2}} \gg mc^2,$$

étant donné que le champ F doit, en tout cas, vérifier la condition (76,5)

$$\frac{F}{\sqrt{1-\frac{v^2}{c^2}}} \ll \frac{m^2c^4}{e^3},$$

sans laquelle l'électrodynamique ordinaire ne peut être appliquée.

Problèmes

1. Déterminer la distribution spectrale totale (dans toutes les directions) de l'intensité du rayonnement sous la condition (77,2).

Solution. Le rayonnement sur chaque élément d'arc de la trajectoire est déterminé par la formule (74,13), dans laquelle H doit être remplacé par la valeur F de la force transversale au point donné; il faut passer, en outre, du spectre discret de fréquences au spectre continu. On réalise ce passage en multipliant formellement par dn et substituant

$$I_n\,dn = I_n\frac{dn}{d\omega}\,d\omega = I_n\frac{d\omega}{\omega_0}.$$

Intégrant ensuite l'intensité par rapport au temps tout entier, on trouve la distribution spectrale du rayonnement total sous la forme suivante:

$$d\mathscr{E}_\omega = -d\omega\,\frac{2e^2\omega\left(1-\frac{v^2}{c^2}\right)}{c\sqrt{\pi}}\int\limits_{-\infty}^{+\infty}\left[\frac{\Phi'(u)}{u}+\frac{1}{2}\int\limits_{u}^{\infty}\Phi(u)\,du\right]dt,$$

où $\Phi(u)$ est la fonction d'Airy d'argument

$$u=\left[\frac{mc\omega}{eF}\left(1-\frac{v^2}{c^2}\right)\right]^{2/3}.$$

L'expression sous le signe somme dépend de la variable d'intégration t implicitement par l'intermédiaire de la quantité u (F, et u avec, varie sur la trajectoire de la particule; le mouvement étant donné, cette variation peut être considérée comme une dépendance du temps).

2. Déterminer la distribution spectrale de l'énergie totale rayonnée (dans toutes les directions) sous la condition (77,4).

Solution. Notant que le rôle principal est joué par le rayonnement sous des angles faibles par rapport à la direction du mouvement, nous écrirons:

$$\omega' = \omega\left(1-\frac{v}{c}\cos\theta\right) \approx \omega\left(1-\frac{v}{c}+\frac{\theta^2}{2}\right) \approx \frac{\omega}{2}\left(1-\frac{v^2}{c^2}+\theta^2\right).$$

Remplaçons l'intégration de l'expression (77,6) sur les angles $do = \sin\theta d\theta d\varphi \approx$ $\approx \theta d\theta d\varphi$ par une intégration sur $d\varphi d\omega'/\omega$. Développant le carré du double produit vectoriel dans (77,6), il faut avoir en vue que, dans le cas ultrarelativiste, la composante longitudinale de l'accélération est petite par rapport à la composante transversale (dans le rapport $1 - v^2/c^2$) et, dans le cas donné, on peut admettre que $\mathbf{w}$ et $\mathbf{v}$ sont orthogonaux, avec un degré de précision suffisant. On trouve en définitive pour la distribution spectrale du rayonnement total la formule suivante:

$$d\mathscr{E}_\omega = \frac{e^2\omega\, d\omega}{2\pi c^3} \int\limits_{\frac{\omega}{2}\left(1-\frac{v^2}{c^2}\right)}^{\infty} \frac{|\mathbf{w}_{\omega'}|^2}{\omega'^2} \left[1 - \frac{\omega}{\omega'}\left(1-\frac{v^2}{c^2}\right) + \frac{\omega^2}{2\omega'^2}\left(1-\frac{v^2}{c^2}\right)^2\right] d\omega'.$$

§ 78. Diffusion par des charges libres

Lorsqu'une onde électromagnétique atteint un système de charges, elle les met en mouvement. Ce mouvement est accompagné, à son tour, d'un rayonnement dans toutes les directions: il y a *diffusion* de l'onde initiale.

Il est commode de caractériser la diffusion comme le rapport de la quantité d'énergie émise par le système diffusant dans une direction donnée en l'unité de temps et de la densité du flux d'énergie du rayonnement incident. Ce rapport a la dimension d'une aire; on l'appelle *section efficace de diffusion* (ou simplement *section*).

Soit dI l'énergie rayonnée par le système dans l'angle solide do (en 1 s) lorsqu'il est atteint par une onde ayant pour vecteur de Poynting $\mathbf{S}$. Alors la section de diffusion (dans l'angle solide do) s'écrit:

$$d\sigma = \frac{\overline{dI}}{\overline{S}} \tag{78,1}$$

(la barre indique la valeur moyenne par rapport au temps). L'intégrale σ de $d\sigma$ sur toutes les directions est la section totale de diffusion.

Considérons la diffusion par une seule charge libre immobile et supposons qu'elle soit atteinte par une onde plane monochromatique polarisée rectilignement. On peut écrire son champ électrique sous la forme:

$$\mathbf{E} = \mathbf{E}_0 \cos(\mathbf{kr} - \omega t + \alpha).$$

Nous supposerons que la vitesse communiquée à la charge par le champ de l'onde incidente est petite par rapport à la vitesse de la lumière, ce qui a toujours lieu pratiquement. On peut alors admettre que la force agissant sur la charge est $e\mathbf{E}$ et l'on peut négliger la force $\frac{e}{c}\mathbf{v}\times\mathbf{H}$ du champ magnétique. On peut aussi négliger dans ce cas l'influence du déplacement de la charge lorsqu'elle oscille sous l'action du champ. Si la charge oscille autour de l'origine des coordonnées, on peut alors admettre qu'elle est constamment soumise à l'action du champ existant à l'origine, c'est-à-dire

$$\mathbf{E} = \mathbf{E}_0 \cos(\omega t - \alpha).$$

Puisque les équations du mouvement de la charge s'écrivent :

$$m\ddot{\mathbf{r}} = e\mathbf{E},$$

et que son moment dipolaire est $\mathbf{d} = e\mathbf{r}$, on a :

$$\ddot{\mathbf{d}} = \frac{e^2}{m}\mathbf{E}. \tag{78,2}$$

Pour calculer le rayonnement diffusé, servons-nous de la formule (67,7) du rayonnement dipolaire ; nous en avons le droit, car la vitesse acquise par la charge est supposée petite. Notons aussi que la fréquence de l'onde émise par la charge (c'est-à-dire de l'onde qu'elle diffuse) est égale manifestement à la fréquence de l'onde incidente.

Substituant (78,2) dans (67,7), on trouve :

$$dI = \frac{e^4}{4\pi m^2 c^3} (\mathbf{E} \times \mathbf{n})^2 \, do. \tag{78,3}$$

Par ailleurs, le vecteur de Poynting de l'onde incidente

$$S = \frac{c}{4\pi} E^2.$$

D'où l'on trouve la section de diffusion dans l'angle solide do :

$$d\sigma = \left(\frac{e^2}{mc^2}\right)^2 \sin^2\theta \, do, \tag{78,4}$$

où θ est l'angle entre la direction de la diffusion (le vecteur $\mathbf{n}$) et la direction du champ électrique $\mathbf{E}$ de l'onde incidente. On voit que la section efficace de la diffusion par une charge libre ne dépend pas de la fréquence.

Déterminons la section totale σ. A cet effet, prenons l'axe porté par $\mathbf{E}$ comme axe polaire ; alors $do = \sin\theta d\theta d\varphi$ et on trouve en intégrant sur $d\theta$ de 0 à π et sur $d\varphi$ de 0 à 2π :

$$\sigma = \frac{8\pi}{3}\left(\frac{e^2}{mc^2}\right)^2 \tag{78,5}$$

(c'est la *formule de Thomson*).

Calculons enfin la section différentielle $d\sigma$ dans le cas où l'onde incidente n'est pas polarisée (lumière naturelle). Pour cela on doit prendre la moyenne de (78,4) sur toutes les directions du vecteur $\mathbf{E}$ dans le plan perpendiculaire à la direction de la propagation de l'onde incidente (à la direction du vecteur d'onde $\mathbf{k}$).

Désignant par $\mathbf{e}$ le vecteur unité dans la direction de $\mathbf{E}$, nous écrirons:

$$\overline{\sin^2\theta} = 1 - \overline{(\mathbf{ne})^2} = 1 - n_\alpha n_\beta \overline{e_\alpha e_\beta}.$$

On prend la moyenne en utilisant la formule[1]

$$\overline{e_\alpha e_\beta} = \frac{1}{2}\left(\delta_{\alpha\beta} - \frac{k_\alpha k_\beta}{k^2}\right), \tag{78,6}$$

ce qui donne

$$\overline{\sin^2\theta} = \frac{1}{2}\left(1 + \frac{(\mathbf{nk})^2}{k^2}\right) = \frac{1}{2}(1 + \cos^2\vartheta),$$

ϑ étant l'angle entre les directions des ondes incidente et diffusée (angle de diffusion). De sorte qu'on a pour la section de diffusion cherchée d'une onde non polarisée par une charge libre:

$$d\sigma = \frac{1}{2}\left(\frac{e^2}{mc^2}\right)^2 (1 + \cos^2\vartheta)\, do. \tag{78,7}$$

L'effet de diffusion engendre une certaine force agissant sur la particule diffusante. Les considérations suivantes permettent de s'en assurer facilement. L'onde incidente perd en moyenne dans l'unité de temps l'énergie $c\overline{W}\sigma$, où $\overline{W}$ est la densité moyenne d'énergie et σ la section efficace totale de diffusion. Etant donné que l'impulsion du champ est égale au quotient de son énergie par la vitesse de la lumière, il en résulte que la quantité d'impulsion perdue par l'onde incidente est $\overline{W}\sigma$. Par ailleurs, dans le référentiel où la charge accomplit seulement de petites oscillations sous l'influence de la force $e\mathbf{E}$, sa vitesse v étant donc petite, le flux total d'impulsion dans l'onde diffusée est nul, en négligeant les termes d'ordre supérieur à v/c (on a indiqué au § 73 que dans un référentiel où $v = 0$ la particule ne rayonne pas d'impulsion). Il en résulte que toute l'impulsion perdue par l'onde incidente est « absorbée » par la particule diffusante. La force moyenne $\mathbf{f}$ agissant sur la particule est égale à la valeur moyenne de l'impulsion absorbée dans l'unité de temps, soit

$$\overline{\mathbf{f}} = \sigma\overline{W}\mathbf{n}_0 \tag{78,8}$$

($\mathbf{n}_0$ est le vecteur unité dans la direction de la propagation de l'onde incidente). Notons que la force moyenne est une quantité du second ordre par rapport au champ de l'onde incidente, alors que la force « instantanée » (dont la partie principale est $e\mathbf{E}$) est du premier ordre par rapport au champ.

[1] En effet, $\overline{e_\alpha e_\beta}$ est un tenseur symétrique de trace unité, et la multiplication de ce tenseur par k_α donne zéro, car $\mathbf{e}$ et $\mathbf{k}$ sont orthogonaux. L'expression écrite satisfait précisément à cette condition.

On peut aussi obtenir la formule (78,8) directement, en prenant la moyenne de la force de freinage (75,10). Le premier terme, qui est proportionnel à $\dot{\mathbf{E}}$, s'annule quand on en prend la moyenne (de même que la valeur moyenne de la force fondamentale $e\mathbf{E}$). Le second terme donne:

$$\bar{\mathbf{f}} = \frac{2e^4}{3m^2c^4}\overline{E^2}\mathbf{n}_0 = \frac{8\pi}{3}\left(\frac{e^2}{mc^2}\right)^2 \cdot \frac{\overline{E^2}}{4\pi}\mathbf{n}_0$$

qui, compte tenu de (78,5), coïncide avec (78,8).

Problèmes

1. Déterminer la section efficace de diffusion d'une onde elliptiquement polarisée diffusée par une charge libre.

Solution. Le champ de l'onde s'écrit $\mathbf{E} = \mathbf{A}\cos(\omega t + \alpha) + \mathbf{B}\sin(\omega t + \alpha)$, où $\mathbf{A}$ et $\mathbf{B}$ sont orthogonaux (cf. § 48). On établit comme dans le texte:

$$d\sigma = \left(\frac{e^2}{mc^2}\right)^2 \frac{(\mathbf{A}\times\mathbf{n})^2 + (\mathbf{B}\times\mathbf{n})^2}{A^2 + B^2}\, do.$$

2. Déterminer la section efficace de diffusion d'une onde polarisée rectilignement diffusée par une charge accomplissant (sous l'action d'une force élastique) de petites oscillations (ce qu'on appelle oscillateur).

Solution. L'équation du mouvement d'une charge dans le champ de l'onde incidente $\mathbf{E} = \mathbf{E}_0\cos(\omega t + \alpha)$ est

$$\ddot{\mathbf{r}} + \omega_0^2\mathbf{r} = \frac{e}{m}\mathbf{E}_0\cos(\omega t + \alpha),$$

où ω_0 est la fréquence de ses oscillations libres. On en déduit pour les oscillations forcées :

$$\mathbf{r} = \frac{e\mathbf{E}_0\cos(\omega t + \alpha)}{m(\omega_0^2 - \omega^2)}.$$

Déduisant $\ddot{\mathbf{d}}$, nous avons:

$$d\sigma = \left(\frac{e^2}{mc^2}\right)^2 \frac{\omega^4}{(\omega_0^2 - \omega^2)^2}\sin^2\theta\, do$$

(θ est l'angle formé par $\mathbf{E}$ et $\mathbf{n}$).

3. Déterminer la section efficace totale de la lumière diffusée par un dipôle électrique, représentant du point de vue mécanique un rotateur. On suppose que la fréquence ω de l'onde est grande par rapport à la fréquence Ω_0 de la rotation libre du rotateur.

Solution. Sous la condition $\omega \gg \Omega_0$ on peut négliger la rotation propre du rotateur et considérer seulement la rotation forcée sous l'action du moment des forces $\mathbf{d} \times \mathbf{E}$ provenant de l'onde diffusée. L'équation de ce mouvement est $J\dot{\mathbf{\Omega}} = \mathbf{d} \times \mathbf{E}$, où J est le moment d'inertie du rotateur et $\mathbf{\Omega}$ la vitesse angulaire de la rotation. La variation du vecteur moment dipolaire lorsqu'il tourne en conservant sa longueur est donnée par la formule $\dot{\mathbf{d}} = \mathbf{\Omega} \times \mathbf{d}$. Nous obtenons de ces deux équations (omettant le terme contenant le carré du petit vecteur $\mathbf{\Omega}$):

$$\ddot{\mathbf{d}} = \frac{1}{J}(\mathbf{d}\times\mathbf{E})\times\mathbf{d} = \frac{1}{J}\{\mathbf{E}d^2 - (\mathbf{E}\mathbf{d})\,\mathbf{d}\}.$$

Supposant que toutes les orientations du dipôle dans l'espace sont également probables et en prenant la moyenne de $\ddot{\mathbf{d}}^2$ sur toutes les directions, on obtient en définitive la section efficace totale sous la forme:

$$\sigma = \frac{16\pi d^4}{9c^4 J^2}.$$

4. Déterminer le degré de dépolarisation d'une lumière naturelle diffusée par une charge libre.

S o l u t i o n. Par raison de symétrie, il est clair que les deux composantes incohérentes polarisées de la lumière diffusée (cf. § 50) sont polarisées rectilignement: une dans le plan de diffusion (le plan passant par le rayon incident et le rayon diffusé), et l'autre perpendiculairement à ce plan. Les intensités de ces composantes sont déterminées par les composantes du champ de l'onde incidente dans le plan de diffusion ($\mathbf{E}_{||}$) et perpendiculairement à ce plan ($\mathbf{E}_{\perp}$) et, compte tenu de (78,3), elles sont proportionnelles respectivement à $(\mathbf{E}_{||}\times\mathbf{n})^2 = E_{||}^2\cos^2\vartheta$ et à $(\mathbf{E}_{\perp}\times\mathbf{n})^2 = E_{\perp}$ (ϑ est l'angle de diffusion). Puisque pour une lumière naturelle incidente on a $\overline{E_{||}^2} = \overline{E_{\perp}^2}$, on trouve pour le degré de dépolarisation [cf. définition (50,9)]:

$$\rho = \cos^2\vartheta.$$

5. Déterminer la fréquence (ω') de la lumière diffusée par une charge en mouvement.

S o l u t i o n. Dans le système de coordonnées où la charge est au repos, la fréquence de la lumière ne varie pas pendant la diffusion ($\omega = \omega'$). Cette relation s'écrit sous forme invariante:

$$k_i' u'^i = k_i u^i,$$

où u^i est le quadrivecteur vitesse de la charge. On en déduit sans peine:

$$\omega'\left(1 - \frac{v}{c}\cos\theta'\right) = \omega\left(1 - \frac{v}{c}\cos\theta\right),$$

où θ et θ' sont les angles formés par l'onde incidente et l'onde diffusée avec la direction du mouvement (v est la vitesse de la charge).

6. Déterminer la distribution angulaire de la diffusion d'une onde polarisée rectilignement par une charge se mouvant avec une vitesse v arbitraire dans le sens de la propagation de l'onde.

S o l u t i o n. La vitesse $\mathbf{v}$ de la particule est perpendiculaire aux champs $\mathbf{E}$ et $\mathbf{H}$ de l'onde incidente et, par suite, perpendiculaire à l'accélération $\mathbf{w}$ de la particule. L'intensité de la diffusion est déterminée par la formule (73,14), où l'accélération $\mathbf{w}$ doit être exprimée en fonction des champs $\mathbf{E}$ et $\mathbf{H}$ en vertu de la formule établie dans le problème du § 17. Divisant l'intensité dI par l'intensité du vecteur de Poynting de l'onde incidente, on trouve l'expression suivante pour la section de diffusion

$$d\sigma=\left(\frac{e^2}{mc^2}\right)^2\frac{\left(1-\frac{v^2}{c^2}\right)\left(1-\frac{v}{c}\right)^2}{\left(1-\frac{v}{c}\sin\theta\cos\varphi\right)^6}\left[\left(1-\frac{v}{c}\sin\theta\cos\varphi\right)^2-\right.$$

$$\left.-\left(1-\frac{v^2}{c^2}\right)\cos^2\theta\right]do,$$

où, à présent, θ et φ sont l'angle polaire et l'azimut du vecteur **n** dans un système de coordonnées d'axe z dirigé selon **E** et d'axe x selon **v** [cos (**n**, **E**) = cos θ, cos (**n**, **v**) = sin θ cos φ].

7. Déterminer le mouvement d'une charge sous l'action de la force moyenne avec laquelle l'onde diffusée agit sur elle.

S o l u t i o n. La force (78,8) et, par conséquent, la vitesse du mouvement considéré sont dirigées selon la direction de la propagation de l'onde incidente (axe x). Dans le référentiel auxiliaire K_0 où la charge est au repos (rappelons qu'il s'agit de la moyenne du mouvement sur une période de petites oscillations), la force agissant sur la charge est $\sigma\overline{W}_0$, et l'accélération résultant de cette force

$$w_0=\frac{\sigma}{m}\overline{W}_0$$

(l'indice zéro caractérise les grandeurs dans le référentiel K_0). On réalise le passage au référentiel initial K (dans lequel la charge se meut avec la vitesse v) au moyen de la formule établie pendant la résolution du problème du § 7 et de la formule (47,7), on a:

$$\frac{d}{dt}\frac{v}{\sqrt{1-\frac{v^2}{c^2}}}=\frac{1}{\left(1-\frac{v^2}{c^2}\right)^{3/2}}\frac{dv}{dt}=\frac{\overline{W}\sigma}{m}\frac{1-\frac{v}{c}}{1+\frac{v}{c}}.$$

On obtient par intégration de cette équation:

$$\frac{\overline{W}\sigma}{mc}t=\frac{1}{3}\sqrt{\frac{1+\frac{v}{c}}{1-\frac{v}{c}}}\cdot\frac{2-\frac{v}{c}}{1-\frac{v}{c}}-\frac{2}{3},$$

qui définit implicitement la vitesse $v=dx/dt$ comme fonction du temps (la constante d'intégration a été choisie de manière que $v=0$ à l'instant $t=0$).

8. Déterminer la force moyenne agissant sur une charge qui se meut dans un champ électromagnétique constitué par la superposition d'ondes se propageant dans toutes les directions possibles avec une distribution isotrope.

S o l u t i o n. Ecrivons l'équation du mouvement sous forme quadridimensionnelle:

$$mc\frac{du^i}{ds}=g^i.$$

Pour déterminer le quadrivecteur g^i, remarquons que dans le référentiel où la charge est au repos à l'instant donné on a pour l'équation du mouvement, dans le cas d'une seule onde se propageant dans une direction déterminée, soit le long de l'axe des x ($v_x\equiv v$):

$$m\frac{dv}{dt}=\sigma W$$

(nous omettons partout la barre indiquant la moyenne). Cela veut dire que la composante sur l'axe des x du vecteur g^i doit se réduire à $W\sigma/c$. Le quadrivecteur $\frac{\sigma}{c} T^{ik}u_k$, où T^{ik} est le tenseur d'énergie-impulsion de l'onde et u^i la 4-vitesse de la charge, possède cette propriété. En outre, g^i doit vérifier la condition $g^i u_i = 0$. On y arrive en ajoutant à l'expression que l'on vient d'écrire un 4-vecteur de la forme αu^i, où α est un scalaire. Déterminant α convenablement, on obtient:

$$mc\frac{du^i}{ds}=\frac{\sigma}{c}(T^{ik}u_k - u^i u_k u_l T^{kl}). \tag{1}$$

Dans le champ électromagnétique d'un rayonnement isotrope le vecteur de Poynting s'évanouit en vertu de la symétrie, et le tenseur des contraintes $\sigma_{\alpha\beta}$ doit avoir la forme const$\cdot\delta_{\alpha\beta}$. Remarquant, de même, que l'on doit avoir $T_i^i = 0$, d'où $\sigma_{\alpha\alpha} = T_0^0 = W$, on trouve:

$$\sigma_{\alpha\beta}=\frac{W}{3}\delta_{\alpha\beta}.$$

Substituant ces expressions dans (1), on obtient la force qui agit sur la charge:

$$\frac{d}{dt}\frac{mv}{\sqrt{1-\frac{v^2}{c^2}}}=-\frac{4W\sigma v}{3c\left(1-\frac{v^2}{c^2}\right)}.$$

Cette force agit dans le sens contraire au mouvement de la charge, c'est-à-dire que la charge est freinée. Remarquons que pour $v \ll c$ la force de freinage est proportionnelle à la vitesse de la charge:

$$m\frac{dv}{dt}=-\frac{4W\sigma}{3c}v.$$

9. Déterminer la section efficace d'une onde rectilignement polarisée, diffusée par un oscillateur, compte tenu du freinage de rayonnement.

S o l u t i o n. Nous écrirons l'équation du mouvement de la charge dans le champ de l'onde incidente comme suit:

$$\ddot{\mathbf{r}}+\omega_0^2\mathbf{r}=\frac{e}{m}\mathbf{E}_0 e^{-i\omega t}+\frac{2e^2}{3mc^3}\dddot{\mathbf{r}}.$$

Dans la force de freinage on peut poser approximativement $\dddot{\mathbf{r}}=-\omega_0^2\dot{\mathbf{r}}$, nous avons alors:

$$\ddot{\mathbf{r}}+\gamma\dot{\mathbf{r}}+\omega_0^2\mathbf{r}=\frac{e}{m}\mathbf{E}_0 e^{-i\omega t},$$

où $\gamma=\frac{2e^2}{3mc^3}\omega_0^2$. On en tire:

$$\mathbf{r}=\frac{e}{m}\mathbf{E}_0\frac{e^{-i\omega t}}{\omega_0^2-\omega^2-i\omega\gamma}.$$

La section efficace est

$$\sigma=\frac{8\pi}{3}\left(\frac{e^2}{mc^2}\right)^2\frac{\omega^4}{(\omega_0^2-\omega^2)^2+\omega^2\gamma^2}.$$

§ 79. Diffusion d'ondes de petites fréquences

La diffusion d'ondes électromagnétiques par un système de charges se distingue de la diffusion par une seule charge (immobile) en premier lieu par le fait que, vu le mouvement propre des charges dans le système, la fréquence du rayonnement diffusé peut être différente de celle de l'onde incidente. A savoir, en même temps que la fréquence ω de l'onde incidente, le développement spectral du rayonnement diffusé contient aussi des fréquences ω' différant de ω de l'une quelconque des fréquences propres du mouvement du système diffusant. Une diffusion avec changement de fréquence est dite *incohérente* (ou *combinatoire*) contrairement à la diffusion *cohérente* qui a lieu sans changement de fréquence.

En supposant le champ de l'onde incidente faible, on peut mettre la densité de courant sous la forme $\mathbf{j} = \mathbf{j}_0 + \mathbf{j}'$, où $\mathbf{j}_0$ est la densité de courant en l'absence de champ extérieur et $\mathbf{j}'$ la variation du courant sous l'action de l'onde incidente. Ceci dit, le potentiel vecteur (et les autres grandeurs) du champ du système aura aussi la forme $\mathbf{A} = \mathbf{A}_0 + \mathbf{A}'$, où $\mathbf{A}_0$ et $\mathbf{A}'$ sont déterminés par les courants $\mathbf{j}_0$ et $\mathbf{j}'$; le potentiel $\mathbf{A}'$ décrit l'onde diffusée par le système.

Considérons la diffusion d'une onde dont la fréquence ω est petite en comparaison de toutes les fréquences propres du système. La diffusion comprendra aussi bien une partie cohérente qu'une partie incohérente, mais nous n'envisagerons ici que la diffusion cohérente.

Pour calculer le champ d'une onde diffusée, lorsque la fréquence ω est assez petite, on peut toujours se servir du développement des potentiels retardés que l'on a effectué aux §§ 67 et 71, même si les vitesses des particules dans le système ne sont pas petites par rapport à la vitesse de la lumière. En effet, pour que le développement de l'intégrale

$$\mathbf{A}' = \frac{1}{cR_0} \int \mathbf{j}'_{t - \frac{R_0}{c} + \frac{\mathbf{rn}}{c}} \, dV$$

soit légitime, il faut seulement que le temps $\mathbf{rn}/c \sim a/c$ soit petit par rapport au temps $\sim 1/\omega$; pour des ω suffisamment petits ($\omega \ll c/a$), cette condition est remplie quelles que soient les grandeurs des vitesses des particules du système.

Les premiers termes du développement donnent:

$$\mathbf{H}' = \frac{1}{c^2 R_0} \{\ddot{\mathbf{d}}' \times \mathbf{n} + (\ddot{\mathfrak{m}}' \times \mathbf{n}) \times \mathbf{n}\},$$

où $\mathbf{d}'$, $\mathfrak{m}'$ sont les parties des moments dipolaire et magnétique du système qui sont engendrées par le rayonnement diffusant incident.

Les termes suivants du développement contiennent des dérivées par rapport au temps d'ordre supérieur au second, et nous les omettons.

La composante $\mathbf{H}'_\omega$ de la décomposition spectrale du champ de l'onde diffusée de fréquence égale à celle du rayonnement incident est déterminée par cette même formule, où toutes les quantités doivent être remplacées par leurs composantes de Fourier :

$$\ddot{\mathbf{d}}'_\omega = -\omega^2 \mathbf{d}'_\omega, \quad \ddot{\mathfrak{m}}'_\omega = -\omega^2 \mathfrak{m}'_\omega.$$

On obtient alors :

$$\mathbf{H}'_\omega = \frac{\omega^2}{c^2 R_0} \{\mathbf{n} \times \mathbf{d}'_\omega + \mathbf{n} \times (\mathfrak{m}'_\omega \times \mathbf{n})\}. \tag{79,1}$$

Les termes suivants de la décomposition du champ donneraient des quantités contenant des puissances supérieures de la petite fréquence. Si les vitesses de toutes les particules du système sont petites ($v \ll c$), on peut alors négliger dans (79,1) le second terme par rapport au premier, étant donné que le moment magnétique contient le rapport v/c. Alors

$$\mathbf{H}'_\omega = \frac{1}{c^2 R_0} \omega^2 \mathbf{n} \times \mathbf{d}'_\omega. \tag{79,2}$$

Lorsque la charge totale du système est nulle, pour $\omega \to 0$ $\mathbf{d}'_\omega$ et $\mathfrak{m}'_\omega$ tendent vers des limites constantes (si la charge totale était différente de zéro, pour $\omega = 0$, c'est-à-dire dans un champ constant, le système se mettrait en mouvement comme un tout). Par conséquent, pour des ω petits ($\omega \ll v/a$) on peut admettre que $\mathbf{d}'_\omega$ et $\mathfrak{m}'_\omega$ ne dépendent pas de la fréquence, de sorte que le champ de l'onde diffusée est proportionnel au carré de la fréquence, et l'intensité à ω^4. Ainsi, quand il y a diffusion d'une onde de fréquence petite, la section efficace de la diffusion cohérente est proportionnelle à la quatrième puissance de la fréquence du rayonnement incident [1].

§ 80. Diffusion d'ondes de grandes fréquences

Considérons à présent la diffusion d'ondes par un système de charges dans le cas inverse, lorsque la fréquence ω de l'onde est grande par rapport aux fréquences propres fondamentales du système. L'ordre de grandeur de ces dernières est $\omega_0 \sim v/a$, de sorte que ω

[1] Ce résultat est valable non seulement quand il y a diffusion de lumière par des atomes neutres, mais aussi par des ions. Etant donné que la masse du noyau est grande, on peut négliger la diffusion due au mouvement de l'ion considéré comme un tout.

doit vérifier la condition

$$\omega \gg \omega_0 \sim \frac{v}{a}. \tag{80,1}$$

Nous supposerons en outre que les vitesses des charges dans le système sont petites ($v \ll c$).

En vertu de la condition (80,1) la période du mouvement des charges dans le système est grande par rapport à la période de l'onde. Par conséquent, on peut considérer que le mouvement des charges dans le système est uniforme pendant des intervalles de temps de l'ordre de la période de l'onde. Cela signifie que lorsqu'on considère la diffusion d'ondes courtes, on peut faire abstraction de l'interaction des charges dans le système, c'est-à-dire qu'on peut les considérer comme libres.

Ainsi, lorsqu'on calcule la vitesse $\mathbf{v}'$ qu'une charge acquiert dans le champ d'une onde incidente, on peut considérer chaque charge du système séparément et écrire l'équation de son mouvement sous la forme:

$$m\frac{d\mathbf{v}'}{dt} = e\mathbf{E} = e\mathbf{E}_0 e^{-i(\omega t - \mathbf{kr})},$$

où $\mathbf{k} = \omega\mathbf{n}/c$ est le vecteur d'onde de l'onde incidente. Le rayon vecteur de la charge est, bien entendu, une fonction du temps. Dans l'exposant de l'exponentielle du dernier membre de l'équation, la vitesse de variation dans le temps du premier terme est grande par rapport à la vitesse de variation du second terme (la première est égale à ω et la seconde est de l'ordre de $kv \sim v\omega/c \ll \omega$). Par conséquent, quand on intègre les équations du mouvement, on peut considérer que dans les seconds membres $\mathbf{r}$ est constant. Alors

$$\mathbf{v}' = -\frac{e}{i\omega m}\mathbf{E}_0 e^{-i(\omega t - \mathbf{kr})}. \tag{80,2}$$

Pour le potentiel vecteur de l'onde diffusée (à de grandes distances du système) on a en vertu de la formule générale (66,2):

$$\mathbf{A}' = \frac{1}{cR_0}\int \mathbf{j}'_{t-\frac{R_0}{c}+\frac{\mathbf{rn}'}{c}}\,dV = \frac{1}{cR_0}\sum (e\mathbf{v}')_{t-\frac{R_0}{c}+\frac{\mathbf{rn}'}{c}},$$

où la sommation est étendue à toutes les charges du système $\mathbf{n}'$ est le vecteur unité de la direction de la diffusion. Substituan (80,2) dans cette dernière, on trouve:

$$\mathbf{A}' = -\frac{1}{icR_0\omega}e^{-i\omega\left(t-\frac{R_0}{c}\right)}\mathbf{E}_0\sum\frac{e^2}{m}e^{-i\mathbf{qr}}, \tag{80,3}$$

où $\mathbf{q} = \mathbf{k}' - \mathbf{k}$ est la différence entre le vecteur d'onde de l'onde diffusée $\mathbf{k}' = \omega\mathbf{n}'/c$ et le vecteur d'onde $\mathbf{k} = \omega\mathbf{n}/c$ de l'onde incidente [1]. La valeur de la somme dans (80,3) doit être prise à l'instant $t' = t - R_0/c$, la variation de $\mathbf{r}$ dans le temps $\mathbf{rn}'/c$ pouvant être négligée, car on a supposé que les vitesses des particules étaient petites (pour abréger l'écriture, comme d'habitude, on omet l'indice t'). La valeur absolue du vecteur $\mathbf{q}$ est égale à

$$q = 2\frac{\omega}{c}\sin\frac{\vartheta}{2}, \tag{80,4}$$

où ϑ est l'angle de diffusion.

Quand il y a diffusion par un atome (ou par une molécule), on peut négliger dans la somme (80,3) les termes correspondant aux noyaux, étant donné que leurs masses sont grandes par rapport à celles des électrons. Ci-dessous nous considérerons précisément ce cas, et nous mettrons en facteur la quantité e^2/m, où e et m représentent la charge et la masse de l'électron.

On trouve pour le champ $\mathbf{H}'$ de l'onde diffusée en vertu de (66,3):

$$\mathbf{H}' = \frac{\mathbf{E}_0 \times \mathbf{n}'}{c^2 R_0} e^{-i\omega\left(t - \frac{R_0}{c}\right)} \frac{e^2}{m} \sum e^{-i\mathbf{qr}}. \tag{80,5}$$

Le flux d'énergie dans l'élément d'angle solide dans la direction de $\mathbf{n}'$ est

$$\frac{c\,|\mathbf{H}'|^2}{8\pi} R_0^2 do = \frac{e^4}{8\pi c^3 m^2} (\mathbf{n}' \times \mathbf{E}_0)^2 \left| \sum e^{-i\mathbf{qr}} \right|^2 do.$$

Faisant le quotient par le flux d'énergie $c|\mathbf{E}_0|^2/8\pi$ de l'onde incidente et introduisant l'angle θ entre la direction du champ $\mathbf{E}$ de l'onde incidente et la direction de la diffusion, on trouve en définitive la section sous la forme:

$$d\sigma = \left(\frac{e^2}{mc^2}\right)^2 \overline{\left| \sum e^{-i\mathbf{qr}} \right|^2} \sin^2\theta \, do. \tag{80,6}$$

La barre indique la moyenne par rapport au temps, c'est-à-dire la moyenne par rapport au mouvement des charges dans le système; on prend la moyenne parce que la diffusion est considérée dans des intervalles de temps grands par rapport à la période du mouvement des charges dans le système.

Pour la longueur d'onde du rayonnement incident on déduit de la condition (80,1) l'inégalité $\lambda \ll ac/v$. Pour ce qui est des grandeurs relatives de λ et a, les deux cas limites $\lambda \gg a$ et $\lambda \ll a$ sont possibles. Dans chacun de ces deux cas la formule générale (80,6) se simplifie considérablement.

---

[1] A strictement parler, le vecteur d'onde est $\mathbf{k}' = \omega'\mathbf{n}'/c$, où la fréquence ω' de l'onde diffusée peut être différente de ω. Toutefois, dans le cas considéré des grandes fréquences, on peut négliger la différence $\omega' - \omega \sim \omega_0$.

Pour $\lambda \gg a$ on a dans l'expression (80,6) $\mathbf{qr} \ll 1$, étant donné que $q \sim 1/\lambda$, $r \sim a$. Remplaçant, par conséquent, $e^{i\mathbf{qr}}$ par l'unité, il vient:

$$d\sigma = Z^2 \left(\frac{e^2}{mc^2}\right)^2 \sin^2\theta \, do, \tag{80,7}$$

c'est-à-dire que la diffusion est proportionnelle au carré du nombre Z d'électrons dans l'atome.

Passons au cas $\lambda \ll a$. Dans le carré de la somme dans (80,6) on a, à part les carrés du module de chaque terme égaux à l'unité, des produits de la forme $e^{i\mathbf{q}(\mathbf{r}_1-\mathbf{r}_2)}$. Quand on prend la moyenne par rapport au mouvement des charges, c'est-à-dire par rapport à leur agencement dans le système, les différences $\mathbf{r}_1 - \mathbf{r}_2$ parcourent des valeurs dans un intervalle de l'ordre de a. Etant donné que $q \sim 1/\lambda$, $\lambda \ll a$, le facteur exponentiel $e^{i\mathbf{q}(\mathbf{r}_1-\mathbf{r}_2)}$ est une fonction oscillant rapidement dans cet intervalle, de sorte que sa valeur moyenne est nulle. Ainsi, lorsque $\lambda \ll a$ la section de diffusion est égale à

$$d\sigma = Z \left(\frac{e^2}{mc^2}\right)^2 \sin^2\theta \, do, \tag{80,8}$$

c'est-à-dire qu'elle est proportionnelle à la première puissance du nombre atomique. Remarquons que cette formule n'est pas applicable dans le cas où les angles de diffusion sont petits ($\vartheta \sim \lambda/a$), car alors $q \sim \vartheta/\lambda \sim 1/a$, et l'exposant $\mathbf{qr}$ n'est pas grand par rapport à l'unité.

Pour déterminer la section efficace de la diffusion cohérente, on doit séparer la partie du champ de l'onde diffusée dont la fréquence est ω. L'expression (80,5) du champ dépend du temps par l'intermédiaire du facteur $e^{-i\omega t}$ et, par ailleurs, la somme $\sum e^{-i\mathbf{qr}}$ dépend aussi du temps. Cette dernière dépendance entraîne que le champ de l'onde diffusée contient en même temps que la fréquence ω des fréquences autres que ω (bien que voisines). La partie du champ qui contient la fréquence ω (c'est-à-dire qui dépend du temps seulement par l'intermédiaire du facteur $e^{-i\omega t}$) s'obtient évidemment en prenant la moyenne par rapport au temps de la somme $\sum e^{-i\mathbf{qr}}$. Par conséquent, l'expression de la section efficace de la diffusion cohérente $d\sigma_{\text{coh}}$ se distingue de la section totale $d\sigma$ par le fait qu'au lieu de la valeur moyenne du carré du module de la somme elle contient le carré du module de la valeur moyenne de la somme:

$$d\sigma_{\text{coh}} = \left(\frac{e^2}{mc^2}\right)^2 \left|\overline{\sum e^{-i\mathbf{qr}}}\right|^2 \sin^2\theta \, do. \tag{80,9}$$

Il est utile de remarquer que cette valeur moyenne de la somme n'est autre (à un coefficient près) que la composante spatiale de Fourier de la distribution moyenne $\rho(\mathbf{r})$ de la densité de la charge électrique dans l'atome:

$$e\overline{\sum e^{-i\mathbf{qr}}} = \int \rho(\mathbf{r})\, e^{-i\mathbf{qr}}\, dV = \rho_{\mathbf{q}}. \tag{80,10}$$

Lorsque $\lambda \gg a$, on peut de nouveau remplacer $e^{-i\mathbf{qr}}$ par l'unité, de sorte que

$$d\sigma_{\text{coh}} = Z^2 \left(\frac{e^2}{mc^2}\right)^2 \sin^2\theta\, do. \tag{80,11}$$

Comparant avec la section efficace (80,7), on voit que $d\sigma_{\text{coh}} = d\sigma$, c'est-à-dire que la diffusion tout entière est cohérente.

Si, au contraire, $\lambda \ll a$, quand on prend la moyenne dans (80,9) tous les termes de la somme s'évanouissent (en tant que valeurs moyennes de fonctions du temps oscillant rapidement), de sorte que $d\sigma_{\text{coh}} = 0$. Ainsi, dans ce cas la diffusion tout entière est incohérente.

CHAPITRE X

PARTICULES DANS UN CHAMP DE GRAVITATION

§ 81. Champs de gravitation en mécanique non relativiste

Les *champs de gravitation* jouissent de la propriété fondamentale suivante: tous les corps s'y meuvent, indépendamment de leurs masses, de la même manière (pour des conditions initiales identiques).

Ainsi, les lois de la chute libre dans le champ d'attraction de la Terre sont identiques pour tous les corps: quelles que soient leurs masses, tous acquièrent une seule et même accélération.

Cette propriété des champs gravitationnels permet d'établir une analogie essentielle entre le mouvement des corps dans un champ gravitationnel et le mouvement des corps ne se trouvant pas dans un champ extérieur quelconque, mais qui sont considérés du point de vue d'un référentiel non inertiel. En effet, dans un référentiel d'inertie le mouvement libre de tous les corps s'effectue uniformément et en ligne droite, et si, par exemple, leurs vitesses étaient les mêmes à l'instant initial, elles resteraient telles tout le temps. Il est donc évident que si l'on considère ce mouvement dans un système non inertiel donné, alors relativement à ce système aussi tous les corps se mouvront de la même manière.

Ainsi, les propriétés du mouvement dans un référentiel non inertiel sont les mêmes que dans un système d'inertie en présence d'un champ gravitationnel. En d'autres termes, un référentiel non inertiel est équivalent à un champ gravitationnel. C'est ce qu'on appelle *principe d'équivalence*.

Considérons, par exemple, un mouvement dans un référentiel uniformément accéléré. Les corps de masses quelconques se mouvant librement dans un tel référentiel posséderont évidemment, relativement à ce référentiel, une accélération constante égale et opposée à celle du référentiel lui-même. Tel est aussi le mouvement dans un champ de gravitation uniforme constant, dans le champ d'attraction de la Terre par exemple (dans de petites régions, où le champ peut être considéré comme uniforme). Ainsi, un référentiel uniformément accéléré est équivalent à un champ extérieur uniforme constant. Quelque peu plus général est le cas d'un référentiel en translation rectiligne non uniforme: il est manifestement équivalent à un champ gravitationnel uniforme mais variable.

Toutefois, les champs qui ont pour équivalents des référentiels non inertiels ne sont pas tout à fait identiques aux champs gravitationnels «réels», existant aussi dans les référentiels d'inertie. Il existe entre eux une différence très essentielle en ce qui concerne leurs propriétés à l'infini. A une distance infinie des corps créant un champ, le champ de gravitation « réel » tend toujours vers zéro. Par contre, en ce qui concerne les champs qui ont pour équivalents des référentiels non inertiels, ils croissent toujours indéfiniment à l'infini ou, à la rigueur, restent finis en grandeur. Ainsi, les forces centrifuges qui naissent dans un référentiel tournant croissent indéfiniment quand on s'éloigne de l'axe de rotation; le champ qui a pour équivalent un référentiel en mouvement rectiligne accéléré est identique dans tout l'espace, y compris à l'infini.

Les champs qui ont pour équivalents des référentiels non inertiels s'évanouissent dès qu'on passe à un référentiel d'inertie. Par contre, les champs de gravitation « réels » (existant aussi dans un référentiel d'inertie) ne peuvent être éliminés par aucun choix du référentiel. On le voit déjà directement de la différence, mentionnée ci-dessus, entre les conditions à l'infini dans les champs de gravitation « réels » et dans les champs qui ont pour équivalents des référentiels non inertiels; ces derniers ne s'annulant pas à l'infini, il est clair qu'on ne pourra par aucun choix du référentiel éliminer les champs « réels », s'annulant à l'infini.

La seule chose que l'on puisse faire par un choix adéquat du référentiel, c'est d'éliminer le champ de gravitation dans une région donnée de l'espace suffisamment petite pour que le champ y puisse être assimilé à un champ uniforme. On peut le faire en prenant un système accéléré dont l'accélération serait égale à celle qu'acquerrait une particule si elle était placée dans la région considérée du champ.

Le mouvement d'une particule dans un champ de gravitation est régi en mécanique non relativiste par une fonction de Lagrange, s'écrivant (dans un référentiel d'inertie):

$$L=\frac{mv^2}{2}-m\varphi, \tag{81,1}$$

où φ est une certaine fonction des coordonnées et du temps caractérisant le champ, appelée *potentiel de gravitation* [1]. Les équations du

[1] Par la suite, nous n'aurons plus à utiliser le potentiel électromagnétique φ, de sorte que la désignation du potentiel de gravitation par la même lettre ne peut donner lieu à un malentendu.

mouvement s'écrivent respectivement :

$$\dot{\mathbf{v}} = -\operatorname{grad} \varphi. \tag{81,2}$$

Elles ne contiennent pas de masse ou toute autre constante caractérisant les propriétés de la particule, ce qui est l'expression de la propriété fondamentale des champs de gravitation.

§ 82. Champs de gravitation en mécanique relativiste

La propriété fondamentale des champs gravitationnels, que tous les corps s'y meuvent de la même manière, reste aussi en vigueur en mécanique relativiste. Par conséquent, l'analogie entre les champs de gravitation et les référentiels non inertiels subsiste aussi. Il est donc naturel dans l'étude des propriétés des champs de gravitation en mécanique relativiste de partir aussi de cette analogie.

Dans un référentiel d'inertie rapporté à des coordonnées cartésiennes, l'intervalle ds est déterminé par la formule

$$ds^2 = c^2dt^2 - dx^2 - dy^2 - dz^2.$$

Quand on passe à tout autre référentiel d'inertie (c'est-à-dire dans les transformations de Lorentz) on sait que l'expression de l'intervalle n'est pas affectée. Mais si l'on passe à un référentiel non inertiel, le ds^2 n'est plus alors la somme des carrés des différentielles des quatre coordonnées.

Ainsi, quand on passe à un système de coordonnées en rotation uniforme

$$x = x' \cos \Omega t - y' \sin \Omega t, \qquad y = x' \sin \Omega t + y' \cos \Omega t, \qquad z = z'$$

(Ω est la vitesse angulaire de rotation, dirigée selon l'axe des z) l'intervalle prend la forme :

$$ds^2 = [c^2 - \Omega^2 (x'^2 - y'^2)]\, dt^2 - dx'^2 - dy'^2 - \\ - dz'^2 + 2\Omega y'\, dx'\, dt - 2\Omega x'\, dy'\, dt.$$

Quelle que soit la loi de transformation du temps, cette expression ne peut être réduite à une somme des carrés des différentielles des quatre coordonnées.

Par conséquent, dans un référentiel non inertiel le carré de l'intervalle est une certaine forme quadratique générale des différentielles des coordonnées, c'est-à-dire

$$ds^2 = g_{ik}\, dx^i\, dx^k, \tag{82,1}$$

où les g_{ik} sont des fonctions des coordonnées spatiales x^1, x^2, x^3 et de la coordonnée temporelle x^0. Ainsi, le système de quatre coordonnées x^0, x^1, x^2, x^3 est curviligne lorsqu'on utilise des référentiels accélérés. Les quantités g_{ik}, qui déterminent toutes les propriétés de la géométrie dans chaque système de coordonnées curvilignes, définissent la *métrique* de l'espace-temps.

On peut évidemment considérer que les g_{ik} sont symétriques selon les indices i et k ($g_{ik} = g_{ki}$), étant donné qu'elles sont déterminées par la forme symétrique (82,1), où g_{ik} et g_{ki} entrent avec le même facteur $dx^i dx^k$. On a donc en tout dans le cas général 10 quantités g_{ik} distinctes : quatre avec des indices identiques et $4 \cdot 3/2 = 6$ avec des indices distincts. Dans un référentiel d'inertie, en coordonnées spatiales cartésiennes $x^{1,2,3} = x, y, z$ et temporelle $x^0 = ct$, les g_{ik} sont égales à

$$g_{00} = 1, \quad g_{11} = g_{22} = g_{33} = -1, \quad g_{ik} = 0, \qquad i \neq k. \qquad (82,2)$$

Le système de coordonnées (quadridimensionnel) avec de telles valeurs de g_{ik} sera dit *galiléen.*

Il a été indiqué au paragraphe précédent que les référentiels non inertiels sont équivalents à des champs de forces. On voit maintenant qu'en mécanique relativiste ces champs sont déterminés par les quantités g_{ik}.

Il en est de même des champs de gravitation « réels ». Tout champ gravitationnel n'est autre chose qu'une modification de la métrique de l'espace-temps, et il est déterminé en conséquence par les quantités g_{ik}. Cette circonstance capitale signifie que les propriétés géométriques de l'espace-temps (sa métrique) sont déterminées par des phénomènes physiques et ne sont pas des propriétés invariables de l'espace et du temps.

La théorie des champs de gravitation édifiée sur la base de la théorie de la relativité est appelée *Relativité générale.* Elle a été créée par Einstein (qui l'a formulée définitivement en 1916) et est vraisemblablement la plus belle des théories physiques existantes. Il est remarquable qu'Einstein l'ait construite par voie purement déductive et que c'est seulement par la suite qu'elle ait été confirmée par des observations astronomiques.

Tout comme en mécanique non relativiste, il y a une différence radicale entre les champs de gravitation « réels » et les champs qui ont pour équivalents des référentiels non inertiels. Lorsqu'on passe à un référentiel non inertiel, la forme quadratique prend l'aspect (82,1), c'est-à-dire que les quantités g_{ik} se déduisent des valeurs galiléennes (82,2) par une transformation des coordonnées ; on peut donc retrouver les valeurs galiléennes des g_{ik} dans tout l'espace par la transformation inverse. Qu'une telle expression des g_{ik} soit très particulière, c'est ce qu'on voit déjà du fait qu'il est, en général, impossible de mettre 10 quantités g_{ik} sous une forme donnée à l'avance par une transformation de quatre coordonnées seulement.

Un champ de gravitation « réel » ne peut être exclu par aucune transformation des coordonnées. En d'autres termes, en présence d'un champ de gravitation l'espace-temps est tel que les g_{ik} déterminant sa métrique ne peuvent être ramenées par aucune transformation de coordonnées à la forme galiléenne dans tout l'espace. Un tel espace-temps est dit *courbe*, contrairement à l'espace-temps *plan*, où cette réduction est possible.

Cependant, on peut, par un changement de coordonnées convenable, mettre les g_{ik} sous forme galiléenne en un point arbitraire d'un espace-temps non galiléen: cela consiste à réduire à sa forme diagonale une forme quadratique à coefficients constants (les g_{ik} au point donné). Nous dirons qu'un tel système de coordonnées est *galiléen* au point donné [1].

Notons qu'après réduction à la forme diagonale au point donné la matrice des g_{ik} a une valeur principale positive et trois négatives. L'ensemble de ces signes constitue la *signature* de la matrice. Il en résulte, notamment, que le déterminant g des g_{ik} est toujours négatif dans un espace-temps réel:

$$g < 0. \tag{82,3}$$

Le changement de la métrique dans l'espace-temps entraîne aussi le changement de la métrique proprement spatiale. A des g_{ik} galiléennes dans un espace-temps plan correspond une géométrie euclidienne de cet espace. Mais dans un champ de gravitation la géometrie de l'espace devient non euclidienne. Ceci concerne aussi bien les champs gravitationnels « réels », dans lesquels l'espace-temps est « courbe », que les champs devant leur existence à un référentiel non inertiel et conservant l'espace-temps plan.

La question de la géométrie spatiale dans un champ de gravitation sera examinée avec plus de détails au § 84. Il est utile d'apporter ici un raisonnement simple illustrant clairement l'apparition inévitable de propriétés non euclidiennes de l'espace quand on passe à un référentiel accéléré. Considérons deux référentiels, dont l'un (K) est d'inertie et l'autre (K') tourne uniformément autour de l'axe commun z de K. Un cercle dans le plan xy du système K (de centre à l'origine des coordonnées) peut être considéré aussi comme un cercle dans le plan $x'y'$ de K'. Mesurant la longueur de la circonférence et son diamètre à l'aide d'une règle dans le système K, on obtient des valeurs dont le rapport est π, étant donné que la géométrie est euclidienne dans le référentiel d'inertie. Supposons maintenant que les mesures soient faites avec une règle immobile dans

[1] Pour éviter tout malentendu, indiquons toutefois dès à présent que le choix d'un tel système de coordonnées ne signifie pas encore l'élimination du champ gravitationnel dans l'élément infinitésimal de 4-volume choisi. Une telle élimination, qui est aussi toujours possible en vertu du principe d'équivalence, signifie quelque chose de plus (cf. § 87).

K'. En observant ce processus à partir de K, on trouve que la règle appliquée tangentiellement à la circonférence subit une contraction lorentzienne et qu'elle est invariable lorsqu'elle est appliquée radialement. Par conséquent, il est clair que le rapport de la longueur de la circonférence à son diamètre fourni par une telle mesure sera plus grand que π.

Dans le cas général d'un champ de gravitation variable quelconque, non seulement la métrique de l'espace n'est pas euclidienne, mais elle varie en outre avec le temps. Cela signifie que les rapports entre les diverses distances géométriques varient. Il s'ensuit que l'agencement de « particules d'épreuve » introduites dans le champ ne peut être invariable dans aucun système de coordonnées [1]. Ainsi, si les particules sont situées le long d'une circonférence quelconque et de son diamètre, alors, étant donné que le rapport de la longueur de la circonférence au diamètre n'est pas égal à π et varie avec le temps, il est clair que si les distances entre les particules sont inchangées le long du diamètre, par contre elles doivent varier pour les particules périphériques, et vice versa. Par conséquent, l'immobilité relative d'un système de corps est généralement impossible en Relativité générale.

Cette circonstance change essentiellement la notion même de référentiel en Relativité générale vis-à-vis du sens qu'il avait en Relativité restreinte. On entendait dans cette dernière par référentiel un ensemble de corps au repos les uns par rapport aux autres, agencés invariablement. Dans un champ gravitationnel variable il n'existe pas de tels systèmes de corps, et pour déterminer exactement la position de particules dans l'espace, il faut, à strictement parler, avoir une infinité de corps emplissant tout l'espace, tel un « milieu ». C'est un tel système de corps, dont on a attaché à chacun une horloge indiquant un temps arbitraire, qui sert de référentiel en Relativité générale.

En relation avec l'arbitraire dans le choix du référentiel, les lois de la nature doivent être écrites en Relativité générale sous une forme qui convienne formellement dans tout système de coordonnées quadridimensionnel (ou, comme on dit, sous forme « covariante »). Toutefois, cette circonstance ne signifie nullement l'équivalence de tous ces référentiels (comme pour l'équivalence de tous les systèmes d'inertie en Relativité restreinte). Au contraire, l'expression concrète des phénomènes physiques, ainsi que les propriétés du mouvement des corps, diffère selon le référentiel.

[1] A strictement parler, le nombre de particules doit être supérieur à quatre. Etant donné qu'avec six segments quelconques on peut construire un tétraèdre, on peut toujours, en définissant convenablement le référentiel, faire de sorte qu'un système de quatre particules y forme un tétraèdre invariable. *A fortiori* on peut déterminer l'immobilité relative pour un système de trois ou de deux particules.

§ 83. Coordonnées curvilignes

L'étude des champs de gravitation exigeant l'examen des phénomènes dans des référentiels arbitraires, on devra développer la géométrie à quatre dimensions sous une forme valable dans des coordonnées curvilignes arbitraires. Les §§ 83, 85, 86 traiteront de ce point.

Considérons la transformation d'un système de coordonnées x^0, x^1, x^2, x^3 dans un autre x'^0, x'^1, x'^2, x'^3:

$$x^i = f^i (x'^0, x'^1, x'^2, x'^3),$$

les f^i étant certaines fonctions. Les différentielles des coordonnées se transforment suivant les formules

$$dx^i = \frac{\partial x^i}{\partial x'^k} dx'^k. \tag{83,1}$$

On appelle *quadrivecteur contravariant* tout ensemble de quatre quantités A^i se transformant dans un changement de coordonnées comme les différentielles de celles-ci :

$$A^i = \frac{\partial x^i}{\partial x'^k} A'^k. \tag{83,2}$$

Soit φ un scalaire. Les dérivées $\partial\varphi/\partial x^i$ se transforment suivant les formules

$$\frac{\partial \varphi}{\partial x^i} = \frac{\partial \varphi}{\partial x'^k} \frac{\partial x'^k}{\partial x^i}, \tag{83,3}$$

qui diffèrent de (83,2). On appelle *quadrivecteur covariant* tout ensemble de quatre quantités A_i se transformant dans un changement de coordonnées comme les dérivées d'un scalaire:

$$A_i = \frac{\partial x'^k}{\partial x^i} A'_k. \tag{83,4}$$

On définit de la même façon les 4-tenseurs de divers ordres. Ainsi, un 4-tenseur contravariant d'ordre deux est un ensemble de 16 quantités se transformant comme les produits de deux vecteurs contravariants, c'est-à-dire suivant la loi

$$A^{ik} = \frac{\partial x^i}{\partial x'^l} \frac{\partial x^k}{\partial x'^m} A'^{lm}. \tag{83,5}$$

Un tenseur covariant d'ordre deux A_{ik} se transforme suivant la loi

$$A_{ik} = \frac{\partial x'^l}{\partial x^i} \frac{\partial x'^m}{\partial x^k} A'_{lm}, \tag{83,6}$$

et on a pour un 4-tenseur mixte $A^i{}_k$

$$A^i{}_k = \frac{\partial x^i}{\partial x'^l} \frac{\partial x'^m}{\partial x^k} A'^l{}_m. \tag{83,7}$$

Les définitions données ci-dessus sont la généralisation naturelle des définitions des 4-vecteurs et 4-tenseurs en coordonnées galiléennes (§ 6), en vertu desquelles les différentielles dx^i forment un 4-vecteur contravariant, et les dérivées $\partial\varphi/\partial x^i$, un 4-vecteur covariant [1].

Les règles suivant lesquelles on formait en coordonnées galiléennes des 4-tenseurs par multiplication ou contraction d'autres 4-tenseurs subsistent en coordonnées curvilignes. Il est, par exemple, facile de s'assurer que, en vertu des lois de transformation (83,2) et (83,4), le produit scalaire de deux 4-vecteurs A^iB_i est effectivement invariant:

$$A^iB_i = \frac{\partial x^i}{\partial x'^l} \frac{\partial x'^m}{\partial x^i} A'^l B'_m = \frac{\partial x'^m}{\partial x'^l} A'^l B'_m = A'^l B'_l.$$

La définition du 4-tenseur unité δ^i_k subsiste en coordonnées curvilignes: ici encore $\delta^i_k = 0$ pour $i \neq k$, et $\delta^i_k = 1$ pour $i = k$. Si A^k est un quadrivecteur, son produit par δ^i_k donne:

$$A^k\delta^i_k = A^i,$$

c'est-à-dire que c'est aussi un 4-vecteur; ceci montre bien que δ est un tenseur.

Le carré de l'élément de longueur en coordonnées curviligne est une forme quadratique des différentielles dx^i:

$$ds^2 = g_{ik}\, dx^i\, dx^k, \tag{83,8}$$

les g_{ik} étant des fonctions des coordonnées; les g_{ik} sont symétriques sur les indices i et k:

$$g_{ik} = g_{ki}. \tag{83,9}$$

La contraction de g_{ik} par le tenseur contravariant $dx^i\, dx^k$ donnant un scalaire, les g_{ik} constituent un tenseur covariant; on l'appelle *tenseur métrique*.

Deux tenseurs A_{ik} et B^{ik} sont dits inverses si

$$A_{ik}B^{kl} = \delta^l_i.$$

Notamment, on appelle tenseur métrique contravariant g^{ik} l'inverse de g_{ik}, c'est-à-dire que

$$g_{ik}g^{kl} = \delta^l_i. \tag{83,10}$$

[1] Mais alors que dans un système galiléen les coordonnées x^i elles-mêmes (et non seulement leurs différentielles) constituent aussi un 4-vecteur, il n'en est plus ainsi en coordonnées curvilignes.

Une grandeur vectorielle physique peut être écrite en coordonnées contra ou covariantes. Evidemment, les seules quantités susceptibles de relier les unes aux autres sont les composantes du tenseur métrique. Ce lien est donné par les formules

$$A^i = g^{ik} A_k, \qquad A_i = g_{ik} A^k. \tag{83,11}$$

Dans un système galiléen le tenseur métrique a pour composantes :

$$g_{ik}^{(0)} = g^{(0)ik} = \begin{pmatrix} 1 & 0 & 0 & 0 \\ 0 & -1 & 0 & 0 \\ 0 & 0 & -1 & 0 \\ 0 & 0 & 0 & -1 \end{pmatrix}. \tag{83,12}$$

Alors les formules (83,11) donnent le lien connu $A^0 = A_0$, $A^{1,2,3} = -A_{1,2,3}$ [1].

Ce qui vient d'être dit concerne aussi bien les tenseurs. Le passage entre les diverses formes d'un même tenseur physique s'opère à l'aide du tenseur métrique par les formules

$$A^i{}_k = g^{il} A_{lk}, \qquad A^{ik} = g^{il} g^{km} A_{lm}, \text{ etc.}$$

Nous avons défini au § 6 (dans un système galiléen de coordonnées) le pseudotenseur unité complètement antisymétrique e^{iklm}. Nous allons trouver son expression dans un système arbitraire de coordonnées curvilignes, où nous le noterons E^{iklm}. Nous réserverons la notation e^{iklm} aux quantités ayant, comme auparavant, la valeur $e^{0123} = 1$ (ou $e_{0123} = -1$).

Soient x'^i des coordonnées galiléennes et x^i des coordonnées curvilignes arbitraires. En vertu des règles générales de transformation des tenseurs, on a :

$$E^{iklm} = \frac{\partial x^i}{\partial x'^p} \frac{\partial x^k}{\partial x'^r} \frac{\partial x^l}{\partial x'^s} \frac{\partial x^m}{\partial x'^t} e^{prst}$$

ou

$$E^{iklm} = J e^{iklm},$$

J étant le déterminant formé des dérivées $\partial x^i / \partial x'^p$, c'est-à-dire rien d'autre que le jacobien de la transformation faisant passer des

[1] Chaque fois que, pour faire une analogie, nous nous servirons d'un système galiléen de coordonnées, nous aurons en vue qu'un tel système ne peut être choisi que dans un 4-espace plan. Dans le cas d'un 4-espace courbe il faudrait dire système de coordonnées galiléennes dans l'élément infinitésimal donné de 4-volume, lequel système peut toujours être choisi. La précision de ce point n'affecte pas les déductions.

coordonnées galiléennes aux coordonnées curvilignes:

$$J = \frac{\partial (x^0, x^1, x^2, x^3)}{\partial (x'^0, x'^1, x'^2, x'^3)}.$$

Ce jacobien peut s'exprimer au moyen du déterminant du tenseur métrique g_{ik} (dans le système x^i). Nous écrirons pour cela la formule de transformation du tenseur métrique:

$$g^{ik} = \frac{\partial x^i}{\partial x'^l} \frac{\partial x^k}{\partial x'^m} g^{(0)lm}$$

et nous égalerons les déterminants formés des quantités figurant dans les deux membres de cette égalité. Le déterminant du tenseur inverse est $|g^{ik}| = 1/g$. Par ailleurs, $|g^{(0)lm}| = -1$. De sorte que $1/g = -J^2$, d'où $J = 1/\sqrt{-g}$.

Ainsi, en coordonnées curvilignes le tenseur unité antisymétrique d'ordre quatre doit avoir pour définition:

$$E^{iklm} = \frac{1}{\sqrt{-g}} e^{iklm}. \tag{83,13}$$

L'abaissement des indices de ce tenseur se fait à l'aide de la formule

$$e^{prst} g_{ip} g_{kr} g_{ls} g_{mt} = -g e_{iklm},$$

et il vient pour ses composantes covariantes:

$$E_{iklm} = \sqrt{-g}\, e_{iklm}. \tag{83,14}$$

En coordonnées galiléennes x'^i l'intégrale d'un scalaire sur $d\Omega' = dx'^0\, dx'^1\, dx'^2\, dx'^3$ est aussi un scalaire, c'est-à-dire que l'élément de volume $d\Omega'$ se comporte dans une intégration comme un scalaire (§ 6). Lorsqu'on passe en coordonnées curvilignes x^i l'élément d'intégration $d\Omega'$ devient:

$$d\Omega' \to \frac{1}{J} d\Omega = \sqrt{-g}\, d\Omega.$$

De sorte qu'en coordonnées curvilignes $\sqrt{-g}\, d\Omega$ se comporte comme un invariant quand on l'intègre dans un volume du 4-espace [1].

---

[1] Si φ est un scalaire, la quantité $\sqrt{-g}\,\varphi$, qui donne par intégration sur $d\Omega$ un invariant, s'appelle parfois *densité scalaire*. On appelle de même $\sqrt{-g}\, A^i$ *densité vectorielle* et $\sqrt{-g}\, A^{ik}$ *densité tensorielle*, etc. Ces quantités donnent un vecteur ou un tenseur après multiplication par l'élément de 4-volume $d\Omega$ (mais l'intégrale $\int A^i \sqrt{-g}\, d\Omega$ ne peut, en général, être un vecteur, étant donné que le vecteur A^i se transforme différemment d'un point à l'autre du domaine).

Tout ce qui a été dit à la fin du § 6 sur les éléments d'intégration sur une hypersurface, une surface ou une ligne reste en vigueur en coordonnées curvilignes, avec la seule différence que la définition des tenseurs duaux change quelque peu. L'élément d'« aire » d'une hypersurface défini par trois déplacements infiniment petits est un tenseur contravariant antisymétrique dS^{ikl} ; on obtient son vecteur dual en multipliant par le tenseur $\sqrt{-g}\, e_{iklm}$; on a :

$$\sqrt{-g}\, dS_i = -\frac{1}{6}\, e_{iklm} dS^{klm} \sqrt{-g}. \qquad (83,15)$$

D'une manière analogue, si df^{ik} est l'élément de surface (bidimensionnelle) construit sur deux déplacements infinitésimaux, alors son tenseur dual est défini par[1] :

$$\sqrt{-g}\, df^*_{ik} = \frac{1}{2} \sqrt{-g}\, e_{iklm} df^{lm}. \qquad (83,16)$$

Comme auparavant, nous réservons les notations dS_i et df^*_{ik} respectivement à $\frac{1}{6} e_{iklm}\, dS^{klm}$ et $\frac{1}{2} e_{iklm}\, df^{lm}$ (et non à leurs produits par $\sqrt{-g}$) ; les règles de transformation (6,14-19) de différentes intégrales restent alors les mêmes, étant donné que leur démonstration présente un caractère formel non lié aux propriétés tensorielles des quantités correspondantes. Nous aurons particulièrement besoin de la transformation d'une intégrale sur une hypersurface en intégrale dans un 4-volume (théorème de Gauss), réalisée par la substitution

$$dS_i \to d\Omega \frac{\partial}{\partial x^i}. \qquad (83,17)$$

§ 84. Distances et durées

Nous avons déjà dit qu'en Relativité générale le choix du référentiel n'était limité par rien ; les trois coordonnées x^1, x^2, x^3 peuvent être des quantités arbitraires définissant la position des corps dans l'espace, et la coordonnée temporelle x^0 peut être déterminée par une horloge marquant son temps propre. La question se pose de

[1] Il est entendu que les éléments dS^{klm} et df^{ik} sont construits sur les déplacements infinitésimaux dx^i, dx'^i, dx''^i ainsi qu'ils ont été définis au § 6, quel que soit le sens géométrique des coordonnées x^i. Dès lors le sens primitif des éléments dS_i, df^*_{ik} reste en vigueur. En particulier, on a, comme auparavant, $dS_0 = dx^1dx^2dx^3 \equiv dV$. Nous conserverons, comme par le passé, la notation dV pour le produit des différentielles des trois coordonnées spatiales ; mais on aura en vue que l'élément de volume géométrique spatial est donné en coordonnées curvilignes non pas par dV, mais par le produit $\sqrt{\gamma}\, dV$, γ étant le déterminant du tenseur métrique spatial (qui sera défini au paragraphe suivant).

savoir comment peut-on déterminer à partir des valeurs des quantités x^0, x^1, x^2, x^3 les distances et les laps de temps réels.

Déterminons d'abord le lien entre le temps réel, que nous désignerons ci-dessous par τ, et la coordonnée x^0. A cet effet, considérons deux événements infiniment voisins ayant lieu en un seul et même point de l'espace. Alors l'intervalle ds entre ces deux événements n'est pas autre chose que $cd\tau$, où $d\tau$ est le laps de temps (réel) entre les deux événements. Posant $dx^1 = dx^2 = dx^3 = 0$ dans l'expression générale $ds^2 = g_{ik}\, dx^i dx^k$, on trouve donc:

$$ds^2 = c^2 d\tau^2 = g_{00}\, (dx^0)^2,$$

d'où

$$d\tau = \frac{1}{c} \sqrt{g_{00}}\, dx^0, \qquad (84,1)$$

ou pour le temps entre deux événements arbitraires produits en un même point de l'espace,

$$\tau = \frac{1}{c} \int \sqrt{-g_{00}}\, dx^0. \qquad (84,2)$$

Telles sont les relations déterminant les temps réels (ou, comme on dit, le *temps propre* en un point donné de l'espace) en fonction de la coordonnée x^0. Notons de même que la quantité g_{00} est positive, comme il résulte des formules écrites:

$$g_{00} > 0. \qquad (84,3)$$

Il convient de souligner la différence entre le sens de la condition (84,3) et le sens de la condition fixant la signature du tenseur g_{ik} (condition imposée aux signes des valeurs principales, cf. § 82). Un tenseur g_{ik} qui ne vérifie pas la seconde de ces conditions ne peut d'aucune manière correspondre à un champ gravitationnel réel quel qu'il soit, c'est-à-dire à la métrique d'un espace-temps réel. L'inobservation de la condition (84,3) signifierait seulement que le référentiel correspondant ne peut être réalisé par des corps réels; si alors la condition sur les valeurs principales est satisfaite, on pourra, par un changement de coordonnées convenable, faire en sorte que g_{00} soit positive (un exemple de tel système est donné par un système de coordonnées tournant, cf. § 89).

Déterminons à présent l'élément dl de distance spatiale. En Relativité restreinte, on peut définir dl comme l'intervalle entre deux événements infiniment voisins ayant lieu au même instant. En Relativité générale, on ne peut procéder ainsi en général, c'est-à-dire qu'on ne peut déterminer dl en posant simplement $dx^0 = 0$ dans ds. Cela est dû au fait que le temps propre dans un champ gravitationne est lié diversement avec la coordonnée x^0 en différents points del l'espace.

Pour déterminer dl, nous procéderons maintenant comme suit.

Soit un signal lumineux émis d'un point B de l'espace (de coordonnées $x^\alpha + dx^\alpha$) et allant à un point infiniment voisin A (de coordonnées x^α) et réfléchi instantanément en sens inverse. Le

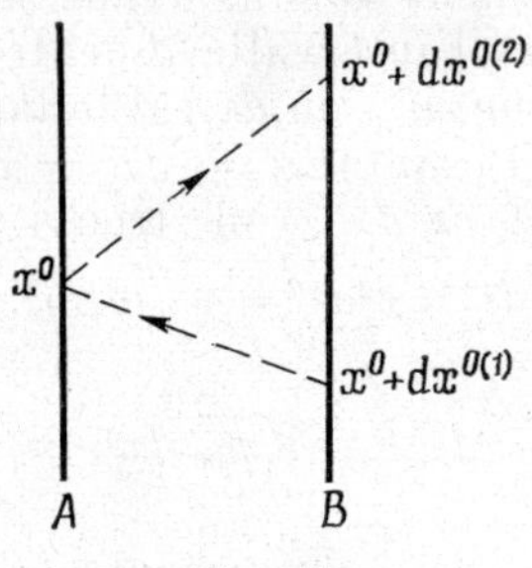

Fig. 18

temps nécessaire à cet effet (compté au même point B) est manifestement, après multiplication par c, le double de la distance entre les deux points.

Ecrivons l'intervalle en mettant en évidence les coordonnées spatiales et la coordonnée temporelle:

$$ds^2 = g_{\alpha\beta}\, dx^\alpha\, dx^\beta + 2g_{0\alpha}\, dx^0\, dx^\alpha + g_{00}\, (dx^0)^2, \tag{84,4}$$

où, comme d'habitude, il y a sommation de 1 à 3 sur les indices grecs se répétant deux fois. L'intervalle entre les deux événements que sont le départ et l'arrivée du signal d'un point à un autre est nul. Résolvant l'équation $ds^2 = 0$ relativement à dx^0, on trouve deux racines:

$$\begin{aligned} dx^{0(1)} &= \frac{1}{g_{00}}\left(-g_{0\alpha}\, dx^\alpha - \sqrt{(g_{0\alpha}g_{0\beta} - g_{\alpha\beta}g_{00})\, dx^\alpha\, dx^\beta}\right), \\ dx^{0(2)} &= \frac{1}{g_{00}}\left(-g_{0\alpha}\, dx^\alpha + \sqrt{(g_{0\alpha}g_{0\beta} - g_{\alpha\beta}g_{00})\, dx^\alpha\, dx^\beta}\right), \end{aligned} \tag{84,5}$$

répondant à la propagation du signal dans les deux directions entre A et B. Si x^0 est l'instant de l'arrivée du signal en A, alors les instants de son départ de B et de son retour en B seront respectivement $x^0 + dx^{0(1)}$ et $x^0 + dx^{0(2)}$. Sur la fig. 18 schématique les droites en traits pleins représentent les lignes d'univers correspondant aux coordonnées données x^α et $x^\alpha + dx^\alpha$, et le trait pointillé représente les lignes d'univers des signaux [1]. Il est clair que le

[1] Sur la fig. 18 on a supposé $dx^{0(2)} > 0$, $dx^{0(1)} < 0$, ce qui n'est pas forcé: $dx^{0(1)}$ et $dx^{0(2)}$ peuvent être de même signe. Le fait qu'en un tel cas la valeur de $x^0(A)$ à l'instant de l'arrivée du signal en A pourrait être plus petite que la valeur $x^0(B)$ à l'instant de son émission en B, n'implique aucune contradiction, étant donné que les horloges en différents points de l'espace ne sont pas supposées être synchronisées de quelque manière que ce soit.

laps de « temps » total entre l'émission et le retour du signal au même point est égal à

$$dx^{0(2)} - dx^{0(1)} = \frac{2}{g_{00}} \sqrt{(g_{0\alpha} g_{0\beta} - g_{\alpha\beta} g_{00})\, dx^\alpha\, dx^\beta}\,.$$

On en déduit le laps de temps réel correspondant, conformément à (84,1), en multipliant par $\sqrt{g_{00}}/c$, et la distance dl séparant les deux points, en multipliant encore par $c/2$. On trouve en fin de compte :

$$dl^2 = \left(-g_{\alpha\beta} + \frac{g_{0\alpha} g_{0\beta}}{g_{00}} \right) dx^\alpha\, dx^\beta.$$

C'est l'expression cherchée déterminant la distance en fonction des éléments des coordonnées spatiales. Recopions-la sous la forme :

$$dl^2 = \gamma_{\alpha\beta}\, dx^\alpha\, dx^\beta, \tag{84,6}$$

où

$$\gamma_{\alpha\beta} = -g_{\alpha\beta} + \frac{g_{0\alpha} g_{0\beta}}{g_{00}} \tag{84,7}$$

est le tenseur métrique tridimensionnel déterminant la métrique de l'espace, c'est-à-dire ses propriétés géométriques. Les relations (84,7) établissent un lien entre la métrique de l'espace réel et la métrique de l'espace-temps quadridimensionnel [1].

Il faut toutefois se rappeler que les g_{ik} dépendent, en général, de x^0, de sorte que la métrique spatiale (84,6) aussi varie avec le temps. Il n'y a donc pas de sens à intégrer dl — une telle intégrale dépendrait de la ligne d'univers d'intégration entre les deux points

---

[1] La forme quadratique (84,6) doit être, évidemment, définie positive. A cet effet, on sait que ses coefficients doivent vérifier les conditions

$$\gamma_{11} > 0, \quad \begin{vmatrix} \gamma_{11} & \gamma_{12} \\ \gamma_{21} & \gamma_{22} \end{vmatrix} > 0, \quad \begin{vmatrix} \gamma_{11} & \gamma_{12} & \gamma_{13} \\ \gamma_{21} & \gamma_{22} & \gamma_{23} \\ \gamma_{31} & \gamma_{32} & \gamma_{33} \end{vmatrix} > 0.$$

Exprimant les γ_{ik} au moyen des g_{ik}, on trouve aisément que ces conditions s'écrivent :

$$\begin{vmatrix} g_{00} & g_{01} \\ g_{10} & g_{11} \end{vmatrix} < 0, \quad \begin{vmatrix} g_{00} & g_{01} & g_{02} \\ g_{10} & g_{11} & g_{12} \\ g_{20} & g_{21} & g_{22} \end{vmatrix} > 0, \quad g < 0.$$

Les composantes du tenseur métrique doivent satisfaire à ces conditions, en même temps qu'à la condition (84,3), en tout référentiel pouvant être réalisé avec des corps réels.

spatiaux donnés. Par conséquent, en Relativité générale, la notion de distance déterminée entre des corps perd, en général, tout sens ; elle n'est conservée que localement. Le seul cas où la distance peut être définie aussi dans des régions finies de l'espace est celui des référentiels où les g_{ik} ne dépendent pas du temps, ce qui entraîne que l'intégrale $\int dl$ sur une courbe spatiale a un sens déterminé.

Il est utile de remarquer que le tenseur $-\gamma_{\alpha\beta}$ est l'inverse du tenseur contravariant tridimensionnel $g^{\alpha\beta}$. En effet, écrivant en composantes l'égalité $g^{ik}g_{kl} = \delta^i_l$ on a :

$$\begin{aligned} g^{\alpha\beta}g_{\beta\gamma} + g^{\alpha 0}g_{0\gamma} &= \delta^\alpha_\gamma, \\ g^{\alpha\beta}g_{\beta 0} + g^{\alpha 0}g_{00} &= 0, \\ g^{0\beta}g_{\beta 0} + g^{00}g_{00} &= 1. \end{aligned} \tag{84,8}$$

Tirant $g^{\alpha 0}$ de la deuxième égalité et substituant dans la première. il vient :

$$-g^{\alpha\beta}\gamma_{\beta\gamma} = \delta^\alpha_\gamma,$$

ce qu'il faillait démontrer. C'est dire encore que $-g^{\alpha\beta}$ constitue un tenseur métrique contravariant tridimensionnel correspondant à la métrique (84,6) :

$$\gamma^{\alpha\beta} = -g^{\alpha\beta}. \tag{84,9}$$

Indiquons de même que les déterminants g et γ formés respectivement avec les g_{ik} et $\gamma_{\alpha\beta}$ sont liés par la relation simple :

$$-g = g_{00}\gamma. \tag{84,10}$$

Par la suite, il sera commode dans plusieurs applications d'introduire le vecteur à trois dimensions $\mathbf{g}$ de composantes covariantes

$$g_\alpha = -\frac{g_{0\alpha}}{g_{00}}. \tag{84,11}$$

Considérant $\mathbf{g}$ comme un vecteur dans l'espace de métrique (84,6), ses composantes contravariantes seront par définition $g^\alpha = \gamma^{\alpha\beta}g_\beta$. En vertu de (84,9) et de la seconde des égalités (84,8), il est facile de voir que

$$g^\alpha = \gamma^{\alpha\beta}g_\beta = -g^{0\alpha}. \tag{84,12}$$

Notons de même la formule

$$g^{00} = \frac{1}{g_{00}} - g_\alpha g^\alpha, \tag{84,13}$$

laquelle résulte de la troisième des égalités (84,8).

Passons à présent à la définition de la notion de simultanéité en Relativité générale. En d'autres termes, voyons s'il est possible de synchroniser des horloges situées en divers points de l'espace, c'est-à-dire de faire correspondre leurs indications.

Une telle synchronisation doit être réalisée, évidemment, au moyen d'un échange de signaux lumineux entre les deux points. Considérons de nouveau le processus de propagation de signaux entre deux points infiniment voisins A et B représentés sur la fig. 18. Il convient de considérer comme simultanée avec l'instant x^0 au point A l'indication de l'horloge en B à l'instant situé au milieu des instants d'émission et de retour du signal en ce point, c'est-à-dire l'instant

$$x^0+\Delta x^0 = x^0 + \frac{1}{2}(dx^{0(2)} + dx^{0(1)}).$$

Substituant dans cette dernière (84,5), on trouve ainsi la différence des valeurs du « temps » x^0 pour deux événements simultanés ayant lieu en des points infiniment voisins sous la forme:

$$\Delta x^0 = -\frac{g_{0\alpha}\,dx^\alpha}{g_{00}} \equiv g_\alpha\,dx^\alpha. \qquad (84,14)$$

Cette relation permet de synchroniser des horloges dans n'importe quel volume infiniment petit de l'espace. Prolongeant une telle synchronisation au-delà du point A, on peut synchroniser des horloges, c'est-à-dire déterminer la simultanéité d'événements le long d'une ligne arbitraire ouverte [1].

En ce qui concerne la synchronisation d'horloges le long d'un contour fermé, elle est généralement impossible. En effet, décrivant le contour et revenant au point de départ, on obtiendrait pour Δx^0 une valeur non nulle. A plus forte raison il est impossible de synchroniser univoquement des horloges dans tout l'espace. Seuls font exception les référentiels où toutes les composantes $g_{0\alpha}$ sont nulles [2].

Il convient de souligner que l'impossibilité de la synchronisation de toutes les horloges est précisément la propriété d'un référentiel arbitraire, et non pas de l'espace-temps comme tel. On peut choisir dans tout champ de gravitation (et même d'une infinité de manières) le référentiel de manière à annuler identiquement les

---

[1] Multipliant l'égalité (84,14) par g_{00} et faisant passer tous ces termes dans un seul membre, on peut représenter la condition de synchronisation sous la forme $dx_0 = g_{0i}dx^i = 0$: la « différentielle covariante » dx_0 entre deux événements infiniment voisins simultanés doit être nulle.

[2] Il convient de rapporter ici aussi les cas où les $g_{0\alpha}$ peuvent être annulées par une simple transformation de la coordonnée temporelle, sans affecter le choix du système d'objets servant à la détermination des coordonnées spatiales.

trois quantités $g_{0\alpha}$ et, par conséquent, à rendre possible la synchronisation totale des horloges (cf. § 99).

Déjà en Relativité restreinte, l'écoulement du temps réel est différent pour des horloges en mouvement relatif. En Relativité générale, le temps réel s'écoule différemment en divers points de l'espace dans un seul et même référentiel. Cela signifie que l'intervalle de temps propre entre deux événements ayant lieu en un point de l'espace et l'intervalle de temps entre deux événements simultanés avec les premiers en un autre point de l'espace sont, en général, différents.

§ 85. Dérivation covariante

En coordonnées galiléennes [1] les différentielles dA_i d'un vecteur A_i forment un vecteur, et les dérivées partielles $\partial A_i/\partial x^k$ de ses composantes par rapport aux coordonnées un tenseur. Il en va autrement en coordonnées curvilignes: dA_i n'est plus un vecteur et $\partial A_i/\partial x^k$ un tenseur. Ceci est dû à ce que dA_i est la différence de vecteurs se trouvant en des points différents (infiniment voisins) de l'espace; or, en des points différents de l'espace les vecteurs se transforment diversement, étant donné que les coefficients dans les formules de transformation (83,2), (83,4) sont des fonctions des coordonnées.

Il est facile aussi de s'en assurer directement. A cet effet, établissons les formules de transformation des différentielles dA_i en coordonnées curvilignes. Un vecteur covariant se transforme selon la formule

$$A_i = \frac{\partial x'^k}{\partial x^i} A'_k;$$

et, par conséquent,

$$dA_i = \frac{\partial x'^k}{\partial x^i} dA'_k + A'_k d\,\frac{\partial x'^k}{\partial x^i} = \frac{\partial x'^k}{\partial x^i} dA'_k + A'_k \frac{\partial^2 x'^k}{\partial x^i\,\partial x^l} dx'^l.$$

Donc, les dA_i ne se transforment nullement comme un vecteur (il en est évidemment de même des vecteurs contravariants). C'est seulement dans le cas où les dérivées secondes s'annulent: $\frac{\partial^2 x'^k}{\partial x^i \partial x^l} = 0$, c'est-à-dire si les x'^k sont les fonctions linéaires des x^k, que les formules de transformation ont la forme:

$$dA_i = \frac{\partial x'^k}{\partial x^i} dA'_k,$$

et les dA_i se transforment comme un vecteur.

---

[1] En général, chaque fois que les quantités g_{ik} sont constantes.

Nous allons chercher maintenant un tenseur jouant en coordonnées curvilignes le même rôle que le tenseur $\partial A_i/\partial x^k$ en coordonnées galiléennes. En d'autres termes, on doit chercher ce que deviennent les expressions $\partial A_i/\partial x^k$ quand on passe de coordonnées galiléennes en coordonnées curvilignes.

En coordonnées curvilignes, pour que la différentielle d'un vecteur soit un vecteur, il faut que les deux vecteurs dont on prend la différence se trouvent en un même point de l'espace. En d'autres termes, il faut « transporter », d'une manière ou d'une autre, l'un de deux vecteurs infiniment voisins au point où se trouve le second, et seulement après faire la différence des deux vecteurs, qui se trouvent maintenant en un seul et même point de l'espace. Par ailleurs, l'opération de transport doit être définie de telle façon qu'en coordonnées galiléennes la différence indiquée coïncide avec la différentielle ordinaire dA_i. Etant donné que dA_i est tout simplement la différence des composantes de deux vecteurs infiniment voisins, cela signifie que dans le transport en coordonnées galiléennes les composantes du vecteur ne doivent pas varier. Mais un tel transport n'est pas autre chose que le déplacement du vecteur parallèlement à lui-même. Dans le *transport parallèle* d'un vecteur ses composantes en coordonnées galiléennes ne varient pas ; si l'on utilise des coordonnées curvilignes, les composantes d'un vecteur varient en général. Il en résulte qu'en coordonnées curvilignes la différence des composantes des deux vecteurs après le transport de l'un d'entre eux au point où se trouve l'autre ne coïncide pas avec leur différence avant le transport (c'est-à-dire avec la différentielle dA_i).

Ainsi, quand on compare deux vecteurs infiniment voisins, on doit transporter l'un d'eux parallèlement au point où se trouve l'autre. Considérons un vecteur contravariant quelconque ; soient A^i ses composantes au point de coordonnées x^i et $A^i + dA^i$, au point voisin $x^i + dx^i$; transportons parallèlement le vecteur A^i au point infiniment voisin $x^i + dx^i$; soit δA^i son accroissement. Alors la différence DA^i entre les deux vecteurs, se trouvant désormais en un même point, est

$$DA^i = dA^i - \delta A^i. \tag{85,1}$$

L'accroissement δA^i des composantes du vecteur dans le transport parallèle infiniment petit dépend de ces composantes mêmes, et cette dépendance doit être, en outre, linéaire. Ceci résulte directement du fait que la somme de deux vecteurs doit se transformer selon la même loi que pour chacun des vecteurs. De sorte que l'on doit avoir :

$$\delta A^i = -\Gamma^i_{kl} A^k \, dx^l, \tag{85,2}$$

où les Γ^i_{kl} sont certaines fonctions des coordonnées, dont la forme dépend, bien entendu, du choix du système de coordonnées; dans un système galiléen tous les Γ^i_{kl} sont nuls.

Ceci montre déjà que les quantités Γ^i_{kl} ne forment pas un tenseur, étant donné qu'un tenseur nul dans un système de coordonnées est nul dans tout autre système. Dans un espace courbe, on ne peut évidemment, par aucun choix des coordonnées, annuler tous les Γ^i_{kl} partout. On peut toutefois choisir un système de coordonnées tel que les Γ^i_{kl} s'y annulent en un point donné à l'avance (voir la fin de ce paragraphe) [1]. Les quantités Γ^i_{kl} sont appelées *symboles de Christoffel*. Par la suite, nous aurons aussi à nous servir des quantités $\Gamma_{i,\,kl}$ [2] définies comme suit:

$$\Gamma_{i,\,kl} = g_{im}\Gamma^m_{kl}\,. \tag{85,3}$$

Il est clair qu'inversement

$$\Gamma^i_{kl} = g^{im}\Gamma_{m,\,kl}. \tag{85,4}$$

Il est aussi facile de relier les accroissements des composantes d'un vecteur covariant avec les symboles de Christoffel dans un transport parallèle. A cet effet, remarquons que les scalaires ne varient évidemment pas dans un transport parallèle. Notamment, le produit scalaire de deux vecteurs ne varie pas pendant leur transport parallèle.

Soient A_i et B^i des vecteurs covariant et contravariant. Alors on tire de $\delta\,(A_iB^i) = 0$:

$$B^i\delta A_i = -A_i\delta B^i = \Gamma^i_{kl}B^kA_i\,dx^l,$$

ou, en changeant les indices,

$$B^i\delta A_i = \Gamma^k_{il}A_kB^i\,dx^l.$$

D'où, les B^i étant arbitraires,

$$\delta A_i = \Gamma^k_{il}A_k dx^l, \tag{85,5}$$

ce qui détermine la variation des composantes d'un vecteur covariant dans le transport parallèle.

Substituant (85,2) et $dA^i = \frac{\partial A^i}{\partial x^l}dx^l$ dans (85,1), on trouve:

$$DA^i = \left(\frac{\partial A^i}{\partial x^l} + \Gamma^i_{kl}A^k\right)dx^l. \tag{85,6}$$

---

[1] C'est précisément d'un tel système de coordonnées qu'il s'agit dans tous les raisonnements où, pour la brièveté, nous parlons simplement de système galiléen; partant, toutes les démonstrations concerneront non seulement un 4-espace plan, mais aussi un 4-espace courbe.

[2] Au lieu des notations Γ^i_{kl} et $\Gamma_{i,\,kl}$, on utilise parfois respectivement les notations $\left\{ {kl \atop i} \right\}$ et $\left[{kl \atop i} \right]$.

On trouve d'une manière analogue pour un vecteur covariant :

$$DA_i = \left(\frac{\partial A_i}{\partial x^l} - \Gamma^k_{il} A_k \right) dx^l. \qquad (85,7)$$

Les expressions contenues dans les parenthèses dans (85,6-7) sont des tenseurs, étant donné que leurs produits par le vecteur dx^l donnent un vecteur. Il est évident qu'elles représentent les tenseurs qui en coordonnées curvilignes généralisent la notion de dérivée d'un vecteur. Ces tenseurs sont appelés *dérivées covariantes* respectives des vecteurs A^i et A_i. Nous les désignerons par $A^i_{;\,k}$ et $A_{i;\,k}$. Par conséquent,

$$DA^i = A^i_{;\,l}\, dx^l, \qquad DA_i = A_{i;\,l}\, dx^l, \qquad (85,8)$$

les dérivées covariantes elles-mêmes s'écrivant :

$$A^i_{;\,l} = \frac{\partial A^i}{\partial x^l} + \Gamma^i_{kl} A^k, \qquad (85,9)$$

$$A_{i;\,l} = \frac{\partial A_i}{\partial x_l} - \Gamma^k_{il} A_k. \qquad (85,10)$$

En coordonnées galiléennes $\Gamma^i_{kl} = 0$, et les dérivées covariantes coïncident avec les dérivées ordinaires.

Il est facile aussi de définir la dérivée covariante d'un tenseur. A cet effet, il faut déterminer la quantité dont varie le tenseur dans un transport parallèle à un point infiniment voisin. Considérons par exemple un tenseur contravariant arbitraire qui est le produit de deux vecteurs contravariants A^iB^k. On a dans le transport parallèle :

$$\delta (A^iB^k) = A^i \delta B^k + B^k \delta A^i = -A^i \Gamma^k_{lm} B^l\, dx^m - B^k \Gamma^i_{lm} A^l\, dx^m.$$

En vertu de la linéarité de cette transformation, elle doit avoir lieu aussi pour tout tenseur A^{ik} :

$$\delta A^{ik} = -(A^{im}\Gamma^k_{ml} + A^{mk}\Gamma^i_{ml})\, dx^l. \qquad (85,11)$$

Substituant cette expression dans

$$DA^{ik} = dA^{ik} - \delta A^{ik} \equiv A^{ik}_{;\,l}\, dx^l,$$

on trouve la dérivée covariante du tenseur A^{ik} sous la forme :

$$A^{ik}_{;\,l} = \frac{\partial A^{ik}}{\partial x^l} + \Gamma^i_{ml} A^{mk} + \Gamma^k_{ml} A^{im}. \qquad (85,12)$$

D'une manière tout à fait analogue on trouve les dérivées covariantes de tenseurs mixtes et covariants sous la forme:

$$A^i_{k;\,l} = \frac{\partial A^i_k}{\partial x^l} - \Gamma^m_{kl} A^i_m + \Gamma^i_{ml} A^m_k, \tag{85,13}$$

$$A_{ik;\,l} = \frac{\partial A_{ik}}{\partial x^l} - \Gamma^m_{il} A_{mk} - \Gamma^m_{kl} A_{im}. \tag{85,14}$$

On peut définir d'une manière analogue la dérivée covariante d'un tenseur de n'importe quel ordre. On a la règle suivante de dérivation covariante. Pour obtenir la dérivée covariante d'un tenseur $A^{\cdots}_{\cdots}$ par rapport à x^l, il faut ajouter à la dérivée ordinaire $\partial A^{\cdots}_{\cdots}/\partial x^l$ pour chaque indice covariant i $(A^{\cdot\cdot}_{\cdot i\cdot})$ un terme $-\Gamma^k_{il} A^{\cdots}_{\cdot k\cdot}$, et pour chaque indice contravariant i $(A^{\cdot i\cdot}_{\cdots})$, un terme $+\Gamma^i_{kl} A^{\cdot k\cdot}_{\cdots}$.

On s'assure facilement que la dérivée covariante d'un produit est donnée par les mêmes règles que la dérivation ordinaire. Alors, par dérivée covariante d'un scalaire φ on entendra sa dérivée ordinaire, c'est-à-dire le vecteur covariant $\varphi_k = \partial\varphi/\partial x^k$, en conformité avec le fait que $\delta\varphi = 0$ pour les scalaires, ce qui entraîne $D\varphi = d\varphi$. Par exemple, la dérivée covariante du produit $A_i B_k$ est

$$(A_i B_k)_{;\,l} = A_{i;\,l} B_k + A_i B_{k;\,l}.$$

En élevant l'indice de dérivation covariante, on obtient ce qu'on appelle dérivée contravariante. Ainsi,

$$A_i^{;\,k} = g^{kl} A_{i;\,l}, \quad A^{i;\,k} = g^{kl} A^i_{\ ;\,l}.$$

Montrons que les Christoffels Γ^i_{kl} sont symétriques par rapport aux indices inférieurs. La dérivée covariante $A_{i;\,k}$ d'un vecteur étant un tenseur, il en résulte que la différence $A_{i;\,k} - A_{k;\,i}$ est aussi un tenseur. Supposons que le vecteur A_i soit le gradient d'un scalaire, c'est-à-dire que $A_i = \partial\varphi/\partial x^i$. Etant donné que

$$\frac{\partial A_i}{\partial x^k} = \frac{\partial^2 \varphi}{\partial x^i\, \partial x^k} = \frac{\partial A_k}{\partial x^i},$$

nous avons, compte tenu de l'expression (85,10):

$$A_{k;\,i} - A_{i;\,k} = (\Gamma^l_{ik} - \Gamma^l_{ki}) \frac{\partial\varphi}{\partial x^l}.$$

En coordonnées galiléennes les dérivées covariantes coïncident avec les dérivées ordinaires, et le premier membre de l'égalité ci-dessus est nul. Mais comme $A_{k;\,i} - A_{i;\,k}$ est un tenseur, sa nullité dans un système de coordonnées entraîne sa nullité dans tout autre système. On en déduit que

$$\Gamma^i_{kl} = \Gamma^i_{lk}. \tag{85,15}$$

Il est évident aussi que

$$\Gamma_{i,\,kl} = \Gamma_{i,\,lk}. \tag{85,16}$$

Dans le cas général, il y a 40 différentes quantités Γ^i_{kl}: pour chacune des quatre valeurs de l'indice i il y a 10 couples de valeurs différents pour les indices k et l (en considérant comme identiques les couples déduits par transposition de k et l).

Pour terminer ce paragraphe, indiquons les formules de transformation dans un changement de coordonnées pour les Christoffels. On peut obtenir ces formules en comparant les lois de transformation des deux membres des égalités définissant n'importe quelle dérivée covariante, et en exigeant que ces lois soient identiques pour les deux membres. Un calcul simple conduit à la formule

$$\Gamma^i_{kl} = \Gamma'^m_{np} \frac{\partial x^i}{\partial x'^m} \frac{\partial x'^n}{\partial x^k} \frac{\partial x'^p}{\partial x^l} + \frac{\partial^2 x'^m}{\partial x^k\, \partial x^l} \frac{\partial x^i}{\partial x'^m}. \tag{85,17}$$

Cette formule montre que les Γ^i_{kl} se comportent comme un tenseur seulement vis-à-vis des transformations linéaires des coordonnées (quand le second terme dans (85,17) disparaît).

La formule (85,17) permet de démontrer facilement l'affirmation qu'il est possible de choisir le système de coordonnées de manière à annuler tous les Γ^i_{kl} en un point arbitraire donné à l'avance (un tel système est dit *localement géodésique*, cf. § 87) [1].

En effet, supposons un point donné choisi à l'origine des coordonnées et soient $(\Gamma^i_{kl})_0$ les valeurs des Γ^i_{kl} en ce point (des coordonnées x^i). Effectuons au voisinage de ce point la transformation

$$x'^i = x^i + \frac{1}{2} (\Gamma^i_{kl})_0\, x^k x^l. \tag{85,18}$$

Alors

$$\left(\frac{\partial^2 x'^m}{\partial x^k\, \partial x^l} \frac{\partial x^i}{\partial x'^m}\right)_0 = (\Gamma^i_{kl})_0$$

et, compte tenu de (85,17), tous les Γ'^m_{np} s'annulent.

Notons que pour la transformation (85,18) on a:

$$\left(\frac{\partial x'^i}{\partial x^k}\right)_0 = \delta^i_k$$

de sorte qu'elle ne change pas les composantes de n'importe quel tenseur (et donc du tenseur g_{ik}) au point donné, et l'annulation des Christoffels peut être faite en même temps que la réduction des g_{ik} à la forme galiléenne.

---

[1] On montre de même que, par un choix convenable des coordonnées, on peut annuler tous les Γ^i_{kl} non seulement en un point donné, mais aussi sur une ligne donnée.

§ 86. Lien entre les symboles de Christoffel et le tenseur métrique

Montrons que la dérivée covariante du tenseur métrique g_{ik} est nulle. Remarquons à cet effet qu'on doit avoir pour le vecteur DA_i, comme pour tout vecteur, la relation

$$DA_i = g_{ik}DA^k.$$

Par ailleurs, $A_i = g_{ik}A^k$, de sorte que

$$DA_i = D(g_{ik}A^k) = g_{ik}DA^k + A^kDg_{ik}.$$

Comparant avec $DA_i = g_{ik}DA^k$, nous obtenons, étant donné que le vecteur A^i est arbitraire:

$$Dg_{ik} = 0.$$

Il en résulte donc pour la dérivée covariante:

$$g_{ik;\,l} = 0. \tag{86,1}$$

Par conséquent, il faut considérer les g_{ik} comme constantes vis-à-vis de la dérivation covariante.

On peut se servir de l'égalité $g_{ik;\,l} = 0$ pour exprimer les Christoffels Γ^i_{kl} au moyen du tenseur g_{ik}. A cet effet, écrivons en vertu de la définition générale (85,14):

$$g_{ik;\,l} = \frac{\partial g_{ik}}{\partial x^l} - g_{mk}\Gamma^m_{il} - g_{im}\Gamma^m_{kl} = \frac{\partial g_{ik}}{\partial x^l} - \Gamma_{k,\,il} - \Gamma_{i,\,kl} = 0.$$

Par conséquent, les dérivées des g_{ik} s'expriment au moyen des Christoffels[1]. Ecrivons ces dérivées, en permutant circulairement les indices i, k, l:

$$\frac{\partial g_{ik}}{\partial x^l} = \Gamma_{k,\,il} + \Gamma_{i,\,kl}, \quad \frac{\partial g_{li}}{\partial x^k} = \Gamma_{i,\,kl} + \Gamma_{l,\,ik}, \quad -\frac{\partial g_{kl}}{\partial x^i} = -\Gamma_{l,\,ki} - \Gamma_{k,\,li}.$$

Prenant la demi-somme de ces égalités, on trouve (en se rappelant que $\Gamma_{i,\,kl} = \Gamma_{i,\,lk}$):

$$\Gamma_{i,\,kl} = \frac{1}{2}\left(\frac{\partial g_{ik}}{\partial x^l} + \frac{\partial g_{il}}{\partial x^k} - \frac{\partial g_{kl}}{\partial x^i}\right). \tag{86,2}$$

D'où l'on déduit pour les $\Gamma^i_{kl} = g^{im}\Gamma_{m,\,kl}$:

$$\Gamma^i_{kl} = \frac{1}{2}g^{im}\left(\frac{\partial g_{mk}}{\partial x^l} + \frac{\partial g_{ml}}{\partial x^k} - \frac{\partial g_{kl}}{\partial x^m}\right). \tag{86,3}$$

---

[1] Le choix d'un système de coordonnées localement géodésique signifie donc que toutes les dérivées premières des composantes du tenseur métrique s'annulent au point donné.

Telles sont les formules donnant les expressions cherchées des Christoffels en fonction du tenseur métrique.

Etablissons l'expression du symbole de Christoffel contracté Γ^i_{ki}, qui nous sera utile par la suite. Déterminons à cet effet la différentielle dg du déterminant g formé avec les composantes du tenseur g_{ik} ; on peut obtenir dg en prenant la différentielle de chaque composante du tenseur g_{ik} et en la multipliant par le mineur correspondant. Par ailleurs, les composantes du tenseur g^{ik}, l'inverse de tenseur g_{ik}, sont égales, comme on sait, aux quotients des mineurs du déterminant formé avec les quantités g_{ik} par ce déterminant. Les mineurs du déterminant g sont donc gg^{ik}. Par conséquent,

$$dg = gg^{ik}\,dg_{ik} = -gg_{ik}\,dg^{ik} \tag{86,4}$$

(étant donné que $g_{ik}g^{ik} = \delta^i_i = 4$, on a $g^{ik}\,dg_{ik} = -g_{ik}\,dg^{ik}$).

On déduit de (86,3) :

$$\Gamma^i_{ki} = \frac{1}{2} g^{im} \left(\frac{\partial g_{mk}}{\partial x^i} + \frac{\partial g_{mi}}{\partial x^k} - \frac{\partial g_{ki}}{\partial x^m} \right).$$

Echangeant entre eux m et i dans les termes extrêmes entre parenthèses, on voit que ces termes se réduisent, de sorte que

$$\Gamma^i_{ki} = \frac{1}{2} g^{im} \frac{\partial g_{im}}{\partial x^k},$$

ou, compte tenu de (86,4),

$$\Gamma^i_{ki} = \frac{1}{2g} \frac{\partial g}{\partial x^k} = \frac{\partial \ln \sqrt{-g}}{\partial x^k}. \tag{86,5}$$

Il est utile de même d'avoir l'expression de $g^{kl}\Gamma^i_{kl}$. On a :

$$g^{kl}\Gamma^i_{kl} = \frac{1}{2} g^{kl} g^{im} \left(\frac{\partial g_{mk}}{\partial x^l} + \frac{\partial g_{lm}}{\partial x^k} - \frac{\partial g_{kl}}{\partial x^m} \right) = g^{kl} g^{im} \left(\frac{\partial g_{mk}}{\partial x^l} - \frac{1}{2} \frac{\partial g_{kl}}{\partial x^m} \right).$$

Compte tenu de (86,4), on peut mettre cette expression sous la forme :

$$g^{kl}\Gamma^i_{kl} = -\frac{1}{\sqrt{-g}} \frac{\partial (\sqrt{-g}\, g^{ik})}{\partial x^k}. \tag{86,6}$$

Dans différents calculs il est utile de noter aussi que les dérivées du tenseur contravariant g^{ik} sont liées aux dérivées des g_{ik} par les relations

$$g_{il} \frac{\partial g^{lk}}{\partial x^m} = -g^{lk} \frac{\partial g_{il}}{\partial x^m} \tag{86,7}$$

(que l'on obtient en dérivant l'égalité $g_{il}g^{lk} = \delta_i^k$). Enfin, indiquons que les dérivées des g^{ik} peuvent également être exprimées au moyen des Γ^i_{kl}. En effet, des identités $g^{ik}_{\ ;\,l} = 0$ on déduit immédiatement :

$$\frac{\partial g^{ik}}{\partial x^l} = -\Gamma^i_{ml}g^{mk} - \Gamma^k_{ml}g^{im}. \qquad (86,8)$$

A l'aide des formules obtenues, on peut mettre les expressions $A^i_{;\,i}$ sous une forme commode, qui est la généralisation de la divergence d'un vecteur en coordonnées curvilignes. Utilisant les formules (86,5), on trouve :

$$A^i_{;\,i} = \frac{\partial A^i}{\partial x^i} + \Gamma^i_{li}A^l = \frac{\partial A^i}{\partial x^i} + A^l\,\frac{\partial \ln \sqrt{-g}}{\partial x^l},$$

ou, en définitive,

$$A^i_{;\,i} = \frac{1}{\sqrt{-g}}\,\frac{\partial(\sqrt{-g}\,A^i)}{\partial x^i}. \qquad (86,9)$$

On peut obtenir une expression analogue pour la divergence d'un tenseur antisymétrique A^{ik}. Nous avons de (85,12) :

$$A^{ik}_{;\,k} = \frac{\partial A^{ik}}{\partial x^k} + \Gamma^i_{mk}A^{mk} + \Gamma^k_{mk}A^{im}.$$

Mais, étant donné que $A^{mk} = -A^{km}$,

$$\Gamma^i_{mk}A^{mk} = -\Gamma^i_{km}A^{km} = 0.$$

Substituant l'expression (86,5) de Γ^k_{mk}, on trouve :

$$A^{ik}_{;\,k} = \frac{1}{\sqrt{-g}}\,\frac{\partial(\sqrt{-g}\,A^{ik})}{\partial x^k}. \qquad (86,10)$$

Soit à présent A_{ik} un tenseur symétrique ; trouvons l'expression $A^k_{i;\,k}$ de ses composantes mixtes. On a :

$$A^k_{i;\,k} = \frac{\partial A^k_i}{\partial x^k} + \Gamma^k_{lk}A^l_i - \Gamma^l_{ik}A^k_l = \frac{1}{\sqrt{-g}}\,\frac{\partial(A^k_i\sqrt{-g})}{\partial x^k} - \Gamma^l_{ki}A^k_l.$$

Le dernier terme est égal à

$$-\frac{1}{2}\left(\frac{\partial g_{il}}{\partial x^k} + \frac{\partial g_{kl}}{\partial x^i} - \frac{\partial g_{ik}}{\partial x^l}\right)A^{kl}.$$

En vertu de la symétrie du tenseur A^{kl}, les termes extrêmes entre parenthèses se réduisent, et il reste :

$$A^k_{i;\,k} = \frac{1}{\sqrt{-g}}\,\frac{\partial(\sqrt{-g}A^k_i)}{\partial x^k} - \frac{1}{2}\,\frac{\partial g_{kl}}{\partial x^i}A^{kl}. \qquad (86,11)$$

En coordonnées cartésiennes $\frac{\partial A_i}{\partial x^k} - \frac{\partial A_k}{\partial x^i}$ est un tenseur antisymétrique. En coordonnées curvilignes ce tenseur s'écrit $A_{i;k} - A_{k;i}$. Cependant, des expressions de $A_{i;k}$ et étant donné que $\Gamma^i_{kl} = \Gamma^i_{lk}$, on déduit :

$$A_{i;k} - A_{k;i} = \frac{\partial A_i}{\partial x^k} - \frac{\partial A_k}{\partial x^i}. \tag{86,12}$$

Enfin, transformons en coordonnées curvilignes la somme $\frac{\partial^2 \varphi}{\partial x_i \partial x^i}$ des dérivées secondes d'un scalaire φ. Il est évident que cette expression devient en coordonnées curvilignes $\varphi_{;i}^{;i}$. Or, $\varphi_{;i} = \partial\varphi/\partial x^i$, étant donné que la dérivation covariante d'un scalaire se réduit à la dérivation ordinaire. Elevant l'indice i, il vient :

$$\varphi^{;i} = g^{ik} \frac{\partial \varphi}{\partial x^k}$$

et on trouve, compte tenu de la formule (86,9) :

$$\varphi_{;i}^{;i} = \frac{1}{\sqrt{-g}} \frac{\partial}{\partial x^i} \left(\sqrt{-g}\, g^{ik} \frac{\partial \varphi}{\partial x^k} \right). \tag{86,13}$$

Il est utile de noter que le théorème de Gauss (83,17) sur la transformation de l'intégrale d'un vecteur sur une hypersurface en intégrale dans un 4-volume peut s'écrire, en vertu de (86,9), sous la forme :

$$\oint A^i \sqrt{-g}\, dS_i = \int A^i_{;i} \sqrt{-g}\, d\Omega. \tag{86,14}$$

§ 87. Mouvement d'une particule dans un champ de gravitation

Le mouvement d'une particule matérielle libre en Relativité restreinte est déterminé par le principe de moindre action :

$$\delta S = -mc\, \delta \int ds = 0, \tag{87,1}$$

en vertu duquel la particule se meut de sorte que sa ligne d'univers soit une extrémale entre deux points d'univers donnés, soit une droite dans le présent cas (dans l'espace ordinaire à trois dimensions ceci se traduit par un mouvement rectiligne uniforme).

Le mouvement d'une particule dans un champ gravitationnel doit être déterminé par le principe de moindre action sous la même forme (87,1), étant donné que le champ gravitationnel n'est pas autre chose que la modification de la métrique de l'espace-temps, s'exprimant seulement dans la modification de ds en fonction des dx^i. Par conséquent, dans un champ gravitationnel une particule se meut de telle manière que son point d'univers décrive une extrémale, ou ce qu'on appelle une *géodésique* dans le 4-espace x^0, x^1, x^2, x^3 ; mais étant donné qu'en présence du champ de gravitation l'espace-temps est non galiléen, cette ligne n'est pas une « droite », et le mouvement spatial réel de la particule n'est pas uniforme et rectiligne.

Au lieu de repartir directement du principe de moindre action (voir le problème à la fin de ce paragraphe), il est plus simple de trouver l'équation du mouvement d'une particule dans un champ gravitationnel en généralisant adéquatement les équations différentielles du mouvement libre d'une particule en Relativité restreinte, c'est-à-dire dans un 4-système de coordonnées galiléen. Ces équations s'écrivent $du^i/ds = 0$, soit encore $du^i = 0$, où $u^i = dx^i/ds$ est la 4-vitesse.

Il est évident qu'en coordonnées curvilignes cette équation se généralise comme suit :

$$Du^i = 0. \tag{87,2}$$

L'expression (85,6) de la dérivée covariante d'un vecteur permet d'écrire :

$$du^i + \Gamma^i_{kl} u^k \, dx^l = 0.$$

Divisant cette équation par ds, on trouve :

$$\frac{d^2x^i}{ds^2} + \Gamma^i_{kl} \frac{dx^k}{ds} \frac{dx^l}{ds} = 0. \tag{87,3}$$

Telles sont les équations du mouvement cherchées. On voit que le mouvement d'une particule dans un champ de gravitation est défini par les quantités Γ^i_{kl}. La dérivée d^2x^i/ds^2 est la 4-accélération de la particule. Il en résulte que nous pouvons appeler la quantité $-m\Gamma^i_{kl}u^k u^l$ la « 4-force » agissant sur la particule dans le champ de gravitation. Le tenseur g_{ik} joue alors le rôle des « potentiels » du champ de gravitation: ses dérivées définissent le champ Γ^i_{kl} [1].

[1] Notons de même la forme de l'équation du mouvement écrite à l'aide des composantes covariantes de la 4-accélération. De la condition $Du_i = 0$ on déduit :

$$\frac{du_i}{ds} - \Gamma_{k,\,il} u^k u^l = 0.$$

En substituant ici à $\Gamma_{k,\,il}$ son expression (86,2), deux termes se réduisent et il reste :

$$\frac{du_i}{ds} - \frac{1}{2} \frac{\partial g_{kl}}{\partial x^i} u^k u^l = 0.$$

Il a été démontré au § 85 que, par un choix convenable du système de coordonnées, on peut toujours annuler tous les Γ^i_{kl} en tout point donné de l'espace-temps. Nous voyons maintenant que le choix d'un tel référentiel localement inertiel signifie l'exclusion du champ de gravitation dans le volume infiniment petit donné de l'espace-temps, et la possibilité d'un tel choix est l'expression du principe d'équivalence dans la théorie relativiste de la gravitation.

La 4-impulsion d'une particule dans un champ de gravitation est définie comme auparavant :

$$p^i = mcu^i, \tag{87,4}$$

et son carré est

$$p_i p^i = m^2c^2. \tag{87,5}$$

Substituant dans cette expression $-\partial S/\partial x^i$ à p_i, on trouve l'équation d'Hamilton-Jacobi pour une particule dans un champ gravitationnel :

$$g^{ik}\frac{\partial S}{\partial x^i}\frac{\partial S}{\partial x^k} - m^2c^2 = 0. \tag{87,6}$$

Les équations des géodésiques sous la forme (87,3) ne conviennent pas à la propagation de signaux lumineux, car le long de la ligne d'univers de propagation d'un rayon lumineux l'intervalle $ds = 0$ et tous les termes dans l'équation (87,3) deviennent infinis. Pour mettre les équations du mouvement dans ce cas sous une forme adéquate, utilisons le fait que la direction de la propagation d'un rayon lumineux en optique géométrique est déterminée par le vecteur d'onde, tangent au rayon. Nous pouvons, par conséquent, écrire le quadrivecteur d'onde sous la forme $k^i = dx^i/d\lambda$, où λ est un certain paramètre variant le long du rayon. En Relativité restreinte, le vecteur d'onde ne varie pas le long d'un rayon lumineux se propageant dans le vide, c'est-à-dire que $dk^i = 0$ (cf. § 53). Dans un champ de gravitation cette équation se transcrit manifestement $Dk^i = 0$, ou

$$\frac{dk^i}{d\lambda} + \Gamma^i_{kl}k^k k^l = 0 \tag{87,7}$$

(λ est déterminé de ces mêmes équations).

Le carré du 4-vecteur d'onde est nul (cf. § 48) c'est-à-dire

$$k_i k^i = 0. \tag{87,8}$$

En substituant dans cette expression $\partial\psi/\partial x^i$ à k_i (ψ est l'eikonale), on trouve l'équation d'eikonale dans un champ de gravitation sous la forme :

$$g^{ik}\frac{\partial\psi}{\partial x^i}\frac{\partial\psi}{\partial x^k} = 0. \tag{87,9}$$

Dans le cas limite des vitesses petites, les équations relativistes du mouvement d'une particule dans un champ de gravitation doivent se réduire aux équations correspondantes non relativistes. En outre, il faut avoir en vue que l'hypothèse faite sur la petitesse des vitesses entraîne que le champ gravitationnel lui-même est faible ; dans le cas contraire une particule se trouvant dans le champ acquerrait une grande vitesse.

Voyons comment est lié dans ce cas limite le tenseur métrique g_{ik} au potentiel non relativiste φ du champ de gravitation.

En mécanique non relativiste, le mouvement d'une particule dans un champ de gravitation est déterminé par la fonction de Lagrange (81,1). Nous la recopierons maintenant sous la forme:

$$L = -mc^2 + \frac{mv^2}{2} - m\varphi, \tag{87,10}$$

ajoutant la constante $-mc^2$ [1]. C'est afin que la fonction de Lagrange non relativiste en l'absence de champ $L = -mc^2 + mv^2/2$ soit exactement celle à laquelle se réduit la fonction relativiste correspondante $L = -mc^2\sqrt{1 - v^2/c^2}$ dans le cas limite $v/c \to 0$.

L'action non relativiste S pour une particule dans un champ gravitationnel a donc la forme:

$$S = \int L\,dt = -mc \int \left(c - \frac{v^2}{2c} + \frac{\varphi}{c}\right) dt.$$

Comparant cette dernière avec l'expression $S = -mc \int ds$, on voit que dans le cas limite considéré

$$ds = \left(c - \frac{v^2}{2c} + \frac{\varphi}{c}\right) dt.$$

Elevant au carré et négligeant les termes s'annulant pour $c \to \infty$, on trouve :

$$ds^2 = (c^2 + 2\varphi)\,dt^2 - d\mathbf{r}^2, \tag{87,11}$$

où l'on a pris en considération que $\mathbf{v}\,dt = d\mathbf{r}$.

Par conséquent, la composante g_{00} du tenseur métrique dans le cas limite est

$$g_{00} = 1 + \frac{2\varphi}{c^2}. \tag{87,12}$$

En ce qui concerne les autres composantes, il résulterait de (87,11) que $g_{\alpha\beta} = \delta_{\alpha\beta}$, $g_{0\alpha} = 0$. En réalité, cependant, les corrections

---

[1] Le potentiel φ n'est certes déterminé qu'à une constante additive arbitraire près. Nous sous-entendrons partout le choix naturel de cette constante, qui fait que le potentiel s'annule loin des corps créant le champ.

qu'il faut leur apporter sont, en général, du même ordre de grandeur que la correction dans g_{00} (voir à ce sujet les détails au § 106). L'impossibilité de déterminer ces corrections par le procédé indiqué ci-dessus est due à ce que la correction dans $g_{\alpha\beta}$, qui est du même ordre de grandeur que celle dans g_{00}, conduirait dans la fonction de Lagrange à des termes d'ordre plus élevé (étant donné que dans l'expression de ds^2 les composantes $g_{\alpha\beta}$ ne sont pas multipliées par c^2, comme cela a lieu pour g_{00}).

Problème

Etablir l'équation du mouvement (87,3) à partir du principe de moindre action (87,1).

Solution. On a:

$$\delta\, ds^2 = 2\, ds\delta ds = \delta\, (g_{ik}\, dx^i\, dx^k) = dx^i\, dx^k \frac{\partial g_{ik}}{\partial x^l} \delta x^l + 2 g_{ik}\, dx^i\, d\delta x^k.$$

Donc

$$\delta S = -mc \int \left\{ \frac{1}{2} \frac{dx^i}{ds} \frac{dx^k}{ds} \frac{\partial g_{ik}}{\partial x^l} \delta x^l + g_{ik} \frac{dx^i}{ds} \frac{d\delta x^k}{ds} \right\} ds =$$

$$= -mc \int \left\{ \frac{1}{2} \frac{dx^i}{ds} \frac{dx^k}{ds} \frac{\partial g_{ik}}{\partial x^l} \delta x^l - \frac{d}{ds} \left(g_{ik} \frac{dx^i}{ds} \right) \delta x^k \right\} ds$$

(dans l'intégration par parties, on a pris en considération que $\delta x^k = 0$ aux limites). Dans le second terme remplaçons sous le signe somme l'indice k par i. On trouve alors, en annulant le coefficient de la variation arbitraire δx^l:

$$\frac{1}{2} u^i u^k \frac{\partial g_{ik}}{\partial x^l} - \frac{d}{ds} (g_{il} u^i) = \frac{1}{2} u^i u^k \frac{\partial g_{ik}}{\partial x^l} - g_{il} \frac{du^i}{ds} - u^i u^k \frac{\partial g_{il}}{\partial x^k} = 0.$$

Remarquant qu'on peut recopier le troisième terme sous la forme:

$$-\frac{1}{2} u^i u^k \left(\frac{\partial g_{il}}{\partial x^k} + \frac{\partial g_{kl}}{\partial x^i} \right),$$

en introduisant les Christoffels $\Gamma_{l,\, ik}$, déduits de (86,2), on trouve:

$$g_{il} \frac{du^i}{ds} + \Gamma_{l,\, ik} u^i u^k = 0.$$

On déduit l'équation (87,3) en élevant l'indice l.

§ 88. Champ gravitationnel constant

Un champ gravitationnel est dit *constant* s'il est possible de choisir un référentiel tel que toutes les composantes du tenseur métrique n'y dépendent plus de la coordonnée temporelle x^0; cette dernière est alors appelée *temps d'univers*.

Le choix du temps universel n'est pas tout à fait univoque. Ainsi, lorsqu'on ajoute à x^0 une fonction arbitraire des coordonnées spatiales, les g_{ik} ne contiennent pas, tout comme auparavant, x^0; cette transformation correspond à l'arbitraire dans le choix de l'origine des temps en chaque point de l'espace [1]. En outre, le temps universel peut, bien entendu, être multiplié par une constante arbitraire, c'est-à-dire qu'on peut choisir arbitrairement l'unité de sa mesure.

A strictement parler, seul le champ créé par un seul corps peut être constant. Dans un système de plusieurs corps, leur attraction de gravitation mutuelle engendre un mouvement, ce qui fait que le champ de ces corps ne peut être constant.

Si le corps créant le champ est immobile (dans le référentiel où les g_{ik} ne dépendent pas de x^0), les deux sens du temps sont équivalents. Avec un choix adéquat de l'origine des temps en tous les points de l'espace, l'intervalle ds dans ce cas ne doit pas changer lorsqu'on change le signe de x^0, par conséquent, les composantes $g_{0\alpha}$ du tenseur métrique doivent être identiquement nulles. Nous appellerons champs *statiques* des champs gravitationnels constants de ce genre.

Toutefois, l'immobilité d'un corps n'est pas une condition nécessaire de constance du champ qu'il crée. Ainsi, le champ créé par un corps doué de symétrie axiale tournant uniformément autour de son axe sera aussi constant. Mais dans ce cas les deux sens du temps ne sont plus du tout équivalents: lorsqu'on change le signe du temps, le signe de la vitesse angulaire de rotation change aussi. Par conséquent, dans de tels champs gravitationnels constants (que nous appellerons champs *stationnaires*) les composantes $g_{0\alpha}$ du tenseur métrique sont, en général, différentes de zéro.

La signification du temps universel dans un champ gravitationnel constant est que le laps d'un tel temps entre deux événements en un point de l'espace est le même que pour deux autres événements simultanés avec les premiers (au sens indiqué au § 84) en tout autre point de l'espace. Mais à des laps de temps universel x^0 identiques correspondent en différents points de l'espace différents laps de temps propre τ. Le lien (84,1) existant entre eux peut être exprimé

---

[1] Il est facile de voir que dans cette transformation la métrique spatiale ne change pas, comme cela devait être.

En effet, dans la transformation

$$x^0 \to x^0 + f(x^1, x^2, x^3)$$

de fonction arbitraire $f(x^1, x^2, x^3)$ les composantes de g_{ik} deviennent :

$$g_{\alpha\beta} \to g_{\alpha\beta} + g_{00} f_{,\alpha} f_{,\beta} + g_{0\alpha} f_{,\beta} + g_{0\beta} f_{,\alpha},$$

$$g_{0\alpha} \to g_{0\alpha} + g_{00} f_{,\alpha}, \quad g_{00} \to g_{00},$$

où $f_{,\alpha} \equiv \partial f / \partial x^\alpha$. Alors il est évident que le tenseur tridimensionnel (84,7) ne change pas.

à présent sous la forme:

$$\tau = \frac{1}{c}\sqrt{g_{00}}\,x^0, \tag{88,1}$$

qui convient à des laps de temps finis arbitraires.

Dans un champ gravitationnel faible, on peut utiliser l'expression approchée (87,12) ; alors (88,1) donne avec la même précision :

$$\tau = \frac{x^0}{c}\left(1 + \frac{\varphi}{c^2}\right). \tag{88,2}$$

Par conséquent, le temps propre s'écoule d'autant plus lentement que le potentiel de gravitation est moindre à un point donné de l'espace, c'est-à-dire que sa valeur absolue est plus grande (on montrera au § 96 que le potentiel φ est négatif). Si de deux horloges identiques l'une a séjourné pendant un certain temps dans un champ gravitationnel, alors cette horloge retarde sur l'autre.

Comme il a déjà été indiqué, les composantes $g_{0\alpha}$ du tenseur métrique sont nulles dans un champ gravitationnel statique. Compte tenu des résultats du § 84, cela veut dire que dans un tel champ on peut synchroniser des horloges dans tout l'espace.

Remarquons de même qu'on a pour l'élément de distance spatiale dans un champ statique tout simplement:

$$dl^2 = -g_{\alpha\beta}\,dx^\alpha\,dx^\beta. \tag{88,3}$$

Dans un champ stationnaire les $g_{0\alpha}$ ne sont pas nulles, et la synchronisation des horloges dans tout l'espace est impossible. Etant donné que les g_{ik} ne dépendent pas de x^0, on peut écrire la formule (84,14) pour la différence des valeurs du temps universel de deux événements simultanés ayant lieu en différents points de l'espace sous la forme:

$$\Delta x^0 = -\int \frac{g_{0\alpha}\,dx^\alpha}{g_{00}}, \tag{88,4}$$

applicable à deux points arbitraires sur la ligne le long de laquelle on procède à la synchronisation des horloges. Quand on synchronise sur un contour fermé, la différence des valeurs du temps universel que l'on trouverait de retour au point de départ est donnée par l'intégrale

$$\Delta x^0 = -\oint \frac{g_{0\alpha}\,dx^\alpha}{g_{00}}, \tag{88,5}$$

prise sur ce contour fermé [1].

---

[1] L'intégrale (88,5) est identiquement nulle lorsque la somme $g_{0\alpha}dx^\alpha/g_{00}$ est la différentielle totale d'une fonction quelconque des coordonnées spatiales. Un tel cas signifierait, cependant, que nous sommes, en fait, en présence d'un champ statique, et tous les $g_{0\alpha}$ peuvent être annulés par une transformation de la forme $x^0 \to x^0 + f(x^\alpha)$.

Considérons la propagation des rayons de lumière dans un champ gravitationnel constant. Nous avons vu au § 53 que la fréquence de la lumière est égale à la dérivée de l'eikonale ψ par rapport au temps (avec le signe contraire). La fréquence mesurée en temps universel x^0/c est donc égale à $\omega_0 = -c\,\partial\psi/\partial x^0$. Etant donné que l'équation d'eikonale (87,9) dans un champ constant ne contient pas explicitement x^0, la fréquence ω_0 reste constante pendant la progression d'un rayon lumineux. En ce qui concerne la fréquence mesurée en temps propre, elle est égale à $\omega = -\partial\psi/\partial\tau$; elle est différente en divers points de l'espace.

En vertu de la relation

$$\frac{\partial\psi}{\partial\tau} = \frac{\partial\psi}{\partial x^0}\frac{\partial x^0}{\partial\tau} = \frac{\partial\psi}{\partial x^0}\frac{c}{\sqrt{g_{00}}},$$

on a :

$$\omega = \frac{\omega_0}{\sqrt{g_{00}}}. \tag{88,6}$$

Dans un champ gravitationnel faible, on en déduit la valeur approchée :

$$\omega = \omega_0\left(1 - \frac{\varphi}{c^2}\right). \tag{88,7}$$

On voit que la fréquence de la lumière croît en même temps que la valeur absolue du potentiel du champ de gravitation, c'est-à-dire à l'approche des corps créant le champ ; inversement, lorsqu'un rayon s'éloigne de ces corps, la fréquence de la lumière diminue. Si un rayon de lumière émis au point où le potentiel de gravitation est φ_1 a en ce point la fréquence ω, arrivant au point de potentiel φ_2, il aura la fréquence (mesurée en temps propre en ce point)

$$\frac{\omega}{1 - \frac{\varphi_1}{c^2}}\left(1 - \frac{\varphi_2}{c^2}\right) = \omega\left(1 + \frac{\varphi_1 - \varphi_2}{c^2}\right).$$

Le spectre de raies émis par des atomes quelconques se trouvant par exemple sur le Soleil a là-bas le même aspect que le spectre qui est émis par des atomes identiques sur la Terre. Mais si l'on observe de la Terre le spectre émis par des atomes sur le Soleil, alors, comme il découle de l'exposé ci-dessus, ses raies seront décalées par rapport aux raies du même spectre sur la Terre. A savoir, chaque raie de fréquence ω sera décalée de l'intervalle $\Delta\omega$ défini par la formule

$$\Delta\omega = \frac{\varphi_1 - \varphi_2}{c^2}\,\omega, \tag{88,8}$$

où φ_1 et φ_2 sont les potentiels du champ de gravitation respectivement au point d'émission et au point d'observation du spectre. Si l'on observe sur la Terre un spectre émis sur le Soleil ou les étoiles, alors $|\varphi_1| > |\varphi_2|$, et il résulte de (88,8) que $\Delta\omega < 0$, c'est-à-dire que le décalage a lieu vers les petites fréquences. Le phénomène décrit est appelé « *décalage vers le rouge* ».

On peut expliquer ce phénomène directement en partant de ce qui a été dit plus haut sur le temps universel. En vertu de la constance du champ, le laps de temps universel pendant lequel une oscillation dans l'onde lumineuse se propage d'un point donné de l'espace à un autre ne dépend pas de x^0. Il est donc clair que le nombre d'oscillations ayant lieu en l'unité de temps sera le même en tous les points du rayon. Mais un seul et même laps de temps universel correspond à un laps de temps propre d'autant plus grand que nous sommes plus éloignés des corps créant le champ. Par conséquent, la fréquence, c'est-à-dire le nombre d'oscillations dans l'unité de temps propre, tombe au fur et à mesure que la lumière s'éloigne de ces masses.

Lorsqu'une particule se meut dans un champ constant, il y a conservation de son énergie, déterminée comme la dérivée $(-c\partial S/\partial x^0)$ de l'action par rapport au temps universel ; ceci résulte par exemple du fait que x^0 n'entre pas explicitement dans l'équation d'Hamilton-Jacobi. L'énergie définie de la sorte est la composante temporelle du quadrivecteur impulsion covariant $p_k = mcu_k = mcg_{ki}u^i$. Dans un champ statique, $ds^2 = g_{00}\,dx_0^2 - dl^2$, et on a pour l'énergie, que nous désignerons ici par $\mathscr{E}_0$,

$$\mathscr{E}_0 = mc^2 g_{00}\frac{dx^0}{ds} = mc^2 g_{00}\frac{dx^0}{\sqrt{g_{00}\,(dx^0)^2 - dl^2}}\,.$$

Introduisons la vitesse de la particule

$$v = \frac{dl}{d\tau} = \frac{c\,dl}{\sqrt{g_{00}}\,dx^0}$$

mesurée en temps propre, c'est-à-dire par l'observateur se trouvant au point donné. On obtient alors pour l'énergie

$$\mathscr{E}_0 = \frac{mc^2\sqrt{g_{00}}}{\sqrt{1-\frac{v^2}{c^2}}}\,. \tag{88,9}$$

C'est la quantité qui reste constante pendant le mouvement de la particule.

Il est facile de montrer que l'expression (88,9) de l'énergie reste valable dans un champ stationnaire aussi, pourvu que la vitesse v soit mesurée en temps propre, indiqué par des horloges synchronisées le long de la trajectoire de la particule. Si la particule part du point A à l'instant de temps universel x^0 et arrive au point infiniment voisin B à l'instant $x^0 + dx^0$, on devra prendre à présent pour déterminer la vitesse non pas le laps de temps $(x^0 + dx^0) - x^0 = dx^0$, mais la différence entre $x^0 + dx^0$ et l'instant $x^0 - \frac{g_{0\alpha}}{g_{00}} dx^\alpha$ qui est simultané au point B avec l'instant x^0 au point A:

$$(x^0 + dx^0) - \left(x^0 - \frac{g_{0\alpha}}{g_{00}} dx^\alpha \right) = dx^0 + \frac{g_{0\alpha}}{g_{00}} dx^\alpha.$$

En multipliant cette expression par $\sqrt{g_{00}}/c$, on obtient l'intervalle correspondant de temps propre, de sorte que la vitesse s'écrit:

$$v^\alpha = \frac{c\,dx^\alpha}{\sqrt{h}\,(dx^0 - g_\alpha\,dx^\alpha)}, \tag{88,10}$$

où nous avons introduit les notations

$$g_\alpha = -\frac{g_{0\alpha}}{g_{00}}, \quad h = g_{00} \tag{88,11}$$

pour le vecteur tridimensionnel **g** (mentionné au § 84) et pour le 3-scalaire g_{00}. On aura pour les composantes covariantes de la vitesse **v** en tant que vecteur tridimensionnel dans l'espace de métrique $\gamma_{\alpha\beta}$ et pour le carré de ce vecteur [1]

$$v_\alpha = \gamma_{\alpha\beta} v^\beta, \quad v^2 = v_\alpha v^\alpha. \tag{88,12}$$

Notons qu'avec cette définition l'intervalle ds s'exprime au moyen de la vitesse par une formule analogue à la formule usuelle:

$$ds^2 = g_{00}(dx^0)^2 + 2g_{0\alpha}\,dx^0\,dx^\alpha + g_{\alpha\beta}\,dx^\alpha\,dx^\beta =$$

$$= h\,(dx^0 - g_\alpha\,dx^\alpha)^2 - dl^2 = h\,(dx^0 - g_\alpha\,dx^\alpha)^2 \left(1 - \frac{v^2}{c^2}\right). \tag{88,13}$$

Les composantes de la 4-vitesse $u^i = dx^i/ds$ sont

$$u^\alpha = \frac{v^\alpha}{c\sqrt{1 - \frac{v^2}{c^2}}}, \quad u^0 = \frac{1}{\sqrt{h}\sqrt{1 - \frac{v^2}{c^2}}} + \frac{g_\alpha v^\alpha}{c\sqrt{1 - \frac{v^2}{c^2}}}. \tag{88,14}$$

L'énergie est

$$\mathscr{E}_0 = mc^2 g_{0i} u^i = mc^2 h\,(u^0 - g_\alpha u^\alpha)$$

et revêt la forme (88,9) après la substitution (88,14).

---

[1] Nous envisagerons souvent par la suite, en même temps que les 4-vecteurs et 4-tenseurs, des vecteurs et tenseurs tridimensionnels définis dans l'espace de métrique $\gamma_{\alpha\beta}$; tels sont, notamment, les vecteurs **g** et **v** déjà introduits. Alors que dans le premier cas les opérations tensorielles (l'élévation et l'abaissement des indices entre autres) se font au moyen du tenseur métrique g_{ik}, elles se font dans le second cas au moyen de $\gamma_{\alpha\beta}$. Aussi, pour éviter tout équivoque, désignerons-nous les quantités tridimensionnelles par des symboles non affectés aux quantités quadridimensionnelles.

Dans le cas limite d'un champ gravitationnel faible et de petites vitesses, substituant $g_{00}=1+2\varphi/c^2$ dans (88,9), on obtient approximativement :

$$\mathscr{E}_0=mc^2+\frac{mv^2}{2}+m\varphi, \tag{88,15}$$

où $m\varphi$ est l'énergie potentielle de la particule dans le champ de gravitation, ce qui est conforme à la fonction de Lagrange (87,10).

Problèmes

1. Déterminer la force agissant sur une particule dans un champ gravitationnel constant.

Solution. On a pour les composantes utiles de Γ^i_{kl} les expressions

$$\Gamma^{\alpha}_{00}=\frac{1}{2}h^{;\alpha},$$
$$\Gamma^{\alpha}_{0\beta}=\frac{h}{2}(g^{\alpha}_{;\beta}-g^{;\alpha}_{\beta})-\frac{1}{2}g_{\beta}h^{;\alpha}, \tag{1}$$
$$\Gamma^{\alpha}_{\beta\gamma}=\lambda^{\alpha}_{\beta\gamma}+\frac{h}{2}[g_{\beta}(g^{;\alpha}_{\gamma}-g^{\alpha}_{;\gamma})+g_{\gamma}(g^{;\alpha}_{\beta}-g^{\alpha}_{;\beta})]+\frac{1}{2}g_{\beta}g_{\gamma}h^{;\alpha}.$$

Dans ces expressions toutes les opérations tensorielles (dérivation covariante, élévation et abaissement des indices) ont lieu dans l'espace à trois dimensions de métrique $\gamma_{\alpha\beta}$ et concernent le trivecteur g^{α} et le 3-scalaire h (88,11); les $\lambda^{\alpha}_{\beta\gamma}$ sont les Christoffels à trois dimensions formés avec les composantes du tenseur $\gamma_{\alpha\beta}$, tout comme les Γ^i_{kl} sont formés avec les composantes de g_{ik}; dans les calculs on a utilisé les formules (84,9-12).

Substituant (1) dans l'équation du mouvement

$$\frac{du^{\alpha}}{ds}=-\Gamma^{\alpha}_{00}(u^0)^2-2\Gamma^{\alpha}_{0\beta}u^0u^{\beta}-\Gamma^{\alpha}_{\beta\gamma}u^{\beta}u^{\gamma}$$

et prenant en considération les expressions (88,14) des composantes de la 4-vitesse, on obtient après des transformations simples :

$$\frac{d}{ds}\frac{v^{\alpha}}{c\sqrt{1-\frac{v^2}{c^2}}}=-\frac{h^{;\alpha}}{2h\left(1-\frac{v^2}{c^2}\right)}-\frac{\sqrt{h}\,(g^{\alpha}_{;\beta}-g^{;\alpha}_{\beta})v^{\beta}}{c\left(1-\frac{v^2}{c^2}\right)}-\frac{\lambda^{\alpha}_{\beta\gamma}v^{\beta}v^{\gamma}}{c^2\left(1-\frac{v^2}{c^2}\right)}. \tag{2}$$

La force $\mathbf{f}$ agissant sur la particule est la dérivée de son impulsion $\mathbf{p}$ par rapport au temps propre (synchronisé), déterminée au moyen de la différentielle covariante tridimensionnelle :

$$f^{\alpha}=c\sqrt{1-\frac{v^2}{c^2}}\frac{Dp^{\alpha}}{ds}=c\sqrt{1-\frac{v^2}{c^2}}\frac{d}{ds}\frac{mv^{\alpha}}{\sqrt{1-\frac{v^2}{c^2}}}+\lambda^{\alpha}_{\beta\gamma}\frac{mv^{\beta}v^{\gamma}}{\sqrt{1-\frac{v^2}{c^2}}}.$$

Nous obtenons donc, compte tenu de (2) (en abaissant l'indice α pour la commodité) :

$$f_\alpha = \frac{mc^2}{\sqrt{1-\frac{v^2}{c^2}}} \left\{ -\frac{\partial}{\partial x^\alpha} \ln \sqrt{h} + \sqrt{h} \left(\frac{\partial g_\beta}{\partial x^\alpha} - \frac{\partial g_\alpha}{\partial x^\beta} \right) \frac{v^\beta}{c} \right\},$$

ou bien, avec les notations vectorielles tridimensionnelles[1] :

$$\mathbf{f} = \frac{mc^2}{\sqrt{1-\frac{v^2}{c^2}}} \left\{ -\operatorname{grad} \ln \sqrt{h} + \sqrt{h}\, \frac{\mathbf{v}}{c} \times \operatorname{rot} \mathbf{g} \right\}. \tag{3}$$

---

[1] En coordonnées curvilignes tridimensionnelles le tenseur unité antisymétrique a pour définition:

$$\eta_{\alpha\beta\gamma} = \sqrt{\gamma}\, e_{\alpha\beta\gamma}, \quad \eta^{\alpha\beta\gamma} = \frac{1}{\sqrt{\gamma}}\, e^{\alpha\beta\gamma},$$

où $e_{123} = e^{123} = 1$; $e_{\alpha\beta\gamma}$ et $e^{\alpha\beta\gamma}$ changent de signe par transposition de deux indices [cf. (83,13-14)]. En conséquence, le vecteur $\mathbf{c} = \mathbf{a} \times \mathbf{b}$, défini comme le vecteur dual du tenseur antisymétrique $c_{\beta\gamma} = a_\beta b_\gamma - a_\gamma b_\beta$, a pour composantes

$$c_\alpha = \frac{1}{2} \sqrt{\gamma}\, e_{\alpha\beta\gamma} c^{\beta\gamma} = \sqrt{\gamma}\, e_{\alpha\beta\gamma} a^\beta c^\gamma, \quad c^\alpha \frac{1}{2\sqrt{\gamma}}\, e^{\alpha\beta\gamma} c_{\beta\gamma} = \frac{1}{\sqrt{\gamma}}\, e^{\alpha\beta\gamma} a_\beta c_\gamma.$$

Inversement,

$$c_{\alpha\beta} = \sqrt{\gamma}\, e_{\alpha\beta\gamma} c^\gamma, \quad c^{\alpha\beta} = \frac{1}{\sqrt{\gamma}}\, e^{\alpha\beta\gamma} c_\gamma.$$

Notamment, rot **a** sera compris dans ce même sens en tant que vecteur dual du tenseur

$$a_{\beta;\alpha} - a_{\alpha;\beta} = \frac{\partial a_\beta}{\partial x^\alpha} - \frac{\partial a_\alpha}{\partial x^\beta},$$

et l'on a pour ses composantes contravariantes

$$(\operatorname{rot} \mathbf{a})^\alpha = \frac{1}{2\sqrt{\gamma}}\, e^{\alpha\beta\gamma} \left(\frac{\partial a_\gamma}{\partial x^\beta} - \frac{\partial a_\beta}{\partial x^\gamma} \right).$$

Mentionnons également en l'occurrence que la 3-divergence d'un vecteur est

$$\operatorname{div} \mathbf{a} = \frac{1}{\sqrt{\gamma}} \frac{\partial}{\partial x^\alpha} \left(\sqrt{\gamma}\, a^\alpha \right)$$

[cf. (86,9)].

Pour éviter tout malentendu lors de la comparaison avec des formules souvent utilisées pour les opérations vectorielles tridimensionnelles en coordonnées curvilignes orthogonales (cf., par exemple, « Electrodynamique des milieux continus », annexe), indiquons qu'on entend dans ces formules par composantes d'un vecteur les quantités $\sqrt{g_{11}}A^1$ $(= \sqrt{A_1 A^1})$, $\sqrt{g_{22}}A^2$, $\sqrt{g_{33}}A^3$.

Indiquons que si le corps est immobile, alors la force qui agit sur lui [le premier terme dans (3)] a un potentiel. Pour de petites vitesses de mouvement, le second terme dans (3) a la forme $mc\sqrt{h}\,(\mathbf{v}\times \text{rot}\,\mathbf{g})$ analogue à la force de Coriolis qui serait engendrée (en l'absence de champ) dans un système de coordonnées tournant avec la vitesse angulaire

$$\mathbf{\Omega}=\frac{c}{2}\sqrt{h}\,\text{rot}\,\mathbf{g}.$$

2. Etablir le principe de Fermat pour la propagation de rayons dans un champ gravitationnel constant.

S o l u t i o n. Le principe de Fermat (cf. § 53) postule :

$$\delta\int k_\alpha\,dx^\alpha=0,$$

où l'intégrale est étendue au rayon et où l'expression sous le signe somme doit être exprimée au moyen de la fréquence ω_0, constante le long du rayon, et des différentielles des coordonnées. Remarquant que $k_0=-\partial\psi/\partial x^0=\omega_0/c$, écrivons :

$$\frac{\omega_0}{c}=k_0=g_{0i}k^i=g_{00}k^0+g_{0\alpha}k^\alpha=h\,(k^0-g_\alpha k^\alpha).$$

Substituant cette dernière expression dans la relation $k_ik^i=g_{ik}k^ik^k=0$, écrite sous la forme :

$$h\,(k^0-g_\alpha k^\alpha)^2-\gamma_{\alpha\beta}k^\alpha k^\beta=0,$$

on obtient :

$$\frac{1}{h}\left(\frac{\omega_0}{c}\right)^2-\gamma_{\alpha\beta}k^\alpha k^\beta=0.$$

Notant également que le vecteur k^α doit être dirigé selon le vecteur dx^α, on en déduit :

$$k^\alpha=\frac{\omega_0}{c\sqrt{h}}\frac{dx^\alpha}{dl},$$

où dl (84,6) est l'élément de distance spatiale le long du rayon. Pour obtenir l'expression de k_α, écrivons :

$$k^\alpha=g^{\alpha i}k_i=g^{\alpha 0}k_0+g^{\alpha\beta}k_\beta=-g^\alpha\frac{\omega_0}{c}-\gamma^{\alpha\beta}k_\beta,$$

d'où

$$k_\alpha=-\gamma_{\alpha\beta}\left(k^\beta+\frac{\omega_0}{c}g^\beta\right)=-\frac{\omega_0}{c}\left(\frac{\gamma_{\alpha\beta}}{\sqrt{h}}\frac{dx^\beta}{dl}+g_\alpha\right).$$

Enfin, multipliant par dx^α, nous obtenons le principe de Fermat sous la forme (en omettant le facteur constant ω_0/c) :

$$\delta\int\left(\frac{dl}{\sqrt{h}}+g_\alpha\,dx^\alpha\right)=0.$$

Dans un champ statique on a tout simplement :

$$\delta\int\frac{dl}{\sqrt{h}}=0.$$

Notons que dans un champ gravitationnel un rayon ne se propage par selon la ligne la plus courte dans l'espace, car cette dernière serait déterminée par l'équation $\delta \int dl = 0$.

§ 89. Rotation

Un cas particulier des champs gravitationnels stationnaires est le champ qui est engendré par le passage à un référentiel en rotation uniforme.

Afin de déterminer l'intervalle ds, passons du système immobile (d'inertie) au système en rotation uniforme. Dans le système de coordonnées immobile r', φ', z', t (nous sommes en coordonnées cylindriques spatiales) l'intervalle s'écrit :

$$ds^2 = c^2\,dt^2 - dr'^2 - r'^2\,d\varphi'^2 - dz'^2. \qquad (89,1)$$

Soient r, φ, z les coordonnées cylindriques dans le système tournant. Si l'axe de rotation coïncide avec les axes z et z', on a $r' = r$, $z' = z$, $\varphi' = \varphi + \Omega t$, où Ω est la vitesse angulaire de rotation. Substituant dans (89,1), on trouve l'expression de l'intervalle dans le système de coordonnées en rotation :

$$ds^2 = (c^2 - \Omega^2 r^2)\,dt^2 - 2\Omega r^2\,d\varphi\,dt - dz^2 - r^2\,d\varphi^2 - dr^2. \qquad (89,2)$$

Il convient de noter qu'il est permis d'utiliser le système de coordonnées en rotation seulement pour des distances égales au plus à c/Ω. En effet, (89,2) montre que pour $r > c/\Omega$ la quantité g_{00} devient négative, ce qui est inadmissible. Le fait qu'un référentiel tournant ne puisse convenir aux grandes distances tient à ce que la vitesse de rotation deviendrait, à de telles distances, plus grande que la vitesse de la lumière et, par conséquent, un tel système ne peut être réalisé au moyen de corps réels.

Comme dans tout champ stationnaire, des horloges ne peuvent être univoquement synchronisées en tous les points d'un corps tournant. Synchronisant le long d'un contour fermé, on obtient, une fois revenu au point de départ, un temps se distinguant du temps initial par la quantité [cf. (88,5)]

$$\Delta t = -\frac{1}{c} \oint \frac{g_{0\alpha}}{g_{00}}\,dx^\alpha = \frac{1}{c^2} \oint \frac{\Omega r^2\,d\varphi}{1 - \frac{\Omega^2 r^2}{c^2}},$$

ou, en supposant $\Omega r/c \ll 1$ (c'est-à-dire que la vitesse de rotation soit petite par rapport à la vitesse de la lumière) :

$$\Delta t = \frac{\Omega}{c^2} \int r^2\,d\varphi = \pm \frac{2\Omega}{c^2} S, \qquad (89,3)$$

où S est l'aire de la projection du contour sur un plan perpendiculaire à l'axe de rotation (on prendra le signe + ou — selon qu'on décrira le contour dans le sens de la rotation ou dans le sens contraire).

Supposons qu'un rayon de lumière décrive un contour fermé. Calculons, en se limitant aux termes d'ordre de v/c, le temps t écoulé entre le départ du rayon et son retour au point initial. La vitesse de la lumière est, par définition, toujours égale à c, si le temps est synchronisé le long de la ligne fermée donnée et si on utilise en chaque point le temps propre. Etant donné que la différence entre les temps propre et universel est de l'ordre de v^2/c^2, dans le calcul du laps de temps t cherché on pourra négliger cette différence, quand on se limite aux termes d'ordre de v/c. On a par conséquent:

$$t=\frac{L}{c}\pm\frac{2\Omega}{c^2}S,$$

où L est la longueur du contour. On a donc pour la vitesse de la lumière, mesurée comme le rapport L/t, la valeur

$$c\pm 2\Omega\frac{S}{L}. \tag{89,4}$$

Cette formule, tout comme la formule donnant l'effet Doppler en première approximation, s'établit aussi sans peine par la voie purement classique.

Problème

Déterminer l'élément de distance spatiale dans un système de coordonnées en rotation.

Solution. On trouve au moyen de (84,6-7):

$$dl^2=dr^2+dz^2+\frac{r^2\,d\varphi^2}{1-\Omega^2\frac{r^2}{c^2}},$$

déterminant la géométrie spatiale dans le référentiel tournant. Notons que le rapport de la longueur de la circonférence dans le plan $z=$ const (le centre se trouvant sur l'axe de rotation) et de son rayon r est égal à

$$\frac{2\pi}{\sqrt{1-\frac{\Omega^2r^2}{c^2}}}>2\pi.$$

§ 90. Equations de l'électrodynamique en présence d'un champ de gravitation

Il est facile de généraliser les équations du champ électromagnétique de la Relativité restreinte de manière qu'elles soient applicables dans n'importe quel système de coordonnées curvilignes à quatre dimensions, c'est-à-dire en présence d'un champ de gravitation.

Le tenseur du champ électromagnétique en Relativité restreinte avait pour définition $F_{ik}=\frac{\partial A_k}{\partial x^i}-\frac{\partial A_i}{\partial x^k}$. Il doit, évidemment, s'écrire maintenant $F_{ik} = A_{k;i} - A_{i;k}$. Mais en vertu de (86,12) :

$$F_{ik} = A_{k;i} - A_{i;k} = \frac{\partial A_k}{\partial x^i} - \frac{\partial A_i}{\partial x^k}, \qquad (90,1)$$

de sorte que le lien entre F_{ik} et le potentiel A_i reste inchangé. En conséquence, le premier groupe d'équations de Maxwell (26,5)

$$\frac{\partial F_{ik}}{\partial x^l} + \frac{\partial F_{li}}{\partial x^k} + \frac{\partial F_{kl}}{\partial x^i} = 0 \qquad (90,2)$$

conserve aussi sa forme [1].

Pour écrire le second groupe d'équations de Maxwell, il faut d'abord définir le 4-vecteur courant en coordonnées curvilignes. Nous procéderons comme au § 28. L'élément de volume spatial construit sur dx^1, dx^2, dx^3 est $\sqrt{\gamma}\, dV$, γ étant le déterminant du tenseur métrique spatial (84,7), et $dV = dx^1 dx^2 dx^3$ (cf. note p. 308). Introduisons la densité de charge ρ conformément à la définition $de = \rho \sqrt{\gamma}\, dV$, de étant la charge comprise dans l'élément de volume $\sqrt{\gamma}\, dV$. Multipliant cette égalité de part et d'autre par dx^i, il vient :

$$de\, dx^i = \rho\, dx^i \sqrt{\gamma}\, dx^1\, dx^2\, dx^3 = \frac{\rho}{\sqrt{g_{00}}} \sqrt{-g}\, d\Omega \frac{dx^i}{dx^0}$$

[nous nous sommes servis de la formule $-g = \gamma g_{00}$ (84, 10)]. Le produit $\sqrt{-g}\, d\Omega$ est l'élément de 4-volume invariant, de sorte que le 4-vecteur courant est défini par

$$j^i = \frac{\rho c}{\sqrt{g_{00}}} \frac{dx^i}{dx^0} \qquad (90,3)$$

(les quantités dx^i/dx^0 — la vitesse de variation des coordonnées au cours du « temps », x^0,— ne constituent pas elles-mêmes un 4-vecteur !). Multipliée par $\sqrt{g_{00}}/c$, la composante j^0 du 4-vecteur courant est la densité spatiale de charge.

Pour des charges ponctuelles, la densité ρ s'exprime par la somme de fonctions δ de façon analogue à la formule (28,1). Toutefois, il faudra alors préciser la définition de ces fonctions dans le cas des coordonnées curvilignes. Nous considérerons, comme auparavant, que δ (r) est le produit $\delta(x^1)\,\delta(x^2)\,\delta(x^3)$ indépendamment de la signification géométrique des coordonnées x^1, x^2, x^3 ; alors est égale à l'unité l'intégrale sur dV (et non sur $\sqrt{\gamma}\, dV$) : $\int \delta(\mathbf{r})\, dV = 1$.

---

[1] Il est facile de voir que cette équation peut encore s'écrire sous la forme :

$$F_{ik;l} + F_{li;k} + F_{kl;i} = 0,$$

d'où sa covariance.

Avec cette définition des fonctions δ on a pour la densité de charge

$$\rho=\sum_a \frac{e_a}{\sqrt{\gamma}}\,\delta(\mathbf{r}-\mathbf{r}_a),$$

et pour le 4-vecteur courant

$$j^i=\sum_a \frac{e_a c}{\sqrt{-g}}\,\delta(\mathbf{r}-\mathbf{r}_a)\,\frac{dx^i}{dx^0}\,. \tag{90,4}$$

La conservation de la charge est exprimée par l'équation de continuité, laquelle ne diffère de (29,4) que par la substitution des dérivées covariantes aux dérivées ordinaires:

$$j^i{}_{;i}=\frac{1}{\sqrt{-g}}\,\frac{\partial}{\partial x^i}\left(\sqrt{-g}\,j^i\right)=0 \tag{90,5}$$

[on s'est servi de la formule (86,9)].

On généralise de même le second groupe d'équations de Maxwell (30,2); il vient en y remplaçant les dérivées ordinaires par les dérivées covariantes:

$$F^{ik}{}_{;k}=\frac{1}{\sqrt{-g}}\,\frac{\partial}{\partial x^k}\left(\sqrt{-g}\,F^{ik}\right)=-\frac{4\pi}{c}\,j^i \tag{90,6}$$

[on s'est servi de (86,10)].

Enfin, les équations du mouvement d'une particule chargée dans des champs gravitationnel et électromagnétique s'obtiennent en remplaçant dans (23,4) la 4-accélération du^i/ds par Du^i/ds:

$$mc\,\frac{Du^i}{ds}=mc\left(\frac{du^i}{ds}+\Gamma^i_{kl}u^k u^l\right)=\frac{e}{c}\,F^{ik}u_k. \tag{90,7}$$

Problème

Ecrire les équations de Maxwell dans un champ gravitationnel donné sous forme tridimensionnelle (dans l'espace à trois dimensions de métrique $\gamma_{\alpha\beta}$) en introduisant les 3-vecteurs $\mathbf{E}$, $\mathbf{D}$ et les 3-tenseurs antisymétriques $B_{\alpha\beta}$ et $H_{\alpha\beta}$ conformément aux définitions:

$$E_\alpha=F_{0\alpha},\qquad B_{\alpha\beta}=F_{\alpha\beta},$$
$$D^\alpha=-\sqrt{g_{00}}\,F^{0\alpha},\qquad H^{\alpha\beta}=\sqrt{g_{00}}\,F^{\alpha\beta}. \tag{1}$$

Solution. Les quantités introduites de la façon indiquée ne sont pas indépendantes. Développant les égalités

$$F_{0\alpha}=g_{0l}g_{\alpha m}F^{lm},\qquad F^{\alpha\beta}=g^{\alpha l}g^{\beta m}F_{lm},$$

introduisant alors le tenseur métrique tridimensionnel $\gamma_{\alpha\beta}=-g_{\alpha\beta}+hg_\alpha g_\beta$ [$\mathbf{g}$ et h sont définis dans (88,11)] et utilisant (84,9) et (84,12), il vient:

$$D_\alpha=\frac{E_\alpha}{\sqrt{h}}+g^\beta H_{\alpha\beta},\qquad B^{\alpha\beta}=\frac{H^{\alpha\beta}}{\sqrt{h}}+g^\beta E^\alpha-g^\alpha E^\beta. \tag{2}$$

Introduisons les vecteurs **B**, **H** duaux des tenseurs $B_{\alpha\beta}$ et $H_{\alpha\beta}$ conformément à la définition :

$$B^{\alpha}=-\frac{1}{2\sqrt{\gamma}}e^{\alpha\beta\gamma}B_{\beta\gamma},\qquad H_{\alpha}=-\frac{1}{2}\sqrt{\gamma}\,e_{\alpha\beta\gamma}H^{\beta\gamma} \tag{3}$$

(cf. note p. 334; le signe moins a été introduit afin qu'en coordonnées galiléennes **H** et **B** coïncident avec le vecteur champ magnétique usuel). Alors (2) peut s'écrire :

$$\mathbf{D}=\frac{\mathbf{E}}{\sqrt{h}}+\mathbf{H}\times\mathbf{g},\qquad \mathbf{B}=\frac{\mathbf{H}}{\sqrt{h}}+\mathbf{g}\times\mathbf{E}. \tag{4}$$

Introduisant les définitions (1) dans (90,2), on obtient les équations

$$\frac{\partial B_{\alpha\beta}}{\partial x^{\gamma}}+\frac{\partial B_{\gamma\alpha}}{\partial x^{\beta}}+\frac{\partial B_{\beta\gamma}}{\partial x^{\alpha}}=0,\qquad \frac{\partial B_{\alpha\beta}}{\partial x^{0}}+\frac{\partial E_{\alpha}}{\partial x^{\beta}}-\frac{\partial E_{\beta}}{\partial x^{\alpha}}=0,$$

ou bien, passant aux quantités duales (3) :

$$\operatorname{div}\mathbf{B}=0,\qquad \operatorname{rot}\mathbf{E}=-\frac{1}{c\sqrt{\gamma}}\frac{\partial}{\partial t}(\sqrt{\gamma}\,\mathbf{B}) \tag{5}$$

($x^0=ct$; pour la définition des opérations rot et div, cf. note p. 334). De même on trouve à partir de (90,6) les équations

$$\frac{1}{\sqrt{\gamma}}\frac{\partial}{\partial x^{\alpha}}(\sqrt{\gamma}\,D^{\alpha})=4\pi\rho,$$

$$\frac{1}{\sqrt{\gamma}}\frac{\partial}{\partial x^{\beta}}(\sqrt{\gamma}\,H^{\alpha\beta})+\frac{1}{\sqrt{\gamma}}\frac{\partial}{\partial x^{0}}(\sqrt{\gamma}\,D^{\alpha})=-4\pi\rho\frac{dx^{\alpha}}{dx^{0}},$$

ou en notations vectorielles tridimensionnelles :

$$\operatorname{div}\mathbf{D}=4\pi\rho,\qquad \operatorname{rot}\mathbf{H}=\frac{1}{c\sqrt{\gamma}}\frac{\partial}{\partial t}(\sqrt{\gamma}\,\mathbf{D})+\frac{4\pi}{c}\mathbf{s}, \tag{6}$$

s étant le vecteur de composantes $s^{\alpha}=\rho\, dx^{\alpha}/dt$.

Pour être complets, écrivons également l'équation de continuité (90,5) sous forme tridimensionnelle :

$$\frac{1}{\sqrt{\gamma}}\frac{\partial}{\partial t}(\sqrt{\gamma}\,\rho)+\operatorname{div}\mathbf{s}=0. \tag{7}$$

Notons l'analogie (purement formelle, bien entendu) entre les équations (5), (6) et les équations de Maxwell du champ électromagnétique dans un milieu matériel. Notamment, dans un champ gravitationnel statique disparaît $\sqrt{\gamma}$ dans les termes où figure la dérivée par rapport au temps, et (4) se réduit à $\mathbf{D}=\mathbf{E}/\sqrt{h}$, $\mathbf{B}=\mathbf{H}/\sqrt{h}$. On peut dire que, pour ce qui est de son action sur le champ électromagnétique, un champ gravitationnel statique joue le rôle de milieu de perméabilité électrique et magnétique $\varepsilon=\mu=1/\sqrt{h}$.

CHAPITRE XI

ÉQUATIONS DU CHAMP DE GRAVITATION

§ 91. Tenseur de courbure

Revenons de nouveau à la notion de transport parallèle des vecteurs. Comme il a été indiqué au § 85, dans le cas général d'un 4-espace courbe, on définit le transport parallèle infinitésimal d'un vecteur comme un déplacement tel que les composantes du vecteur ne varient pas dans un système de coordonnées galiléennes dans l'élément de volume infinitésimal donné.

Si $x^i = x^i(s)$ sont les équations paramétriques d'une courbe (s étant l'arc de courbe mesuré à partir d'un point donné), alors le vecteur $u^i = dx^i/ds$ est le vecteur unitaire porté par la tangente à la courbe. Si la courbe considérée est une géodésique, $Du^i = 0$ le long de cette courbe. Cela signifie que si l'on transporte parallèlement le vecteur u^i d'un point x^i sur la géodésique à un autre point $x^i + dx^i$ sur la même géodésique, il coïncide avec le vecteur $u^i + du^i$ tangent à cette ligne au point $x^i + dx^i$. Par conséquent, dans le transport parallèle le long d'une géodésique la tangente reste telle quelle.

Par ailleurs, l'« angle » de deux vecteurs est manifestement invariable dans leur transport parallèle. On peut donc affirmer que pendant le transport d'un vecteur quelconque le long d'une géodésique l'angle entre ce vecteur et la tangente à cette courbe est constant. En d'autres termes, les composantes d'un vecteur sur la tangente à une géodésique sont invariables dans le transport parallèle le long de la géodésique.

Un fait fondamental est que, dans un espace courbe, le transport parallèle d'un vecteur d'un point donné à un autre point donne des résultats différents si les chemins suivis sont différents. Il en résulte, notamment, que si l'on transporte un vecteur parallèlement le long d'un contour fermé, il ne coïncide plus avec le vecteur initial.

Pour expliquer ce fait, considérons un espace courbe à deux dimensions, c'est-à-dire une surface courbe quelconque. On a représenté sur la fig. 19 un morceau d'une telle surface, limité par trois arcs de géodésique. Transportons le vecteur **1** parallèlement le long du contour formé par ces courbes. Pendant le transport le long de AB, le vecteur **1**, formant constamment le même angle avec cet arc, devient en B un vecteur **2**. De la même manière, il devient un vecteur **3** quand il est transporté le long de BC. Enfin, quand il est transporté

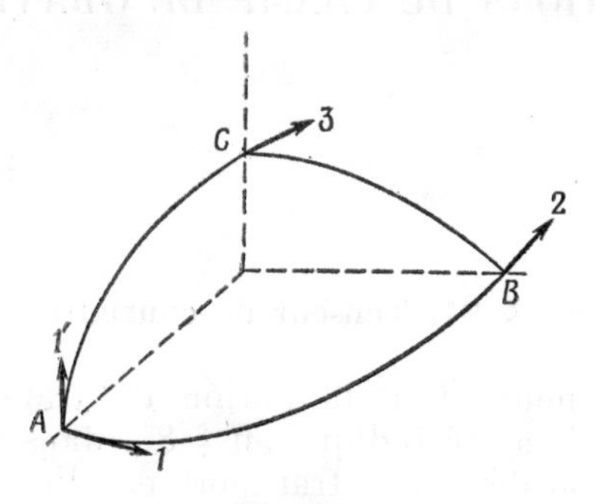

Fig. 19

de C en A, ce vecteur, qui forme un angle constant avec l'arc CA, devient un vecteur **1'**, qui ne coïncide pas avec le vecteur **1**.

Etablissons la formule générale déterminant la variation d'un vecteur pendant son transport parallèle le long d'un contour infinitésimal fermé. Cette variation ΔA_k peut être exprimée sous la forme $\oint \delta A_k$, où l'intégrale est prise sur le contour donné. Substituant à δA_k son expression (85,5), on a :

$$\Delta A_k = \oint \Gamma^i_{kl} A_i \, dx^l ; \tag{91,1}$$

le vecteur A_i écrit sous le signe somme varie pendant son transport le long du contour.

Pour transformer cette intégrale, il convient de faire la remarque suivante. Les valeurs du vecteur A_i en des points intérieurs au contour ne sont pas univoques, elles dépendent du chemin emprunté pour aller au point donné. Toutefois, nous verrons sur le résultat ci-dessous que cette non-univocité se traduit par des termes du second ordre. Dès lors, en faisant abstraction des termes du second ordre, précision suffisante pour la transformation, on peut considérer que les composantes du vecteur A_i aux points intérieurs au contour infinitésimal sont déterminées univoquement par leurs valeurs sur le contour lui-même en vertu des formules $\delta A_i = \Gamma^n_{il} A_n dx^l$, c'est-à-dire des dérivées

$$\frac{\partial A_i}{\partial x^l} = \Gamma^n_{il} A_n. \tag{91,2}$$

Appliquant à présent le théorème de Stokes (6,19) à l'intégrale (91,1) et observant que l'aire délimitée par le contour considéré est une quantité infinitésimale Δf^{lm}, on obtient:

$$\Delta A_k = \frac{1}{2}\left[\frac{\partial(\Gamma^i_{km}A_i)}{\partial x^l} - \frac{\partial(\Gamma^i_{kl}A_i)}{\partial x^m}\right]\Delta f^{lm} =$$

$$= \frac{1}{2}\left[\frac{\partial\Gamma^i_{km}}{\partial x^l}A_i - \frac{\partial\Gamma^i_{kl}}{\partial x^m}A_i + \Gamma^i_{km}\frac{\partial A_i}{\partial x^l} - \Gamma^i_{kl}\frac{\partial A_i}{\partial x^m}\right]\Delta f^{lm}.$$

Substituant dans cette dernière expression les valeurs des dérivées, déduites de (91,2), on trouve en définitive:

$$\Delta A_k = \frac{1}{2} R^i_{klm} A_i \Delta f^{lm}, \tag{91,3}$$

où R^i_{klm} est un tenseur du quatrième ordre:

$$R^i_{klm} = \frac{\partial\Gamma^i_{km}}{\partial x^l} - \frac{\partial\Gamma^i_{kl}}{\partial x^m} + \Gamma^i_{nl}\Gamma^n_{km} - \Gamma^i_{nm}\Gamma^n_{kl}. \tag{91,4}$$

Le caractère tensoriel de R^i_{klm} résulte de ce que dans (91,3) on a à gauche un vecteur, la différence ΔA_k des valeurs d'un vecteur en un seul et même point. Le tenseur R^i_{klm} est appelé *tenseur de courbure* ou *tenseur de Riemann.*

Il est facile d'obtenir une formule analogue pour un vecteur contravariant A^k. Remarquons à cet effet que l'on a, étant donné que les scalaires ne varient pas dans le transport parallèle, $\Delta(A^kB_k) = 0$, où B_k est un vecteur covariant arbitraire. Compte tenu de (91,3), on en déduit:

$$\Delta(A^kB_k) = A^k\Delta B_k + B_k\Delta A^k = \frac{1}{2}A^kB_iR^i_{klm}\Delta f^{lm} + B_k\Delta A^k =$$

$$= B_k\left(\Delta A^k + \frac{1}{2}A^iR^k_{ilm}\Delta f^{lm}\right) = 0,$$

ou, le vecteur B_k étant arbitraire,

$$\Delta A^k = -\frac{1}{2} R^k_{ilm} A^i \Delta f^{lm}. \tag{91,5}$$

Lorsqu'on prend deux fois la dérivée covariante d'un vecteur A_i, par rapport à x^k et x^l, le résultat de la dérivation dépend, en général, de l'ordre de dérivation, contrairement à ce qui a lieu pour les dérivées ordinaires. Il apparaît que la différence $A_{i;k;l} - A_{i;l;k}$ est définie par le tenseur de courbure que nous avons introduit ci-dessus. On a la formule

$$A_{i;k;l} - A_{i;l;k} = A_m R^m_{ikl}, \tag{91,6}$$

qu'il est facile de vérifier directement par un calcul en coordonnées localement géodésiques. D'une manière analogue, on a pour un vecteur contravariant[1]

$$A^i{}_{;k;l} - A^i{}_{;l;k} = -A^m R^i{}_{mkl}. \tag{91,7}$$

Enfin, il est facile d'obtenir des formules analogues pour les dérivées covariantes secondes des tenseurs (le plus simple est de considérer, par exemple, un tenseur de la forme $A_i B_k$ et d'utiliser les formules (91,6-7) ; en vertu de leur linéarité, les formules obtenues sont également applicables à tout tenseur A_{ik}). Ainsi,

$$A_{ik;l;m} - A_{ik;m;l} = A_{in} R^n_{klm} + A_{nk} R^n_{ilm}. \tag{91,8}$$

Il est évident que le tenseur de courbure est nul dans un 4-espace plan. En effet, dans un espace plan on peut prendre des coordonnées dans lesquelles on a partout $\Gamma^i_{kl} = 0$, et donc $R^i_{klm} = 0$. En vertu de son caractère tensoriel, R^i_{klm} sera nul dans n'importe quel autre système de coordonnées. Ceci correspond au fait que, dans un espace plan, le transport parallèle d'un vecteur d'un point à un autre est une opération univoque, et le vecteur reste inchangé lorsqu'il est transporté le long d'un contour fermé.

La réciproque est vraie : si $R^i_{klm} = 0$, le 4-espace est plan. En effet, on peut choisir dans tout espace un système de coordonnées galiléennes dans un domaine infinitésimal donné. Si $R^i_{klm} = 0$, le transport parallèle est une opération univoque, et transportant ainsi le système galiléen du domaine infinitésimal donné dans tous les autres domaines, on peut construire un système galiléen dans tout l'espace, ce qui démontre notre proposition.

Ainsi, suivant que le tenseur de courbure est nul ou non, le 4-espace est plan ou courbe.

Notons que, bien qu'on puisse choisir dans un espace courbe un système de coordonnées localement géodésiques (au point donné), le tenseur de courbure n'est pas nul en ce point (car les dérivées de Γ^i_{kl} ne s'annullent pas en même temps que les Γ^i_{kl}).

§ 92. Propriétés du tenseur de courbure

Il résulte de (91,4) que le tenseur de courbure est antisymétrique sur les indices l et m :

$$R^i_{klm} = -R^i_{kml}. \tag{92,1}$$

Par ailleurs, on vérifie aisément l'identité suivante :

$$R^i_{klm} + R^i_{mkl} + R^i_{lmk} = 0. \tag{92,2}$$

[1] On peut aussi déduire la formule (91,7) directement de (91,6) en élevant l'indice i et en utilisant les propriétés de symétrie du tenseur R_{iklm} (§ 92).

Le tenseur mixte R^i_{klm} s'emploie aussi en composantes covariantes[1]:

$$R_{iklm} = g_{in} R^n_{klm}. \tag{92,3}$$

Par des transformations simples, on obtient aisément l'expression :

$$R_{iklm} = \frac{1}{2}\left(\frac{\partial^2 g_{im}}{\partial x^k \partial x^l} + \frac{\partial^2 g_{kl}}{\partial x^i \partial x^m} - \frac{\partial^2 g_{il}}{\partial x^k \partial x^m} - \frac{\partial^2 g_{km}}{\partial x^i \partial x^l}\right) +$$
$$+ g_{np}(\Gamma^n_{kl}\Gamma^p_{im} - \Gamma^n_{km}\Gamma^p_{il}) \tag{92,4}$$

[dans les calculs il est commode de mettre le dernier terme sous la forme $g^{np}(\Gamma_{n,kl}\Gamma_{p,im} - \Gamma_{n,km}\Gamma_{p,il})$].

Cette forme rend évidentes les propriétés de symétrie :

$$R_{iklm} = -R_{kilm} = -R_{ikml}, \tag{92,5}$$

$$R_{iklm} = R_{lmik}, \tag{92,6}$$

c'est-à-dire que le tenseur est antisymétrique sur les indices ik et lm et symétrique par rapport à la permutation de ces couples. Il en résulte notamment que toutes les composantes de R_{iklm} pour lesquelles $i = k$ ou $l = m$ sont nulles.

R_{iklm}, ainsi que $R^i{}_{klm}$, vérifie l'identité (92,2):

$$R_{iklm} + R_{imkl} + R_{ilmk} = 0. \tag{92,7}$$

Qui plus est, en vertu des relations (92,5-6), cette identité est vraie lorsque la permutation circulaire porte sur trois indices quelconques.

Démontrons enfin l'*identité de Bianchi* :

$$R^n_{ikl;m} + R^n_{imk;l} + R^n_{ilm;k} = 0. \tag{92,8}$$

Il est commode de la vérifier dans un système de coordonnées localement géodésiques. En vertu de son caractère tensoriel, la relation (92,8) sera aussi légitime dans tout autre système de coordonnées. Dérivant l'expression (91,4) et y posant ensuite $\Gamma^i_{kl} = 0$, on trouve au point considéré :

$$R^n_{ikl;m} = \frac{\partial R^n_{ikl}}{\partial x^m} = \frac{\partial^2 \Gamma^n_{il}}{\partial x^m \partial x^k} - \frac{\partial^2 \Gamma^n_{ik}}{\partial x^m \partial x^l}.$$

On s'assure aisément à l'aide de cette expression de la légitimité de (92,8).

Par contraction du tenseur de courbure on définit un tenseur d'ordre deux. Cette contraction se fait d'une seule manière : la con-

---

[1] A ce sujet, il serait plus juste d'écrire $R^i{}_{klm}$, ce qui montre explicitement la place de l'indice élevé.

traction de R_{iklm} sur i et k ou l et m donne zéro en vertu de l'antisymétrie sur ces indices, et la contraction sur deux autres indices quelconques donne, au signe près, le même résultat. Nous définirons le *tenseur de Ricci* R_{ik} comme suit[1]:

$$R_{ik}=g^{lm}R_{limk}=R^l_{ilk}. \tag{92,9}$$

En vertu de (91,4):

$$R_{ik}=\frac{\partial\Gamma^l_{ik}}{\partial x^l}-\frac{\partial\Gamma^l_{il}}{\partial x^k}+\Gamma^l_{ik}\Gamma^m_{lm}-\Gamma^m_{il}\Gamma^l_{km}. \tag{92,10}$$

Ce tenseur est évidemment symétrique:

$$R_{ik}=R_{ki}. \tag{92,11}$$

Enfin, on obtient, en contractant R_{ik}, l'invariant

$$R=g^{ik}R_{ik}=g^{il}g^{km}R_{iklm}, \tag{92,12}$$

appelé *courbure scalaire* de l'espace.

Les composantes de R_{ik} vérifient une identité différentielle, laquelle s'obtient en contractant l'identité de Bianchi (92,8) sur les couples d'indices ik et ln:

$$R^l_{m;\,l}=\frac{1}{2}\frac{\partial R}{\partial x^m}. \tag{92,13}$$

En vertu des relations (92,5-7) toutes les composantes du tenseur de courbure ne sont pas indépendantes. Déterminons le nombre des composantes indépendantes.

La définition du tenseur de courbure qui résulte des formules écrites ci-dessus vaut quelle que soit la dimension de l'espace. Considérons d'abord un espace à deux dimensions, c'est-à-dire une surface ordinaire; notons dans ce cas (à l'encontre des quantités quadridimensionnelles) le tenseur de courbure P_{abcd} et le tenseur métrique γ_{ab}, les indices $a, b, \ldots$ parcourant les valeurs 1, 2. Comme dans ab et cd les deux indices doivent être différents, il est évident que toutes les composantes non nulles du tenseur de courbure coïncident entre elles ou diffèrent du signe. De sorte qu'on a en ce cas une seule composante indépendante, soit P_{1212}. On trouve sans peine que la courbure scalaire vaut alors:

$$P=\frac{2P_{1212}}{\gamma},\quad \gamma\equiv|\gamma_{ab}|=\gamma_{11}\gamma_{22}-(\gamma_{12})^2. \tag{92,14}$$

$P/2$ coïncide alors avec la *courbure de Gauss* K de la surface:

$$\frac{P}{2}=K=\frac{1}{\rho_1\rho_2}, \tag{92,15}$$

[1] Une autre définition du tenseur de Ricci est aussi en usage: on contracte R_{iklm} sur le premier et le dernier indice. Cette définition diffère de la nôtre par le signe.

ρ_1, ρ_2 étant les rayons de courbure principaux de la surface au point donné (rappelons qu'on convient que ρ_1 et ρ_2 sont du même signe si les centres de courbure correspondants sont situés du même côté de la surface, et qu'ils sont de signes contraires si les centres de courbures sont situés de part et d'autre de la surface; dans le premier cas $K > 0$ et dans le second $K < 0$)[1].

Passons au tenseur de courbure dans l'espace à trois dimensions ; notons-le $P_{\alpha\beta\gamma\delta}$ et le tenseur métrique $\gamma_{\alpha\beta}$, les indices α, β, ... parcourant les valeurs 1, 2, 3. Les couples d'indices $\alpha\beta$ et $\gamma\delta$ parcourent en tout trois jeux de valeurs essentiellement distincts : 23, 31, 12 (la permutation de deux indices dans un couple ne change que le signe de la composante du tenseur). Le tenseur $P_{\alpha\beta\gamma\delta}$ étant symétrique par rapport à la transposition de ces couples, on a en tout $3\cdot 2/2 = 3$ composantes indépendantes avec des couples d'indices différents et 3 composantes avec les mêmes couples. L'identité (92,7) n'ajoute rien à ces restrictions. De sorte que dans l'espace à trois dimensions le tenseur de courbure a six composantes indépendantes. Le tenseur symétrique $P_{\alpha\beta}$ en a autant. Ceci étant, à partir des relations linéaires $P_{\alpha\beta} = g^{\gamma\delta}P_{\gamma\alpha\delta\beta}$ toutes les composantes de $P_{\alpha\beta\gamma\delta}$ peuvent être exprimées à l'aide de $P_{\alpha\beta}$ et du tenseur métrique $\gamma_{\alpha\beta}$ (cf. prob. 1). Si l'on prend un système de coordonnées cartésiennes au point donné, on peut, par une rotation convenable, réduire $P_{\alpha\beta}$ à ses axes principaux [2]. De sorte que la courbure d'un espace à trois dimensions est déterminée en chaque point par trois quantités [3].

---

[1] La formule (92,15) s'obtient sans peine en écrivant l'équation de la surface au voisinage du point donné ($x = y = 0$) sous la forme $z = \frac{x^2}{2\rho_1} + \frac{y^2}{2\rho_2}$. On a alors pour le carré de l'élément de longueur sur cette surface:

$$dl^2 = \left(1 + \frac{x^2}{\rho_1^2}\right) dx^2 + \left(1 + \frac{y^2}{\rho_2^2}\right) dy^2 + 2\,\frac{xy}{\rho_1\rho_2}\,dx\,dy.$$

Le calcul de P_{1212} au point $x = y = 0$ d'après la formule (92,4) (où seuls sont nécessaires les termes contenant les dérivées secondes de $\gamma_{\alpha\beta}$) conduit à (92,15).

[2] Pour calculer effectivement les valeurs principales de $P_{\alpha\beta}$, point n'est besoin de passer en coordonnées cartésiennes au point donné. Ces valeurs peuvent être déterminées en tant que racines λ de l'équation $|P_{\alpha\beta} - \lambda\gamma_{\alpha\beta}| = 0$.

[3] La connaissance de $P_{\alpha\beta\gamma\delta}$ permet de déterminer la courbure de Gauss K de n'importe quelle surface dans l'espace. Bornons-nous à indiquer que si x^1, x^2, x^3 sont des coordonnées orthogonales,

$$K = \frac{P_{1212}}{\gamma_{11}\gamma_{22} - (\gamma_{12})^2}$$

est la courbure de Gauss pour le «plan» perpendiculaire (en son point donné) à l'axe x^3; on entend par «plan» une surface formée de géodésiques.

Passons enfin à l'espace à quatre dimensions. Les couples d'indices ik et lm parcourent alors 6 jeux différents de valeurs : 01, 02, 03, 23, 31, 12. Aussi a-t-on 6 composantes R_{iklm} avec les mêmes couples d'indices et $6 \cdot 5/2 = 15$ composantes avec des couples d'indices différents. Mais ces dernières ne sont pas encore indépendantes : trois composantes qui ont tous leurs quatre indices différents sont liées, en vertu de (92,7), par une identité

$$R_{0123} + R_{0312} + R_{0231} = 0. \qquad (92,16)$$

De sorte que dans le 4-espace le tenseur de courbure a en tout 20 composantes indépendantes.

Prenant un système de coordonnées galiléennes au point donné et considérant les transformations qui tournent ce système (de sorte que les valeurs de g_{ik} au point donné ne changent pas), on peut annuler six composantes du tenseur de courbure (six est le nombre de rotations indépendantes du 4-système de coordonnées). Ainsi donc, dans le cas général la courbure du 4-espace est déterminée en chaque point par 14 quantités.

Si $R_{ik} = 0$ [1], dans un système arbitraire de coordonnées le tenseur de courbure a en tout 10 composantes indépendantes. Par une transformation des coordonnées appropriée, on peut alors réduire R_{iklm} (au point donné du 4-espace) à la forme « canonique », en laquelle ses composantes s'expriment dans le cas général à l'aide de 4 quantités indépendantes; dans des cas particuliers ce nombre peut même être inférieur (la classification des types canoniques possibles de R_{iklm} a été réalisée par *A. Pétrov* (1950) ; cf. prob. 3).

Si $R_{ik} \neq 0$, cette même classification se rapporte au tenseur de courbure après qu'on en a distingué une certaine partie, laquelle s'exprime à l'aide des composantes de R_{ik}. A savoir, construisons le tenseur [2]

$$C_{iklm} = R_{iklm} - \frac{1}{2} R_{il} g_{km} + \frac{1}{2} R_{im} g_{kl} + \frac{1}{2} R_{kl} g_{im} - \frac{1}{2} R_{km} g_{il} + \frac{1}{6} R (g_{il} g_{km} - g_{im} g_{kl}). \qquad (92,17)$$

[1] Nous verrons par la suite (§ 95) que le tenseur de courbure d'un champ de gravitation dans le vide jouit de cette propriété.

[2] Cette expression peut s'écrire sous une forme plus compacte:

$$C_{iklm} = R_{iklm} - R_{l[i} g_{k]m} + R_{m[i} g_{k]l} + \frac{1}{3} R g_{l[i} g_{k]m},$$

les crochets signifiant l'antisymétrisation sur les indices qu'ils renferment :

$$A_{[ik]} = \frac{1}{2} (A_{ik} - A_{ki}).$$

Il est facile de voir que ce tenseur jouit de toutes les propriétés de symétrie de R_{iklm} et qu'il s'annule par contraction sur un couple d'indices (il ou km).

Problèmes

1. Exprimer le tenseur de courbure $P_{\alpha\beta\gamma\delta}$ de l'espace à trois dimensions au moyen du tenseur du second ordre $P_{\alpha\beta}$.

S o l u t i o n. Cherchons $P_{\alpha\beta\gamma\delta}$ sous la forme:

$$P_{\alpha\beta\gamma\delta}=A_{\alpha\gamma}\gamma_{\beta\delta}-A_{\alpha\delta}\gamma_{\beta\gamma}+A_{\beta\delta}\gamma_{\alpha\gamma}-A_{\beta\gamma}\gamma_{\alpha\delta},$$

satisfaisant à des conditions de symétrie ; ici $A_{\alpha\beta}$ est un certain tenseur symétrique dont le lien avec $P_{\alpha\beta}$ est obtenu par contraction de l'expression écrite sur les indices α et γ. On trouve en procédant ainsi:

$$P_{\alpha\beta}=A\gamma_{\alpha\beta}+A_{\alpha\beta}, \quad A_{\alpha\beta}=P_{\alpha\beta}-\frac{1}{4}P\gamma_{\alpha\beta},$$

et, en définitive,

$$P_{\alpha\beta\gamma\delta}=P_{\alpha\gamma}\gamma_{\beta\delta}-P_{\alpha\delta}\gamma_{\beta\gamma}+P_{\beta\delta}\gamma_{\alpha\gamma}-P_{\beta\gamma}\gamma_{\alpha\delta}+\frac{P}{2}(\gamma_{\alpha\delta}\gamma_{\beta\gamma}-\gamma_{\alpha\gamma}\gamma_{\beta\delta}).$$

2. Calculer les composantes des tenseurs R_{iklm} et R_{ik} lorsque la métrique est telle que $g_{ik}=0$ pour $i\neq k$ (*B. K. Harrison*, 1960).

S o l u t i o n. Nous écrirons les composantes non nulles du tenseur métrique sous la forme:

$$g_{ii}=e_i e^{2F_i}, \quad e_0=1, \quad e_\alpha=-1.$$

En calculant, conformément à la formule (92,4), les composantes non nulles du tenseur de courbure, on obtient:

$$R_{lilk}=e_l e^{2F_l}(F_{l,k}F_{k,i}+F_{i,k}F_{l,i}-F_{l,i}F_{l,k}-F_{l,i,k}), \qquad i\neq k\neq l;$$

$$R_{lili}=e_l e^{2F_l}(F_{i,i}F_{l,i}-F_{l,i}^2-F_{l,i,i})+e_i e^{2F_i}(F_{l,l}F_{i,l}-F_{i,l}^2-F_{i,l,l})-$$
$$-e_l e^{2F_l}\sum_{m\neq i,\,l} e_i e_m e^{2(F_i-F_m)}F_{i,m}F_{l,m}, \qquad i\neq l$$

(il n'y a pas sommation par rapport aux indices se répétant deux fois!). Les indices précédés d'une virgule désignent la dérivation ordinaire par rapport à la coordonnée correspondante.

Contractant le tenseur de courbure sur deux indices, on obtient:

$$R_{ik}=\sum_{l\neq i,\,k}(F_{l,k}F_{k,i}+F_{i,k}F_{l,i}-F_{l,i}F_{l,k}-F_{l,i,k}), \qquad i\neq k;$$

$$R_{ii}=\sum_{l\neq i}\Big[F_{i,i}F_{l,i}-F_{l,i}^2-F_{l,i,i}+e_ie_le^{2(F_i-F_l)}\Big(F_{l,l}F_{i,l}-F_{i,l}^2-F_{i,l,l}-$$
$$-F_{i,l}\sum_{m\neq i,\,l}F_{m,l}\Big)\Big].$$

3. Considérer les types possibles de forme canonique du tenseur de courbure lorsque $R_{ik}=0$.

S o l u t i o n. Nous supposerons la métrique ramenée à la forme galiléenne au point donné du 4-espace. Nous représenterons l'ensemble de 20 composantes indépendantes de R_{iklm} par l'ensemble de trois tenseurs à trois dimensions définis comme suit:

$$A_{\alpha\beta}=R_{0\alpha0\beta},\quad C_{\alpha\beta}=\frac{1}{4}e_{\alpha\gamma\delta}e_{\beta\lambda\mu}R_{\gamma\delta\lambda\mu},\quad B_{\alpha\beta}=\frac{1}{2}e_{\alpha\gamma\delta}R_{0\beta\gamma\delta} \tag{1}$$

($e_{\alpha\beta\gamma}$ est le tenseur antisymétrique unité; la métrique à trois dimensions étant cartésienne, dans la sommation on n'aura pas à faire une distinction entre indices supérieurs et inférieurs). Les tenseurs $A_{\alpha\beta}$ et $C_{\alpha\beta}$ sont, par définition, symétriques; $B_{\alpha\beta}$ est antisymétrique, et sa trace est nulle en vertu de (92,16). D'après les définitions (1), on a par exemple:

$$B_{11}=R_{0123},\quad B_{12}=R_{0131},\quad B_{13}=R_{0112},\quad C_{11}=R_{2323},\ \ldots$$

Il est facile de voir que les conditions $R_{km}=g^{il}R_{iklm}=0$ équivalent aux relations suivantes entre les composantes des tenseurs (1):

$$A_{\alpha\alpha}=0,\quad B_{\alpha\beta}=B_{\beta\alpha},\quad A_{\alpha\beta}=-C_{\alpha\beta}. \tag{2}$$

Introduisons ensuite le tenseur symétrique complexe

$$D_{\alpha\beta}=\frac{1}{2}(A_{\alpha\beta}+2iB_{\alpha\beta}-C_{\alpha\beta})=A_{\alpha\beta}+iB_{\alpha\beta}. \tag{3}$$

Une telle réunion de deux tenseurs réels tridimensionnels $A_{\alpha\beta}$ et $B_{\alpha\beta}$ en un seul tenseur complexe correspond justement à la réunion (§ 25) de deux vecteurs **E** et **H** en un vecteur complexe **F**, et le lien résultant entre $D_{\alpha\beta}$ et le 4-tenseur R_{iklm} correspond au lien entre **F** et le 4-tenseur F_{ik}. Il en résulte que les transformations quadridimensionnelles du tenseur R_{iklm} sont équivalentes à des rotations complexes tridimensionnelles portant sur le tenseur $D_{\alpha\beta}$.

Vis-à-vis de ces rotations, on peut déterminer les valeurs propres $\lambda=\lambda'+i\lambda''$ et les vecteurs propres n_α (en général, complexes) comme solutions du système d'équations

$$D_{\alpha\beta}n_\beta=\lambda n_\alpha. \tag{4}$$

Les λ sont des invariants du tenseur de courbure. Etant donné que la trace est nulle: $D_{\alpha\alpha}=0$, il en résulte que la somme des trois racines de l'équation (4) est aussi nulle:

$$\lambda^{(1)}+\lambda^{(2)}+\lambda^{(3)}=0.$$

Selon le nombre des vecteurs propres indépendants n_α, nous sommes conduits à la classification suivante des cas possibles de réduction du tenseur de courbure aux *types canoniques de Pétrov* I-III.

I) On a trois vecteurs propres indépendants. Alors leurs carrés $n_\alpha n^\alpha$ ne sont pas nuls et, par une rotation convenable, on ramène le tenseur $D_{\alpha\beta}$, et avec lui $A_{\alpha\beta}$, $B_{\alpha\beta}$, à la forme diagonale:

$$A_{\alpha\beta}=\begin{pmatrix}\lambda^{(1)\prime} & 0 & 0\\ 0 & \lambda^{(2)\prime} & 0\\ 0 & 0 & -\lambda^{(1)\prime}-\lambda^{(2)\prime}\end{pmatrix},$$

$$B_{\alpha\beta}=\begin{pmatrix}\lambda^{(1)\prime\prime} & 0 & 0\\ 0 & \lambda^{(2)\prime\prime} & 0\\ 0 & 0 & -\lambda^{(1)\prime\prime} & -\lambda^{(2)\prime\prime}\end{pmatrix}. \tag{I}$$

Le tenseur de courbure a dans ce cas quatre invariants indépendants [1].

---

[1] Le cas dégénéré $\lambda^{(1)\prime}=\lambda^{(2)\prime}$, $\lambda^{(1)\prime\prime}=\lambda^{(2)\prime\prime}$ s'appelle type *D*.

Les invariants complexes $\lambda^{(1)}$, $\lambda^{(2)}$ s'expriment algébriquement au moyen des scalaires complexes

$$I_1=\frac{1}{48}(R_{iklm}R^{iklm}-iR_{iklm}\overset{*}{R}{}^{iklm}),$$

$$I_2=\frac{1}{96}(R_{iklm}R^{lmpr}R_{pr}{}^{ik}+iR_{iklm}R^{lmpr}\overset{*}{R}_{pr}{}^{ik}),$$

l'astérisque sur la lettre R désignant le tenseur dual:

$$\overset{*}{R}_{iklm}=\frac{1}{2}E_{ikpr}R^{pr}{}_{lm}.$$

Calculant I_1, I_2 au moyen de (I), on obtient:

$$I_1=\frac{1}{3}(\lambda^{(1)2}+\lambda^{(2)2}+\lambda^{(1)}\lambda^{(2)}),\quad I_2=\frac{1}{2}\lambda^{(1)}\lambda^{(2)}(\lambda^{(1)}+\lambda^{(2)}). \tag{5}$$

Ces formules permettent de calculer $\lambda^{(1)}$, $\lambda^{(2)}$ à partir des valeurs de R_{iklm} dans n'importe quel référentiel.

II) On a deux vecteurs propres indépendants. Le carré de l'un d'eux est alors nul, donc il ne peut servir de direction à un axe de coordonnées. Toutefois, il est loisible de le prendre dans le plan x^1, x^2; alors $n_2 = in_1$, $n_3 = 0$. Les équations correspondantes (4) donnent:

$$D_{11}+iD_{12}=\lambda,\quad D_{22}-iD_{12}=\lambda,$$

d'où

$$D_{11}=\lambda-i\mu,\quad D_{22}=\lambda+i\mu,\quad D_{12}=\mu.$$

La quantité complexe $\lambda = \lambda' + i\lambda''$ est un scalaire et on ne peut la changer. Quant à μ, on peut lui conférer une valeur arbitraire (non nulle) au moyen de diverses rotations complexes; on peut, par conséquent, sans restreindre la généralité, supposer qu'il est réel. On obtient en définitive le type canonique suivant pour les tenseurs réels $A_{\alpha\beta}$, $B_{\alpha\beta}$:

$$A_{\alpha\beta}=\begin{pmatrix}\lambda' & \mu & 0\\ \mu & \lambda' & 0\\ 0 & 0 & -2\lambda'\end{pmatrix},\quad B_{\alpha\beta}=\begin{pmatrix}\lambda''-\mu & 0 & 0\\ 0 & \lambda''+\mu & 0\\ 0 & 0 & -2\lambda''\end{pmatrix}. \tag{II}$$

On a dans ce cas seulement deux invariants λ' et λ''. Alors, en vertu de (5): $I_1 = \lambda^2$, $I_2 = \lambda^3$, de sorte que $I_1^3 = I_2^2$.

III) On a seulement un vecteur propre de carré nul. Toutes les valeurs propres λ sont alors identiques, donc nulles. Les solutions des équations (4) peuvent être mises sous la forme $D_{11} = D_{22} = D_{12} = 0$, $D_{13} = \mu$, $D_{23} = i\mu$, de sorte que

$$A_{\alpha\beta}=\begin{pmatrix}0 & 0 & \mu\\ 0 & 0 & 0\\ \mu & 0 & 0\end{pmatrix},\quad B_{\alpha\beta}=\begin{pmatrix}0 & 0 & 0\\ 0 & 0 & \mu\\ 0 & \mu & 0\end{pmatrix}. \tag{III}$$

Dans ce cas, le tenseur de courbure n'a pas du tout d'invariants, et nous sommes en présence d'une situation originale: le 4-espace est courbe, mais il n'y a pas d'invariants pouvant donner une mesure de sa courbure [1].

---

[1] Une telle situation se présente aussi dans le cas dégénéré (II) pour $\lambda' = \lambda'' = 0$ (on l'appelle type N).

§ 93. L'action pour un champ de gravitation

Pour trouver les équations déterminant un champ de gravitation, il faut déterminer préalablement l'action S_g pour ce champ. On obtient alors les équations cherchées en faisant varier la somme des actions du champ et des particules matérielles.

L'action S_g, tout comme l'action d'un champ électromagnétique, doit être exprimée sous forme d'une intégrale scalaire $\int G\sqrt{-g}\,d\Omega$ étendue à tout l'espace et entre deux valeurs de la composante temporelle x^0. Nous partirons alors du fait que les équations du champ de gravitation ne doivent contenir de dérivées des « potentiels » du champ d'ordre supérieur à deux (comme cela a lieu pour les équations du champ électromagnétique). Puisque les équations du champ s'obtiennent en faisant varier l'action, il faut, à cet effet, que l'expression sous le signe somme G ne contienne pas de dérivées de g_{ik} d'ordre supérieur à un; ainsi G ne doit contenir que le tenseur g_{ik} et les quantités Γ^i_{kl}.

Toutefois, on ne peut avec les seules quantités g_{ik} et Γ^i_{kl} former un scalaire. On le voit déjà du fait que les $\Gamma^i{}_{kl}$ peuvent être annulées en un point par un choix convenable des coordonnées. Il existe cependant un scalaire R — la courbure du 4-espace — qui, il est vrai, contient avec le tenseur g_{ik} et ses dérivées premières des dérivées secondes de g_{ik}, mais il ne les contient que linéairement. En vertu de cette linéarité, on peut transformer l'intégrale invariante $\int R\sqrt{-g}\,d\Omega$ par application du théorème de Gauss en une intégrale d'une expression ne contenant plus de dérivées secondes. A savoir, on peut la mettre sous la forme:

$$\int R\sqrt{-g}\,d\Omega = \int G\sqrt{-g}\,d\Omega + \int \frac{\partial\left(\sqrt{-g}\,w^i\right)}{\partial x^i}\,d\Omega,$$

où G ne contient que le tenseur g_{ik} et ses dérivées premières, et où l'expression sous le second signe somme se présente sous la forme de la divergence d'une certaine quantité w^i (le calcul est fait en détail à la fin du présent paragraphe). En vertu du théorème de Gauss, on peut transformer cette seconde intégrale en une intégrale sur l'hypersurface délimitant le 4-volume dans lequel les deux autres intégrales sont calculées. Quand on fait varier l'action, la variation de la seconde intégrale de droite disparaît, car, d'après le sens même du principe de moindre action, la variation du champ est nulle sur la frontière d'intégration. Nous pouvons donc écrire:

$$\delta\int R\sqrt{-g}\,d\Omega = \delta\int G\sqrt{-g}\,d\Omega.$$

Nous avons à gauche un scalaire; la quantité à droite est donc aussi un scalaire (la quantité G n'est pas, bien entendu, un scalaire).

La quantité G satisfait à la condition posée ci-dessus, car elle ne contient que les g_{ik} et leurs dérivées. On peut donc écrire :

$$\delta S_g = -\frac{c^3}{16\pi k}\delta\int G\sqrt{-g}\,d\Omega = -\frac{c^3}{16\pi k}\delta\int R\sqrt{-g}\,d\Omega, \qquad (93,1)$$

où k est une nouvelle constante universelle. De même qu'au § 27 pour l'action du champ électromagnétique, on peut voir que la constante k doit être positive (voir fin du présent paragraphe).

La constante k est dite *constante de gravitation*. La dimension de k est définie directement par (93,1). L'action a pour dimension $g\cdot cm^2\cdot s^{-1}$; on peut admettre que toutes les coordonnées ont pour dimension cm et que les g_{ik} sont sans dimension, d'où R a pour dimension cm^{-2}. On trouve, en définitive, que k a pour dimension $cm^3\cdot g^{-1}\cdot s^{-2}$. Sa valeur numérique est

$$k = 6{,}67\cdot 10^{-8}\ cm^3\cdot g^{-1}\cdot s^{-2}. \qquad (93,2)$$

Notons que nous aurions pu poser k égal à l'unité (ou à tout autre nombre sans dimension). Par là même cependant nous aurions défini l'unité de masse [1].

Calculons, enfin, la quantité G dans (93,1). Nous obtenons de l'expression (92,10) de R_{ik} :

$$\sqrt{-g}\,R = \sqrt{-g}\,g^{ik}R_{ik} = \sqrt{-g}\left\{g^{ik}\frac{\partial\Gamma^l_{ik}}{\partial x^l} - g^{ik}\frac{\partial\Gamma^l_{il}}{\partial x^k} + g^{ik}\Gamma^l_{ik}\Gamma^m_{lm} - g^{ik}\Gamma^m_{il}\Gamma^l_{km}\right\}.$$

On a pour les deux premiers termes de droite

$$\sqrt{-g}\,g^{ik}\frac{\partial\Gamma^l_{ik}}{\partial x^l} = \frac{\partial}{\partial x^l}\left(\sqrt{-g}\,g^{ik}\Gamma^l_{ik}\right) - \Gamma^l_{ik}\frac{\partial}{\partial x^l}\left(\sqrt{-g}\,g^{ik}\right),$$

$$\sqrt{-g}\,g^{ik}\frac{\partial\Gamma^l_{il}}{\partial x^k} = \frac{\partial}{\partial x^k}\left(\sqrt{-g}\,g^{ik}\Gamma^l_{il}\right) - \Gamma^l_{il}\frac{\partial}{\partial x^k}\left(\sqrt{-g}\,g^{ik}\right).$$

On trouve en négligeant les dérivées totales :

$$\sqrt{-g}\,G = \Gamma^m_{im}\frac{\partial}{\partial x^k}\left(\sqrt{-g}\,g^{ik}\right) - \Gamma^l_{ik}\frac{\partial}{\partial x^l}\left(\sqrt{-g}\,g^{ik}\right) - \left(\Gamma^m_{il}\Gamma^l_{km} - \Gamma^l_{ik}\Gamma^m_{lm}\right)g^{ik}\sqrt{-g}.$$

---

[1] Si l'on pose $k = c^2$, alors la masse est mesurée en cm, et l'on a 1 cm = $= 1{,}35\cdot 10^{28}$ g. On utilise parfois au lieu de k la grandeur

$$\varkappa = \frac{8\pi k}{c^2} = 1{,}86\cdot 10^{-27}\ cm\cdot g^{-1},$$

que l'on appelle constante de gravitation einsteinienne.

On trouve, compte tenu des formules (86,5-8), que les deux premiers termes de droite sont égaux au produit de $\sqrt{-g}$ par

$$2\Gamma^l_{ik}\Gamma^i_{lm}g^{mk}-\Gamma^m_{im}\Gamma^i_{kl}g^{kl}-\Gamma^l_{ik}\Gamma^m_{lm}g^{ik}=$$

$$=g^{ik}(2\Gamma^l_{mk}\Gamma^m_{li}-\Gamma^m_{lm}\Gamma^l_{ik}-\Gamma^l_{ik}\Gamma^m_{lm})=2g^{ik}(\Gamma^m_{il}\Gamma^l_{km}-\Gamma^l_{ik}\Gamma^m_{lm}).$$

On trouve en définitive:

$$G=g^{ik}(\Gamma^m_{il}\Gamma^l_{km}-\Gamma^l_{ik}\Gamma^m_{lm}). \tag{93,3}$$

Les quantités déterminant le champ de gravitation sont les composantes du tenseur métrique. Par conséquent, dans le principe de moindre action d'un champ gravitationnel on fera varier précisément les g_{ik}. Cependant, il faut faire ici la réserve essentielle suivante. Nous ne pouvons plus à présent affirmer que dans un champ réel l'intégrale de l'action ait un minimum (et non tout simplement un extremum) relativement à toutes les variations possibles de g_{ik}. Ceci est dû à ce qu'un changement arbitraire des g_{ik} ne correspond pas à un changement de la métrique de l'espace-temps, c'est-à-dire à un changement réel du champ de gravitation. Les composantes g_{ik} changent déjà dans une simple transformation des coordonnées relative au changement du référentiel dans un seul et même espace-temps. Toute transformation des coordonnées de ce genre représente, en général, un ensemble de quatre (le nombre de coordonnées) transformations indépendantes. Afin d'exclure de tels changements des g_{ik}, non liés à la modification de la métrique, on peut leur imposer quatre conditions nouvelles et exiger que ces conditions soient respectées pendant la variation. Par conséquent, dans son application au champ gravitationnel le principe de moindre action stipule seulement qu'on peut assujettir les g_{ik} à des conditions restrictives telles que l'action ait un minimum lorsqu'on fait varier les g_{ik} [1].

Prenant ces remarques en considération, montrons à présent que la constante de gravitation doit être positive. Prenons en qualité des quatre conditions restrictives indiquées l'annulation des trois composantes $g_{0\alpha}$ et la constance du déterminant $|g_{\alpha\beta}|$ constitué des composantes $g_{\alpha\beta}$:

$$g_{0\alpha}=0, \quad |g_{\alpha\beta}|=\text{const};$$

[1] Soulignons, cependant, que tout ce qui a été dit n'affecte pas l'établissement des équations du champ à partir du principe de moindre action (§ 95). On obtient déjà ces équations quand on exige que l'action ait un extremum (c'est-à-dire l'annulation de sa variation première), sans spécifier qu'il y ait un minimum. Il en résulte que pour établir ces équations, on fait varier toutes les composantes g_{ik} indépendamment.

en vertu de la dernière de ces conditions, on aura:

$$g^{\alpha\beta}\frac{\partial g_{\alpha\beta}}{\partial x^0}=\frac{\partial}{\partial x^0}\,|\,g_{\alpha\beta}\,|=0.$$

Seuls nous intéressent ici les termes dans l'expression de l'intégrale de l'action contenant les dérivées des g_{ik} par rapport à x^0 (voir p. 95). Un calcul simple fait avec (93,3) montre que les termes de cette espèce contenus dans G sont

$$-\frac{1}{4}\,g^{00}g^{\alpha\beta}g^{\gamma\delta}\,\frac{\partial g_{\alpha\gamma}}{\partial x^0}\,\frac{\partial g_{\beta\delta}}{\partial x^0}\,.$$

Il est facile de voir que cette quantité est définie négative. En effet, passant à un système de coordonnées spatiales, cartésiennes au point donné et à l'instant considéré (de sorte que $g_{\alpha\beta}=g^{\alpha\beta}=\delta_{\alpha\beta}$), on obtient:

$$-\frac{1}{4}\,g^{00}\left(\frac{\partial g_{\alpha\beta}}{\partial x^0}\right)^2,$$

et comme $g^{00}=1/g_{00}>0$, le signe de cette quantité est évident.

En faisant varier suffisamment vite les composantes $g_{\alpha\beta}$ dans le temps x^0 (entre deux limites d'intégration sur dx^0), on peut, par conséquent, rendre la quantité $-G$ aussi grande que l'on veut. Si la constante k était négative, alors l'action diminuerait indéfiniment (prenant des valeurs négatives arbitrairement grandes), donc ne pourrait avoir un minimum.

§ 94. Tenseur d'énergie-impulsion

Nous avons obtenu au § 32 une règle générale pour le calcul du tenseur d'énergie-impulsion de tout système physique dont l'action est représentée par l'intégrale (32,1) dans le 4-espace. En coordonnées curvilignes cette intégrale doit être écrite sous la forme:

$$S=\frac{1}{c}\int\Lambda\sqrt{-g}\,d\Omega \tag{94,1}$$

(en coordonnées galiléennes $g=-1$ et S devient $\int\Lambda dVdt$). L'intégration est faite dans tout l'espace (tridimensionnel) et entre deux instants donnés, c'est-à-dire dans le domaine infini du 4-espace entre deux hypersurfaces.

Comme nous l'avons indiqué au § 32, le tenseur d'énergie-impulsion défini par la formule (32,5) n'est pas symétrique en général, comme il devrait l'être. Pour le rendre symétrique, on ajoutait à l'expression (32,5) un terme convenablement choisi de la forme

$\frac{\partial}{\partial x^l}\psi_{ikl}$, où $\psi_{ikl}=-\psi_{ilk}$. Nous allons indiquer maintenant un autre procédé de calcul du tenseur d'énergie-impulsion, présentant l'avantage de fournir d'emblée une expression exacte.

Passons dans (94,1) des coordonnées x^i aux coordonnées $x'^i = x^i + \xi^i$, où les ξ^i sont petits. Dans cette substitution les composantes g^{ik} se transforment selon les formules

$$g'^{ik}(x'^l) = g^{lm}(x^l)\frac{\partial x'^i}{\partial x^l}\frac{\partial x'^k}{\partial x^m} = g^{lm}\left(\delta_l^i + \frac{\partial \xi^i}{\partial x^l}\right)\left(\delta_m^k + \frac{\partial \xi^k}{\partial x^m}\right) \approx$$

$$\approx g^{ik}(x^l) + g^{im}\frac{\partial \xi^k}{\partial x^m} + g^{kl}\frac{\partial \xi^i}{\partial x^l}.$$

Le tenseur g'^{ik} est ici fonction des x'^l, et le tenseur g^{ik} fonction des anciennes coordonnées x^l. Pour que tous les termes s'expriment en fonction des mêmes variables, développons les $g'^{ik}(x^l + \xi^l)$ d'après les puissances de ξ^l. En outre, négligeant les termes d'ordre supérieur en ξ^l, on peut, dans les termes contenant ξ^l, écrire g^i au lieu de g'^{ik}. On trouve ainsi:

$$g'^{ik}(x^l) = g^{ik}(x^l) - \xi^l\frac{\partial g^{ik}}{\partial x^l} + g^{il}\frac{\partial \xi^k}{\partial x^l} + g^{kl}\frac{\partial \xi^i}{\partial x^l}.$$

Il est facile de s'assurer par vérification directe que les trois derniers termes du second membre peuvent être représentés comme la somme $\xi^{i;k} + \xi^{k;i}$ des dérivées contravariantes de ξ^i. De cette façon, on trouve en définitive la transformée de g_{ik} sous la forme:

$$g'^{ik} = g^{ik} + \delta g^{ik}, \quad \delta g^{ik} = \xi^{i;k} + \xi^{k;i}. \tag{94,2}$$

On a alors pour les composantes covariantes:

$$g_{ik} = g_{ik} + \delta g_{ik}, \quad \delta g_{ik} = -\xi_{i;k} - \xi_{k;i} \tag{94,3}$$

(de sorte que la condition $g_{il}g'^{kl} = \delta_i^k$ soit respectée au premier ordre) [1].

Etant donné que l'action S est un scalaire, elle est invariante dans une transformation de coordonnées. Par ailleurs, la variation δS de l'action dans une transformation de coordonnées peut être écrite sous la forme suivante. Supposons que, comme au § 32, les q désignent les quantités déterminant le même système physique dont l'action est S. Dans une transformation de coordonnées les

---

[1] Notons que les équations

$$\xi^{i;k} + \xi^{k;i} = 0$$

définissent celles des transformations infinitésimales des coordonnées qui ne changent pas la métrique (on les appelle équations de Killing).

quantités q varient de δq. Pour calculer δS, on peut, toutefois, ne pas écrire les termes liés aux variations des q. Tous ces termes se réduisent, en effet, mutuellement en vertu des « équations du mouvement » du système physique, puisqu'on obtient ces équations précisément en annulant la variation de S par rapport aux q. Dès lors, il suffira d'écrire seulement les termes liés au changement des g_{ik}. Utilisant, comme à l'ordinaire, le théorème de Gauss et posant sur la frontière d'intégration $\delta g^{ik} = 0$, on trouve δS sous la forme [1]:

$$\delta S = \frac{1}{c} \int \left\{ \frac{\partial \sqrt{-g}\Lambda}{\partial g^{ik}} \delta g^{ik} + \frac{\partial \sqrt{-g}\Lambda}{\partial \frac{\partial g^{ik}}{\partial x^l}} \delta \frac{\partial g^{ik}}{\partial x^l} \right\} d\Omega =$$

$$= \frac{1}{c} \int \left\{ \frac{\partial \sqrt{-g}\Lambda}{\partial g^{ik}} - \frac{\partial}{\partial x^l} \frac{\partial \sqrt{-g}\Lambda}{\partial \frac{\partial g^{ik}}{\partial x^l}} \right\} \delta g^{ik}\, d\Omega.$$

Posons maintenant:

$$\frac{1}{2}\sqrt{-g}\, T_{ik} = \frac{\partial \sqrt{-g}\Lambda}{\partial g^{ik}} - \frac{\partial}{\partial x^l} \frac{\partial \sqrt{-g}\Lambda}{\partial \frac{\partial g^{ik}}{\partial x^l}}; \qquad (94,4)$$

alors δS s'écrit [2]:

$$\delta S = \frac{1}{2c} \int T_{ik} \delta g^{ik} \sqrt{-g}\, d\Omega = -\frac{1}{2c} \int T^{ik} \delta g_{ik} \sqrt{-g}\, d\Omega \qquad (94,5)$$

(remarquons que $g^{ik}\delta g_{lk} = -g_{lk}\delta g^{ik}$ et donc $T^{ik}\delta g_{ik} = -T_{ik}\delta g^{ik}$). Substituant ici à δg^{ik} son expression (94,2), on obtient, compte tenu de la symétrie du tenseur T_{ik}:

$$\delta S = \frac{1}{2c} \int T_{ik} (\xi^{i;k} + \xi^{k;i}) \sqrt{-g}\, d\Omega = \frac{1}{c} \int T_{ik} \xi^{i;k} \sqrt{-g}\, d\Omega.$$

---

[1] Il importe de souligner que la notation introduite ici pour les dérivées par rapport aux composantes du tenseur symétrique g_{ik} a, dans un certain sens, un caractère symbolique. Plus précisément, les dérivées $\partial F/\partial g_{ik}$ (F est une fonction des g_{ik}) n'ont un sens que dans la mesure où elles expriment le fait que $dF = \frac{\partial F}{\partial g_{ik}} dg_{ik}$. Mais dans la somme $\frac{\partial F}{\partial g_{ik}} dg_{ik}$ les termes contenant les différentielles dg_{ik} de chaque composante dont $i \neq k$ entrent deux fois. Par conséquent, en dérivant une expression concrète F par rapport à une composante déterminée g_{ik} avec $i \neq k$, on obtiendrait deux fois ce que nous désignons par $\partial F/\partial g_{ik}$. Il faudra prendre cette remarque en considération quand on attribuera des valeurs déterminées aux indices i, k dans les formules contenant des dérivées par rapport aux g_{ik}.

[2] Remarquons que, dans le cas considéré, les dix quantités δg_{ik} ne sont pas indépendantes, car elles résultent d'une transformation de coordonnées qui sont en tout au nombre de quatre. Par conséquent l'égalité $\delta S = 0$ n'entraîne nullement $T_{ik} = 0$.

Transformons ensuite cette expression comme suit :

$$\delta S = \frac{1}{c}\int (T_i^k \xi^i)_{;k} \sqrt{-g}\, d\Omega - \frac{1}{c}\int T^k_{i;k}\xi^i \sqrt{-g}\, d\Omega. \tag{94,6}$$

Compte tenu de (86,9), la première intégrale peut être mise sous la forme :

$$\frac{1}{c}\int \frac{\partial}{\partial x^k}(\sqrt{-g}\, T_i^k \xi^i)\, d\Omega$$

et transformée en intégrale d'hypersurface. Etant donné que les ξ^i s'annulent sur les frontières, cette intégrale s'évanouit.

Ainsi, on trouve en annulant δS :

$$\delta S = -\frac{1}{c}\int T^k_{i;k}\xi^i \sqrt{-g}\, d\Omega = 0.$$

Les ξ^i étant arbitraires, on déduit que

$$T^k_{i;k} = 0. \tag{94,7}$$

Comparant cette équation avec l'équation (32,4) $\partial T_{ik}/\partial x^k = 0$ qui a lieu en coordonnées galiléennes, on voit que le tenseur T_{ik} défini par la formule (94,4) doit être identifié au tenseur d'énergie-impulsion, au moins à un facteur constant près. Il est facile de vérifier que ce facteur est égal à l'unité en faisant, par exemple, le calcul d'après la formule (94,4) pour le cas du champ électromagnétique, alors que

$$\Lambda = -\frac{1}{16\pi} F_{ik}F^{ik} = -\frac{1}{16\pi} F_{ik}F_{lm}g^{il}g^{km}.$$

Ainsi, la formule (94,4) permet de calculer le tenseur d'énergie-impulsion en dérivant Λ par rapport aux composantes du tenseur métrique (et à ses dérivées). On obtient alors le tenseur T_{ik} directement sous forme symétrique. La formule (94,4) est commode pour le calcul du tenseur d'énergie-impulsion non seulement en présence d'un champ de gravitation, mais aussi bien en son absence, alors que le tenseur métrique n'a pas un sens intrinsèque et que le passage en coordonnées curvilignes est effectué formellement, comme une étape intermédiaire dans le calcul de T_{ik}.

L'expression (33,1) du tenseur d'énergie-impulsion du champ électromagnétique doit être écrite en coordonnées curvilignes sous la forme :

$$T_{ik} = \frac{1}{4\pi}\left(-F_{il}F_k{}^l + \frac{1}{4}F_{lm}F^{lm}g_{ik}\right). \tag{94,8}$$

Dans le cas des corps macroscopiques le tenseur d'énergie-impulsion s'écrit [comparer 35,2] :

$$T_{ik} = (p+\varepsilon)\, u_i u_k - p g_{ik}. \tag{94,9}$$

Notons que la composante T_{00} est toujours positive[1]:

$$T_{00} \geqslant 0 \tag{94,10}$$

(la composante mixte T_0^0 n'a pas en général un signe déterminé).

Problème

Examiner les types possibles de réduction à la forme canonique d'un tenseur symétrique d'ordre deux.

Solution. Réduire le tenseur symétrique A_{ik} à ses axes principaux, c'est trouver des « vecteurs propres » n^i tels que

$$A_{ik}n^k = \lambda n_i. \tag{1}$$

Les valeurs principales correspondantes λ sont les racines de l'équation du quatrième degré

$$|A_{ik} - \lambda g_{ik}| = 0 \tag{2}$$

et sont des invariants du tenseur. Les quantités λ aussi bien que les vecteurs propres correspondants peuvent être complexes. (En ce qui concerne les composantes du tenseur A_{ik}, on les suppose évidemment réelles.)

A partir des équations (1), il est facile de montrer, comme on le fait ordinairement, que deux vecteurs $n_i^{(1)}$ et $n_i^{(2)}$ correspondant à deux valeurs propres distinctes $\lambda^{(1)}$ et $\lambda^{(2)}$ sont orthogonaux:

$$n_i^{(1)} n^{(2)i} = 0. \tag{3}$$

Notamment, si l'équation (2) a des racines complexes conjuguées λ et λ^*, auxquelles correspondent des vecteurs n_i et n_i^*, complexes conjugués, on aura alors:

$$n_i n^{i*} = 0. \tag{4}$$

Le tenseur A_{ik} s'exprime en fonction de ses valeurs principales et vecteurs propres correspondants par la formule

$$A_{ik} = \sum \lambda \frac{n_i n_k}{n_l n^l} \tag{5}$$

(pourvu que l'un des $n_l n^l$ ne soit pas nul, voir ci-dessous).

Suivant le caractère des racines de l'équation (2), on rencontre les trois cas suivants:

I) Toutes les quatre valeurs principales λ sont réelles. Alors les vecteurs n^i sont aussi réels, et comme ils sont orthogonaux, trois d'entre eux doivent être spatiaux et un temporel (on peut les normer respectivement par les conditions $n_l n^l = -1$ et $n_l n^l = 1$). Dirigeant les axes de coordonnées selon ces

[1] En effet, on a $T_{00} = \varepsilon u_0^2 + p\,(u_0^2 - g_{00})$. Le premier terme est visiblement positif. Ecrivons dans le second terme:

$$u_0 = g_{00}u^0 + g_{0\alpha}u^\alpha = \frac{g_{00}\,dx^0 + g_{0\alpha}\,dx^\alpha}{ds};$$

on obtient après une transformation simple $g_{00}p\,(dl/ds)^2$, où dl est l'élément de distance spatiale (84,6) ; ceci montre que le second terme dans T_{00} est aussi positif. On s'assure aisément que la même chose a lieu pour le tenseur (94,8).

vecteurs, on réduit le tenseur à la forme:

$$A_{ik}=\begin{pmatrix}\lambda^{(0)} & 0 & 0 & 0\\ 0 & -\lambda^{(1)} & 0 & 0\\ 0 & 0 & -\lambda^{(2)} & 0\\ 0 & 0 & 0 & -\lambda^{(3)}\end{pmatrix}. \tag{6}$$

II) L'équation (2) a deux racines réelles ($\lambda^{(2)}$, $\lambda^{(3)}$) et deux racines complexes conjuguées ($\lambda' \pm i\lambda''$). Nous représenterons les vecteurs complexes conjugués n_i et n_i^* correspondant à ces deux dernières racines par $a_i \pm ib_i$; puisqu'ils ne sont déterminés qu'à un facteur complexe arbitraire près, on peut les normer par la condition $n_i n^i = n_i^* n^{i*} = 1$. Tenant compte également de (4), on trouve pour les vecteurs réels a_i, b_i les conditions:

$$a_i a^i + b_i b^i = 0, \quad a_i b^i = 0, \quad a_i a^i - b_i b^i = 1,$$

d'où $a_i a^i = 1/2$, $b_i b^i = -1/2$, c'est-à-dire que l'un d'eux doit être temporel et l'autre spatial [1]. Dirigeant les axes de coordonnées selon les vecteurs a^i, b^i, $n^{(2)i}$, $n^{(3)i}$, on réduit [conformément à (5)] le tenseur A_{ik} à la forme:

$$A_{ik}=\begin{pmatrix}\lambda' & \lambda'' & 0 & 0\\ \lambda'' & -\lambda' & 0 & 0\\ 0 & 0 & -\lambda^{(2)} & 0\\ 0 & 0 & 0 & -\lambda^{(3)}\end{pmatrix}. \tag{7}$$

III) Lorsque le carré d'un des vecteurs n^i est nul ($n_l n^l = 0$), ce vecteur ne peut servir de support à un axe de coordonnées. Cependant, on peut choisir l'un des plans $x^0 x^\alpha$ de sorte que le vecteur n^i y soit contenu. Soit $x^0 x^1$ ce plan. Il résulte alors de $n_l n^l = 0$ que $n^0 = n^1$, et on déduit des équations (1):

$$A_{00} + A_{01} = \lambda, \quad A_{10} + A_{11} = -\lambda,$$

d'où

$$A_{00} = \lambda + \mu, \quad A_{11} = -\lambda + \mu, \quad A_{01} = -\mu,$$

où la quantité μ n'est pas invariante: elle varie dans les rotations du plan $x^0 x^1$; on peut toujours la rendre réelle par une rotation convenable. Dirigeant les axes x^2, x^3 selon deux autres vecteurs (spatiaux) $n^{(2)i}$, $n^{(3)i}$, on ramène le tenseur à la forme:

$$A_{ik}=\begin{pmatrix}\lambda+\mu & -\mu & 0 & 0\\ -\mu & -\lambda+\mu & 0 & 0\\ 0 & 0 & -\lambda^{(2)} & 0\\ 0 & 0 & 0 & -\lambda^{(3)}\end{pmatrix}. \tag{8}$$

Ce cas correspond à l'égalité de deux racines ($\lambda^{(0)}$, $\lambda^{(1)}$) de l'équation (2).

Remarquons que seul le premier cas peut se présenter pour le tenseur physique d'énergie-impulsion T_{ik} d'une matière se mouvant à une vitesse inférieure à celle de la lumière. Ceci est dû à ce qu'il doit toujours exister un référentiel tel que le flux d'énergie de la matière, c'est-à-dire la composante $T_{\alpha 0}$, y soit nul. Pour ce qui est du tenseur d'énergie-impulsion des ondes électromagnétiques, on a le troisième cas avec $\lambda = \lambda^{(2)} = \lambda^{(3)} = 0$ (comp. p. 113). On peut montrer qu'il existerait dans le cas contraire un référentiel dans lequel le flux d'énergie serait supérieur au produit par c de sa densité.

---

[1] Etant donné que seul un des vecteurs peut être temporel, il en résulte que l'équation (2) ne peut avoir deux couples de racines complexes conjuguées.

§ 95. Equations du champ de gravitation

Nous pouvons maintenant passer à l'établissement des équations du champ de gravitation. Ces équations se déduisent du principe de moindre action $\delta(S_m + S_g) = 0$, où S_g et S_m représentent respectivement l'action du champ de gravitation et de la matière. On fera varier à présent le champ gravitationnel, c'est-à-dire les g_{ik}.

Calculons la variation δS_g. On a :

$$\delta \int R\sqrt{-g}\,d\Omega = \delta \int g^{ik}R_{ik}\sqrt{-g}\,d\Omega =$$

$$= \int (R_{ik}\sqrt{-g}\,\delta g^{ik} + R_{ik}g^{ik}\delta\sqrt{-g} + g^{ik}\sqrt{-g}\,\delta R_{ik})\,d\Omega.$$

Substituant ici, compte tenu de (86,4),

$$\delta\sqrt{-g} = -\frac{1}{2\sqrt{-g}}\,\delta g = -\frac{1}{2}\sqrt{-g}\,g_{ik}\delta g^{ik},$$

on trouve :

$$\delta \int R\sqrt{-g}\,d\Omega =$$

$$= \int \left(R_{ik} - \frac{1}{2}g_{ik}R\right)\delta g^{ik}\sqrt{-g}\,d\Omega + \int g^{ik}\delta R_{ik}\sqrt{-g}\,d\Omega. \quad (95,1)$$

Pour calculer δR_{ik}, notons que, bien que les quantités Γ^i_{kl} ne constituent pas un tenseur, leurs variations $\delta\Gamma^i_{kl}$ constituent un tenseur. En effet, $\Gamma^k_{il}A_k dx^l$ est la quantité dont varie un vecteur dans le transport parallèle [cf. (85,5)] d'un point P à un point infiniment voisin P'. Il en résulte que $\delta\Gamma^k_{il}A_k dx^l$ est la différence de deux vecteurs provenant respectivement de deux transports parallèles (avec des Γ^i_{kl} non variées et variées) à partir du point P en un seul et même point P'. Or, la différence de deux vecteurs en un seul et même point est un vecteur, donc $\delta\Gamma^i_{kl}$ est un tenseur.

Utilisons un système de coordonnées localement géodésiques. Alors, au point donné $\Gamma^i_{kl} = 0$. En s'aidant de l'expression (92,10) de R_{ik}, on obtient (nous rappelant que les dérivées premières de g^{ik} sont nulles à présent) :

$$g^{ik}\delta R_{ik} = g^{ik}\left\{\frac{\partial}{\partial x^l}\delta\Gamma^l_{ik} - \frac{\partial}{\partial x^k}\delta\Gamma^l_{il}\right\} =$$

$$= g^{ik}\frac{\partial}{\partial x^l}\delta\Gamma^l_{ik} - g^{il}\frac{\partial}{\partial x^l}\delta\Gamma^k_{ik} = \frac{\partial w^l}{\partial x^l},$$

où

$$w^l = g^{ik}\delta\Gamma^l_{ik} - g^{il}\delta\Gamma^k_{ik}.$$

Etant donné que w^l est un vecteur, on peut écrire le rapport obtenu dans un système arbitraire de coordonnées sous la forme:

$$g^{ik}\delta R_{ik} = \frac{1}{\sqrt{-g}} \frac{\partial}{\partial x^l} (\sqrt{-g}\, w^l)$$

[remplaçant $\partial w^l / \partial x^l$ par $w^l_{;l}$ et utilisant (86,9)]. Par conséquent, la deuxième intégrale du second membre de (95,1) s'écrit:

$$\int g^{ik}\delta R_{ik} \sqrt{-g}\, d\Omega = \int \frac{\partial \sqrt{-g}\, w^l}{\partial x^l}\, d\Omega$$

et, d'après le théorème de Gauss, peut être transformée en une intégrale de w^l sur l'hypersurface délimitant tout le 4-volume. Mais ce terme disparaît, puisqu'à la frontière d'intégration la variation du champ est nulle. De sorte que la variation δS_g s'écrit [1]:

$$\delta S_g = -\frac{c^3}{16\pi k} \int \left(R_{ik} - \frac{1}{2} g_{ik} R\right) \delta g^{ik} \sqrt{-g}\, d\Omega. \qquad (95,2)$$

Remarquons que si nous étions partis de l'expression

$$S_g = -\frac{c^3}{16\pi k} \int G \sqrt{-g}\, d\Omega$$

de l'action du champ, nous aurions obtenu, comme il est facile de s'en assurer,

$$\delta S_g = -\frac{c^3}{16\pi k} \int \left\{ \frac{\partial (G\sqrt{-g})}{\partial g^{ik}} - \frac{\partial}{\partial x^l} \frac{\partial (G\sqrt{-g})}{\partial \frac{\partial g^{ik}}{\partial x^l}} \right\} \delta g^{ik}\, d\Omega.$$

Comparant avec (95,2), on trouve la relation suivante:

$$R_{ik} - \frac{1}{2} g_{ik} R = \frac{1}{\sqrt{-g}} \left\{ \frac{\partial (G\sqrt{-g})}{\partial g^{ik}} - \frac{\partial}{\partial x^l} \frac{\partial (G\sqrt{-g})}{\partial \frac{\partial g^{ik}}{\partial x^l}} \right\}. \qquad (95,3)$$

Pour la variation de l'action de la matière, on peut écrire en vertu de (94,5):

$$\delta S_m = \frac{1}{2c} \int T_{ik} \delta g^{ik} \sqrt{-g}\, d\Omega, \qquad (95,4)$$

[1] Remarquons ici la curieuse circonstance suivante. Si l'on calcule la variation $\delta \int R\sqrt{-g}\, d\Omega$ [avec R_{ik} tiré de (92,10)], considérant les Γ^i_{kl} comme des variables indépendantes et les g_{ik} comme des constantes, puis utilisant les expressions (86,3) des Γ^i_{kl}, on obtiendrait, comme il est facile de le voir, identiquement zéro. Réciproquement, on pourrait déterminer le lien entre les Γ^i_{kl} et le tenseur métrique en exigeant l'annulation de cette variation.

où T_{ik} est un tenseur d'énergie-impulsion de la matière (y compris le champ électromagnétique). L'interaction gravitationnelle entre en jeu seulement pour les corps dont les masses sont suffisamment grandes (étant donné que la constante de gravitation est petite). Aussi dans l'étude du champ de gravitation a-t-on habituellement affaire à des corps macroscopiques. En relation avec cela, il faudra écrire habituellement pour T_{ik} l'expression (94,9).

Ainsi, du principe de moindre action $\delta S_m + \delta S_g = 0$ nous déduisons:

$$-\frac{c^3}{16\pi k}\int\left(R_{ik}-\frac{1}{2}g_{ik}R-\frac{8\pi k}{c^4}T_{ik}\right)\delta g^{ik}\sqrt{-g}\,d\Omega=0,$$

d'où, étant donné que les δg^{ik} sont arbitraires:

$$R_{ik}-\frac{1}{2}g_{ik}R=\frac{8\pi k}{c^4}T_{ik}, \tag{95,5}$$

ou bien, pour les composantes mixtes,

$$R_i^k-\frac{1}{2}\delta_i^k R=\frac{8\pi k}{c^4}T_i^k. \tag{95,6}$$

Ce sont les *équations du champ de gravitation* ou *équations d'Einstein*, équations fondamentales de la Relativité générale.

Contractant sur les indices i et k dans (95,6), on trouve:

$$R=-\frac{8\pi k}{c^4}T \tag{95,7}$$

$(T=T_i^i)$. Par conséquent, on peut recopier les équations du champ sous la forme:

$$R_{ik}=\frac{8\pi k}{c^4}\left(T_{ik}-\frac{1}{2}g_{ik}T\right). \tag{95,8}$$

Les équations du champ de gravitation ne sont pas linéaires. Il en résulte que le principe de superposition n'est pas vrai pour les champs gravitationnels, contrairement à ce qui a lieu pour le champ électromagnétique en Relativité restreinte.

Au demeurant, il faut avoir en vue que, d'ordinaire, on a affaire à des champs gravitationnels faibles dont les équations sont linéaires en première approximation (voir le paragraphe suivant); pour de tels champs, le principe de superposition est légitime avec la même approximation.

Dans un espace vide on a $T_{ik} = 0$, et les équations du champ de gravitation se réduisent à

$$R_{ik}=0. \tag{95,9}$$

Rappelons que cela ne signifie nullement qu'un espace-temps vide soit plan, il faudrait, à cet effet, que soient observées les conditions plus fortes $R^i_{klm} = 0$.

Le tenseur d'énergie-impulsion du champ électromagnétique jouit de cette propriété que $T_i^i = 0$ [cf. (33,2)]. Eu égard à (95,7), il en résulte qu'en présence du seul champ électromagnétique, sans aucune masse, la courbure scalaire de l'espace-temps est nulle.

On sait que la divergence du tenseur d'énergie-impulsion est nulle :

$$T^k_{i;\,k} = 0. \tag{95,10}$$

En conséquence, la divergence du premier membre de l'équation (95,6) doit elle aussi être nulle. Il en est bien ainsi en vertu de l'identité (92,13).

Ainsi, les équations (95,10) sont contenues en fait dans les équations du champ (95,6). Par ailleurs, les équations (95,10), qui expriment les lois de conservation de l'énergie et de l'impulsion, impliquent les équations du mouvement du système physique auquel se rapporte le tenseur d'énergie-impulsion considéré (c'est-à-dire les équations du mouvement des particules matérielles ou le deuxième groupe d'équations de Maxwell). De sorte que les équations du champ de gravitation contiennent aussi les équations de la matière même qui engendre ce champ. Ceci étant, la distribution et le mouvement de la matière qui crée le champ de gravitation ne peuvent, tant s'en faut, être donnés arbitrairement. Au contraire, ils doivent être déterminés (en résolvant les équations du champ pour des conditions initiales données) en même temps que le champ créé par cette matière.

Notons la différence fondamentale entre cet état de choses et ce que nous avions dans le cas du champ électromagnétique. Les équations de ce champ (équations de Maxwell) contiennent seulement l'équation de conservation de la charge totale (l'équation de continuité), mais non pas les équations du mouvement des charges qui créent ce champ. Dès lors on peut se donner arbitrairement la distribution et le mouvement des charges, pourvu que la charge totale soit constante. La donnée de cette distribution des charges détermine alors, par l'intermédiaire des équations de Maxwell, le champ électromagnétique créé par elles.

Encore convient-il de préciser que, pour déterminer complètement la distribution et le mouvement de la matière dans le cas du champ de gravitation, il faut encore associer aux équations d'Einstein l'équation d'état de la matière (celle-ci n'étant pas, bien entendu, contenue dans celles-là), c'est-à-dire l'équation qui lie entre elles la pression et la densité. Cette équation doit être donnée en même temps que celles du champ [1].

---

[1] L'équation d'état relie entre elles, en fait, non pas deux mais trois grandeurs thermodynamiques, par exemple la pression, la densité et la température de la matière. Mais dans les applications en théorie de la gravitation, cette

Les quatres coordonnées x^i peuvent être soumises à une transformation arbitraire. Cette transformation permet de choisir arbitrairement quatre des dix composantes du tenseur g_{ik}. De sorte que des g_{ik} seules six sont des fonctions inconnues indépendantes. Puis les quatres composantes du quadrivecteur vitesse u^i figurant dans le tenseur d'énergie-impulsion de la matière sont liées par la relation $u_i u^i = 1$, si bien que seules trois d'entre elles sont indépendantes. Ainsi donc, on a, comme il se doit, dix équations du champ (95,5) pour dix quantités inconnues: pour six composantes de g_{ik}, pour trois composantes de u^i et pour la densité de la matière ε/c^2 (ou pour sa pression p). Pour le champ de gravitation dans le vide il reste en tout six quantités inconnues (les composantes de g_{ik}) et se trouve respectivement réduit le nombre d'équations indépendantes du champ: les dix équations $R_{ik} = 0$ sont liées par les quatre identités (92,13).

Notons certaines particularités de la structure des équations d'Einstein. Elles constituent un système d'équations aux dérivées partielles du second ordre. Toutefois, toutes les dérivées par rapport au temps des dix composantes de g_{ik} ne figurent pas dans les équations. En effet, il résulte de (92,4) que les dérivées secondes par rapport au temps ne sont contenues que dans les composantes $R_{0\alpha 0\beta}$ du tenseur de courbure, où elles figurent sous la forme du terme $-\frac{1}{2}\ddot{g}_{\alpha\beta}$ (le point désigne la dérivation par rapport à x^0); en ce qui concerne les dérivées secondes de $g_{0\alpha}$ et de g_{00}, elles sont absentes. Aussi est-il clair que le tenseur de Ricci R_{ik}, déduit par contraction du tenseur de courbure, et avec lui les équations (95,5) ne contiennent eux aussi les dérivées secondes par rapport au temps que des six composantes spatiales $g_{\alpha\beta}$.

Il est aussi facile de voir que ces dérivées ne figurent que dans les équations (95,6) en $^{\beta}_{\alpha}$, c'est-à-dire dans les équations

$$R^{\beta}_{\alpha} - \frac{1}{2}\delta^{\beta}_{\alpha} R = \frac{8\pi k}{c^4} T^{\beta}_{\alpha}. \tag{95,11}$$

Les équations $^{0}_{0}$ et $^{0}_{\alpha}$, elles, c'est-à-dire les équations

$$R^{0}_{0} - \frac{1}{2} R = \frac{8\pi k}{c^4} T^{0}_{0}, \quad R^{0}_{\alpha} = \frac{8\pi k}{c^4} T^{0}_{\alpha}, \tag{95,12}$$

ne contiennent que les dérivées premières par rapport au temps. On peut s'en assurer en vérifiant que lorsqu'on forme par contraction

---

circonstance n'est pas essentielle habituellement, car les équations approchées utilisées ici ne dépendent pas en fait de la température (telles sont, par exemple, les équations $p = 0$ pour une matière raréfiée, l'équation limite extrême relativiste $p = \varepsilon/3$ pour une matière fortement comprimée, etc.).

de R_{iklm} les quantités R^0_α et $R^0_0 - \frac{1}{2} R = \frac{1}{2}(R^0_0 - R^\alpha_\alpha)$, les composantes de la forme $R_{0\alpha 0\beta}$ disparaissent effectivement. On s'en assurerait encore plus à partir de l'identité (92,13) écrite sous la forme:

$$\left(R^0_i - \frac{1}{2}\delta^0_i R\right)_{;0} = -\left(R^\alpha_i - \frac{1}{2}\delta^\alpha_i R\right)_{;\alpha} \qquad (95,13)$$

($i = 0, 1, 2, 3$). Les dérivées de l'ordre le plus élevé figurant au second membre de cette égalité sont des dérivées secondes (figurant dans les quantités R^α_i, R elles-mêmes). Puisque (95,13) est une identité, son premier membre doit, lui aussi, ne contenir que des dérivées par rapport au temps d'ordre non supérieur à deux. Mais une dérivation par rapport au temps y figure déjà explicitement; aussi les expressions $R^0_i - \frac{1}{2}\delta^0_i R$ ne peuvent-elles contenir de dérivées par rapport au temps que d'ordre inférieur à deux.

Qui plus est, les premiers membres des équations (95,12) ne contiennent pas non plus les dérivées premières $\dot{g}_{0\alpha}$ et $\dot{g}_{00}$ (mais seulement $\dot{g}_{\alpha\beta}$). En effet, de tous les $\Gamma_{i,kl}$ seuls $\Gamma_{\alpha,00}$ et $\Gamma_{0,00}$ contiennent ces dérivées, et ces Γ, à leur tour, ne figurent que dans les composantes du tenseur de courbure de la forme $R_{0\alpha 0\beta}$, lesquelles, on le sait déjà, disparaissent quand on forme les premiers membres des équations (95,12).

Si l'on s'intéresse à la solution des équations d'Einstein pour des conditions initiales (par rapport au temps) données, la question se pose du nombre de grandeurs pour lesquelles on peut se donner arbitrairement les distributions spatiales initiales.

Les conditions initiales pour les équations du second ordre doivent impliquer les distributions initiales des quantités à dériver de même que celles de leurs dérivées premières par rapport au temps. Mais comme en l'occurrence les équations ne contiennent les dérivées secondes que des six $g_{\alpha\beta}$, on ne saurait se donner arbitrairement dans les conditions initiales tous les g_{ik} et $\dot{g}_{ik}$. Ainsi, on peut se donner (en même temps que la vitesse et la densité de la matière) les valeurs initiales des fonctions $g_{\alpha\beta}$ et $\dot{g}_{\alpha\beta}$, après quoi, les quatre équations (95,12) déterminent des valeurs initiales admissibles de $g_{0\alpha}$ et g_{00}; mais dans les équations (95,11) les valeurs initiales de $\dot{g}_{0\alpha}$ restent encore arbitraires.

Le nombre de conditions initiales ainsi données contient encore toutefois les fonctions dont l'arbitraire est simplement lié à l'arbitraire dans le choix du 4-système de coordonnées. Or, seul est doué de sens physique le nombre de fonctions arbitraires « physiquement différentes », et il ne saurait plus être réduit par aucun choix du référentiel. Il est facile de voir par des considérations physiques que ce nombre est égal à 8 : les conditions initiales doivent donner la distribution de la densité de la matière et de trois composantes de sa vitesse, ainsi que de quatre quantités définissant le champ gravitationnel libre (non lié à la matière) (cf. § 102) ; pour le champ gravitationnel libre dans le vide seules ces quatre dernières quantités doivent être données par leurs conditions initiales.

Problème

Ecrire les équations d'un champ gravitationnel constant en mettant toutes les opérations de dérivation par rapport aux coordonnées spatiales sous forme de dérivées covariantes dans l'espace de métrique $\gamma_{\alpha\beta}$ (84,7).

Solution. Introduisons les notations $g_{00} = h$, $g_{0\alpha} = -hg_\alpha$ (88,11) et la 3-vitesse v^α (88,10). Ci-dessous, toutes les opérations d'élévation et d'abaissement des indices ainsi que de dérivation covariante concernent l'espace à trois dimensions de métrique $\gamma_{\alpha\beta}$ et affectent les 3-vecteurs g_α, v^α et le 3-scalaire h.

Les équations cherchées doivent être invariantes dans la transformation

$$x^\alpha \to x^\alpha, \qquad x^0 \to x^0 + f(x^\alpha) \tag{1}$$

n'affectant pas le caractère stationnaire du champ. Or, dans une telle transformation (cf. note p. 328) $g_\alpha \to g_\alpha - \partial f/\partial x^\alpha$, et le scalaire h et le tenseur $\gamma_{\alpha\beta} = -g_{\alpha\beta} + hg_\alpha g_\beta$ sont invariants. Il est donc bien clair que, exprimées au moyen de $\gamma_{\alpha\beta}$, h et g_α, les équations cherchées ne peuvent contenir g_α que sous forme de combinaison de dérivées constituant un tenseur antisymétrique à trois dimensions :

$$f_{\alpha\beta} = g_{\beta;\,\alpha} - g_{\alpha;\,\beta} = \frac{\partial g_\beta}{\partial x^\alpha} - \frac{\partial g_\alpha}{\partial x^\beta} \tag{2}$$

invariant dans ladite transformation. Ceci dit, on simplifie notablement les calculs en posant (une fois calculées toutes les dérivées figurant dans R_{ik}) $g_\alpha = 0$ et $g_{\alpha;\,\beta} + g_{\beta;\,\alpha} = 0$ [1].

Symboles de Christoffel :

$$\Gamma^0_{00} = \frac{1}{2} g^\alpha h_{;\,\alpha}, \quad \Gamma^\alpha_{00} = \frac{1}{2} h^{;\,\alpha},$$

$$\Gamma^0_{\alpha 0} = \frac{1}{2h} h_{;\,\alpha} + \frac{h}{2} g^\beta f_{\alpha\beta} + \ldots, \quad \Gamma^\alpha_{0\beta} = \frac{h}{2} f_\beta{}^\alpha - \frac{1}{2} g_\beta h^{;\,\alpha},$$

$$\Gamma^0_{\alpha\beta} = -\frac{1}{2}\left(\frac{\partial g_\alpha}{\partial x^\beta} + \frac{\partial g_\beta}{\partial x^\alpha}\right) - \frac{1}{2h}(g_\alpha h_{;\,\beta} + g_\beta h_{;\,\alpha}) + g_\gamma \lambda^\gamma_{\alpha\beta} + \ldots,$$

$$\Gamma^\alpha_{\beta\gamma} = \lambda^\alpha_{\beta\gamma} - \frac{h}{2}(g_\beta f_\gamma{}^\alpha + g_\gamma f_\beta{}^\alpha) + \ldots$$

---

[1] Pour éviter toute ambiguïté, soulignons que cette méthode simplifiée de calcul, qui conduit à des équations du champ exactes, tomberait en défaut si l'on voulait calculer des composantes quelconques de R_{ik}, puisqu'elles ne sont pas invariantes dans la transformation (1). Nous avons indiqué aux premiers membres des équations (3)-(5) celles des composantes du tenseur de Ricci pour lesquelles les expressions écrites sont vraies. Ces composantes sont invariantes dans la transformation (1).

Les termes ici omis (remplacés par des points de suspension) sont quadratiques par rapport aux composantes du vecteur g_α ; ces termes disparaissent alors qu'on pose $g = 0$ après avoir effectué les dérivations dans R_{ik} (92,10). Dans les calculs on a utilisé les formules (84,9), (84,12-13) ; les $\lambda^\alpha_{\beta\gamma}$ sont les Christoffels à trois dimensions construits à partir de la métrique $\gamma_{\alpha\beta}$.

Le tenseur T_{ik} se calcule d'après la formule (94,9), les u^i ayant pour expression (88,14) (on pose également $g_\alpha = 0$).

A l'issue des calculs on déduit à partir de (95,8) les équations suivantes:

$$\frac{1}{h} R_{00} = \frac{1}{\sqrt{h}} (\sqrt{h})_{;\alpha}^{;\alpha} + \frac{h}{4} f_{\alpha\beta} f^{\alpha\beta} = \frac{8\pi k}{c^4} \left(\frac{\varepsilon + p}{1 - \frac{v^2}{c^2}} - \frac{\varepsilon - p}{2} \right), \tag{3}$$

$$\frac{1}{\sqrt{h}} R^\alpha_0 = -\frac{\sqrt{h}}{2} f^{\alpha\beta}{}_{;\beta} - \frac{3}{2} f^{\alpha\beta} (\sqrt{h})_{;\beta} = \frac{8\pi k}{c^4} \frac{p + \varepsilon}{1 - \frac{v^2}{c^2}} \frac{v^\alpha}{c}, \tag{4}$$

$$R^{\alpha\beta} = P^{\alpha\beta} + \frac{h}{2} f^{\alpha\gamma} f^\beta{}_\gamma - \frac{1}{\sqrt{h}} (\sqrt{h})^{;\alpha;\beta} = \frac{8\pi k}{c^4} \left[\frac{(p + \varepsilon) v^\alpha v^\beta}{c^2 \left(1 - \frac{v^2}{c^2}\right)} + \frac{\varepsilon - p}{2} \gamma^{\alpha\beta} \right]. \tag{5}$$

Ici $P^{\alpha\beta}$ est un tenseur à trois dimensions construit à partir de $\gamma_{\alpha\beta}$, tout comme R^{ik} se construit à partir de g_{ik} [1].

§ 96. Loi de Newton

Effectuons dans les équations d'Einstein le passage à la limite à la mécanique non relativiste. Comme il a été indiqué au § 87, l'hypothèse que les vitesses de toutes les particules soient petites exige en même temps que le champ gravitationnel lui-même soit faible.

L'expression de la composante g_{00} du tenseur métrique (la seule dont nous ayons besoin) dans le cas limite considéré a été trouvée au § 87:

$$g_{00} = 1 + \frac{2\varphi}{c^2}.$$

Puis nous pouvons utiliser pour les composantes du tenseur d'énergie-impulsion l'expression (35,4) $T_i^k = \mu c^2 u_i u^k$, où μ est la densité de masse du corps (la somme des masses de repos des particules dans l'unité de volume; nous omettons l'indice zéro de μ pour abréger l'écriture). En ce qui concerne la 4-vitesse u^i, étant donné que le mouvement macroscopique est aussi supposé lent, nous devons

[1] De même, les équations d'Einstein peuvent s'écrire aussi bien dans le cas d'une métrique dépendant du temps. En même temps que les dérivées spatiales, elles contiendront aussi les dérivées par rapport au temps de $\gamma_{\alpha\beta}$, g_α, h.
Voir *A. Zelmanov*, Comptes rendus (Doklady) de l'Académie des Sciences de l'U.R.S.S., **107**, 815, 1956 (en russe).

négliger toutes ses composantes spatiales et ne laisser que la composante temporelle, c'est-à-dire que nous devons poser $u^\alpha = 0$, $u^0 = u_0 = 1$. De toutes les composantes T_i^k, seule subsiste, par conséquent,

$$T_0^0 = \mu c^2. \tag{96,1}$$

Le scalaire $T = T_i^i$ sera égal à la même quantité μc^2.

Nous écrirons les équations du champ sous la forme (95,8):

$$R_i^k = \frac{8\pi k}{c^4}\left(T_i^k - \frac{1}{2}\delta_i^k T\right);$$

pour $i = k = 0$,

$$R_0^0 = \frac{4\pi k}{c^2}\mu.$$

Comme il est facile de le voir, toutes les autres équations s'annulent identiquement à l'approximation considérée.

Calculant R_0^0 d'après la formule générale (92,10), on remarque que les termes contenant le produit des quantités Γ_{kl}^i sont, en tout cas, des petits termes du second ordre. En ce qui concerne les termes contenant les dérivées par rapport à $x^0 = ct$, ils sont petits (en comparaison des termes contenant des dérivées par rapport à x^α), car ils contiennent des puissances supplémentaires de $1/c$. Il reste en définitive $R_0^0 = R_{00} = \partial\Gamma_{00}^\alpha/\partial x^\alpha$. Substituant

$$\Gamma_{00}^\alpha \approx -\frac{1}{2} g^{\alpha\alpha}\frac{\partial g_{00}}{\partial x^\alpha} = \frac{1}{c^2}\frac{\partial\varphi}{\partial x^\alpha},$$

on trouve:

$$R_0^0 = \frac{1}{c^2}\frac{\partial^2\varphi}{\partial x^{\alpha 2}} \equiv \frac{1}{c^2}\Delta\varphi.$$

De sorte que les équations du champ donnent:

$$\Delta\varphi = 4\pi k\mu. \tag{96,2}$$

Telle est l'équation du champ de gravitation en mécanique non relativiste. Quant à sa forme, elle est tout à fait analogue à l'équation de Poisson (36,4) pour le potentiel électrique, avec cette différence qu'on a à présent au lieu de la densité de charge le produit par $-k$ de la densité de masse. On peut donc écrire d'emblée la solution générale de l'équation (96,2), par analogie avec (36,8), sous la forme:

$$\varphi = -k\int\frac{\mu\, dV}{R}. \tag{96,3}$$

Cette formule détermine, à l'approximation non relativiste, le potentiel du champ de gravitation de toute distribution de masses.

En particulier, on a pour le potentiel du champ d'une seule particule de masse m:

$$\varphi = -\frac{km}{R}, \tag{96,4}$$

et donc la force $F = -m' \frac{\partial \varphi}{\partial R}$ agissant dans ce champ sur une autre particule (de masse m') est

$$F = -\frac{kmm'}{R^2}. \tag{96,5}$$

C'est la *loi d'attraction de Newton.*

L'énergie potentielle d'une particule dans un champ de gravitation est égale au produit de sa masse par le potentiel du champ, tout comme l'énergie potentielle dans un champ électrique est égale au produit de la charge par le potentiel de ce champ. On peut donc écrire, par analogie avec (37,1), pour l'énergie potentielle d'une distribution de masses quelconque l'expression

$$U = \frac{1}{2} \int \mu \varphi \, dV. \tag{96,6}$$

Pour le potentiel newtonien d'un champ gravitationnel constant loin des masses créant ce champ, on peut écrire un développement comme celui obtenu aux §§ 40 et 41 pour le champ électrostatique. Prenons l'origine des coordonnées au centre d'inertie des masses. Alors l'intégrale $\int \mu \mathbf{r} \, dV$, qui est analogue au moment dipolaire d'un système de charges, s'annule identiquement. Par conséquent, à la différence du champ électrique, dans le champ gravitationnel on peut toujours éliminer le « terme dipolaire ». Le développement du potentiel φ s'écrit par conséquent:

$$\varphi = -k \left(\frac{M}{R_0} + \frac{1}{6} D_{\alpha\beta} \frac{\partial^2}{\partial X_\alpha \partial X_\beta} \frac{1}{R_0} + \ldots \right), \tag{96,7}$$

$M = \int \mu \, dV$ étant la masse totale du système, et les quantités

$$D_{\alpha\beta} = \int \mu (3x_\alpha x_\beta - r^2 \delta_{\alpha\beta}) \, dV \tag{96,8}$$

pouvant être appelées tenseur du moment quadrupolaire des masses[1]. Elles sont liées au tenseur des moments d'inertie usuel

$$J_{\alpha\beta} = \int \mu (r^2 \delta_{\alpha\beta} - x_\alpha x_\beta) \, dV$$

[1] Nous écrivons ici les indices α, β en bas, ne distinguant pas les indices co et contravariants, étant donné que les opérations sont supposées faites dans l'espace newtonien (euclidien) ordinaire.

par les relations évidentes

$$D_{\alpha\beta} = J_{\gamma\gamma}\delta_{\alpha\beta} - 3J_{\alpha\beta}. \qquad (96,9)$$

La détermination du potentiel newtonien pour une distribution de masses donnée fait l'objet d'une section entière de la physique mathématique; l'exposé des méthodes utilisées ne relève pas de cet ouvrage. Nous apporterons ici, à des fins de documentation, seulement les formules du potentiel du champ gravitationnel créé par un corps ellipsoïdal homogène [1].

Supposons l'ellipsoïde donné par l'équation

$$\frac{x^2}{a^2} + \frac{y^2}{b^2} + \frac{z^2}{c^2} = 1, \quad a > b > c. \qquad (96,10)$$

Alors le potentiel du champ en un point arbitraire x, y, z extérieur au corps est donné par la formule

$$\varphi = -\pi\mu abck \int_{\xi}^{\infty} \left(1 - \frac{x^2}{a^2+s} - \frac{y^2}{b^2+s} - \frac{z^2}{c^2+s}\right) \frac{ds}{R_s}, \qquad (96,11)$$

$$R_s = \sqrt{(a^2+s)(b^2+s)(c^2+s)},$$

où ξ est la racine positive de l'équation

$$\frac{x^2}{a^2+\xi} + \frac{y^2}{b^2+\xi} + \frac{z^2}{c^2+\xi} = 1. \qquad (96,12)$$

Le potentiel du champ à l'intérieur de l'ellipsoïde est donné par la formule

$$\varphi = -\pi\mu abck \int_{0}^{\infty} \left(1 - \frac{x^2}{a^2+s} - \frac{y^2}{b^2+s} - \frac{z^2}{c^2+s}\right) \frac{ds}{R_s}, \qquad (96,13)$$

qui se distingue de (96,11) par le fait que la borne inférieure est nulle; notons que cette expression est une fonction quadratique des coordonnées x, y, z.

On obtient l'énergie gravitationnelle du corps, en vertu de (96,6), en intégrant l'expression (96,13) dans l'ellipsoïde. L'intégration est élémentaire [2] et donne:

$$U = -\frac{3km^2}{8} \int_{0}^{\infty} \left[\frac{1}{5}\left(\frac{a^2}{a^2+s} + \frac{b^2}{b^2+s} + \frac{c^2}{c^2+s}\right) - 1\right] \frac{ds}{R_s} =$$

$$= -\frac{3km^2}{8} \int_{0}^{\infty} \left[\frac{2}{5} s d\left(\frac{1}{R_s}\right) - \frac{2}{5}\frac{ds}{R_s}\right] \qquad (96,14)$$

[1] On peut trouver la déduction de ces formules dans le livre: *L. Srétenski*, « Théorie du potentiel newtonien », Gostekhizdat, 1946 (édition russe).

[2] Le plus simple pour intégrer les carrés x^2, y^2, z^2 est de faire la substitution $x = ax'$, $y = by'$, $z = cz'$, qui ramène l'intégration dans l'ellipsoïde à une intégration dans une sphère de rayon unité.

$\left(m=\frac{4\pi}{3}abc\mu\right.$ est la masse totale du corps$\left.\right)$; intégrant le premier terme par parties, on obtient en définitive :

$$U=-\frac{3km^2}{10}\int\limits_0^\infty \frac{ds}{R_s}. \tag{96,15}$$

Toutes les intégrales figurant dans les formules (96,11-14) se réduisent à des intégrales elliptiques de première et seconde espèces. Pour l'ellipsoïde de révolution, ces intégrales s'expriment au moyen des fonctions élémentaires. En particulier, on a pour l'énergie de gravitation d'un ellipsoïde de révolution aplati ($a = b > c$):

$$U=-\frac{3km^2}{5\sqrt{a^2-c^2}}\arccos\frac{c}{a}, \tag{96,16}$$

et pour un ellipsoïde allongé ($a > b = c$) :

$$U=-\frac{3km^2}{5\sqrt{a^2-c^2}}\operatorname{Arch}\frac{a}{c}. \tag{96,17}$$

Pour la sphère ($a = c$) les deux formules donnent la valeur $U = -3\,km^2/5a$, qui, bien entendu, peut être obtenue élémentairement [1].

Problème

Déterminer la forme d'équilibre d'une masse grave homogène de liquide tournant uniformément.

Solution. La condition d'équilibre consiste dans la constance à la surface du corps de la somme du potentiel de gravitation et du potentiel des forces centrifuges :

$$\varphi-\frac{\Omega^2}{2}(x^2+y^2)=\mathrm{const}$$

(Ω est la vitesse angulaire de rotation ; l'axe de rotation est dirigé suivant les z). La forme cherchée est un ellipsoïde de révolution aplati. Pour déterminer ses paramètres, nous substituerons (96,13) dans la condition d'équilibre et éliminerons z^2 au moyen de l'équation (96,10) ; ceci donne :

$$(x^2+y^2)\left[\int\limits_0^\infty\frac{ds}{(a^2+s)^2\sqrt{c^2+s}}-\frac{\Omega^2}{2\pi\mu k a^2 c}-\frac{c^2}{a^2}\int\limits_0^\infty\frac{ds}{(a^2+s)(c^2+s)^{3/2}}\right]=\mathrm{const},$$

d'où l'on déduit que l'expression entre crochets doit être nulle. En intégrant, on obtient en définitive l'équation

$$\frac{(a^2+2c^2)\,c}{(a^2-c^2)^{3/2}}\arccos\frac{c}{a}-\frac{3c^2}{a^2-c^2}=\frac{\Omega^2}{2\pi k\mu}=\frac{25}{6}\left(\frac{4\pi}{3}\right)^{1/3}\frac{M^2\mu^{1/3}}{m^{10/3}k}\left(\frac{c}{a}\right)^{4/3}$$

[1] On a pour le potentiel à l'intérieur d'une sphère homogène de rayon a :

$$\varphi=-2\pi k\mu\left(a^2-\frac{r^2}{3}\right).$$

($M=\frac{2}{5}ma^2\Omega$ est le moment cinétique du corps par rapport à l'axe des z), déterminant le rapport des demi-axes c/a quand Ω ou M est donné. Le rapport c/a dépend univoquement de M; c/a décroît monotonement quand M croît.

Il apparaît, cependant, que la forme symétrique trouvée est stable (par rapport aux petites perturbations) seulement pour des valeurs de M pas trop grandes [1]. Elle perd sa stabilité pour $M=2{,}89\, k^{1/2}m^{5/3}\mu^{-1/6}$ (alors $c/a=0{,}58$). Lorsque M continue à croître, la figure d'équilibre devient alors un ellipsoïde à trois axes dont les rapports b/a et c/a décroissent progressivement (respectivement à partir de 1 et de 0,58). Cette forme devient instable à son tour pour $M=3{,}84\, k^{1/2}m^{5/3}\mu^{-1/6}$ (avec $a:b:c=1:0{,}43:0{,}34$).

§ 97. Champ de gravitation central symétrique

Considérons un champ de gravitation doué de symétrie centrale. Un tel champ peut être engendré par une distribution arbitraire à symétrie centrale de matière; en outre, il est bien entendu que non seulement la distribution de matière doit être à symétrie centrale, mais aussi son mouvement, c'est-à-dire que la vitesse en chaque point doit être radiale.

La symétrie centrale du champ signifie que la métrique de l'espace-temps, c'est-à-dire l'expression de l'intervalle ds, doit être la même pour tous les points équidistants du centre. Dans l'espace euclidien cette distance est égale au rayon vecteur; mais dans l'espace non euclidien, que devient l'espace en présence d'un champ de gravitation, il n'y a pas de grandeur qui serait douée de toutes les propriétés du rayon vecteur euclidien (simultanément égal à la distance au centre et au quotient par 2π de la longueur de la circonférence). C'est pourquoi le choix du « rayon vecteur » est maintenant arbitraire.

Si l'on a recours à des coordonnées spatiales « sphériques » r, θ, φ, l'expression à symétrie centrale la plus générale de ds^2 est

$$ds^2=h(r,t)\,dr^2+k(r,t)\,(\sin^2\theta\cdot d\varphi^2+d\theta^2)+\\ +l(r,t)\,dt^2+a(r,t)\,dr\,dt, \qquad (97{,}1)$$

où a, h, k, l sont certaines fonctions du « rayon vecteur » r et du « temps » t. Mais étant donné l'arbitraire dans le choix du référentiel en Relativité générale, nous pouvons encore soumettre les coordonnées à toute transformation ne violant pas la symétrie centrale de ds^2; cela signifie qu'on peut transformer les coordonnées r et t au moyen des formules

$$r=f_1(r',t'), \quad t=f_2(r',t'),$$

[1] On peut trouver des indications bibliographiques sur ces questions dans le livre: *G. Lamb*, « Hydrodynamique », Gostekhizdat, chap. XII, 1947 (édition russe).

où f_1 et f_2 sont des fonctions arbitraires des nouvelles coordonnées r', t'.

Exploitant cette possibilité, nous choisirons la coordonnée r et le temps t de sorte que, primo, le coefficient $a(r, t)$ de $dr\,dt$ dans l'expression de ds^2 s'annule et, secundo, que le coefficient $k(r, t)$ soit tout simplement égal à $-r^2$ [1]. Cette dernière condition signifie que le rayon vecteur r est déterminé de façon que la longueur de la circonférence de centre à l'origine des coordonnées soit égale à $2\pi r$ (l'élément d'arc de circonférence dans le plan $\theta = \pi/2$ est $dl = r d\varphi$). Il nous sera commode d'écrire les quantités h et l sous forme exponentielle, respectivement comme $-e^\lambda$ et $c^2 e^\nu$, où λ et ν sont certaines fonctions de r et t. On trouve donc pour ds^2 l'expression suivante :

$$ds^2 = e^\nu c^2\, dt^2 - r^2 (d\theta^2 + \sin^2\theta \cdot d\varphi^2) - e^\lambda dr^2. \qquad (97,2)$$

Si l'on considère que x^0, x^1, x^2, x^3 représentent respectivement les coordonnées ct, r, θ, φ, on a donc pour les composantes non nulles du tenseur métrique

$$g_{00} = e^\nu, \quad g_{11} = -e^\lambda, \quad g_{22} = -r^2, \quad g_{33} = -r^2 \sin^2\theta.$$

Il est évident que

$$g^{00} = e^{-\nu}, \quad g^{11} = -e^{-\lambda}, \quad g^{22} = -r^{-2}, \quad g^{33} = -r^{-2} \sin^{-2}\theta.$$

A l'aide de ces valeurs, il est facile de calculer, par la formule (86,3), les quantités Γ^i_{kl}. Le calcul conduit aux expressions suivantes (le signe prime indiquant la dérivation par rapport à r, et le point sur une lettre la dérivation par rapport à ct):

$$\begin{gathered}
\Gamma^1_{11} = \frac{\lambda'}{2}, \quad \Gamma^0_{10} = \frac{\nu'}{2}, \quad \Gamma^2_{33} = -\sin\theta\cos\theta, \\
\Gamma^0_{11} = \frac{\dot\lambda}{2} e^{\lambda-\nu}, \quad \Gamma^1_{22} = -re^{-\lambda}, \quad \Gamma^1_{00} = \frac{\nu'}{2} e^{\nu-\lambda}, \\
\Gamma^2_{12} = \Gamma^3_{13} = \frac{1}{r}, \quad \Gamma^3_{23} = \operatorname{ctg}\theta, \quad \Gamma^0_{00} = \frac{\dot\nu}{2}, \\
\Gamma^1_{10} = \frac{\dot\lambda}{2}, \quad \Gamma^1_{33} = -r\sin^2\theta e^{-\lambda}.
\end{gathered} \qquad (97,3)$$

Toutes les autres composantes Γ^i_{kl} (à part celles se distinguant des composantes écrites par une transposition sur les indices k et l) sont nulles.

---

[1] Ces conditions ne déterminent pas univoquement le choix de la coordonnée temporelle. Elle peut faire encore l'objet d'une transformation arbitraire de la forme $t = f(t')$, ne contenant pas r.

Pour former les équations, il faut calculer, au moyen de la formule (92,10), les composantes du tenseur R_k^i. Des calculs simples conduisent en définitive aux équations suivantes:

$$\frac{8\pi k}{c^4} T_1^1 = -e^{-\lambda}\left(\frac{\nu'}{r}+\frac{1}{r^2}\right)+\frac{1}{r^2}, \tag{97,4}$$

$$\frac{8\pi k}{c^4} T_2^2 = \frac{8\pi k}{c^4} T_3^3 = -\frac{1}{2}e^{-\lambda}\left(\nu'' + \frac{\nu'^2}{2} + \frac{\nu'-\lambda'}{r} - \frac{\nu'\lambda'}{2}\right) + \frac{1}{2}e^{-\nu}\left(\ddot{\lambda} + \frac{\dot{\lambda}^2}{2} - \frac{\dot{\lambda}\dot{\nu}}{2}\right), \tag{97,5}$$

$$\frac{8\pi k}{c^4} T_0^0 = -e^{-\lambda}\left(\frac{1}{r^2}-\frac{\lambda'}{r}\right)+\frac{1}{r^2}, \tag{97,6}$$

$$\frac{8\pi k}{c^4} T_0^1 = -e^{-\lambda}\frac{\dot{\lambda}}{r} \tag{97,7}$$

(les autres composantes de l'équation (95,6) s'annulent identiquement). Les composantes du tenseur d'énergie-impulsion peuvent s'exprimer à l'aide de la formule (94,9) en fonction de la densité d'énergie de la matière ε, de sa pression p et de la vitesse radiale v.

Les équations (97,4-7) s'intègrent complètement dans le cas très important d'un champ central symétrique dans le vide, c'est-à-dire à l'extérieur des masses qui l'engendrent. En posant le tenseur d'énergie-impulsion égal à zéro, on obtient les équations suivantes:

$$e^{-\lambda}\left(\frac{\nu'}{r}+\frac{1}{r^2}\right)-\frac{1}{r^2}=0, \tag{97,8}$$

$$e^{-\lambda}\left(\frac{\lambda'}{r}-\frac{1}{r^2}\right)+\frac{1}{r^2}=0, \tag{97,9}$$

$$\dot{\lambda}=0 \tag{97,10}$$

(on peut omettre la quatrième équation, c'est-à-dire l'équation (97,5), car elle est une conséquence des trois premières).

(97,10) montre que λ ne dépend pas du temps. Ensuite, ajoutant membre à membre les équations (97,8-9), on trouve $\lambda' + \nu' = 0$, c'est-à-dire

$$\lambda + \nu = f(t), \tag{97,11}$$

où $f(t)$ est fonction du seul temps. Mais choisissant l'intervalle ds^2 sous la forme de (97,2), nous nous sommes réservé la possibilité d'une transformation arbitraire du temps de la forme $t = f(t')$. Une telle transformation revient à ajouter à ν une fonction arbitraire du temps, permettant toujours d'annuler $f(t)$ dans (97,11). Ainsi, sans restreindre la généralité, on peut supposer que $\lambda + \nu = 0$. Notons qu'un champ de gravitation central symétrique dans le vide est automatiquement statique.

L'équation (97,9) s'intègre facilement et donne:

$$e^{-\lambda} = e^{\nu} = 1 + \frac{\text{const}}{r} . \qquad (97,12)$$

Comme il se doit, on a à l'infini ($r \to \infty$) $e^{-\lambda} = e^{\nu} = 1$, c'est-à-dire que loin de masses graves la métrique devient automatiquement galiléenne. On exprime facilement la constante au moyen de la masse du corps en exigeant qu'aux grandes distances, où le champ est faible, joue la loi de Newton [1]. On doit avoir $g_{00} = 1 + \frac{2\varphi}{c^2}$, où le potentiel φ est égal à son expression newtonienne (96,4): $\varphi = -km/r$ (m étant la masse totale du corps créant le champ). Ceci montre que const $= -2km/c^2$. Cette quantité, qui a la dimension d'une longueur, est appelée *rayon gravitationnel* r_g du corps:

$$r_g = \frac{2km}{c^2} . \qquad (97,13)$$

De sorte qu'on trouve finalement la métrique spatio-temporelle sous la forme:

$$ds^2 = \left(1 - \frac{r_g}{r}\right) c^2\, dt^2 - r^2 (\sin^2\theta\, d\varphi^2 + d\theta^2) - \frac{dr^2}{1 - \frac{r_g}{r}} . \qquad (97,14)$$

Cette solution des équations d'Einstein a été trouvée par *K. Schwarzschild* (1916). Elle détermine complètement le champ gravitationnel dans le vide créé par n'importe quelle distribution centrale symétrique de masses. Soulignons que cette solution vaut non seulement pour des masses au repos, mais également pour des masses en mouvement, pour autant que le mouvement possède lui aussi la symétrie requise (par exemple, pulsations centrales symétriques). Notons que la métrique (97,14) ne dépend que de la masse totale du corps grave, ainsi que dans le problème analogue de la théorie newtonienne.

La métrique spatiale est déterminée par l'expression de l'élément de distance spatiale:

$$dl^2 = \frac{dr^2}{1 - \frac{r_g}{r}} + r^2 (\sin^2\theta\, d\varphi^2 + d\theta^2). \qquad (97,15)$$

Le sens géométrique de la coordonnée r est défini par le fait que dans la métrique (97,15) la longueur d'une circonférence dont le centre

[1] Pour le champ dans une cavité sphérique dans une distribution centrale symétrique de matière on doit avoir const $= 0$, sinon la métrique aurait une singularité pour $r = 0$. Ainsi, la métrique dans une telle cavité est automatiquement galiléenne, c'est-à-dire que le champ de gravitation est nul dans la cavité (ainsi qu'en théorie newtonienne).

coïncide avec celui du champ est $2\pi r$. Pour ce qui est de la distance entre deux points r_1 et r_2 pris sur un même rayon, elle est donnée par l'intégrale

$$\int_{r_1}^{r_2} \frac{dr}{\sqrt{1-\frac{r_g}{r}}} > r_2 - r_1. \qquad (97,16)$$

Puis on voit que $g_{00} \leqslant 1$. En relation avec la formule (84,1) $d\tau = \sqrt{g_{00}}\,dt$ définissant le temps réel, il en résulte que

$$d\tau \leqslant dt. \qquad (97,17)$$

L'égalité a lieu à l'infini, où t coïncide avec le temps réel. Par conséquent, à des distances finies des masses il y a « ralentissement » du temps par rapport au temps à l'infini.

Enfin, donnons encore une expression approchée de ds^2 à de grandes distances de l'origine des coordonnées:

$$ds^2 = ds_0^2 - \frac{2km}{c^2 r}(dr^2 + c^2\,dt^2). \qquad (97,18)$$

Le second terme est une petite correction apportée à la métrique galiléenne ds_0^2. A de grandes distances des masses créant le champ, tout champ est central symétrique. Par conséquent, (97,18) détermine la métrique à de grandes distances de n'importe quel système de corps.

On peut formuler aussi des considérations d'ordre général sur un champ de gravitation central symétrique à l'intérieur de masses graves. On voit sur l'équation (97,6) que pour $r \to 0$ λ doit s'annuler aussi, au moins comme r^2; dans le cas contraire le second membre de l'équation deviendrait infini lorsque $r \to 0$, c'est-à-dire que T_0^0 aurait aussi une singularité au point $r = 0$, ce qui est physiquement absurde. Intégrant formellement l'équation (97,6), avec la condition à la limite $\lambda/_{r=0} = 0$, nous avons:

$$\lambda = -\ln\left(1 - \frac{8\pi k}{c^4 r}\int_0^r T_0^0 r^2\,dr\right). \qquad (97,19)$$

Puisqu'en vertu de (94,10) $T_0^0 = e^{-\nu} T_{00} \geqslant 0$, on voit que $\lambda \geqslant 0$, c'est-à-dire

$$e^{\lambda} \geqslant 1. \qquad (97,20)$$

Puis, soustrayant membre à membre (97,6) de l'équation (97,4), on obtient:

$$\frac{e^{-\lambda}}{r}(\nu' + \lambda') = \frac{8\pi k}{c^4}(T_0^0 - T_1^1) = \frac{(\varepsilon + p)\left(1 + \frac{v^2}{c^2}\right)}{1 - \frac{v^2}{c^2}} \geqslant 0,$$

soit $\nu'+\lambda'\geqslant 0$. Mais pour $r\to\infty$ (loin des masses) la métrique devient galiléenne, c'est-à-dire que $\nu\to 0$, $\lambda\to 0$. Il résulte donc de $\nu'+\lambda'\geqslant 0$ que dans tout l'espace

$$\nu+\lambda\leqslant 0. \tag{97,21}$$

Etant donné que $\lambda\geqslant 0$, on déduit que $\nu\leqslant 0$, c'est-à-dire

$$e^{\nu}\leqslant 1. \tag{97,22}$$

Les inégalités établies montrent que les propriétés indiquées ci-dessus (97,16-17) de la métrique spatiale et de la marche d'une horloge dans un champ central symétrique dans le vide concernent aussi bien le champ à l'intérieur de masses graves.

Si le champ de gravitation est créé par un corps sphérique de « rayon » a, on a pour $r>a$ $T_0^0=0$. Pour des points tels que $r>a$, la formule (97,19) donne donc:

$$\lambda=-\ln\left(1-\frac{8\pi k}{c^4 r}\int_0^a T_0^0 r^2\,dr\right).$$

Par ailleurs, on peut appliquer ici l'expression (97,14) relative au vide, en vertu de laquelle

$$\lambda=-\ln\left(1-\frac{2km}{c^2 r}\right).$$

Comparant les deux expressions, on trouve la formule

$$m=\frac{4\pi}{c^2}\int_0^a T_0^0 r^2\,dr, \tag{97,23}$$

déterminant la masse totale du corps par son tenseur d'énergie-impulsion.

Problèmes

1. Déterminer la courbure spatiale dans un champ gravitationnel central symétrique dans le vide.

Solution. Les composantes du tenseur de courbure spatial $P_{\alpha\beta\gamma\delta}$ peuvent s'exprimer au moyen des composantes de $P_{\alpha\beta}$ (et de $\gamma_{\alpha\beta}$), si bien qu'il suffit de calculer seulement $P_{\alpha\beta}$ (cf. prob. 1 § 92). $P_{\alpha\beta}$ s'exprime au moyen de $\gamma_{\alpha\beta}$ tout comme R_{ik} au moyen de g_{ik}. A partir des $\gamma_{\alpha\beta}$ déduits de (97,15) on obtient, tous calculs faits:

$$P_\theta^\theta=P_\varphi^\varphi=\frac{r_g}{2r^3},\quad P_r^r=-\frac{r_g}{r^3}$$

et $P_\alpha^\beta=0$ pour $\alpha\neq\beta$. Notons que P_θ^θ, $P_\varphi^\varphi>0$, $P_r^r<0$, et $P\equiv P_\alpha^\alpha=0$.

La formule déduite au prob. 1 § 92 donne:

$$P_{r_\theta r_\theta}=(P^r_r+P^\theta_\theta)\,\gamma_{rr}\gamma_{\theta\theta}=-P^\varphi_\varphi\gamma_{rr}\gamma_{\theta\theta},$$

$$P_{r_\varphi r_\varphi}=-P^\theta_\theta\gamma_{rr}\gamma_{\varphi\varphi},\quad P_{\theta\varphi\theta\varphi}=-P^r_r\gamma_{\theta\theta}\gamma_{\varphi\varphi}.$$

Il s'ensuit (cf. note p. 347) que pour les « plans » normaux aux rayons la courbure de Gauss est

$$K=\frac{P_{\theta\varphi\theta\varphi}}{\gamma_{\theta\theta}\gamma_{\varphi\varphi}}=-P^r_r>0$$

(cela signifie que pour de petits triangles tracés dans la région du « plan » au voisinage de son intersection avec le rayon qui lui est normal, la somme des angles est supérieure à π). Si les « plans » passent par le centre, la courbure de Gauss $K<0$; cela signifie que la somme des angles de petits triangles tracés dans le « plan » est inférieure à π (soulignons, toutefois, que cette dernière propriété ne concerne pas les triangles contenant le centre — la somme des angles dans ces triangles est supérieure à π).

2. Déterminer la surface de révolution sur laquelle la géométrie est la même que celle dans un « plan » passant par l'origine des coordonnées d'un champ de gravitation central symétrique dans le vide.

S o l u t i o n. La géométrie d'une surface de révolution $z=z(r)$ (en coordonnées cylindriques) est déterminée par l'élément de longueur:

$$dl^2=dr^2+dz^2+r^2\,d\varphi^2=dr^2\,(1+z'^2)+r^2\,d\varphi^2.$$

Comparant avec l'élément de longueur (97,15) dans le « plan » $\theta=\pi/2$:

$$dl^2=r^2\,d\varphi^2+\frac{dr^2}{1-\dfrac{r_g}{r}},$$

on trouve:

$$1+z'^2=\left(1-\frac{r_g}{r}\right)^{-1},$$

d'où

$$z=2\sqrt{r_g\,(r-r_g)}.$$

Pour $r=r_g$ cette fonction a une singularité: un point de branchement. Cette circonstance est due au fait que la métrique spatiale (97,15) a effectivement, contrairement à la métrique spatio-temporelle (97,14), une singularité pour $r=r_g$.

Les propriétés générales, indiquées au problème précédent, de la géométrie dans les « plans » passant par le centre peuvent aussi bien être déduites en considérant la courbure du modèle ici obtenu.

3. Donner l'expression de l'intervalle (97,14) en coordonnées où la métrique spatiale est conforme-euclidienne (c'est-à-dire que dl^2 est proportionnel à son expression euclidienne).

S o l u t i o n. Posant

$$r=\rho\left(1+\frac{r_g}{4\rho}\right)^2,$$

on déduit de (97,14):

$$ds^2 = \left[\frac{1-\frac{r_g}{4\rho}}{1+\frac{r_g}{4\rho}}\right]^2 c^2\,dt^2 - \left(1+\frac{r_g}{4\rho}\right)^4 (d\rho^2+\rho^2\,d\theta^2+\sin^2\theta\,d\varphi^2).$$

Les coordonnées ρ, θ, φ sont dites sphériques isotropes; on peut aussi introduire à leur place des coordonnées cartésiennes isotropes x, y, z. Notamment, aux grandes distances ($\rho \gg r_g$) on a approximativement:

$$ds^2 = \left(1-\frac{r_g}{r}\right) c^2\,dt^2 - \left(1+\frac{r_g}{r}\right)(dx^2+dy^2+dz^2).$$

§ 98. Mouvement dans un champ de gravitation central symétrique

Considérons le mouvement d'un corps dans un champ de gravitation central symétrique. Ainsi que dans tout champ central, le mouvement aura lieu dans un « plan » passant par l'origine des coordonnées; prenons ce plan en tant que plan $\theta = \pi/2$.

Pour déterminer la trajectoire du corps (de masse m), partons des équations d'Hamilton-Jacobi:

$$g^{ik}\frac{\partial S}{\partial x^i}\frac{\partial S}{\partial x^k} - m^2c^2 = 0.$$

Au moyen des g^{ik} tirés de l'expression (97,14), on trouve l'équation suivante:

$$e^{-\nu}\left(\frac{\partial S}{c\,\partial t}\right)^2 - e^{\nu}\left(\frac{\partial S}{\partial r}\right)^2 - \frac{1}{r^2}\left(\frac{\partial S}{\partial\varphi}\right)^2 - m^2c^2 = 0, \qquad (98,1)$$

où

$$e^{\nu} = 1-\frac{r_g}{r} \qquad (98,2)$$

(m' est la masse du corps créant le champ; $r_g = 2km'/c^2$ son rayon de gravitation). D'après les règles générales de résolution de l'équation d'Hamilton-Jacobi, cherchons S sous la forme:

$$S = -\mathscr{E}_0 t + M\varphi + S_r(r), \qquad (98,3)$$

où l'énergie $\mathscr{E}_0$ et le moment cinétique M sont constants. Substituant dans (98,1), on trouve l'équation

$$e^{-\nu}\frac{\mathscr{E}_0^2}{c^2} - \frac{M^2}{r^2} - e^{\nu}\left(\frac{\partial S_r}{\partial r}\right)^2 = m^2c^2,$$

d'où

$$S_r = \int\sqrt{\frac{\mathscr{E}_0^2}{c^2}e^{-2\nu} - \left(m^2c^2+\frac{M^2}{r^2}\right)e^{-\nu}}\cdot dr =$$

$$= \int\left[\frac{r^2(\mathscr{E}_0^2-m^2c^4)+m^2c^4rr_g}{c^2(r-r_g)^2} - \frac{M^2}{r(r-r_g)}\right]^{1/2} dr. \qquad (98,4)$$

On sait que (cf. I § 47) la trajectoire est déterminée par l'équation $\partial S/\partial M = \text{const}$, d'où

$$\varphi = \int \frac{M\,dr}{r^2 \sqrt{\frac{\mathscr{E}_0^2}{c^2} - \left(m^2c^2 + \frac{M^2}{r^2}\right)\left(1 - \frac{r_g}{r}\right)}}. \qquad (98,5)$$

Cette intégrale se ramène à une intégrale elliptique.

En ce qui concerne le mouvement des planètes dans le champ d'attraction du Soleil, la théorie relativiste n'apporte que des corrections insignifiantes à la théorie de Newton, étant donné que les vitesses des planètes sont très petites vis-à-vis de la vitesse de la lumière. Ceci se traduit par le fait que dans l'expression sous le signe somme de l'équation de la trajectoire (98,5) le rapport r_g/r est petit, r_g étant le rayon gravitationnel du Soleil [1].

Pour l'étude des corrections relativistes à la trajectoire, il est commode de partir de l'expression (98,4) de la partie radiale de l'action avant sa dérivation par rapport à M.

Changeons la variable d'intégration en faisant la substitution

$$r(r - r_g) = r'^2, \quad \text{c'est-à-dire} \quad r - \frac{r_g}{2} \approx r',$$

le second terme sous le radical devenant M^2/r'^2. Par ailleurs faisons dans le premier terme un développement selon les puissances de r_g/r' ; nous obtenons, avec la précision requise:

$$S_r = \int \left[\left(2\mathscr{E}'m + \frac{\mathscr{E}'^2}{c^2}\right) + \frac{1}{r}(2m^2m'k + 4\mathscr{E}'mr_g) - \frac{1}{r^2}\left(M^2 - \frac{3m^2c^2r_g^2}{2}\right)\right]^{1/2} dr, \qquad (98,6)$$

où, pour abréger, nous avons omis le signe prime de r' et introduit l'énergie non relativiste $\mathscr{E}'$ (sans l'énergie de repos).

Les termes correctifs dans les coefficients des deux premiers termes sous le radical n'interviennent que pour le changement du lien, sans intérêt particulier, entre l'énergie et le moment de la particule et les paramètres de son orbite newtonienne (une ellipse). Mais le changement du coefficient de $1/r^2$ conduit à un phénomène plus essentiel: au déplacement (« séculaire ») systématique du périhélie de l'orbite.

Etant donné que la trajectoire est déterminée par l'équation $\varphi + \frac{\partial S_r}{\partial M} = \text{const}$, la variation de l'angle φ pendant la période de révolution d'une planète sur son orbite est

$$\Delta\varphi = -\frac{\partial}{\partial M}\Delta S_r,$$

---

[1] Pour le Soleil $r_g = 3$ km; pour la Terre $r_g = 0,44$ cm.

où ΔS_r est la variation correspondante de S_r. Développant S_r selon les puissances de la petite correction dans le coefficient de $1/r^2$ nous obtenons :

$$\Delta S_r = \Delta S_r^{(0)} - \frac{3m^2c^2r_g^2}{4M} \frac{\partial \Delta S_r^{(0)}}{\partial M},$$

où $\Delta S_r^{(0)}$ correspond au mouvement sur une ellipse fermée fixe. Dérivant cette relation par rapport à M et prenant en considération que

$$-\frac{\partial}{\partial M} \Delta S_r^{(0)} = \Delta\varphi^{(0)} = 2\pi,$$

on trouve :

$$\Delta\varphi = 2\pi + \frac{3\pi m^2c^2r_g^2}{2M^2} = 2\pi + \frac{6\pi k^2m^2m'^2}{c^2M^2}.$$

Le second terme représente le déplacement angulaire cherché $\delta\varphi$ de l'ellipse newtonienne pendant la période d'une rotation, c'est-à-dire le déplacement du périhélie de l'orbite. En l'exprimant au moyen du demi-grand axe a et de l'excentricité de l'ellipse e en s'aidant de la formule connue $M^2/km'm^2 = a(1 - e^2)$, on obtient [1] :

$$\delta\varphi = \frac{6\pi km'}{c^2a(1-e^2)}. \tag{98,7}$$

Considérons ensuite le chemin suivi par un rayon lumineux dans un champ de gravitation central symétrique. Ce chemin est déterminé par l'équation d'eikonale (87,9)

$$g^{ik} \frac{\partial\psi}{\partial x^i} \frac{\partial\psi}{\partial x^k} = 0,$$

se distinguant de l'équation d'Hamilton-Jacobi uniquement par le fait que l'on pose dans cette dernière $m = 0$. On peut donc déduire la trajectoire du rayon directement de la formule (98,5) dans laquelle on pose $m = 0$; il faudra écrire alors au lieu de l'énergie de la particule $\mathscr{E}_0 = -\partial S/\partial t$ la fréquence de la lumière $\omega_0 = -\partial\psi/\partial t$. Introduisant de même au lieu de la constante M la constante ρ définie par $\rho = cM/\omega_0$, on obtient :

$$\varphi = \int \frac{dr}{r^2 \sqrt{\frac{1}{\rho^2} - \frac{1}{r^2}\left(1 - \frac{r_g}{r}\right)}}. \tag{98,8}$$

Si l'on néglige les corrections relativistes ($r_g \to 0$), cette équation donne $r = \rho/\cos\varphi$, c'est-à-dire une droite passant à la distance

[1] Les valeurs numériques des déplacements fournis par la formule (98,7) pour Mercure et la Terre sont égales respectivement à 43,0″ et 3,8″ par siècle. Les mesures astronomiques donnent les valeurs 43,1″ ± 0,4″ et 5,0″ ± 1,2″, conformes à la théorie.

ρ de l'origine des coordonnées. Pour l'étude des corrections relativistes, procédons comme pour le cas précédent.

On a pour la partie radiale de l'eikonale [cf. (98,4)]:

$$\psi_r(r) = \frac{\omega_0}{c} \int \sqrt{\frac{r^2}{(r-r_g)^2} - \frac{\rho^2}{r(r-r_g)}}\, dr.$$

Effectuant des transformations identiques à celles qui ont permis de passer de (98,4) à (98,6), on obtient :

$$\psi_r(r) = \frac{\omega_0}{c} \int \sqrt{1 + \frac{2r_g}{r} - \frac{\rho^2}{r^2}}\, dr.$$

Développant à présent l'expression sous le signe somme selon les puissances de r_g/r, on obtient :

$$\psi_r = \psi_r^{(0)} + \frac{r_g\omega_0}{c} \int \frac{dr}{\sqrt{r^2-\rho^2}} = \psi_r^{(0)} + \frac{r_g\omega_0}{c} \operatorname{Arch} \frac{r}{\rho},$$

où $\psi_r^{(0)}$ répond à un rayon rectiligne classique.

La variation totale de ψ_r pour un rayon venant d'un point très éloigné de distance R au point le plus proche du centre $r = \rho$ et repartant à la distance R est

$$\Delta\psi_r = \Delta\psi_r^{(0)} + 2\frac{r_g\omega_0}{c} \operatorname{Arch} \frac{R}{\rho}.$$

On obtient la variation correspondante de l'angle polaire φ le long du rayon en dérivant par rapport à $M = \rho\omega_0/c$:

$$\Delta\varphi = -\frac{\partial\Delta\psi_r}{\partial M} = -\frac{\partial\Delta\psi_r^{(0)}}{\partial M} + \frac{2r_gR}{\rho\sqrt{R^2-\rho^2}}.$$

Enfin, passant à la limite $R \to \infty$ et remarquant qu'il correspond à un rayon rectiligne $\Delta\varphi = \pi$, on obtient :

$$\Delta\varphi = \pi + \frac{2r_g}{\rho}.$$

Cela signifie que, sous l'influence du champ d'attraction, le rayon lumineux s'incurve : sa trajectoire est une courbe convexe tournée vers le centre (le rayon est « attiré » par le centre), de sorte que l'angle entre ses deux asymptotes diffère de π de

$$\delta\varphi = \frac{2r_g}{\rho} = \frac{4km'}{c^2\rho}; \qquad (98,9)$$

en d'autres termes, un rayon de lumière passant à la distance ρ du centre du champ dévie de $\delta\varphi$ [1].

[1] Pour un rayon passant à proximité du Soleil, $\delta\varphi = 1{,}75''$.

§ 99. Référentiel synchrone

Comme on l'a vu au § 84, la condition permettant de synchroniser les horloges en différents points de l'espace se traduit par la nullité des composantes $g_{0\alpha}$ du tenseur métrique. Si en outre $g_{00} = 1$, la composante temporelle $x^0 = t$ représente le temps propre en chaque point de l'espace [1]. Nous appellerons *synchrone* un référentiel satisfaisant aux conditions

$$g_{00} = 1, \quad g_{0\alpha} = 0. \tag{99,1}$$

L'élément d'intervalle est donné dans un tel référentiel par

$$ds^2 = dt^2 - \gamma_{\alpha\beta}\, dx^\alpha\, dx^\beta, \tag{99,2}$$

les composantes du tenseur de la métrique spatiale coïncidant (au signe près) avec $g_{\alpha\beta}$:

$$\gamma_{\alpha\beta} = -g_{\alpha\beta}. \tag{99,3}$$

Dans le référentiel synchrone les lignes du temps sont les géodésiques du 4-espace. En effet, le 4-vecteur $u^i = dx^i/ds$ tangent à la ligne d'univers $x^1, x^2, x^3 = \text{const}$ a pour composantes $u^\alpha = 0$, $u^0 = 1$ et vérifie automatiquement l'équation des géodésiques:

$$\frac{du^i}{ds} + \Gamma^i_{kl} u^k u^l = \Gamma^i_{00} = 0,$$

car, vu la condition (99,1), les symboles de Christoffel Γ^α_{00}, Γ^0_{00} sont identiquement nuls.

Il est facile de voir aussi que ces lignes sont normales à l'hypersurface $t = \text{const}$. En effet, le 4-vecteur normal à une telle surface $n_i = \partial t/\partial x^i$ a pour composantes covariantes $n_\alpha = 0$, $n_0 = 1$. Les composantes contravariantes correspondantes sont aussi $n^\alpha = 0$, $n^0 = 1$, compte tenu de (99,1); c'est-à-dire qu'elles coïncident avec les composantes du 4-vecteur u^i tangent aux lignes du temps.

Inversement, on peut se servir de ces propriétés pour la construction géométrique d'un référentiel synchrone dans tout espace-temps. A cet effet, choisissons pour surface initiale une hypersurface du genre espace quelconque, c'est-à-dire une hypersurface dont la normale en chaque point est du genre temps (passe dans le cône de lumière de sommet en ce point); tous les éléments d'intervalle sur une telle hypersurface sont du genre espace. Construisons ensuite la famille de géodésiques normales à cette surface. Prenant à présent ces géodésiques pour lignes du temps, avec pour la coordonnée temporelle t la longueur s de la géodésique calculée à partir de l'hypersurface initiale, on obtient un référentiel synchrone.

Il est clair qu'une telle construction, et donc le choix du référentiel synchrone, est toujours possible en principe.

---

[1] Dans ce paragraphe nous posons $c = 1$.

De plus, ce choix n'est pas univoque. La métrique de la forme (99,2) admet toute transformation des coordonnées spatiales, mais n'affectant pas le temps, ainsi que la transformation correspondant à l'arbitraire dans le choix de l'hypersurface initiale dans la construction géométrique indiquée.

Analytiquement, la transformation permettant de passer dans un référentiel synchrone peut être réalisée, en principe, au moyen de l'équation d'Hamilton-Jacobi. Le fondement de cette méthode est que les trajectoires d'une particule dans un champ gravitationnel sont précisément des géodésiques.

L'équation d'Hamilton-Jacobi pour une particule (de masse unité) dans un champ de gravitation s'écrit:

$$g^{ik}\frac{\partial\tau}{\partial x^i}\frac{\partial\tau}{\partial x^k}=1 \qquad (99,4)$$

(nous avons désigné l'action par τ). Son intégrale complète s'écrit:

$$\tau=f(\xi^\alpha, x^i)+A(\xi^\alpha), \qquad (99,5)$$

où f est une fonction des quatre coordonnées x^i et de trois paramètres ξ^α; nous supposons que la quatrième constante A est une fonction arbitraire des trois ξ^α. τ étant ainsi représenté, on peut obtenir les équations de la trajectoire de la particule en annulant les dérivées $\partial\tau/\partial\xi^\alpha$, c'est-à-dire

$$\frac{\partial f}{\partial\xi^\alpha}=-\frac{\partial A}{\partial\xi^\alpha}. \qquad (99,6)$$

Pour tout ensemble de valeurs des paramètres ξ^α, les seconds membres des équations (99,6) ont des valeurs constantes déterminées, et la ligne d'univers définie par ces équations est une des trajectoires possibles de la particule. En prenant pour nouvelles coordonnées spatiales les ξ^α, qui sont constantes le long des trajectoires, et pour coordonnée temporelle, τ, nous obtenons le référentiel synchrone, les équations (99,5-6) définissant le passage des anciennes coordonnées aux nouvelles. En effet, dans une telle transformation les lignes du temps sont automatiquement géodésiques, et elles sont de plus normales aux hypersurfaces τ = const. Ce dernier point résulte d'une analogie mécanique: le 4-vecteur $-\partial\tau/\partial x^i$, la normale à l'hypersurface, coïncide en mécanique avec la 4-impulsion de la particule, donc sa direction coïncide avec celle de sa 4-vitesse u^i, qui est tangente à la trajectoire. Enfin, l'observation de la condition $g_{00}=1$ résulte du fait que la dérivée $-\partial\tau/ds$ de l'action le long de la trajectoire est la masse de la particule, que nous avons prise égale à l'unité; donc $|d\tau/ds|=1$.

Ecrivons les équations d'Einstein dans le référentiel synchrone en y séparant les opérations de dérivation spatiale et de dérivation temporelle.

Introduisons la notation

$$\varkappa_{\alpha\beta}=\frac{\partial\gamma_{\alpha\beta}}{\partial t} \tag{99,7}$$

pour les dérivées du tenseur métrique tridimensionnel par rapport au temps; ces quantités constituent elles-mêmes un tenseur tridimensionnel. Toutes les opérations de déplacement des indices de $\varkappa_{\alpha\beta}$ et ses dérivations covariantes se feront dans ce qui suit dans l'espace à trois dimensions de métrique $\gamma_{\alpha\beta}$ [1]. Notons que la somme $\varkappa_\alpha^\alpha$ est la dérivée logarithmique du déterminant $\gamma\equiv|\gamma_{\alpha\beta}|=-g$

$$\varkappa_\alpha^\alpha=\gamma^{\alpha\beta}\frac{\partial\gamma_{\alpha\beta}}{\partial t}=\frac{\partial}{\partial t}\ln\gamma. \tag{99,8}$$

Pour les Christoffels on trouve les expressions:

$$\Gamma_{00}^0=\Gamma_{00}^\alpha=\Gamma_{0\alpha}^0=0,$$

$$\Gamma_{\alpha\beta}^0=\frac{1}{2}\varkappa_{\alpha\beta},\quad \Gamma_{0\beta}^\alpha=\frac{1}{2}\varkappa_\beta^\alpha,\quad \Gamma_{\beta\gamma}^\alpha=\lambda_{\beta\gamma}^\alpha, \tag{99,9}$$

les $\lambda_{\beta\gamma}^\alpha$ étant les Christoffels à trois dimensions déduits de $\gamma_{\alpha\beta}$. Le calcul fait en vertu de (92,10) conduit aux expressions suivantes pour les composantes de R_{ik}:

$$R_{00}=-\frac{1}{2}\frac{\partial}{\partial t}\varkappa_\alpha^\alpha-\frac{1}{4}\varkappa_\alpha^\beta\varkappa_\beta^\alpha,\quad R_{0\alpha}=\frac{1}{2}(\varkappa_{\alpha;\,\beta}^\beta-\varkappa_{\beta;\,\alpha}^\beta),$$

$$R_{\alpha\beta}=P_{\alpha\beta}+\frac{1}{2}\frac{\partial}{\partial t}\varkappa_{\alpha\beta}+\frac{1}{4}(\varkappa_{\alpha\beta}\varkappa_\gamma^\gamma-2\varkappa_\alpha^\gamma\varkappa_{\beta\gamma}). \tag{99,10}$$

$P_{\alpha\beta}$ est ici le tenseur de Ricci tridimensionnel construit à partir de $\gamma_{\alpha\beta}$ tout comme R_{ik} se construit à partir des g_{ik}; l'élévation de ses indices est aussi faite ci-dessous au moyen de la métrique tridimensionnelle $\gamma_{\alpha\beta}$.

Ecrivons les équations d'Einstein en composantes mixtes:

$$R_0^0=-\frac{1}{2}\frac{\partial}{\partial t}\varkappa_\alpha^\alpha-\frac{1}{4}\varkappa_\alpha^\beta\varkappa_\beta^\alpha=8\pi k\left(T_0^0-\frac{1}{2}T\right), \tag{99,11}$$

$$R_\alpha^0=\frac{1}{2}(\varkappa_{\alpha;\,\beta}^\beta-\varkappa_{\beta;\,\alpha}^\beta)=8\pi kT_\alpha^0, \tag{99,12}$$

$$R_\alpha^\beta=-P_\alpha^\beta-\frac{1}{2\sqrt{\gamma}}\frac{\partial}{\partial t}(\sqrt{\gamma}\,\varkappa_\alpha^\beta)=8\pi k\left(T_\alpha^\beta-\frac{1}{2}\delta_\alpha^\beta T\right). \tag{99,13}$$

Une propriété caractéristique des référentiels synchrones est qu'ils ne sont pas stationnaires: dans un référentiel synchrone le

[1] Mais ceci ne concerne pas, certes, la manipulation des indices des composantes spatiales des 4-tenseurs R_{ik}, T_{ik} (comparer note p. 332). Ainsi, T_α^β aura, comme auparavant, pour expression $g^{\beta\gamma}T_{\gamma\alpha}+g^{0\beta}T_{0\alpha}$, laquelle se ramène dans le cas donné à $g^{\beta\gamma}T_{\gamma\alpha}$ et diffère par le signe de $\gamma^{\beta\gamma}T_{\gamma\alpha}$.

champ gravitationnel ne saurait être constant. En effet, on aurait dans un champ constant $\varkappa_{\alpha\beta} = 0$. Or, en présence de matière l'annulation de tous les $\varkappa_{\alpha\beta}$ contredirait de toute façon l'équation (99,11) (dont le second membre n'est pas nul). Si l'espace était vide, on déduirait de (99,13) que tous les $P_{\alpha\beta}$, et donc toutes les composantes du tenseur de courbure tridimensionnel $P_{\alpha\beta\gamma\delta}$, s'annulent, c'est-à-dire qu'il n'y a pas de champ (dans un référentiel synchrone, lorsque la métrique spatiale est euclidienne, l'espace-temps est plan).

Dans le même temps, la matière emplissant l'espace ne peut, en général, être au repos par rapport au référentiel synchrone, car les particules de la matière, où s'exercent des forces de pression, ne décrivent pas, en général, des géodésiques d'univers; or, la ligne d'univers d'une particule en repos est une ligne de temps, qui est une géodésique dans un référentiel synchrone. Fait exception le cas de la matière « incohérente » ($p = 0$). N'interagissant pas, ses particules décrivent des géodésiques d'univers; si bien que dans ce cas la condition de synchronisme du référentiel ne contredit pas la condition de son « comouvement » avec la matière [1]. Pour les autres équations d'état une situation analogue ne peut se présenter que dans des cas particuliers, lorsque le gradient de pression est nul dans toutes les directions ou dans certaines directions.

On peut montrer à partir de l'équation (99,11) que le déterminant $-g = \gamma$ du tenseur métrique dans le référentiel synchrone s'annule forcément au bout d'un temps fini.

Notons pour cela que l'expression au second membre de cette équation est positive quelle que soit la distribution de matière. En effet, dans le référentiel synchrone on a pour le tenseur d'énergie-impulsion (94,9):

$$T_0^0 - \frac{1}{2} T = \frac{1}{2} (\varepsilon + 3p) + \frac{(p+\varepsilon) v^2}{1-v^2}$$

[les composantes de la 4-vitesse sont prises dans (88,14)]; il est évident que cette quantité est positive. La même chose vaut pour le tenseur d'énergie-impulsion du champ électromagnétique ($T = 0$,

[1] Mais même dans ce cas le choix d'un « référentiel en comouvement synchrone » n'est possible que si la matière se meut « sans tourner ». Dans le système en comouvement les composantes contravariantes de la 4-vitesse s'écrivent $u^0 = 1$, $u^\alpha = 0$. Si le référentiel est, par ailleurs, synchrone, on a aussi pour les composantes covariantes $u_0 = 1$, $u_\alpha = 0$, de sorte que son 4-rotationnel

$$u_{i;\,k} - u_{k;\,i} \equiv \frac{\partial u_i}{\partial x^k} - \frac{\partial u_k}{\partial x^i} = 0.$$

Mais cette égalité tensorielle devra alors être vraie dans n'importe quel autre référentiel. Ainsi, dans un référentiel synchrone mais non en comouvement on en déduit la condition rot $\mathbf{v} = 0$ pour la vitesse tridimensionnelle $\mathbf{v}$.

T_0^0 est la densité d'énergie positive du champ). Ainsi donc, on déduit de (99,11):

$$-R_0^0 = \frac{1}{2}\frac{\partial}{\partial t}\varkappa_\alpha^\alpha + \frac{1}{4}\varkappa_\alpha^\beta\varkappa_\beta^\alpha \leqslant 0 \qquad (99,14)$$

(l'égalité a lieu dans le vide).

En vertu de l'inégalité algébrique[1]:

$$\varkappa_\beta^\alpha\varkappa_\alpha^\beta \geqslant \frac{1}{3}(\varkappa_\alpha^\alpha)^2$$

on peut recopier (99,14) sous la forme:

$$\frac{\partial}{\partial t}\varkappa_\alpha^\alpha + \frac{1}{6}(\varkappa_\alpha^\alpha)^2 \leqslant 0$$

ou

$$\frac{\partial}{\partial t}\frac{1}{\varkappa_\alpha^\alpha} \geqslant \frac{1}{6}. \qquad (99,15)$$

Soit, par exemple, $\varkappa_\alpha^\alpha > 0$ à un certain instant. Alors, lorsque t décroît, $1/\varkappa_\alpha^\alpha$ décroît ayant toujours une dérivée finie (non nulle), si bien qu'il doit s'annuler (du côté positif) au bout d'un temps fini. En d'autres termes, $\varkappa_\alpha^\alpha$ devient $+\infty$, et comme $\varkappa_\alpha^\alpha = \partial \ln \gamma/\partial t$, cela signifie que le déterminant γ s'annule [ceci, en vertu de (99,15), pas plus vite que t^6]. Si l'on avait à l'instant initial $\varkappa_\alpha^\alpha < 0$, on obtiendrait le même résultat pour les t croissants.

Toutefois, ce résultat ne prouve nullement l'existence inévitable d'une vraie singularité, physique, dans la métrique. Seule sera singularité physique une singularité propre à l'espace-temps en tant que tel et non liée au caractère du référentiel choisi (une telle singularité doit être caractérisée par le fait que les quantités scalaires: densité de la matière, invariants du tenseur de courbure, deviennent infinies). Pour ce qui est de la singularité dans le référentiel synchrone, dont nous avons montré qu'elle est inévitable, elle est en réalité, dans le cas général, fictive et elle s'évanouit quand on passe dans un autre référentiel (non synchrone). Des considérations géométriques simples montrent quelle est son origine.

Nous avons vu plus haut que la construction du système synchrone se ramène à la construction d'une famille de géodésiques orthogonales à une hypersurface du genre espace quelconque. Or, les géodésiques d'une famille arbitraire se coupent en général sur certaines hypersurfaces enveloppes, lesquelles sont des analogues quadridimensionnels des caustiques de l'optique géométrique. C'est cette intersection des lignes de coordonnées qui donne la singularité

[1] Il est facile de la vérifier en réduisant le tenseur $\varkappa_\alpha^\beta$ (à tout instant donné) à la forme diagonale.

dans la métrique du système de coordonnées envisagé. Ainsi donc, c'est une cause géométrique qui donne naissance à la singularité, qui est liée aux propriétés spécifiques du référentiel synchrone et qui n'a donc pas de caractère physique. Une métrique arbitraire du 4-espace admet aussi, en général, l'existence de familles de géodésiques du genre temps qui ne se coupent pas. L'annulation certaine du déterminant γ dans le référentiel synchrone signifie que les propriétés de courbure (exprimées par l'inégalité $R_0^0 \geqslant 0$) de l'espace-temps réel (non plan), propriétés permises par les équations du champ, rendent impossible l'existence de telles familles, si bien que les lignes du temps se coupent forcément entre elles dans tout référentiel synchrone [1].

Nous avons déjà dit plus haut que pour la matière incohérente ($p = 0$) le référentiel synchrone peut être simultanément un référentiel en comouvement. Dans ce cas la densité de la matière devient infinie sur la caustique — tout simplement en tant que résultat d'intersection de trajectoires d'univers de particules, confondues avec les lignes du temps. Toutefois, il est clair que cette singularité de la densité se lève dès qu'on introduit une pression de la matière tant soit peu petite, mais non nulle, et, en ce sens, cette singularité est, elle aussi, dénuée de caractère physique.

Problèmes

1. Trouver la forme du développement des équations du champ de gravitation dans le vide au voisinage d'un point non singulier, régulier par rapport au temps.

---

[1] Pour la construction analytique de la métrique au voisinage de la singularité fictive dans le référentiel synchrone, voir *E. Lifchitz*, *V. Sudakov*, *I. Khalatnikov*, J. Phys. Expér. Théor. (JETF), **40**, 1847, 1961 (en russe); Soviet Phys. (JETP), **13**, 1298, 1962 (en anglais).

Le caractère général de cette métrique est clair par des considérations géométriques. Comme l'hypersurface caustique contient certainement des intervalles du genre temps (les éléments de longueur des géodésiques du temps à leurs points de tangence avec la caustique), elle n'est pas du genre espace. Ensuite, sur la caustique s'annule l'une des valeurs principales du tenseur métrique $\gamma_{\alpha\beta}$ en raison de l'annulation de la distance (δ) entre deux géodésiques voisines, lesquelles se coupent en leur point de tangence avec la caustique. δ s'annule proportionnellement à la première puissance de la distance (l) au point d'intersection. Ceci étant, la valeur principale du tenseur métrique, et avec elle le déterminant γ, s'annule comme l^2.

Le référentiel synchrone peut aussi bien être construit de sorte que les lignes du temps se coupent sur une variété de points à un nombre de dimensions inférieur à celui d'une hypersurface: sur une surface à deux dimensions, qu'on appelle surface focale de la famille correspondante de géodésiques. Pour la construction analytique d'une telle métrique, cf. *V. Bélinski*, *I. Khalatnikov*, J. Phys. Expér. Théor. (JETF), **49**, 1000, 1965 (en russe).

S o l u t i o n. Convenant de choisir le point temporel envisagé pour origine des temps, nous chercherons $\gamma_{\alpha\beta}$ sous la forme:

$$\gamma_{\alpha\beta}=a_{\alpha\beta}+tb_{\alpha\beta}+t^2c_{\alpha\beta}+\ldots, \tag{1}$$

$a_{\alpha\beta}$, $b_{\alpha\beta}$, $c_{\alpha\beta}$ étant des fonctions des coordonnées spatiales. A cette même approximation, le tenseur inverse s'écrit:

$$\gamma^{\alpha\beta}=a^{\alpha\beta}-tb^{\alpha\beta}+t^2(b^{\alpha\gamma}b_\gamma^\beta-c^{\alpha\beta}),$$

$a^{\alpha\beta}$ étant l'inverse de $a_{\alpha\beta}$, et l'élévation des indices des autres tenseurs se faisant au moyen de $a^{\alpha\beta}$. On a ensuite:

$$\varkappa_{\alpha\beta}=b_{\alpha\beta}+2tc_{\alpha\beta},\ \varkappa_\alpha^\beta=b_\alpha^\beta+t\,(2c_\alpha^\beta-b_{\alpha\gamma}b^{\beta\gamma}).$$

Les équations d'Einstein (99,11-13) conduisent aux relations suivantes:

$$R_0^0=-c+\frac{1}{4}b_\alpha^\beta b_\beta^\alpha=0, \tag{2}$$

$$R_\alpha^0=\frac{1}{2}(b_{\alpha;\,\beta}^\beta-b_{;\,\alpha})+t\left[-c_{;\,\alpha}+\frac{3}{8}(b_\beta^\gamma b_\gamma^\beta)_{;\,\alpha}+c_{\alpha;\,\beta}^\beta+\right.$$
$$\left.+\frac{1}{4}b_\alpha^\beta b_{;\,\beta}-\frac{1}{2}(b_\alpha^\gamma b_\gamma^\beta)_{;\,\beta}\right]=0, \tag{3}$$

$$R_\alpha^\beta=-P_\alpha^\beta-\frac{1}{4}b_\alpha^\beta b+\frac{1}{2}b_\alpha^\gamma b_\gamma^\beta-c_\alpha^\beta=0 \tag{4}$$

($b\equiv b_\alpha^\alpha$, $c\equiv c_\alpha^\alpha$). La dérivation covariante est faite ici dans l'espace à trois dimensions de métrique $a_{\alpha\beta}$; par cette même métrique est défini le tenseur $P_{\alpha\beta}$.

Les coefficients $c_{\alpha\beta}$ sont complètement déterminés à partir de (4) d'après $a_{\alpha\beta}$ et $b_{\alpha\beta}$. Après quoi (2) donne la relation

$$P+\frac{1}{4}b^2-\frac{1}{4}b_\alpha^\beta b_\beta^\alpha=0. \tag{5}$$

Les termes d'ordre zéro dans (3) donnent:

$$b_{\alpha;\,\beta}^\beta=b_{;\,\alpha}. \tag{6}$$

En ce qui concerne les termes $\sim t$ dans cette équation, lorsqu'on utilise (5) et (6) [et l'identité $P_{\alpha;\,\beta}^\beta=\frac{1}{2}P_{;\,\alpha}$; comparer (92,13)], ils s'annulent identiquement.

Ainsi, les douze quantités $a_{\alpha\beta}$, $b_{\alpha\beta}$ sont liées entre elles par la relation (5) et les trois relations (6), de sorte qu'il reste huit fonctions arbitraires des trois coordonnées spatiales. Trois de ces fonctions sont dues à la possibilité de soumettre les trois coordonnées spatiales à des transformations arbitraires, et une autre à l'arbitraire dans le choix de l'hypersurface initiale lors de la construction du référentiel synchrone. Il reste, comme il se doit (cf. fin § 95), quatre fonctions arbitraires « physiquement différentes ».

2. Calculer les composantes du tenseur de courbure R_{iklm} dans un référentiel synchrone.

S o l u t i o n. A l'aide des Christoffels (99,9), on obtient d'après la formule (92,4):

$$R_{\alpha\beta\gamma\delta}=-P_{\alpha\beta\gamma\delta}+\frac{1}{4}(\varkappa_{\alpha\delta}\varkappa_{\beta\gamma}-\varkappa_{\alpha\gamma}\varkappa_{\beta\delta}),$$

$$R_{0\alpha\beta\gamma}=\frac{1}{2}(\varkappa_{\alpha\gamma;\,\beta}-\varkappa_{\alpha\beta;\,\gamma}),$$

$$R_{0\alpha0\beta}=\frac{1}{2}\frac{\partial}{\partial t}\varkappa_{\alpha\beta}-\frac{1}{4}\varkappa_{\alpha\gamma}\varkappa_\beta^\gamma,$$

$P_{\alpha\beta\gamma\delta}$ étant le tenseur de courbure tridimensionnel correspondant à la métrique spatiale tridimensionnelle $\gamma_{\alpha\beta}$.

3. Trouver la forme générale de la transformation infinitésimale n'affectant pas le synchronisme du référentiel.

S o l u t i o n. La transformation a la forme:

$$t \to t + \varphi(x^1, x^2, x^3), \quad x^\alpha \to x^\alpha + \xi^\alpha(x^1, x^2, x^3, t),$$

où φ, ξ^α sont des quantités petites. L'observation de la condition $g_{00} = 1$ est assurée par le fait que φ est indépendante de t, et l'observation de la condition $g_{0\alpha} = 0$ exige que soient vérifiées les équations

$$\gamma_{\alpha\beta}\frac{\partial \xi^\beta}{\partial t} = \frac{\partial \varphi}{\partial x^\alpha},$$

d'où

$$\xi^\alpha = \frac{\partial \varphi}{\partial x^\beta}\int \gamma^{\alpha\beta}\, dt + f^\alpha(x^1, x^2, x^3), \tag{1}$$

les f^α étant de nouveau des quantités petites (constituant un vecteur tridimensionnel **f**). Alors, le tenseur métrique spatial $\gamma_{\alpha\beta}$ est remplacé par

$$\gamma_{\alpha\beta} \to \gamma_{\alpha\beta} + \xi_{\alpha;\,\beta} + \xi_{\beta;\,\alpha} - \varphi\varkappa_{\alpha\beta} \tag{2}$$

[ce dont on s'assure aisément à l'aide de la formule (94,3)].

La transformation contient, comme il se doit, quatre fonctions arbitraires (petites) des coordonnées spatiales φ, f^α.

§ 100. Collapse gravitationnel

Dans la métrique schwarzschildienne (97,14) g_{00} s'annule et g_{11} devient infinie pour $r = r_g$ (sur la « sphère schwarzschildienne »). On serait tenté de croire à la présence d'une singularité dans la métrique spatio-temporelle et de conclure ensuite l'impossibilité de l'existence de corps de « rayon » (pour une masse donnée) inférieur au rayon gravitationnel. Mais, en réalité, de telles conclusions seraient erronées. C'est ce que montre déjà le fait que le déterminant $g = -r^4 \sin^2\theta$ ne présente pas de singularité pour $r = r_g$, de sorte que la condition $g < 0$ (82,3) n'est pas violée. Nous verrons qu'en fait nous n'avons affaire qu'à l'impossibilité de réaliser pour $r < r_g$ le référentiel correspondant.

Pour expliciter le vrai caractère de la métrique spatio-temporelle dans ce domaine [1], faisons une transformation des coordonnées de la forme:

$$c\tau = \pm ct \pm \int \frac{f(r)\,dr}{1-\frac{r_g}{r}}, \quad R = ct + \int \frac{dr}{\left(1-\frac{r_g}{r}\right) f(r)}. \tag{100,1}$$

[1] Ceci a été fait pour la première fois par *D. Finkelstein* (1958) à l'aide d'une autre transformation. La métrique concrète (100,3) a été trouvée en d'autres circonstances par *G. Lemaître* (1938), et en relation avec la question posée, par *Y. Rylov* (1961).

Alors

$$ds^2 = \frac{1-\frac{r_g}{r}}{1-f^2}(d\tau^2 - f^2\,dR^2) - r^2(d\theta^2 + \sin^2\theta\,d\varphi^2).$$

On lève la singularité pour $r = r_g$ en choisissant $f(r)$ de façon à avoir $f(r_g) = 1$. Si l'on pose $f(r) = \sqrt{r_g/r}$, le nouveau système de coordonnées sera en même temps synchrone ($g_{\tau\tau} = 1$). Choisissant d'abord, pour fixer les idées, les signes supérieurs dans (100,1), on aura :

$$R - c\tau = \int \frac{(1-f^2)\,dr}{\left(1-\frac{r_g}{r}\right)f} = \int \sqrt{\frac{r}{r_g}}\,dr = \frac{2}{3}\frac{r^{3/2}}{r_g^{1/2}},$$

ou

$$r = \left[\frac{3}{2}(R - c\tau)\right]^{2/3} r_g^{1/3} \tag{100,2}$$

(la constante d'intégration dépendant de l'origine des temps τ est prise égale à zéro). L'élément d'intervalle est

$$ds^2 = c^2\,d\tau^2 - \frac{dR^2}{\left[\frac{3}{2r_g}(R-c\tau)\right]^{2/3}} - \left[\frac{3}{2}(R-c\tau)\right]^{4/3} r_g^{2/3}(d\theta^2 + \sin^2\theta\,d\varphi^2). \tag{100,3}$$

Dans ces coordonnées la singularité sur la sphère schwarzschildienne [à laquelle correspond ici l'égalité $\frac{3}{2}(R - c\tau) = r_g$] n'existe pas. La coordonnée R est partout spatiale et τ, temporelle. La métrique (100,3) n'est pas stationnaire. Ainsi que dans tout référentiel synchrone, les lignes du temps sont des géodésiques dans ce système de coordonnées. En d'autres termes, les particules « d'épreuve » au repos dans ce référentiel sont des particules en mouvement libre dans un champ donné.

A des valeurs données de r correspondent des lignes d'univers $R - c\tau = \text{const}$ (des obliques sur le diagramme de la fig. 20). Pour ce qui est des lignes d'univers des particules au repos par rapport au référentiel, elles sont représentées sur ce diagramme par des verticales; décrivant ces verticales, au bout d'un intervalle fini de temps propre, les particules « tombent » sur le centre du champ ($r = 0$), lequel centre est un point de singularité réelle de la métrique.

Considérons la propagation de signaux lumineux radiaux. L'équation $ds^2 = 0$ (pour $\theta, \varphi = \text{const}$) donne pour la dérivée $d\tau/dR$:

$$c\frac{d\tau}{dR} = \pm\frac{1}{\left[\frac{3}{2r_g}(R-c\tau)\right]^{1/3}} = \pm\sqrt{\frac{r_g}{r}}, \tag{100,4}$$

les deux signes répondent aux deux frontières du cône de « lumière » de sommet au point d'univers donné. Pour $r > r_g$ (le point a sur la fig. 20) la pente de ces frontières $|c d\tau/dR| < 1$, de sorte que la droite $r =$ const (le long de laquelle $c d\tau/dR = 1$) passe dans le cône. Par contre dans le domaine $r < r_g$ (le point a'), on a $|c d\tau/dR| > 1$, de sorte que la droite $r =$ const — ligne d'univers de la particule immobile (par rapport au centre du champ) — passe en dehors du cône. Les deux frontières du cône coupent à distance finie la ligne $r = 0$ qu'elles approchent verticalement. Etant donné que des événements liés de cause à effet ne peuvent être situés sur une ligne d'univers en dehors du cône de lumière, il en résulte que dans le domaine $r < r_g$ nulle particule ne saurait être immobile. Tous signaux et interactions, quels qu'ils soient, se propagent ici en direction du centre, qu'ils atteignent au bout d'un temps fini τ.

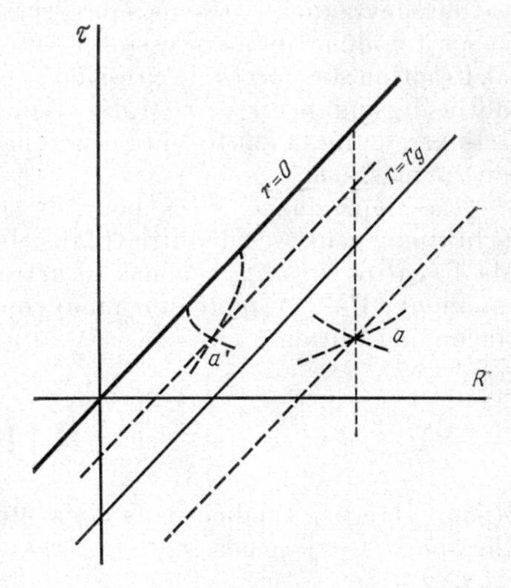

Fig. 20

De même, prenant dans la transformation (100,1) les signes inférieurs, nous aurions un référentiel en « dilatation » dont la métrique diffère de (100,3) par l'inversion du signe de τ. Elle répond à un espace-temps où (dans le domaine $r < r_g$) le repos est, comme auparavant, impossible, mais tous les signaux fuient le centre.

Les résultats exposés peuvent s'appliquer à la question du comportement des corps massifs en Relativité générale [1].

L'étude des conditions relativistes d'équilibre d'un corps sphérique montre que pour un corps de masse suffisamment grande l'état d'équilibre statique peut ne pas exister (cf. V § 111). Il est *a priori* évident qu'un tel corps doit indéfiniment se comprimer (c'est ce qu'on appelle *collapse de gravitation*) [2].

Dans le référentiel galiléen à l'infini [métrique (97,14)], non lié au corps, le rayon du corps central ne peut être inférieur à r_g.

[1] Mettons en garde contre l'application aux particules élémentaires: la théorie tout entière exposée dans ce livre cesse de s'appliquer déjà pour des dimensions $\sim \hbar/mc$, lesquelles dépassent un grand nombre ($\sim 10^{40}$) de fois km/c^2.

[2] Les principales propriétés de ce phénonène ont été explicitées pour la première fois par *Oppenheimer* et *Snyder* (1939).

C'est dire qu'à l'horloge t d'un observateur éloigné le rayon du corps qui se comprime ne peut tendre vers le rayon gravitationnel qu'asymptotiquement pour $t \to \infty$. Il est facile de trouver la loi limite de cette approximation.

Une particule à la surface du corps qui se comprime se trouve tout le temps dans le champ de gravitation d'une masse constante m (de la masse totale du corps). Lorsque $r \to r_g$, les forces de gravitation deviennent très grandes; pour ce qui est de la densité du corps (et donc de la pression), elle reste finie. Ceci étant, faisant abstraction des forces de pression, nous ramènerons la détermination de la dépendance $r = r(t)$ du rayon du corps par rapport au temps à l'examen de la chute libre d'une particule d'épreuve dans le champ de la masse m.

La dépendance $r(t)$ pour la chute dans le champ schwarzschildien peut se déduire (dans la méthode d'Hamilton-Jacobi) de l'égalité $\partial S/\partial \mathscr{E}_0 = \text{const}$, d'action S définie par (98,3-4), et le moment $M = 0$ pour un mouvement purement radial. De cette façon, on obtient:

$$ct = \frac{\mathscr{E}}{mc^2} \int \frac{dr}{\left(1 - \frac{r_g}{r}\right) \sqrt{\left(\frac{\mathscr{E}}{mc^2}\right)^2 - 1 + \frac{r_g}{r}}} \tag{100,5}$$

(pour abréger, l'indice dans $\mathscr{E}_0$ a été omis). Cette intégrale diverge lorsque $r \to r_g$ comme $r_g \ln(r - r_g)$. D'où la loi asymptotique:

$$r - r_g = \text{const}\, e^{-\frac{ct}{r_g}}. \tag{100,6}$$

Bien que la vitesse de la compression observée de l'extérieur s'annule asymptotiquement, la vitesse v des particules qui tombent, mesurée dans leur temps propre, croît par contre et tend vers la vitesse de la lumière. En effet, en vertu de la définition (88,10):

$$v^2 = v_\alpha v^\alpha = \frac{g_{11}}{g_{00}} \left(\frac{dr}{dt}\right)^2.$$

Prenant g_{11} et g_{00} dans (97,14) et dr/dt dans (100,5), on trouve que $v^2 \to c^2$.

L'approche du rayon gravitationnel, qui exige un temps infini à l'horloge d'un observateur extérieur, ne demande qu'un intervalle fini de temps propre (temps dans le référentiel en comouvement avec le corps). Ceci résulte clairement de l'analyse générale faite plus haut, mais on peut s'en assurer aussi bien directement en calculant le temps propre τ en tant qu'intégrale invariante $\frac{1}{c}\int ds$. Faisant le calcul dans le référentiel schwarzschildien et prenant pour la particule tombante dr/dt dans (100,5), il vient:

$$c\tau=\int\sqrt{\left(\frac{dt}{dr}\right)^2\left(1-\frac{r_g}{r}\right)-\frac{1}{1-\frac{r_g}{r}}}\,dr=\int\frac{dr}{\sqrt{\frac{r_g}{r}+1+\left(\frac{\mathscr{E}}{mc^2}\right)^2}}.$$

Cette intégrale converge lorsque $r\to r_g$.

Ayant atteint (dans son temps propre) le rayon gravitationnel, le corps continue de se comprimer, et toutes ses particules atteignent le centre au bout d'un temps propre fini. Toutefois, ce processus n'est pas observable à partir d'un référentiel extérieur; nous avons vu qu'aucun signal ne peut sortir (dans le référentiel « en compression ») de la sphère schwarzschildienne.

Par rapport à un observateur extérieur la compression vers le rayon gravitationnel est accompagnée de l'« autofermeture » du corps. Le temps de propagation des signaux envoyés du corps tend vers l'infini: pour un signal lumineux $c\,dt = dr/(1-r_g/r)$ et l'intégrale

$$c\tau=\int\frac{dr}{1-r_g/r}$$

[de même que l'intégrale (100,5)] diverge lorsque $r\to r_g$. Les intervalles de temps propre à la surface du corps sont contractés par rapport aux intervalles de temps t d'un observateur éloigné dans le rapport $1-r_g/r$; par conséquent, lorsque $r\to r_g$, tous les processus se déroulant sur le corps « se figent » par rapport à un observateur extérieur. Un tel corps « figé » n'interagit avec les corps environnants que par son champ gravitationnel statique.

La question du collapse gravitationnel des corps non sphériques est encore loin d'être explicitée à ce jour. On peut vraisemblablement affirmer qu'aux faibles écarts à la sphéricité le collapse conduit (par rapport au référentiel d'un observateur extérieur) au même état de corps « figé », et dans un référentiel en comouvement, au passage sous la sphère schwarzschildienne; mais le destin ultérieur du corps dans le référentiel en comouvement n'est pas clair [1].

En conclusion, faisons encore une remarque de caractère méthodologique. Nous avons vu que dans un champ central dans le vide le « référentiel de l'observateur extérieur » inertiel à l'infini n'est pas complet: il n'y a pas de place pour les lignes d'univers des particules en mouvement dans la sphère schwarzschildienne. Pour ce qui est de la métrique (100,3), elle s'applique aussi bien dans la sphère schwarzschildienne, mais ce référentiel lui aussi n'est pas complet en un certain sens. En effet, considérons dans ce référentiel une particule fuyant radialement le centre. Lorsque $\tau\to\infty$, sa ligne

[1] Cf. *A. Dorochkévitch*, *J. Zeldovitch*, *I. Novikov*, J. Phys. Expér. Théor. (JETF), **49**, 170, 1965 (en russe).

d'univers s'en va à l'infini, et lorsque $\tau \to -\infty$, elle doit tendre asymptotiquement vers $r = r_g$, puisque dans la métrique donnée le mouvement dans la sphère schwarzschildienne ne peut s'effectuer que vers le centre. Par ailleurs, le mouvement de la particule de $r = r_g$ à n'importe quel point donné $r > r_g$ se fait au cours d'un temps propre fini. Si bien que, dans son temps propre, la particule doit s'approcher de la sphère schwarzschildienne de l'intérieur avant de commencer son mouvement à l'extérieur de ladite sphère; mais cette phase de l'évolution de la particule échappe au référentiel donné [1].

Soulignons, toutefois, que cette lacune n'apparaît que si l'on considère formellement que la métrique est celle d'un champ créé par une masse ponctuelle. Dans un problème physique réel, disons celui du collapse d'un corps étendu, il n'y pas de lacune: la solution qui s'obtient en raccordant la métrique (100,3) avec la solution dans la matière sera, bien entendu, complète et décrira l'évolution tout entière de tous les mouvements possibles des particules (les lignes d'univers des particules se mouvant dans le domaine $r > r_g$ s'éloignant du centre commencent alors forcément à la surface de la boule avant sa compression sous la sphère schwarzschildienne).

Problèmes

1. Trouver l'intervalle des distances auxquelles est possible le mouvement d'une particule sur des orbites circulaires dans le champ d'un corps sphérique comprimé jusqu'à son rayon gravitationnel (*S. Kaplan*, 1949).

S o l u t i o n. La dépendance $r = r(t)$ pour une particule en mouvement dans le champ schwarzschildien avec un moment non nul M s'obtient de la même façon que (100,5); sous forme différentielle:

$$\frac{1}{1-\frac{r_g}{r}}\frac{dr}{c\,dt} = \frac{mc^2}{\mathscr{E}}\sqrt{\left(\frac{\mathscr{E}}{mc^2}\right)^2 - 1 + \frac{r_g}{r} - \frac{M^2}{m^2c^2r^2} + \frac{M^2 r_g}{m^2c^2r^3}} \qquad (1)$$

(m est la masse de la particule, r_g le rayon gravitationnel du corps central). Annulant l'expression sous le radical dans (1), on obtient une fonction $\mathscr{E}(r)$ jouant ici le rôle de la courbure potentielle de la théorie non relativiste; ces courbes sont représentées sur la fig. 21 pour diverses valeurs de M.

Les rayons des orbites circulaires et les énergies correspondantes de la particule sont déterminés par les extrema des courbes, les minima répondant aux orbites stables, et les maxima, aux orbites instables. Pour $M > \sqrt{3}\, mcr_g$ chaque courbe présente un minimum et un maximum. Lorsque M croît de $\sqrt{3}\, mcr_g$ à l'infini, les coordonnées des minima croissent de $3r_g$ à l'infini (et les énergies correspondantes de $\sqrt{8/9}\, mc^2$ à mc^2); les coordonnées des maxima décroissent de $3r_g$ à $3r_g/2$ (et les énergies correspondantes croissent de $\sqrt{8/9}\, mc^2$ à l'infini). Pour $r < 3r_g/2$ les orbites circulaires n'existent pas.

---

[1] La construction d'un référentiel exempt de cette lacune fait l'objet du problème 5 à la fin de ce paragraphe.

2. Trouver pour le mouvement dans le même champ la section de la capture gravitationnelle de particules tombant à l'infini a) non relativistes, b) ultrarelativistes (*J. Zeldovitch* et *I. Novikov*, 1964).

S o l u t i o n. a) Pour la vitesse non relativiste (à l'infini) v_∞ l'énergie de la particule est $\mathscr{E} \approx mc^2$. La fig. 21 montre que la droite $\mathscr{E} = mc^2$ est située au-dessus de toutes les courbes potentielles dont les moments $M < 2mcr_g$, c'est-à-dire dont les paramètres d'impact $\rho < 2cr_g/v_\infty$. Toutes les particules

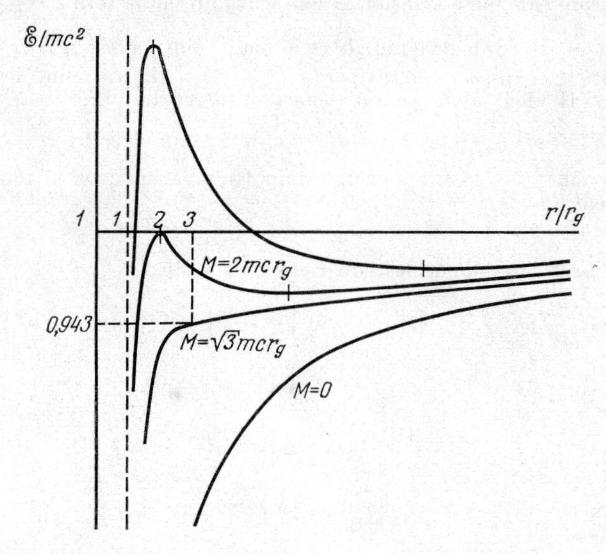

Fig. 21

ayant de tels ρ sont gravitationnellement capturées : elles atteignent (asymptotiquement, pour $t \to \infty$) la sphère schwarzschildienne sans repartir à l'infini. La section de capture est

$$\sigma = 4\pi r_g^2 \left(\frac{c}{v_\infty}\right)^2.$$

b) Dans l'équation (1) du problème 1 le passage à une particule ultrarelativiste (ou à un rayon lumineux) est réalisé par la substitution $m \to 0$. Introduisant de même le paramètre d'impact $\rho = cM/\mathscr{E}$, il vient :

$$\frac{1}{1-\frac{r_g}{r}} \frac{dr}{dt} = \sqrt{1-\frac{\rho^2}{r^2}+\frac{\rho^2 r_g}{r^3}}.$$

Annulant l'expression sous le radical, on obtient la distance minimum au centre, $r_{\min}$, à laquelle passe l'orbite. La plus petite valeur de $r_{\min}$ (qui vaut $r_{\min} = 3r_g/2$) est atteinte pour $\rho = 3\sqrt{3}\, r_g/2$; pour des ρ moindres la particule tombe sur la sphère schwarzschildienne. D'où la section de capture

$$\sigma = \frac{27}{4} \pi r_g^2.$$

3. Déduire les équations d'un champ gravitationnel central symétrique dans la matière dans le référentiel en comouvement.

S o l u t i o n. Nous nous servirons de deux transformations possibles des coordonnées r, t dans l'élément d'intervalle (97,1) pour, primo, annuler en chaque point le coefficient $a\,(r, t)$ de $drdt$ et, secundo, annuler en chaque point la vitesse radiale de la matière (les autres composantes de la vitesse sont inexistantes en vertu de la symétrie centrale). Après quoi, les coordonnées r et t peuvent encore subir une transformation arbitraire de la forme $r = r\,(r')$, $t = t\,(t')$.

Désignons la coordonnée radiale et le temps ainsi choisis par R et τ, et les coefficients h, k, l respectivement par $-e^{\lambda}$, $-e^{\mu}$, e^{ν} (λ, μ, ν sont des fonctions de R et τ). Il vient alors pour l'élément d'intervalle:

$$ds^2 = c^2 e^{\nu}\, d\tau^2 - e^{\lambda}\, dR^2 - e^{\mu}\,(d\theta^2 + \sin^2\theta\, d\varphi^2). \tag{1}$$

Les composantes du tenseur d'énergie-impulsion valent dans le référentiel en comouvement :

$$T_0^0 = \varepsilon, \quad T_1^1 = T_2^2 = T_3^3 = -p.$$

Un calcul assez long donne les équations du champ:

$$-\frac{8\pi k}{c^4} T_1^1 = \frac{8\pi k}{c^4} p = \frac{1}{2} e^{-\lambda}\left(\frac{\mu'^2}{2} + \mu'\nu'\right) - e^{-\nu}\left(\ddot{\mu} - \frac{1}{2}\dot{\mu}\dot{\nu} + \frac{3}{4}\dot{\mu}^2\right) - e^{-\mu}, \tag{2}$$

$$-\frac{8\pi k}{c^4} T_2^2 = \frac{8\pi k}{c^4} p = \frac{1}{4} e^{-\lambda}(2\nu'' + \nu'^2 + 2\mu'' + \mu'^2 - \mu'\lambda' - \nu'\lambda' + \mu'\nu') +$$

$$+ \frac{1}{4} e^{-\nu}(\dot{\lambda}\dot{\nu} + \dot{\mu}\dot{\nu} - \dot{\lambda}\dot{\mu} - 2\ddot{\lambda} - \dot{\lambda}^2 - 2\ddot{\mu} - \dot{\mu}^2), \tag{3}$$

$$\frac{8\pi k}{c^4} T_0^0 = \frac{8\pi k}{c^4} \varepsilon = -e^{-\lambda}\left(\mu'' + \frac{3}{4}\mu'^2 - \frac{\mu'\lambda'}{2}\right) + \frac{1}{2} e^{-\nu}\left(\dot{\lambda}\dot{\mu} + \frac{\dot{\mu}^2}{2}\right) + e^{-\mu}, \tag{4}$$

$$\frac{8\pi k}{c^4} T_0^1 = 0 = \frac{1}{2} e^{-\lambda}(2\dot{\mu}' + \dot{\mu}\mu' - \dot{\lambda}\mu' - \nu'\dot{\mu}) \tag{5}$$

(l'accent désigne la dérivation par rapport à R, et le point, par rapport à $c\tau$).

On établit aisément plusieurs relations générales pour λ, μ, ν à partir des équations $T_{i;\,k}^{k} = 0$ contenues dans les équations du champ. Utilisant la formule (86,11), on obtient deux équations suivantes:

$$\dot{\lambda} + 2\dot{\mu} = -\frac{2\dot{\varepsilon}}{p + \varepsilon}, \quad \nu' = -\frac{2p'}{p + \varepsilon}. \tag{6}$$

Si l'on connaît p en fonction de ε, les équations (6) s'intègrent sous la forme :

$$\lambda + 2\mu = -2\int \frac{d\varepsilon}{p + \varepsilon} + f_1(R), \quad \nu = -2\int \frac{dp}{p + \varepsilon} + f_2(\tau), \tag{7}$$

les fonctions $f_1\,(R)$ et $f_2\,(\tau)$ pouvant être arbitrairement choisies en vertu de la possibilité déjà mentionnée de transformations arbitraires de la forme $R = R\,(R')$, $\tau = \tau\,(\tau')$.

4. Trouver la solution générale des équations d'Einstein d'un champ central symétrique en référentiel en comouvement pour la matière incohérente, c'est-à-dire pour $p = 0$ (*R. Tolman*, 1934) [1].

---

[1] On pose $c = 1$ dans les problèmes 4 et 5.

S o l u t i o n. Les équations (6) montrent que, pour $p=0$, on peut poser $\nu=0$, d'où le choix univoque du temps τ (en d'autres termes, le référentiel peut être pris en comouvement et simultanément synchrone, conformément à l'affirmation générale de la page 387). Introduisons au lieu de $\mu(R, \tau)$ la fonction

$$r(R, \tau)=e^{\frac{\mu}{2}},$$

qui représente le « rayon » défini de telle sorte que $2\pi r$ est la longueur de la circonférence (de centre à l'origine des coordonnées) ; alors l'élément d'intervalle

$$ds^2=d\tau^2-e^{\lambda}\,dR^2-r^2(R, \tau)(d\theta^2+\sin^2\theta\, d\varphi^2).$$

L'équation (5) prend la forme $\dot{\lambda} r'=2\dot{r}'$ et s'intègre directement par rapport au temps ; elle donne :

$$e^{\lambda}=\frac{r'^2}{1+f}, \tag{8}$$

$f(R)$ étant une fonction arbitraire soumise à la seule condition $1+f>0$. Substituant cette expression dans (2) [la substitution dans (3) ne donne rien de nouveau], il vient :

$$2r\ddot{r}+\dot{r}^2-f=0.$$

Cette équation a pour intégrale première

$$\dot{r}^2=f(R)+\frac{F(R)}{r}, \tag{9}$$

$F(R)$ étant une nouvelle fonction arbitraire. Intégrant une nouvelle fois, on obtient :

$$\begin{aligned}
&\tau_0(R)-\tau=\frac{1}{f}\sqrt{fr^2+Fr}-\frac{F}{f^{3/2}}\operatorname{Arsh}\sqrt{\frac{fr}{F}} && \text{pour } f>0,\\
&\tau_0(R)-\tau=\frac{1}{f}\sqrt{fr^2+Fr}+\frac{F}{(-f)^{3/2}}\arcsin\sqrt{\frac{-fr}{F}} && \text{pour } f<0,\\
&r=\left(\frac{3}{2}\right)^{2/3}F^{1/3}(\tau_0-\tau)^{2/3} && \text{pour } f=0.
\end{aligned} \tag{10}$$

Dans les deux premiers cas la dépendance $r(R, \tau)$ peut aussi s'écrire sous forme paramétrique :

$$\begin{aligned}
&r=\frac{F}{2f}(\operatorname{ch}\eta-1), \quad \tau_0-\tau=\frac{F}{2f^{3/2}}(\operatorname{sh}\eta-\eta) && \text{pour } f>0\\
&r=\frac{F}{-2f}(1-\cos\eta), \quad \tau_0-\tau=\frac{F}{2(-f)^{3/2}}(\eta-\sin\eta) && \text{pour } f<0,
\end{aligned} \tag{10a}$$

η étant le paramètre. Pour ε on obtient en substituant (8) dans (4) et en éliminant f à l'aide de (9) :

$$8\pi k\varepsilon=\frac{F'}{r'r^2}. \tag{11}$$

Les formules (8-11) déterminent la solution générale cherchée. Notons qu'elle dépend, en fait, non pas de trois fonctions arbitraires, mais de deux seulement qui donnent un lien entre f, F, τ_0, puisque la coordonnée R elle-même peut subir encore une transformation arbitraire $R = R(R')$. Ce nombre correspond précisément au nombre maximum dans le cas donné de fonctions arbitraires « physiquement distinctes » (cf. p. 366) : la distribution centrale symétrique de matière est donnée par deux quantités (les distributions de la densité et de la vitesse radiale), alors qu'il ne saurait exister de champ de gravitation libre à symétrie centrale.

Le signe général dans la solution (10) est choisi de telle sorte qu'à la compression de la boule corresponde $\tau - \tau_0 \to +0$. La solution complète du problème du collapse de la boule exige la considération concrète des conditions initiales et le « raccordement » à la frontière de la boule avec la solution schwarzschildienne pour l'espace vide. Mais le caractère limite de la métrique dans la boule résulte directement des formules écrites.

Pour $\tau \to \tau_0(R)$ la fonction $r(R, \tau)$ tend vers zéro suivant la loi

$$r^2 \approx \left(\frac{3}{2}\right)^{4/3} F^{2/3} (\tau_0 - \tau)^{4/3},$$

et e^λ vers l'infini comme

$$e^\lambda \approx \left(\frac{2}{3}\right)^{2/3} \frac{\tau_0'^2 F^{2/3}}{1+f} \frac{1}{(\tau_0 - \tau)^{2/3}}.$$

Cela signifie que toutes les distances radiales (dans le référentiel envisagé en comouvement) tendent vers l'infini, et les distances circonférentielles vers zéro, tous les volumes tendant aussi vers zéro (comme $\tau - \tau_0$) [1]. En conséquence, la densité de la matière croît indéfiniment :

$$8\pi k\varepsilon \approx \frac{2F'}{3F\tau_0'(\tau_0 - \tau)}.$$

Ainsi donc en conformité avec ce qui a été dit dans le texte, il y a collapse de toute la distribution de matière vers le centre [2].

Dans le cas particulier où la fonction $\tau_0(R) = \text{const}$ (alors que toutes les particules de la boule atteignent simultanément le centre), la métrique dans la boule a un autre caractère. Dans ce cas

$$r^2 \approx \left(\frac{3}{2}\right)^{4/3} F^{2/3} (\tau_0 - \tau)^{4/3}, \quad e^\lambda \approx \left(\frac{2}{3}\right)^{2/3} \frac{F'^2}{4F^{4/3}(f+1)} (\tau_0 - \tau)^{4/3},$$

$$8\pi k\varepsilon \approx \frac{4}{3(\tau_0 - \tau)^2},$$

---

[1] La géométrie dans un « plan » passant par le centre est alors telle qu'elle serait sur une surface de révolution conique s'étirant au cours du temps suivant ses génératrices et se contractant simultanément suivant toutes ses circonférences.

[2] Bien entendu, pour $\varepsilon \to \infty$ l'hypothèse que la matière est incohérente est physiquement inadéquate et il y aura lieu d'utiliser l'équation d'état ultra-relativiste $p = \varepsilon/3$. Il se trouve que le caractère général de la compression ne dépend pas, dans une grande mesure, de l'équation d'état [cf. *E. Lifchitz, I. Khalatnikov*, J. Phys. Expér. Théor. (JETF), 39, 149, 1960 (en russe) ; Soviet Phys. (JETP), **12**, **108**, 558, 1961 (en anglais)].

c'est-à-dire que pour $\tau \to \tau_0$ toutes les distances, circonférentielles et radiales, tendent vers zéro suivant la même loi $[\sim (\tau_0 - \tau)^{2/3}]$; la densité de la matière tend vers l'infini comme $(\tau_0 - \tau)^{-2}$, et sa distribution devient homogène à la limite.

Le cas $\tau_0 = \text{const}$ contient, notamment, le collapse d'une boule complètement homogène. Posant (par exemple, pour $f > 0$) $F/2f^{3/2} = a_0$, $f = \text{sh}^2 R$ (a_0 étant une constante), on obtient la métrique

$$ds^2 = d\tau^2 - a^2(\tau)\,[dR^2 + \text{sh}^2 R\,(d\theta^2 + \sin^2\theta\, d\varphi^2)],$$

la dépendance $a(\tau)$ étant donnée par les équations paramétriques

$$a = a_0(\text{ch}\,\eta - 1), \quad \tau_0 - \tau = a_0(\text{sh}\,\eta - \eta).$$

La densité est alors

$$8\pi k\varepsilon = \frac{6a_0}{a^3}.$$

Cette solution coïncide avec la métrique d'un univers complètement rempli de matière homogène (§ 109) — résultat très naturel, puisqu'une sphère découpée dans une distribution homogène de matière est douée de symétrie centrale.

5. Par un choix convenable des fonctions F, f, τ_0 dans la solution de Tolman (prob. 4) construire le référentiel le plus complet pour le champ d'une masse ponctuelle [1].

S o l u t i o n. Pour $F = \text{const} \neq 0$, on déduit de (11) $\varepsilon = 0$, de sorte que la solution concerne l'espace vide, c'est-à-dire qu'elle décrit le champ créé par une masse ponctuelle (située au centre, lequel est un point singulier de la métrique). Ainsi, posant $F = 1$, $f = 0$, $\tau_0(R) = R$, on obtient la métrique (100,3) [2].

Pour atteindre le but fixé, il faut partir d'une solution qui contiendrait aussi bien le domaine spatio-temporel en dilatation que le domaine spatio-temporel en contraction. Telle est la solution de Tolman avec $f < 0$; il résulte de (10a) que, dans ce cas, lorsque le paramètre η varie d'une manière monotone (de 0 à 2π), pour R donné le temps τ varie également d'une manière monotone, et r passe par un maximum. Posons:

$$F = r_g, \quad f = -\frac{1}{\left(\frac{R}{r_g}\right)^2 + 1}, \quad \tau_0 = \frac{\pi}{2} r_g \left(\frac{R^2}{r_g^2} + 1\right)^{3/2}.$$

On a alors

$$\frac{r}{r_g} = \frac{1}{2}\left(\frac{R^2}{r_g^2} + 1\right)(1 - \cos\eta),$$

$$\frac{\tau}{r_g} = \frac{1}{2}\left(\frac{R^2}{r_g^2} + 1\right)^{3/2}(\pi - \eta + \sin\eta)$$

(le paramètre η varie de 0 à 2π).

---

[1] Un tel référentiel a été trouvé pour la première fois par *M. Kruskal* (Phys. Rev., **119**, 1743, 1960). La forme de la solution donnée ci-après (où le référentiel est synchrone) appartient à *I. Novikov* (1963).

[2] Le cas $F = 0$, lui, correspond à l'absence de champ; par une transformation convenable des variables la métrique peut être réduite à la forme galiléenne.

Sur la fig. 22 les lignes ACB et $A'C'B'$ correspondent à $r = 0$ (il leur correspond des valeurs du paramètre $\eta = 2\pi$ et $\eta = 0$). Les lignes AOA' et BOB' correspondent à la sphère schwarzschildienne, $r = r_g$. Entre $A'C'B'$ et $A'OB'$ est situé le domaine spatio-temporel où seul est possible un mouvement de fuite par rapport au centre, et entre ACB et AOB est situé le domaine où le mouvement ne s'effectue qu'en direction du centre.

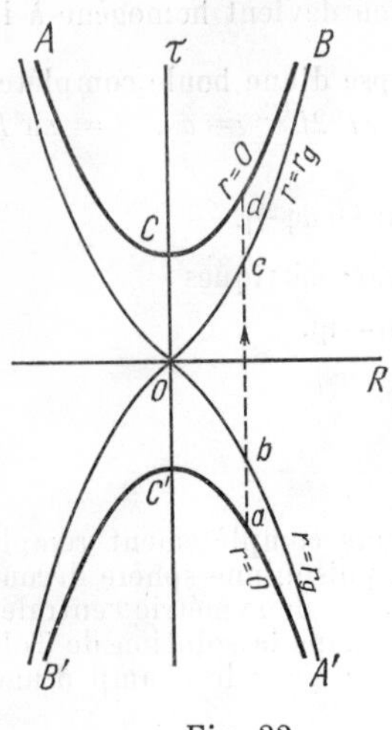

Fig. 22

La ligne d'univers d'une particule au repos dans le référentiel donné est une droite verticale (R = const). Elle part de $r = 0$ (point a), coupe la sphère de Schwarzschild au point b, atteint à l'instant $\tau = 0$ son éloignement maximum $[r=r_g(R^2/r_g^2 + 1)]$, puis elle retombe sur la sphère de Schwarzschild qu'elle coupe en c, et atteint de nouveau $r = 0$ (point d) à l'instant

$$\tau = \frac{\pi}{2}\left(\frac{R^2}{r_g^2}+1\right)^{3/2}.$$

Le système obtenu est complet : les deux extrémités de la ligne d'univers d'une particule quelconque en mouvement dans le champ sont ou bien situées sur la vraie singularité, ou bien encore elles s'en vont à l'infini. La métrique (100,3) n'embrasse que la région à droite de la ligne AOA' (ou à gauche de BOB') ; un tel référentiel « en dilatation » embrasse la région à droite de BOB' (ou à gauche de AOA'). Un référentiel de métrique (97,14) n'embrasse que la région à droite de BOA' (ou à gauche de AOB').

§ 101. Pseudo-tenseur d'énergie-impulsion

En l'absence de champ de gravitation, la loi de conservation de l'énergie et de l'impulsion de la matière (avec le champ électromagnétique) se traduit par l'équation

$$\partial T^{ik}/\partial x^k = 0.$$

La généralisation de cette équation dans le cas où il y a un champ de gravitation est donnée par l'équation (94,7) :

$$T^k_{i\,;\,k} = \frac{1}{\sqrt{-g}}\,\frac{\partial (T^k_i \sqrt{-g})}{\partial x^k} - \frac{1}{2}\,\frac{\partial g_{kl}}{\partial x^i}\,T^{kl} = 0. \qquad (101,1)$$

Toutefois, cette équation n'exprime pas en général sous cette forme la loi de conservation de quoi que ce soit [1]. Cette circonstance

[1] En effet, l'intégrale $\int T^k_i \sqrt{-g}\, dS_k$ n'est conservée que quand est observée la condition $\frac{\partial \sqrt{-g}\, T^k_i}{\partial x^k} = 0$, et non pas (101,1). Il est facile de s'en convaincre en faisant en coordonnées curvilignes les mêmes calculs qu'au § 29 en coor-

est due à ce que dans un champ gravitationnel doit être conservée non pas la 4-impulsion de la matière seule, mais la 4-impulsion de la matière et du champ de gravitation; ce dernier n'est pas noté dans l'expression de T_i^k.

Pour déterminer la 4-impulsion conservative totale du champ de gravitation et de la matière qui s'y trouve, nous procéderons comme suit [1]. Choisissons un système de coordonnées de manière à annuler, en un point donné de l'espace-temps, toutes les dérivées premières de g_{ik} par rapport aux coordonnées (les g_{ik} n'ayant pas obligatoirement des valeurs galiléennes). Alors, en ce point, le second terme de l'équation (101,1) s'annule, et on peut sortir $\sqrt{-g}$ de sous le signe de dérivation dans le premier terme, de sorte qu'il reste :

$$\frac{\partial}{\partial x^k} T_i^k = 0,$$

ou en coordonnées contravariantes

$$\frac{\partial}{\partial x^k} T^{ik} = 0.$$

Les quantités T^{ik}, vérifiant identiquement cette équation, peuvent être mises sous la forme :

$$T^{ik} = \frac{\partial}{\partial x^l} \eta^{ikl},$$

où les η^{ikl} sont des quantités antisymétriques par rapport aux indices k, l :

$$\eta^{ikl} = -\eta^{ilk}.$$

Il n'est pas difficile de mettre effectivement T^{ik} sous cette forme. A cet effet, partons des équations du champ :

$$T^{ik} = \frac{c^4}{8\pi k}\left(R^{ik} - \frac{1}{2} g^{ik} R\right),$$

---

données galiléennes. D'ailleurs, il suffit de remarquer que ces calculs ont un caractère purement formel, non lié aux propriétés tensorielles des quantités correspondantes, ainsi que la démonstration du théorème de Gauss, qui a en coordonnées curvilignes la même forme (83,17) qu'en coordonnées cartésiennes.

[1] On peut être tenté d'appliquer au champ de gravitation la formule (94,4), en y écrivant $\Lambda = -\frac{c^4}{16\pi k} G$. Toutefois, soulignons que cette formule ne concerne que des systèmes physiques décrits par des quantités q distinctes des g_{ik}; elle n'est donc pas applicable au champ de gravitation défini par les quantités g_{ik} elles-mêmes. Notons, à propos, qu'en substituant dans (94,4) G au lieu de Λ, on obtiendrait tout simplement zéro, comme il résulte directement des relations (95,3) et des équations du champ dans le vide.

on a pour R^{ik} d'après (92,4):

$$R^{ik}=\frac{1}{2}g^{im}g^{kp}g^{ln}\left\{\frac{\partial^2 g_{lp}}{\partial x^m\,\partial x^n}+\frac{\partial^2 g_{mn}}{\partial x^l\partial x^p}-\frac{\partial^2 g_{ln}}{\partial x^m\,\partial x^p}-\frac{\partial^2 g_{mp}}{\partial x^l\,\partial x^n}\right\}$$

(rappelons que tous les Γ^i_{kl} sont nuls au point considéré). Après des transformations simples, le tenseur T^{ik} peut être mis sous la forme:

$$T^{ik}=\frac{\partial}{\partial x^l}\left\{\frac{c^4}{16\pi k}\frac{1}{(-g)}\frac{\partial}{\partial x^m}\left[(-g)\left(g^{ik}g^{lm}-g^{il}g^{km}\right)\right]\right\}.$$

L'expression entre accolades, antisymétrique par rapport aux indices k, l, est précisément ce que nous avons désigné par η^{ikl}. Les dérivées premières des g_{ik} étant nulles au point considéré, on peut sortir le facteur $1/(-g)$ de sous le signe de dérivation $\partial/\partial x^l$. Introduisons la notation

$$h^{ikl}=\frac{c^4}{16\pi k}\frac{\partial}{\partial x^m}\left[(-g)\left(g^{ik}g^{lm}-g^{il}g^{km}\right)\right]; \qquad (101,2)$$

ces quantités sont antisymétriques selon les indices k, l:

$$h^{ikl}=-h^{ilk}. \qquad (101,3)$$

On peut alors écrire:

$$\frac{\partial h^{ikl}}{\partial x^l}=(-g)\,T^{ik}.$$

Cette relation, établie en supposant que $\partial g_{ik}/\partial x^l=0$, n'a plus lieu quand on passe dans un système arbitraire de coordonnées. Dans le cas général la différence $\frac{\partial h^{ikl}}{\partial x^l}-(-g)\,T^{ik}$ n'est pas nulle; désignons-la par $(-g)\,t^{ik}$. On aura alors par définition:

$$(-g)\left(T^{ik}+t^{ik}\right)=\frac{\partial h^{ikl}}{\partial x^l}. \qquad (101,4)$$

Les t^{ik} sont symétriques par rapport aux indices i, k:

$$t^{ik}=t^{ki}. \qquad (101,5)$$

On le voit directement de leur définition, étant donné que le tenseur T^{ik} ainsi que les dérivées $\partial h^{ikl}/\partial x^l$ sont des quantités symétriques [1]. Exprimant T^{ik} au moyen de R^{ik} conformément aux équations d'Einstein et utilisant l'expression (101,2) de h^{ikl}, on obtient après

[1] C'est précisément pour cela que nous avons sorti $(-g)$ de sous le signe de dérivation par rapport à x^l dans l'expression de T^{ik}. Dans le cas contraire, $\partial h^{ikl}/\partial x^l$, et donc t^{ik} ne serait pas symétrique en i, k.

un calcul assez laborieux :

$$t^{ik}=\frac{c^4}{16\pi k}\{(2\Gamma^n_{lm}\Gamma^p_{np}-\Gamma^n_{lp}\Gamma^p_{mn}-\Gamma^n_{ln}\Gamma^p_{mp})(g^{il}g^{km}-g^{ik}g^{lm})+$$
$$+g^{il}g^{mn}(\Gamma^k_{lp}\Gamma^p_{mn}+\Gamma^k_{mn}\Gamma^p_{lp}-\Gamma^k_{np}\Gamma^p_{lm}-\Gamma^k_{lm}\Gamma^p_{np})+$$
$$+g^{kl}g^{mn}(\Gamma^i_{lp}\Gamma^p_{mn}+\Gamma^i_{mn}\Gamma^p_{lp}-\Gamma^i_{np}\Gamma^p_{lm}-\Gamma^i_{lm}\Gamma^p_{np})+$$
$$+g^{lm}g^{np}(\Gamma^i_{ln}\Gamma^k_{mp}-\Gamma^i_{lm}\Gamma^k_{np})\}, \qquad (101,6)$$

ou directement au moyen des dérivées des composantes du tenseur métrique

$$(-g)\,t^{ik}=\frac{c^4}{16\pi k}\left\{\mathfrak{g}^{ik}{}_{,l}\,\mathfrak{g}^{lm}{}_{,m}-\mathfrak{g}^{il}{}_{,l}\,\mathfrak{g}^{km}{}_{,m}+\frac{1}{2}g^{ik}g_{lm}\mathfrak{g}^{ln}{}_{,p}\mathfrak{g}^{pm}{}_{,n}-\right.$$
$$-(g^{il}g_{mn}\mathfrak{g}^{kn}{}_{,p}\,\mathfrak{g}^{mp}{}_{,l}+g^{kl}g_{mn}\mathfrak{g}^{in}{}_{,p}\mathfrak{g}^{mp}{}_{,l})+g_{lm}g^{np}\mathfrak{g}^{il}{}_{,n}\mathfrak{g}^{km}{}_{,p}+$$
$$\left.+\frac{1}{8}(2g^{il}g^{km}-g^{ik}g^{lm})(2g_{np}g_{qr}-g_{pq}g_{nr})\,\mathfrak{g}^{nr}{}_{,l}\,\mathfrak{g}^{pq}{}_{,m}\right\}, \qquad (101,7)$$

où $\mathfrak{g}^{ik}=\sqrt{-g}\,g^{ik}$, l'indice $,i$ désignant une dérivation ordinaire par rapport à x^i.

Il est essentiel que les t^{ik} ne constituent pas un tenseur ; on le voit déjà du fait que les $\partial h^{ikl}/\partial x^l$ sont des dérivées ordinaires et non pas covariantes. Cependant, les t^{ik} s'expriment au moyen des Γ^i_{kl}, et ces derniers se comportent comme un tenseur vis-à-vis des transformations de coordonnées linéaires (voir § 85) ; il en est donc de même des t^{ik}.

Il résulte de la définition (101,4) que la somme $T^{ik}+t^{ik}$ satisfait identiquement à l'équation

$$\frac{\partial}{\partial x^k}(-g)(T^{ik}+t^{ik})=0. \qquad (101,8)$$

Cela signifie que la loi de conservation joue pour les quantités

$$P^i=\frac{1}{c}\int(-g)(T^{ik}+t^{ik})\,dS_k. \qquad (101,9)$$

En l'absence de champ gravitationnel, on a en coordonnées galiléennes $t^{ik}=0$, et l'intégrale ci-dessus devient $\frac{1}{c}\int T^{ik}\,dS_k$, c'est-à-dire la 4-impulsion de la matière. Donc, les quantités (101,9) doivent être identifiées à la 4-impulsion totale de la matière et du champ de gravitation. L'ensemble de quantités t^{ik} est appelé *pseudo-tenseur d'énergie-impulsion* du champ de gravitation.

L'intégration dans (101,9) peut être effectuée sur toute hypersurface infinie contenant l'espace à trois dimensions tout entier. Si l'on prend pour telle l'hypersurface $x^0=$ const, on peut alors écrire P^i sous forme d'intégrale triple spatiale:

$$P^i = \frac{1}{c} \int (-g)(T^{i0} + t^{i0})\, dV. \qquad (101,10)$$

Il est très essentiel que la 4-impulsion totale de la matière et du champ s'exprime sous forme d'intégrales des quantités $(-g) \times \times (T^{ik} + t^{ik})$ symétriques en i, k. Cela signifie la conservation de la 4-impulsion, définie comme suit (voir § 32) [1]:

$$M^{ik} = \int (x^i\, dP^k - x^k\, dP^i) = \frac{1}{c} \int [x^i (T^{kl} + t^{kl}) - \\ - x^k (T^{il} + t^{il})] (-g)\, dS_l. \qquad (101,11)$$

Ainsi, en Relativité générale aussi est conservé le moment cinétique total d'un système fermé de corps graves et, en outre, on peut, comme auparavant, donner la définition de centre d'inertie en mouvement uniforme. Cette dernière est liée à la conservation des composantes $M^{0\alpha}$ (comparer § 14), s'exprimant dans l'équation

$$x^0 \int (T^{\alpha 0} + t^{\alpha 0}) (-g)\, dV - \int x^\alpha (T^{00} + t^{00}) (-g)\, dV = \text{const},$$

de sorte que les coordonnées du centre d'inertie sont données par la formule

$$X^\alpha = \frac{\int x^\alpha (T^{00} + t^{00}) (-g)\, dV}{\int (T^{00} + t^{00}) (-g)\, dV}. \qquad (101,12)$$

Choisissant un système de coordonnées d'inertie dans l'élément de volume donné, on peut annuler toutes les quantités t^{ik} en n'importe quel point de l'espace-temps (étant donné que tous les Γ^i_{kl} s'annulent alors). Par ailleurs, on peut avoir des t^{ik} non nulles dans un espace plan, c'est-à-dire en l'absence de champ de gravitation, si l'on utilise simplement des coordonnées curvilignes au lieu de coordonnées cartésiennes. Ainsi, en tout cas, on ne saurait parler de localisation définie de l'énergie du champ gravitationnel dans l'espace. Si le tenseur T_{ik} est nul en un point d'univers, cette propriété a lieu dans tout système de coordonnées, et l'on peut dire qu'il n'y a pas en ce point de matière ou de champ électromagnétique. Par contre, le fait que le pseudo-tenseur soit nul en un certain point dans un référentiel donné n'entraîne pas qu'il soit nul dans tout autre référentiel, et il n'y a pas lieu de parler de l'existence d'une

[1] Il convient de noter que l'expression que nous avons obtenue pour la 4-impulsion de la matière et du champ n'est aucunement la seule possible. Au contraire, on peut choisir d'une infinité de manières (voir, par exemple, le problème à la fin du paragraphe) des expressions se réduisant à T^{ik} en l'absence de champ, et donnant des quantités conservatives quand on intègre sur dS_k. Cependant, notre choix est le seul pour lequel le pseudo-tenseur d'énergie-impulsion du champ ne contient que des dérivées premières des g_{ik} (condition très naturelle du point de vue physique) et pour lequel il est symétrique, de sorte qu'il permet de formuler la loi de conservation du moment.

énergie de gravitation au lieu considéré. Ceci est en accord complet avec le fait que l'on peut, par un choix adéquat des coordonnées, « annihiler » le champ de gravitation dans l'élément de volume considéré, et, en vertu de ce qui a été dit ci-dessus, le pseudo-tenseur t^{ik} s'évanouit aussi dans cet élément.

En ce qui concerne les quantités P^i — le quadrivecteur impulsion du champ et de la matière — elles ont un sens bien déterminé, car il apparaît qu'elles ne dépendent pas du référentiel, précisément dans la mesure exigée par des considérations d'ordre physique.

Délimitons autour des masses considérées une région de l'espace suffisamment grande pour qu'on puisse faire abstraction du champ de gravitation à l'extérieur. Dans l'espace-temps quadridimensionnel, cette région décrit un « canal » au cours du temps. Le champ s'évanouit à l'extérieur de ce « canal », de sorte que le 4-espace y est plan. En relation avec cela, dans le calcul de l'énergie et de l'impulsion du champ il faut choisir le système quadridimensionnel de coordonnées de sorte qu'il soit galiléen à l'extérieur du « canal » et que tous les t^{ik} disparaissent.

Certes, le référentiel n'est nullement défini univoquement par cette condition, il peut être choisi arbitrairement dans le « canal ». Mais en accord complet avec le sens physique des quantités P^i, il apparaît que ces dernières ne dépendent pas du tout du choix des coordonnées à l'intérieur du « canal ». En effet, considérons deux systèmes de coordonnées, différents dans le « canal », mais se raccordant avec un seul et même système galiléen à l'extérieur, et comparons les valeurs P^i et P'^i de la 4-impulsion dans ces deux systèmes à des instants déterminés x^0 et x'^0. Prenons un troisième système de coordonnées, coïncidant à l'intérieur du « canal » avec le premier système à l'instant x^0, avec le second à l'instant x'^0 et avec le même système galiléen à l'extérieur. En vertu de la loi de conservation de l'énergie et de l'impulsion, les quantités P^i sont constantes ($dP^i/dx^0 = 0$). Ceci a lieu dans le troisième système de coordonnées aussi bien que dans les deux premiers. Il en résulte que $P^i = P'^i$, c.q.f.d.

Nous avons indiqué plus haut que les quantités t^{ik} étaient douées de propriétés tensorielles vis-à-vis des transformations linéaires des coordonnées. Donc les P^i constituent un quadrivecteur vis-à-vis de elles transformations, notamment dans les transformations de Lorentz, transformant l'un dans l'autre les systèmes galiléens à l'infini [1].

[1] A strictement parler, avec la définition (101,9), P^i est un 4-vecteur seulement vis-à-vis des transformations linéaires unimodulaires; telles sont les transformations de Lorentz, les seules à présenter un intérêt physique. Si l'on admet de même des transformations à déterminant différent de l'unité, il faut alors introduire dans la définition de P^i la valeur de g à l'infini, en écrivant dans le premier membre de (101,9) $\sqrt{-g_\infty}\, P^i$ au lieu de P^i.

La 4-impulsion P^i peut être exprimée également sous forme d'intégrale sur une surface tridimensionnelle à l'infini englobant « tout l'espace ». Substituant (101,4) dans (101,9), on trouve:

$$P^i = \frac{1}{c} \int \frac{\partial h^{ikl}}{\partial x^l} dS_k.$$

On peut transformer cette intégrale en une intégrale prise sur une surface ordinaire au moyen de (6,17) :

$$P^i = \frac{1}{2c} \oint h^{ikl} df^*_{kl}. \qquad (101,13)$$

Si l'on prend pour domaine d'intégration dans (101,9) l'hypersurface $x^0 = \text{const}$, dans (101,13) la surface d'intégration est alors une surface purement spatiale[1]:

$$P^i = \frac{1}{c} \oint h^{i0\alpha} df_\alpha. \qquad (101,14)$$

Pour établir une formule analogue pour le moment cinétique, mettons la formule (101,2) sous la forme:

$$h^{ikl} = \frac{\partial}{\partial x^m} \lambda^{iklm}; \qquad (101,15)$$

l'expression de λ^{iklm} au moyen des composantes du tenseur métrique est donnée par (101,2). Substituant (101,4) dans (101,11) et intégrant « par parties », on obtient :

$$M^{ik} = \frac{1}{c} \int \left(x^i \frac{\partial^2 \lambda^{klmn}}{\partial x^m \partial x^n} - x^k \frac{\partial^2 \lambda^{ilmn}}{\partial x^m \partial x^n} \right) dS_l =$$

$$= \frac{1}{2c} \int \left(x^i \frac{\partial \lambda^{klmn}}{\partial x^n} - x^k \frac{\partial \lambda^{ilmn}}{\partial x^n} \right) df^*_{lm} -$$

$$- \frac{1}{c} \int \left(\delta^i_m \frac{\partial \lambda^{klmn}}{\partial x^n} - \delta^k_m \frac{\partial \lambda^{ilmn}}{\partial x^n} \right) dS_l =$$

$$= \frac{1}{2c} \int (x^i h^{klm} - x^k h^{ilm}) df^*_{lm} - \frac{1}{c} \int \frac{\partial}{\partial x^n} (\lambda^{klin} - \lambda^{ilkn}) dS_l.$$

On déduit facilement de la définition des λ^{iklm} que

$$\lambda^{ilkn} - \lambda^{klin} = \lambda^{ilnk}, \quad \lambda^{inlk} = - \lambda^{ilnk}.$$

---

[1] df^*_{kl} est l'élément « normal » de la surface lié à l'élément « tangentiel » df^{ik} par l'intermédiaire (6,11): $df^*_{ik} = \frac{1}{2} e_{iklm} df^{lm}$. Sur la surface délimitant l'hypersurface perpendiculaire à l'axe x^0 seules ne sont pas nulles les composantes df^{lm} avec $l, m = 1, 2, 3$; par conséquent, les composantes non nulles de df^*_{ik} sont définies séparément pour i ou bien k nul. Les composantes $df^*_{0\alpha}$ ne sont pas autre chose que des composantes de l'élément tridimensionnel d'une surface ordinaire, que nous désignons simplement par df_α.

Donc, la dernière intégrale avec pour élément d'intégration dS_l est égale à

$$\frac{1}{c}\int \frac{\partial \lambda^{ilnk}}{\partial x^n} dS_l = \frac{1}{2c}\int \lambda^{ilnk} df^*_{ln}.$$

Enfin, choisissant de nouveau une surface d'intégration purement spatiale, on obtient en définitive :

$$M^{ik} = \frac{1}{c}\int (x^i h^{k0\alpha} - x^k h^{i0\alpha} + \lambda^{i0\alpha k})\, df_\alpha. \qquad (101,16)$$

Rappelons qu'appliquant les formules (101,14), (101,16) on doit, conformément à ce qui a été dit plus haut, choisir le système de coordonnées spatiales de manière qu'à l'infini les g_{ik} tendent vers des valeurs constantes galiléennes. Ainsi, pour calculer d'après la formule (101,14) la 4-impulsion d'un système de corps isolé, se trouvant constamment au voisinage de l'origine des coordonnées, on peut prendre pour la métrique loin des corps l'expression (97,18), où l'on passe des coordonnées spatiales sphériques à des coordonnées cartésiennes (dans ce but on remplacera dr par $n_\alpha dx^\alpha$, où $\mathbf{n}$ est le vecteur unité dans la direction $\mathbf{r}$) ; on a pour le tenseur métrique correspondant

$$g_{00} = 1 - \frac{2km}{c^2 r}, \quad g_{\alpha\beta} = -\delta_{\alpha\beta} - \frac{2km}{c^2}\frac{n_\alpha n_\beta}{r}, \quad g_{0\alpha} = 0, \qquad (101,17)$$

ù m est la masse totale du système. Effectuant le calcul des composantes utiles h^{ikl} selon la formule (101,2), on obtient avec la précision requise (les termes $\sim 1/r^2$ sont conservés) :

$$h^{\alpha 0\beta} = 0,$$

$$h^{00\alpha} = \frac{c^4}{16\pi k}\frac{\partial}{\partial x^\beta}(g^{00} g^{\alpha\beta}) = \frac{mc^2}{8\pi}\frac{\partial}{\partial x^\beta}\left(-\frac{\delta^{\alpha\beta}}{r} + \frac{x^\alpha x^\beta}{r^3}\right) = \frac{mc^2}{4\pi}\frac{n^\alpha}{r^2}.$$

Intégrant à présent dans (101,14) sur la sphère de rayon r, on obtient finalement :

$$P^\alpha = 0, \quad P^0 = mc, \qquad (101,18)$$

résultat qu'il était naturel d'attendre. Il traduit l'identité de la masse « pesante » et de la masse « inerte » (on appelle masse « pesante » la masse qui détermine le champ de gravitation créé par un corps, c'est la masse intervenant dans l'expression de l'intervalle dans un champ gravitationnel ou, notamment, dans la loi de Newton ; la masse « inerte », elle, détermine la relation entre l'impulsion et l'énergie du corps, et, notamment, l'énergie de repos d'un corps est égale au produit de cette masse par c^2).

Dans le cas d'un champ gravitationnel constant, il s'avère possible de trouver une expression simple pour l'énergie totale de la matière et du champ sous forme d'intégrale étendue seulement à l'espace occupé par la matière. On peut établir cette expression en partant, par exemple, de l'identité suivante, légitime comme on le vérifie aisément, lorsque toutes les quantités ne dépendent pas de x^0 [1]:

$$R_0^0 = \frac{1}{\sqrt{-g}} \frac{\partial}{\partial x^\alpha} (\sqrt{-g}\, g^{i0} \Gamma_{0i}^\alpha).$$

Intégrant $R_0^0 \sqrt{-g}$ dans l'espace (tridimensionnel) et appliquant le théorème tridimensionnel de Gauss, on obtient:

$$\int R_0^0 \sqrt{-g}\, dV = \oint \sqrt{-g}\, g^{i0} \Gamma_{0i}^\alpha\, df_\alpha.$$

Intégrant sur une surface suffisamment éloignée et prenant sur cette surface les expressions (101,17) des g_{ik}, on obtient, après un calcul simple

$$\int R_0^0 \sqrt{-g}\, dV = -\frac{4\pi k}{c^2} m = -\frac{4\pi k}{c^3} P^0.$$

Remarquant de même qu'on a, en vertu des équations du champ,

$$R_0^0 = \frac{8\pi k}{c^4} \left(T_0^0 - \frac{1}{2} T \right) = \frac{4\pi k}{c^4} (T_0^0 - T_1^1 - T_2^2 - T_3^3),$$

on obtient la formule cherchée

$$P^0 = mc = \frac{1}{c} \int (T_1^1 + T_2^2 + T_3^3 - T_0^0) \sqrt{-g}\, dV. \qquad (101,19)$$

Cette formule exprime l'énergie totale de la matière et du champ de gravitation constant (c'est-à-dire la masse totale du corps) au moyen du tenseur d'énergie-impulsion de la seule matière (*R. Tolman*, 1930). Rappelons que, dans le cas de la symétrie centrale du champ, nous avions pour cette même quantité encore une autre expression: la formule (97,23).

---

[1] On obtient de (92,10):

$$R_0^0 = g^{0i} R_{i0} = g^{0i} \left(\frac{\partial \Gamma_{i0}^l}{\partial x^l} + \Gamma_{i0}^l \Gamma_{lm}^m - \Gamma_{il}^m \Gamma_{0m}^l \right),$$

et on trouve, au moyen de (86,5) et (86,8), que cette expression peut être mise sous la forme:

$$R_0^0 = \frac{1}{\sqrt{-g}} \frac{\partial}{\partial x^l} (\sqrt{-g}\, g^{0i} \Gamma_{i0}^l) + g^{im} \Gamma_{ml}^0 \Gamma_{i0}^l;$$

au moyen de la même relation (86,8) il est facile de s'assurer que le second terme de droite est égal identiquement à $-\frac{1}{2} \Gamma_{lm}^0 \frac{\partial g^{lm}}{\partial x^0}$, qui s'annule, étant donné que toutes les grandeurs considérées ne dépendent pas de x^0. Enfin, remplaçant, pour la même raison, dans le premier terme la sommation sur l par une sommation sur α, on obtient la formule donnée dans le texte.

Problème

Etablir l'expression de la 4-impulsion totale de la matière et du champ de gravitation en se servant de la formule (32,5).

Solution. En coordonnées curvilignes, on a au lieu de (32,1):

$$S=\int \Lambda \sqrt{-g}\, dV\, dt\,;$$

donc pour obtenir la grandeur conservative, il faut écrire dans (32,5) $\Lambda\sqrt{-g}$ au lieu de Λ, de sorte que la 4-impulsion s'écrit:

$$P_i=\frac{1}{c}\int\left[-\Lambda\sqrt{-g}\cdot\delta_i^k+\sum\frac{\partial q^{(l)}}{\partial x^i}\frac{\partial(\sqrt{-g}\,\Lambda)}{\partial\frac{\partial q^{(l)}}{\partial x^k}}\right]dS_k.$$

Lors de l'application de cette formule à la matière, pour laquelle les $q^{(l)}$ sont différents des g_{ik}, on peut sortir $\sqrt{-g}$ de sous le signe de dérivation, et l'expression sous le signe d intégration devient $\sqrt{-g}\,T_i^k$, où T_i^k est le tenseur d'énergie-impulsion de la matière. Appliquant la formule écrite au champ de gravitation, il faut poser $\Lambda=-\frac{c^4}{16\pi k}G$, les quantités $q^{(l)}$ étant les composantes g_{ik} du tenseur métrique. On a donc pour la 4-impulsion totale du champ et de la matière

$$P_i=\frac{1}{c}\int T_i^k\sqrt{-g}\,dS_k+\frac{c^3}{16\pi k}\int\left[G\sqrt{-g}\,\delta_i^k-\frac{\partial g^{lm}}{\partial x^i}\frac{\partial(G\sqrt{-g})}{\partial\frac{\partial g^{lm}}{\partial x^k}}\right]dS_k.$$

Utilisant l'expression (93,3) de G, on peut mettre cette formule sous la forme:

$$P_i=\frac{1}{c}\int\left\{T_i^k\sqrt{-g}+\frac{c^4}{16\pi k}\left[G\sqrt{-g}\,\delta_i^k+\Gamma_{lm}^k\frac{\partial(g^{lm}\sqrt{-g})}{\partial x^i}-\right.\right.$$
$$\left.\left.-\Gamma_{ml}^l\frac{\partial(g^{mk}\sqrt{-g})}{\partial x^i}\right]\right\}dS_k.$$

Le second terme entre accolades détermine la 4-impulsion du champ gravitationnel en l'absence de matière. L'expression sous le signe somme n'est pas symétrique en i, k; elle ne permet donc pas de formuler la loi de conservation du moment cinétique.

§ 102. Ondes de gravitation

Considérons un champ de gravitation faible dans le vide. Dans un champ faible la métrique de l'espace-temps est quasi galiléenne, c'est-à-dire qu'on peut choisir un référentiel tel que les composantes du tenseur métrique deviennent presque égales à leurs expressions galiléennes, que nous noterons:

$$g_{\alpha 0}^{(0)}=0,\quad g_{00}^{(0)}=1,\quad g_{\alpha\beta}^{(0)}=-\delta_{\alpha\beta}. \tag{102,1}$$

Nous pouvons donc écrire g_{ik} sous la forme :

$$g_{ik} = g_{ik}^{(0)} + h_{ik}, \tag{102,2}$$

où les h_{ik} représentent une petite correction déterminant le champ de gravitation.

Pour des h_{ik} petits, les composantes Γ^i_{kl}, qui s'expriment au moyen des dérivées des g_{ik}, sont aussi petites. Négligeant les puissances de h_{ik} supérieures à la première, on peut conserver dans le tenseur R_{iklm} (92,4) seulement les termes dans les premières parenthèses :

$$R_{iklm} = \frac{1}{2}\left(\frac{\partial^2 h_{im}}{\partial x^k \partial x^l} + \frac{\partial^2 h_{kl}}{\partial x^i \partial x^m} - \frac{\partial^2 h_{km}}{\partial x^i \partial x^l} - \frac{\partial^2 h_{il}}{\partial x^k \partial x^m}\right). \tag{102,3}$$

En ce qui concerne le tenseur de Ricci R_{ik}, on a avec la même précision :

$$R_{ik} = g^{lm} R_{limk} \approx g^{(0)lm} R_{limk},$$

ou bien

$$R_{ik} = \frac{1}{2}\left(-g^{(0)lm}\frac{\partial^2 h_{ik}}{\partial x^l \partial x^m} + \frac{\partial^2 h^l_i}{\partial x^k \partial x^l} + \frac{\partial^2 h^l_k}{\partial x^i \partial x^l} - \frac{\partial^2 h}{\partial x^i \partial x^k}\right), \tag{102,4}$$

où $h = h^i_i$ [1].

Nous avons choisi le référentiel de manière que les g_{ik} se distinguent peu des $g_{ik}^{(0)}$. Mais cette condition est également conservée pour toute transformation infinitésimale des coordonnées, de sorte qu'on peut imposer aux h_{ik} encore quatre conditions (le nombre de coordonnées), sans affecter leur petitesse. Soient ces conditions complémentaires les équations

$$\frac{\partial \psi^k_i}{\partial x^k} = 0, \quad \psi^k_i = h^k_i - \frac{1}{2}\delta^k_i h. \tag{102,5}$$

Il convient de noter que le choix des coordonnées n'est pas encore déterminé univoquement par ces conditions ; voyons à quelles trans-

[1] En raison de l'approximation admise, toutes les opérations d'élévation et d'abaissement des indices de tenseurs et vecteurs se font ici, comme dans la suite, au moyen du tenseur métrique « non perturbé » $g_{ik}^{(0)}$. Ainsi, $h^k_i = g^{(0)kl} h_{il}$, etc.

On a alors pour les composantes contravariantes g^{ik} :

$$g^{ik} = g^{(0)ik} - h^{ik} \tag{102,2a}$$

(de sorte qu'aux termes du second ordre près on ait la condition $g_{il}g^{lk} = \delta^k_i$). Le déterminant du tenseur métrique est

$$g = g^{(0)}\,(1 + g^{(0)ik} h_{ik}) = g^{(0)}\,(1 + h). \tag{102,2b}$$

formations elles peuvent être soumises encore. Dans la transformation $x'^i = x^i + \xi^i$, où les ξ^i sont des quantités petites, le tenseur g_{ik} devient:

$$g'_{ik} = g_{ik} - \frac{\partial \xi_i}{\partial x^k} - \frac{\partial \xi_k}{\partial x^i},$$

c'est-à-dire

$$h'_{ik} = h_{ik} - \frac{\partial \xi_i}{\partial x^k} - \frac{\partial \xi_k}{\partial x^i} \tag{102,6}$$

(voir la formule (94,3), où la dérivation covariante se réduit dans le cas donné à la dérivation ordinaire, étant donné que les $g^{(0)}_{ik}$ sont constants). D'où il est facile de voir que si les h_{ik} vérifient la condition (102,5), il en est de même des h'_{ik}, dès que les ξ_i sont solutions de l'équation

$$\square\, \xi_i = 0, \tag{102,7}$$

où $\square$ désigne l'opérateur de d'Alembert

$$\square = -g^{(0)lm} \frac{\partial^2}{\partial x^l \partial x^m} = \frac{\partial^2}{\partial x_\alpha^2} - \frac{1}{c^2} \frac{\partial^2}{\partial t^2}.$$

En vertu des conditions (102,5), les trois derniers termes dans l'expression (102,4) de R_{ik} se réduisent, et on a:

$$R_{ik} = \frac{1}{2} \square\, h_{ik}.$$

Ainsi, les équations du champ de gravitation dans le vide prennent la forme:

$$\square\, h_i^k = 0. \tag{102,8}$$

C'est l'équation des ondes ordinaire. Par conséquent, tout comme les champs électromagnétiques, les champs gravitationnels se propagent dans le vide avec la vitesse de la lumière.

Considérons une onde de gravitation plane. Dans une telle onde, le champ varie seulement dans une direction de l'espace; dirigeons l'axe $x^1 = x$ selon cette direction. Alors les équations (102,8) deviennent:

$$\left(\frac{\partial^2}{\partial x^2} - \frac{1}{c^2} \frac{\partial^2}{\partial t^2}\right) h_i^k = 0, \tag{102,9}$$

admettant pour solution toute fonction de $t \pm x/c$ (§ 47).

Supposons que l'onde progresse dans le sens positif de l'axe des x. Toutes les quantités h_i^k y sont des fonctions de $t - x/c$. Les conditions complémentaires (102,5) donnent dans ce cas $\dot{\psi}_i^1 - \dot{\psi}_i^0 = 0$, où le point sur une lettre désigne la dérivation par rapport à t. On peut intégrer ces équations en supprimant purement et simplement le signe de dérivation ; on pourra poser les constantes d'intégration égales à zéro, étant donné que (tout comme pour les ondes électromagnétiques) seule la partie variable du champ nous intéresse. On a donc entre les diverses composantes de ψ_i^k les relations

$$\psi_1^1 = \psi_1^0, \quad \psi_2^1 = \psi_2^0, \quad \psi_3^1 = \psi_3^0, \quad \psi_0^1 = \psi_0^0. \tag{102,10}$$

Comme on l'a indiqué, les conditions (102,5) ne déterminent pas encore univoquement le référentiel ; on peut soumettre les coordonnées à une transformation de la forme $x'^i = x^i + \xi^i(t - x/c)$. On peut utiliser cette transformation pour annuler les quatre quantités : ψ_1^0, ψ_2^0, ψ_3^0, $\psi_2^2 + \psi_3^3$. Il résulte alors des égalités (102,10) que les composantes ψ_1^1, ψ_2^1, ψ_3^1, ψ_0^0 s'annulent aussi. En ce qui concerne les autres quantités ψ_2^3, $\psi_2^2 - \psi_3^3$, on ne peut les annuler par aucun choix du référentiel, car, comme il résulte de (102,6), ces composantes ne varient pas du tout lorsque $\xi_i = \xi_i(t - x/c)$. Notons que la quantité $\psi = \psi_i^i$ s'annule aussi, et donc $\psi_i^k = h_i^k$.

Ainsi, une onde gravitationnelle plane est déterminée par deux quantités, à savoir h_{23}, $h_{22} = -h_{33}$. En d'autres termes, les ondes de gravitation sont des ondes transversales dont la polarisation est déterminée par un tenseur symétrique du second ordre dans le plan yz, la somme des termes diagonaux $h_{22} + h_{33}$ étant nulle.

Calculons le flux d'énergie dans une onde de gravitation plane. Le flux d'énergie d'un champ de gravitation est déterminé par les quantités $-cgt^{0\alpha} \approx ct^{0\alpha}$. Dans une onde progressant le long de l'axe des x^1, il est évident que seule la composante t^{10} n'est pas nulle.

Les composantes du pseudo-tenseur t^{ik} sont des quantités du second ordre ; il nous suffira donc de calculer t^{10} avec cette approximation. Calculant au moyen de la formule générale (101,6) et utilisant le fait que, dans une onde plane, seules les composantes h_{23}, $h_{22} = -h_{33}$ du tenseur h_{ik} ne sont pas nulles, on arrive au résultat suivant :

$$t^{01} = -\frac{c^3}{32\pi k}\left(\frac{\partial h_{22}}{\partial x}\frac{\partial h_{22}}{\partial t} + \frac{\partial h_{33}}{\partial x}\frac{\partial h_{33}}{\partial t} + 2\frac{\partial h_{23}}{\partial x}\frac{\partial h_{23}}{\partial t}\right).$$

Si toutes les quantités sont des fonctions de la seule quantité $t - x/c$, on en déduit en définitive :

$$t^{01} = \frac{c^2}{16\pi k}\left[\dot{h}_{23}^2 + \frac{1}{4}(\dot{h}_{22} - \dot{h}_{33})^2\right]. \tag{102,11}$$

Possédant une énergie déterminée, l'onde gravitationnelle crée elle-même autour d'elle un certain champ de gravitation. Ce champ est d'ordre d'infinitude plus élevé (du second) en comparaison du champ de l'onde même, étant donné que l'énergie qui l'engendre est une quantité du second ordre.

Les conditions initiales pour un champ arbitraire d'ondes gravitationnelles doivent être données par quatre fonctions arbitraires des coordonnées: en vertu de la transversalité des ondes, il y a en tout deux composantes indépendantes $h_{\alpha\beta}$, pour lesquelles il faut se donner aussi les dérivées premières par rapport au temps. Bien que nous ayons fait ici ce calcul en partant des propriétés d'un champ de gravitation faible, il n'en est pas moins clair que le résultat — le nombre 4 — ne peut être lié à cette supposition et concerne tout champ de gravitation libre, c'est-à-dire non lié à des masses graves.

Problèmes

1. Déterminer le tenseur de courbure dans une onde gravitationnelle plane faible.

Solution. Calculant R_{iklm} d'après la formule (92,4) à l'approximation linéaire par rapport à h_{ik}, on trouve les composantes non nulles suivantes:

$$-R_{0202}=R_{0303}=-R_{1212}=R_{0212}=R_{0331}=R_{3131}=\sigma,$$
$$R_{0203}=-R_{1231}=-R_{0312}=R_{0231}=\mu,$$

où l'on a posé $\sigma=-\frac{1}{2}\ddot{h}_{33}=\frac{1}{2}\ddot{h}_{22}$, $\mu=-\frac{1}{2}\ddot{h}_{23}$. Dans la terminologie des tenseurs tridimensionnels $A_{\alpha\beta}$ et $B_{\alpha\beta}$ introduits dans le problème 3 § 92 on a:

$$A_{\alpha\beta}=\begin{pmatrix}0 & 0 & 0\\ 0 & -\sigma & \mu\\ 0 & \mu & \sigma\end{pmatrix},\quad B_{\alpha\beta}=\begin{pmatrix}0 & 0 & 0\\ 0 & \mu & \sigma\\ 0 & \sigma & -\mu\end{pmatrix}.$$

Par une rotation convenable des axes des x^2, x^3 on peut annuler (au point donné du 4-espace) σ ou bien μ; annulant σ, on réduit le tenseur de courbure au type dégénéré de Pétrov II (type N).

2. Trouver les petites corrections du tenseur R_{ik} pour une métrique arbitraire « imperturbée » $g^{(0)}_{ik}$.

Solution. Les corrections des Christoffels pour $\delta g_{ik}=h_{ik}$ ont la forme:

$$\delta\Gamma^i_{kl}=\frac{1}{2}\left(h^i_{k;\,l}+h^i_{l;\,k}-h_{kl}{}^{;\,i}\right),$$

ce dont on peut s'assurer par un calcul direct (ici et dans ce qui suit la manipulation des indices et les dérivations covariantes se font à partir de la métrique $g^{(0)}_{ik}$). Il vient pour les corrections relatives au tenseur de courbure

$$\delta R^i_{klm}=\frac{1}{2}\left(h^i_{k;\,m;\,l}+h^i_{m;\,k;\,l}-h_{km}{}^{;\,i}{}_{;\,l}-h^i_{k;\,l;\,m}-h^i_{l;\,k;\,m}+h_{kl}{}^{;\,i}{}_{;\,m}\right).$$

D'où les corrections pour le tenseur de Ricci:

$$\delta R_{ik}=\delta R^l_{ilk}=\frac{1}{2}\left(h^l_{i;\,k;\,l}+h^l_{k;\,i;\,l}-h_{ik}{}^{;\,l}{}_{;\,l}-h_{;\,i;\,k}\right). \tag{1}$$

De la relation

$$R^{(0)k}_{i}+\delta R^k_i=\left(R^{(0)}_{il}+\delta R_{il}\right)\left(g^{(0)kl}-h^{kl}\right)$$

il vient pour les corrections des composantes mixtes R^k_i:

$$\delta R^k_i=g^{(0)kl}\delta R_{il}-h^{kl}R^{(0)}_{il}. \tag{2}$$

§ 103. Solutions exactes, dépendant d'une variable, des équations du champ de gravitation

Dans ce paragraphe nous considérerons les types possibles de solutions exactes des équations du champ de gravitation dans le vide, dans lesquelles toutes les composantes du tenseur métrique sont des fonctions, dans un référentiel adéquat, d'une seule variable [1]. Cette variable peut être aussi bien de caractère temporel que spatial. Nous supposerons, pour fixer les idées, qu'il s'agit de la variable temporelle, et nous poserons $x^0 = t$ [2].

Comme nous le verrons, on obtient des types essentiellement différents de solutions selon qu'il existe ou non un référentiel dans lequel toutes les composantes $g_{0\alpha} = 0$ et où toutes les autres composantes dépendraient, comme auparavant, d'une seule variable. La dernière condition admet, il est évident, une transformation des coordonnées x^α de la forme:

$$x^\alpha \rightarrow x^\alpha + \varphi^\alpha (t);$$

où les φ^α sont des fonctions arbitraires de t. On a alors:

$$g_{0\alpha} \rightarrow g_{0\alpha} + g_{\alpha\beta}\dot{\varphi}^\beta$$

(le point désignant la dérivation par rapport au temps). Si le déterminant $|g_{\alpha\beta}| \neq 0$, le système d'équations

$$g_{0\alpha} + g_{\alpha\beta}\dot{\varphi}^\beta = 0 \tag{103,1}$$

détermine les fonctions $\varphi^\alpha (t)$, réalisant le passage au référentiel dans lequel $g_{0\alpha} = 0$. En transformant la variable t conformément à $\sqrt{g_{00}}\, dt \rightarrow dt$, on peut ensuite ramener g_{00} à l'unité, de sorte que l'on obtient le référentiel synchrone où

$$g_{00} = 1, \quad g_{0\alpha} = 0, \quad g_{\alpha\beta} = -\gamma_{\alpha\beta} (t). \tag{103,2}$$

On peut à présent se servir des équations d'Einstein sous la forme (99,11-13). Comme les quantités $\gamma_{\alpha\beta}$, et avec elles les composantes du tenseur tridimensionnel $\varkappa_{\alpha\beta} = \dot{\gamma}_{\alpha\beta}$, ne dépendent pas des coordonnées x^α, on a $R_{0\alpha} \equiv 0$. Pour la même raison $P_{\alpha\beta} \equiv 0$, si bien que les équations du champ de gravitation dans le vide se

[1] Plusieurs solutions exactes des équations du champ dans le vide, dépendant d'un plus grand nombre de variables, ont été trouvées dans: *B. K. Harrison*, Phys. Rev., **116**, 1285, 1959.

[2] Dans ce paragraphe nous posons pour alléger les formules $c = 1$.

réduisent au système suivant :

$$\dot{\varkappa}_{\alpha}^{\alpha}+\frac{1}{2}\varkappa_{\alpha}^{\beta}\varkappa_{\beta}^{\alpha}=0, \tag{103,3}$$

$$\frac{1}{\sqrt{\gamma}}(\sqrt{\gamma}\varkappa_{\alpha}^{\beta})^{\cdot}=0. \tag{103,4}$$

Il résulte de (103,4) que

$$\sqrt{\gamma}\varkappa_{\alpha}^{\beta}=2\lambda_{\alpha}^{\beta}, \tag{103,5}$$

les λ_{α}^{β} étant des constantes. La contraction sur α et β donne :

$$\varkappa_{\alpha}^{\alpha}=\frac{\dot{\gamma}}{\gamma}=\frac{2}{\sqrt{\gamma}}\lambda_{\alpha}^{\alpha},$$

ce qui montre que γ = const t^2. Sans restreindre la généralité, on peut poser const = 1 (il suffit simplement, à cet effet, de changer l'échelle des coordonnées x^{α}) ; alors $\lambda_{\alpha}^{\alpha}=1$. La substitution de (103,5) dans l'équation (103,3) donne à présent la relation

$$\lambda_{\alpha}^{\beta}\lambda_{\beta}^{\alpha}=1, \tag{103,6}$$

laquelle relie entre elles les constantes λ_{α}^{β}.

Puis, abaissant dans (103,5) l'indice β, nous recopierons ces égalités sous forme de système d'équations différentielles pour les $\gamma_{\alpha\beta}$:

$$\dot{\gamma}_{\alpha\beta}=\frac{2}{t}\lambda_{\alpha}^{\gamma}\gamma_{\gamma\beta}. \tag{103,7}$$

On peut considérer l'ensemble des coefficients $\lambda_{\alpha}^{\gamma}$ comme la matrice d'une substitution linéaire. Par une transformation linéaire des coordonnées x^1, x^2, x^3 (ou, ce qui est équivalent, des $g_{1\beta}$, $g_{2\beta}$, $g_{3\beta}$), il est, en général, possible de ramener cette matrice à la forme diagonale. Désignons ses valeurs principales par p_1, p_2, p_3 et considérons qu'elles sont toutes réelles et distinctes (pour les autres cas voir ci-dessous) ; soient $\mathbf{n}^{(1)}$, $\mathbf{n}^{(2)}$, $\mathbf{n}^{(3)}$ les vecteurs unitaires dans les directions principales correspondantes. On peut alors mettre les solutions des équations (103,7) sous la forme :

$$\gamma_{\alpha\beta}=t^{2p_1}n_{\alpha}^{(1)}n_{\beta}^{(1)}+t^{2p_2}n_{\alpha}^{(2)}n_{\beta}^{(2)}+t^{2p_3}n_{\alpha}^{(3)}n_{\beta}^{(3)} \tag{103,8}$$

(on peut ramener les coefficients constants des puissances de t à l'unité en choisissant convenablement l'échelle des coordonnées). Enfin, dirigeant les axes (que nous appellerons x, y, z) selon les vecteurs $\mathbf{n}^{(1)}$, $\mathbf{n}^{(2)}$, $\mathbf{n}^{(3)}$, on ramène la métrique à la forme définitive (*E. Kasner*, 1922) :

$$ds^2=dt^2-t^{2p_1}\,dx^2-t^{2p_2}\,dy^2-t^{2p_3}\,dz^2, \tag{103,9}$$

où p_1, p_2, p_3 sont trois nombres quelconques reliés par les deux relations

$$p_1 + p_2 + p_3 = 1, \quad p_1^2 + p_2^2 + p_3^2 = 1 \qquad (103,10)$$

[la première résulte de ce que $-g = t^2$, et la seconde provient ensuite de (103,6)].

Il est évident que les trois nombres p_1, p_2, p_3 ne peuvent être égaux. Deux d'entre eux ne peuvent être égaux que s'ils sont choisis dans les groupes 0, 0, 1 ou —1/3, 2/3, 2/3. Dans tous les autres cas, p_1, p_2, p_3 sont distincts, l'un de ces nombres étant négatif et les deux autres positifs. Si on les dispose dans l'ordre $p_1 < p_2 < p_3$, ils seront alors compris dans les intervalles[1]:

$$-\frac{1}{3} \leqslant p_1 \leqslant 0, \quad 0 \leqslant p_2 \leqslant \frac{2}{3}, \quad \frac{2}{3} \leqslant p_3 \leqslant 1. \qquad (103,10a)$$

Ainsi, la métrique (103,9) correspond à un espace uniforme, mais anisotrope, dont tous les volumes croissent (avec le temps) proportionnellement à t, les distances linéaires croissant selon deux axes (y, z) et décroissant selon un axe (x). L'instant $t = 0$ est un point singulier de la solution ; la métrique a en ce point une singularité qu'on ne peut éliminer par aucune transformation du référentiel. Seul fait exception le cas particulier $p_1 = p_2 = 0$, $p_3 = 1$; alors l'espace-temps est plan : la transformation $t \operatorname{sh} z = \zeta$, $t \operatorname{ch} z = \tau$ ramène la métrique (103,9) à la forme galiléenne.

La solution du type (103,9) existe aussi dans le cas où la variable qu'elle contient est spatiale ; il faut alors seulement changer les signes d'une manière convenable, par exemple :

$$ds^2 = x^{2p_1} dt^2 - dx^2 - x^{2p_2} dy^2 - x^{2p_3} dz^2.$$

Toutefois, il existe aussi dans ce cas des solutions d'un autre type, apparaissant lorsque la matrice γ_α^β dans les équations (103,7) a les valeurs principales complexes ou coïncidentes (voir les problèmes). Dans le cas de la variable temporelle t ces solutions sont impossibles, car le déterminant g dans ces dernières ne vérifierait pas la condition nécessaire $g < 0$.

Un type tout à fait différent de solutions correspond au cas où le déterminant du tenseur $g_{\alpha\beta}$ figurant dans les équations (103,1) est nul. Il n'existe plus alors de référentiel satisfaisant aux condi-

---

[1] Les solutions des équations algébriques (103,10) peuvent être représentées paramétriquement sous la forme :

$$p_1 = \frac{-s}{1+s+s^2}, \quad p_2 = \frac{s(1+s)}{1+s+s^2}, \quad p_3 = \frac{1+s}{1+s+s^2},$$

le paramètre s allant de 0 à 1.

tions (103,2). On pourra alors prendre le référentiel de telle sorte que

$$g_{10}=1, \quad g_{00}=g_{20}=g_{30}=0, \quad g_{\alpha\beta}=g_{\alpha\beta}(x^0),$$

avec $|g_{\alpha\beta}|=0$ (la variable x^0 a alors un caractère « lumineux »: pour $dx^\alpha=0$, $dx^0\neq 0$ l'intervalle ds s'annule; nous désignerons cette variable par $x^0=\eta$). L'élément d'intervalle correspondant peut être mis sous la forme:

$$ds^2=2dx^1\,d\eta+g_{ab}(dx^a+g^a\,dx^1)(dx^b+g^b\,dx^1).$$

Ici et ci-dessous les indices a, b, c, ... prennent les valeurs 2, 3; g_{ab} peut être considéré comme un tenseur bidimensionnel, et les deux quantités g^a comme les composantes d'un bivecteur. Le calcul des R_{ab} conduit aux équations du champ:

$$R_{ab}=-\frac{1}{2}g_{ac}\dot{g}^c g_{bd}\dot{g}^d=0$$

(le point désignant la dérivation par rapport à η). Il en résulte que $g_{ac}\dot{g}^c=0$ ou $\dot{g}^c=0$, soit $g^c=\text{const}$. Donc, la transformation $x^a+g^a x^1\to x^a$ permet de ramener la métrique considérée à la forme:

$$ds^2=2dx^1\,d\eta+g_{ab}(\eta)\,dx^a\,dx^b. \tag{103,11}$$

Le déterminant $-g$ de ce tenseur métrique coïncide avec le déterminant $|g_{ab}|$, et de tous les Christoffels seuls ne sont pas nuls

$$\Gamma^a_{b0}=\frac{1}{2}\varkappa^a_b, \quad \Gamma^1_{ab}=-\frac{1}{2}\varkappa_{ab},$$

où nous avons introduit le tenseur bidimensionnel $\varkappa_{ab}=\dot{g}_{ab}$. De toutes les composantes du tenseur de Ricci R_{ik} seule R_{00} ne s'annule pas identiquement, de sorte que l'on a l'équation

$$R_{00}=\frac{1}{2}\dot{\varkappa}^a_a+\frac{1}{4}\varkappa^b_a\varkappa^a_b=0. \tag{103,12}$$

Ainsi, les trois fonctions $g_{22}(\eta)$, $g_{23}(\eta)$, $g_{33}(\eta)$ doivent vérifier une équation seulement. Par suite, deux d'entre elles peuvent être prises arbitrairement. Il est commode de représenter l'équation (103,12) sous une autre forme, en écrivant les g_{ab} comme suit:

$$g_{ab}=-\chi^2\gamma_{ab}, \quad |\gamma_{ab}|=1. \tag{103,13}$$

On a alors $-g=|g_{ab}|=\chi^4$, et la substitution dans (103,12) donne après une transformation simple:

$$\ddot{\chi}+\frac{1}{8}(\dot{\gamma}_{ac}\gamma^{bc})(\dot{\gamma}_{bd}\gamma^{ad})\chi=0 \tag{103,14}$$

(γ^{ab} est le tenseur bidimensionnel inverse de γ_{ab}). Si l'on donne des fonctions arbitraires $\gamma_{ab}(\eta)$ (liées entre elles par la relation $|\gamma_{ab}|=1$), cette équation définit alors la fonction $\chi(\eta)$.

Nous sommes donc conduits à une solution contenant deux fonctions arbitraires. Il est facile de voir qu'elle représente la généralisation de l'onde gravitationnelle plane faible (se propageant dans une direction) considérée au § 102 [1]. On obtient cette dernière par la transformation

$$\eta = \frac{t+x}{\sqrt{2}}, \qquad x^1 = \frac{t-x}{\sqrt{2}}$$

et en posant $\gamma_{ab} = \delta_{ab} + h_{ab}(\eta)$ (où les h_{ab} sont des quantités petites assujetties à la condition $h_{22} + h_{33} = 0$) et $\chi = 1$; la valeur constante χ vérifie l'équation (103,14), si l'on y néglige les petits termes du second ordre.

Supposons qu'une onde gravitationnelle faible d'étendue finie (« paquet d'ondes ») passe par un point x de l'espace. On a avant le passage $h_{ab} = 0$, $\chi = 1$; après le passage, on a de nouveau $h_{ab} = 0$, $\partial^2\chi/\partial t^2 = 0$, mais l'intervention des termes du second ordre dans l'équation (103,14) fait apparaître la valeur non nulle négative $\partial\chi/\partial t$:

$$\frac{\partial\chi}{\partial t} \approx -\frac{1}{8}\int\left(\frac{\partial h_{ab}}{\partial t}\right)^2 dt < 0$$

(l'intégrale est étendue au temps de passage de l'onde). On aura donc après le passage de l'onde $\chi = 1 - \text{const}\cdot t$, et au bout d'un laps de temps fini χ change de signe. Mais l'annulation de χ est aussi l'annulation du déterminant du tenseur métrique g, c'est-à-dire que la métrique présente une singularité. Néanmoins, cette singularité n'a pas un caractère physique; elle est due aux insuffisances du référentiel, qui a été affecté par le passage de l'onde gravitationnelle, et peut être éliminée par une transformation adéquate; après le passage de l'onde l'espace-temps redevient plan en réalité.

On peut s'en convaincre directement. Si l'on calcule les valeurs de la variable η à partir de sa valeur correspondant au point singulier, on a $\chi = \eta$, de sorte que

$$ds^2 = 2d\eta\, dx^1 - \eta^2\,[(dx^2)^2 + (dx^3)^2].$$

On vérifie aisément que pour cette métrique $R_{iklm} = 0$, de sorte que l'espace-temps correspondant est plan. En effet, après la transformation

$$\eta x^2 = y, \qquad \eta x^3 = z, \qquad x^1 = \xi - \frac{y^2+z^2}{2\eta}$$

[1] La possibilité d'une telle généralisation a été indiquée pour la première fois par *I. Robinson* et *H. Bondi* (1957).

Indiquons également des travaux faisant mention de solutions de caractère similaire d'un plus grand nombre de variables: *A. Pérès*, Phys. Rev. Letts., 3, 571, 1959; *I. Robinson*, *A. Trautman*, Phys. Rev. Letts., 4, 431, 1960.

on obtient :

$$ds^2 = 2d\eta\, d\xi - dy^2 - dz^2,$$

et la substitution $\eta = \frac{t+x}{\sqrt{2}}$, $\xi = \frac{t-x}{\sqrt{2}}$ ramène en définitive la métrique à la forme galiléenne.

Cette propriété de l'onde gravitationnelle — l'apparition d'une singularité fictive — n'est pas due, certes, au fait que l'onde est faible, et elle est inhérente aussi à la solution générale de l'équation (103,12) [1]. De même que dans l'exemple considéré, on a au voisinage de la singularité $\chi \sim \eta$, c'est-à-dire $-g \sim \eta^4$.

Indiquons enfin que, parallèlement à la solution générale décrite, l'équation (103,12) a aussi des solutions singulières de la forme :

$$ds^2 = 2d\eta\, dx^1 - \eta^{2s_2} (dx^2)^2 - \eta^{2s_3} (dx^3)^2, \qquad (103,15)$$

où s_2, s_3 sont des nombres reliés par la relation

$$s_2^2 + s_3^2 = s_2 + s_3.$$

Dans ces solutions la métrique possède un point singulier réel (pour $\eta = 0$), qu'on ne peut éliminer par une transformation du référentiel.

Problèmes

1. Trouver la solution des équations (103,7) correspondant au cas où la matrice λ_α^β a une valeur principale réelle (p_3) et deux complexes ($p_{1,2} = p' \pm \pm ip''$).

Solution. Dans ce cas, la variable x^0, dont dépendent toutes les quantités, doit être de caractère spatial; désignons-la $x^0 = x$. On doit avoir respectivement dans (103,2) $g_{00} = -1$. Les équations (103,3) et (103,4), elles, ne changent pas.

Les vecteurs $\mathbf{n}^{(1)}$, $\mathbf{n}^{(2)}$ dans (103,8) deviennent complexes: $(\mathbf{n}^{(1,2)} = \mathbf{n}' \pm \pm i\mathbf{n}'')/\sqrt{2}$, où $\mathbf{n}'$, $\mathbf{n}''$ sont des vecteurs unités. Choisissant les axe sx^1, x^2, x^3 dans les directions de $\mathbf{n}'$, $\mathbf{n}''$, $\mathbf{n}^{(3)}$, on obtient la solution sous la forme :

$$-g_{11} = g_{22} = x^{2p'} \cos\left(2p'' \ln \frac{x}{a}\right), \quad g_{12} = -x^{2p'} \sin\left(2p'' \ln \frac{x}{a}\right),$$

$$g_{33} = -x^{2p_3}, \quad -g = -g_{00}\, |g_{\alpha\beta}| = x^2,$$

où a est une constante (que l'on ne peut éliminer par le choix de l'échelle sur l'axe des x sans changer les autres coefficients dans les expressions écrites). Les nombres p_1, p_2, p_3 vérifient, comme auparavant, les relations (103,10), le nombre réel p_3 étant soit inférieur à $-1/3$, soit supérieur à l'unité.

2. Même problème pour le cas de deux valeurs principales égales ($p_2 = p_3$).

Solution. On sait d'après la théorie générale des équations différentielles linéaires que dans ce cas le système (103,7) peut être ramené à la

[1] On peut le montrer à l'aide de l'équation (103,12) exactement comme on l'a fait au § 100 pour une équation tridimensionnelle analogue.

forme canonique suivante:

$$\dot{g}_{11}=\frac{2p_1}{x}g_{11},\quad \dot{g}_{2\alpha}=\frac{2p_2}{x}g_{2\alpha},\quad \dot{g}_{3\alpha}=\frac{2p_2}{x}g_{3\alpha}+\frac{\lambda}{x}g_{2\alpha},\qquad \alpha=2,\,3,$$

λ étant une constante. Lorsque $\lambda=0$, nous retrouvons (103,9). Si $\lambda\neq 0$, on peut poser $\lambda=1$; alors

$$g_{11}=-x^{2p_1},\quad g_{2\alpha}=a_\alpha x^{2p_2},\quad g_{3\alpha}=a_\alpha x^{2p_2}\ln x+b_\alpha x^{2p_2}.$$

De la condition $g_{32}=g_{23}$ on déduit que $a_2=0$, $a_3=b_2$. Par un choix convenable de l'échelle sur les axes x^2, x^3 on ramène en définitive la métrique à la forme :

$$ds^2=-dx^2-x^{2p_1}(dx^1)^2\pm 2x^{2p_2}\,dx^2\,dx^3\pm x^{2p_2}\ln\frac{x}{a}(dx^3)^2.$$

Les nombres p_1, p_2 peuvent avoir les valeurs 1, 0 ou $-1/3$, $2/3$.

3. Trouver le mouvement de la matière (avec pour équation d'état $p=\varepsilon/3$) uniformément distribuée dans l'espace de métrique (103,9) pour des t petits; on négligera l'action inverse de la matière sur le champ gravitationnel.

S o l u t i o n. Utilisons les équations hydrodynamiques du mouvement

$$\frac{1}{\sqrt{-g}}\frac{\partial}{\partial x^i}(\sqrt{-g}\,\sigma u^i)=0,$$

$$(p+\varepsilon)\,u^k\left(\frac{\partial u_i}{\partial x^k}-\frac{1}{2}u^l\frac{\partial g_{kl}}{\partial x^i}\right)=-\frac{\partial p}{\partial x^i}-u_iu^k\frac{\partial p}{\partial x^k},$$

contenues dans les équations $T^k_{i;\,k}=0$[1]. Ici σ représente la densité de l'entropie; pour l'équation d'état $p=\varepsilon/3$ on a $\sigma\sim\varepsilon^{3/4}$. Dans le cas considéré toutes les grandeurs ne dépendent que du temps, et ces équations donnent

$$\frac{\partial}{\partial t}(tu_0\varepsilon^{3/4})=0,\quad 4\varepsilon\frac{\partial u_\alpha}{\partial t}+u_\alpha\frac{\partial\varepsilon}{\partial t}=0,$$

d'où

$$tu_0\varepsilon^{3/4}=\text{const},\qquad u_\alpha\varepsilon^{1/4}=\text{const},$$

et on déduit de l'identité $u_iu^i=1$:

$$u_0^2\approx u_3u^3=u_3^2t^{-2p_3}$$

(pour les t petits nous ne conservons que le terme de plus haut degré en $1/t$). On déduit de ces relations :

$$\varepsilon=\varepsilon^{(0)}t^{-2(1-p_3)},\qquad u_\alpha=u_\alpha^{(0)}t^{\frac{1-p_3}{2}},$$

où $\varepsilon^{(0)}$, $u_\alpha^{(0)}$ sont des constantes. Lorsque $t\to 0$ la densité d'énergie ε tend vers ∞. La direction de la vitesse tridimensionnelle v^α tend vers celle de l'axe z ($v^3\sim t^{-2p_3}$, $v_3\gg v^1$, v^2), et la grandeur de cette vitesse ($v^2=v_\alpha v^\alpha$) tend vers la vitesse de la lumière selon la loi

$$\sqrt{1-v^2}\sim t^{\frac{3p_3-1}{2}}.$$

[1] Cf. VI. § 126.

§ 104. Champ de gravitation loin des corps

Considérons un champ gravitationnel stationnaire à de grandes distances r du corps qui l'engendre, et déterminons les premiers termes de son développement en puissances de $1/r$.

En première approximation, en se limitant aux termes en $1/r$, les accroissements des valeurs galiléennes sont donnés par les termes correspondants du développement de la solution de Schwarzschild (97,14), qui peuvent s'écrire sous la forme (101,17):

$$h_{00}^{(1)} = -\frac{2km}{c^2 r}, \quad h_{\alpha\beta}^{(1)} = -\frac{2km}{c^2}\frac{n_\alpha n_\beta}{r}, \quad h_{0\alpha}^{(1)} = 0. \qquad (104,1)$$

Parmi les termes du second ordre, proportionnels à $1/r^2$, il y a des termes de deux origines. Une partie des termes, résultant de la non-linéarité des équations de la gravitation, proviennent des termes du premier ordre. Etant donné que ces derniers dépendent seulement de la masse totale (et non pas d'autres caractéristiques quelles qu'elles soient) du corps, c'est donc uniquement de la masse que dépendent ces termes du second ordre. Il est donc clair qu'ils peuvent être obtenus en développant la solution schwarzschildienne (97,14), d'où l'on trouve [1]:

$$h_{00}^{(2)} = 0, \quad h_{\alpha\beta}^{(2)} = -\frac{4k^2m^2}{c^4r^2} n_\alpha n_\beta. \qquad (104,2)$$

Les autres termes du second ordre apparaissent en tant que solutions correspondantes des équations du champ déjà linéarisées. Pour les calculer, utilisons les équations linéarisées sous la forme (102,8). Dans le cas stationnaire, l'équation des ondes se ramène à l'équation de Laplace

$$\Delta h_i^k = 0, \qquad (104,3)$$

En outre, les quantités h_i^k sont reliées par les conditions complémentaires (102,5) qui, étant donné que les h_i^k ne dépendent

[1] Il convient d'attirer l'attention sur le fait que la forme concrète de $h_{\alpha\beta}^{(1)}$, $h_{\alpha\beta}^{(2)}$, $h_{00}^{(2)}$ dépend du choix concret des coordonnées spatiales (galiléennes à l'infini); leur expression, donnée dans le texte, correspond précisément à la définition de r pour laquelle la solution schwarzschildienne est donnée par la formule (97,14). Ainsi, la transformation $x'^\alpha = x^\alpha + \xi^\alpha$, $\xi^\alpha = ax^\alpha/2r$ entraîne [cf. (102,6)] qu'il faut ajouter à $h_{\alpha\beta}^{(1)}$ le terme $a\,(\delta_{\alpha\beta} - n_\alpha n_\beta)/r$, et, en choisissant a adéquatement, il vient:

$$h_{\alpha\beta}^{(1)} = -\frac{2km}{c^2}\frac{\delta_{\alpha\beta}}{r}, \qquad (104,1a)$$

ce qui correspond à la solution schwarzschildienne en coordonnées isotropes (cf. prob. 3 § 97).

pas du temps, prennent la forme suivante:

$$\frac{\partial}{\partial x^{\beta}}\left(h_{\alpha}^{\beta}-\frac{1}{2}h\delta_{\alpha}^{\beta}\right)=0, \qquad (104,4)$$

$$\frac{\partial}{\partial x^{\beta}}h_{0}^{\beta}=0. \qquad (104,5)$$

La composante h_{00} doit être donnée par la solution scalaire de l'équation de Laplace tridimensionnelle. Une telle solution, proportionnelle à $1/r^2$, s'écrit, comme on sait, sous la forme $\mathbf{a}\nabla\frac{1}{r}$, où $\mathbf{a}$ est un vecteur constant. Mais le terme de cette espèce dans h_{00} peut toujours être éliminé par une simple translation de l'origine des coordonnées dans le terme du premier ordre en $1/r$. Ainsi, la présence d'un tel terme dans h_{00} signifierait simplement que le choix de l'origine des coordonnées est inadéquat et ne présente donc pas d'intérêt.

Les composantes $h_{0\alpha}$ sont données par la solution vectorielle de l'équation de Laplace, donc elles doivent s'écrire:

$$h_{0\alpha}=\lambda_{\alpha\beta}\frac{\partial}{\partial x^{\beta}}\frac{1}{r},$$

où $\lambda_{\alpha\beta}$ est un tenseur constant. La condition (104,5) donne:

$$\lambda_{\alpha\beta}\frac{\partial^2}{\partial x^{\alpha}\,\partial x^{\beta}}\frac{1}{r}=0,$$

d'où il résulte que $\lambda_{\alpha\beta}$ doit être de la forme:

$$\lambda_{\alpha\beta}=a_{\alpha\beta}+\lambda\delta_{\alpha\beta},$$

où $a_{\alpha\beta}$ est un tenseur antisymétrique. Mais la solution de la forme $\lambda\frac{\partial}{\partial x^{\alpha}}\frac{1}{r}$ peut être éliminée par la transformation $x'^0=x^0+\xi^0$ avec $\xi^0=\lambda/r$ [cf. (102,6)]. Donc seule a un sens réel la solution de la forme:

$$h_{0\alpha}=a_{\alpha\beta}\frac{\partial}{\partial x^{\beta}}\frac{1}{r}, \qquad a_{\alpha\beta}=-a_{\beta\alpha}. \qquad (104,6)$$

Enfin, on peut montrer par un raisonnement analogue, bien que plus long, qu'il est toujours possible d'éliminer, par une transformation appropriée des coordonnées spatiales, les $h_{\alpha\beta}$, représentant la solution tensorielle (symétrique en α, β) de l'équation de Laplace.

Reste à expliciter le sens du tenseur $a_{\alpha\beta}$ dans (104,6). Dans ce but, calculons d'après la formule (101,16), où l'on substituera les expressions trouvées de $h_{0\alpha}$ (on pourra faire abstraction alors de tous les autres h_{ik}), le tenseur $M_{\alpha\beta}$ du moment cinétique total.

En se limitant aux termes du premier ordre en $h_{0\alpha}$, on trouve par application de la formule (101,2) (remarquons que $g^{\alpha 0} = -h^{\alpha 0} = h_{\alpha 0}$):

$$h^{\alpha 0 \beta} = \frac{c^4}{16\pi k} \frac{\partial}{\partial x^\gamma} (g^{\alpha 0} g^{\beta\gamma} - g^{\gamma 0} g^{\alpha\beta}) =$$

$$= -\frac{c^4}{16\pi k} \frac{\partial}{\partial x^\gamma} (h_{\alpha 0} \delta_{\beta\gamma} - h_{\gamma 0} \delta_{\alpha\beta}) =$$

$$= -\frac{c^4}{16\pi k} \frac{\partial}{\partial x^\beta} h_{\alpha 0} = -\frac{c^4}{16\pi k} a_{\alpha\gamma} \frac{\partial^2}{\partial x^\beta \partial x^\gamma} \frac{1}{r} =$$

$$= -\frac{c^4}{16\pi k} a_{\alpha\gamma} \frac{3 n_\beta n_\gamma - \delta_{\beta\gamma}}{r^2}$$

(**n** étant le vecteur unité dans la direction du rayon vecteur). En s'aidant de ces formules, on trouve, en intégrant sur la sphère de rayon $r\,(df_\gamma = n_\gamma r^2\, do)$:

$$\frac{1}{c} \int (x^\alpha h^{\beta 0 \gamma} - x^\beta h^{\alpha 0 \gamma})\, df_\gamma = -\frac{c^3}{8\pi k} \int (n_\alpha n_\gamma a_{\beta\gamma} - n_\beta n_\gamma a_{\alpha\gamma})\, do =$$

$$= -\frac{c^3}{8\pi k} \frac{4\pi}{3} (\delta_{\alpha\gamma} a_{\beta\gamma} - \delta_{\beta\gamma} a_{\alpha\gamma}) = \frac{c^3}{3k} a_{\alpha\beta}.$$

Un calcul analogue donne:

$$\frac{1}{c} \int \lambda^{\alpha 0 \gamma \beta}\, df_\gamma = -\frac{c^3}{16\pi k} \int (h_{\alpha 0}\, df_\beta - h_{\beta 0}\, df_\alpha) = \frac{c^3}{6k} a_{\alpha\beta}.$$

Ajoutant les deux résultats, on obtient:

$$M_{\alpha\beta} = \frac{c^3}{2k} a_{\alpha\beta}.$$

On a donc, en définitive:

$$h_{0\alpha}^{(2)} = -\frac{2k}{c^3} M_{\alpha\beta} \frac{n_\beta}{r^2}. \tag{104,7}$$

Soulignons que dans le cas général où le champ au voisinage de corps peut ne pas être faible, $M_{\alpha\beta}$ est alors le moment cinétique du corps et du champ de gravitation. C'est seulement dans le cas où le champ est faible à n'importe quelle distance que l'on peut faire abstraction de sa contribution au moment. Notons de même que, dans le cas d'un corps de forme sphérique en rotation, engendrant partout un champ faible, la formule (104,7) est légitime dans tout l'espace extérieur au corps.

Les formules (104,1), (104,2) et (104,7) résolvent le problème posé en se limitant aux termes en $1/r^2$. On a pour les composantes covariantes du tenseur métrique

$$g_{ik} = g_{ik}^{(0)} + h_{ik}^{(1)} + h_{ik}^{(2)}. \tag{104,8}$$

On a alors, avec la même approximation, pour les composantes contravariantes

$$g^{ik}=g^{(0)ik}-h^{(1)ik}-h^{(2)ik}+h^{(1)i}{}_{l}h^{(1)lk}. \tag{104,9}$$

La formule (104,7) peut être mise sous forme vectorielle[1] :

$$\mathbf{g}=\frac{2k}{c^3r^2}\,\mathbf{n}\times\mathbf{M}. \tag{104,10}$$

Nous avons montré dans le problème 1 du § 88 que dans un champ de gravitation stationnaire une particule est soumise à une « force de Coriolis », comme si elle se trouvait sur un corps tournant avec la vitesse angulaire $\mathbf{\Omega}=\frac{c}{2}\sqrt{g_{00}}\,\mathrm{rot}\,\mathbf{g}$. On peut donc dire que dans le champ créé par un corps en rotation (de moment total $\mathbf{M}$), une particule éloignée du corps est soumise à une force équivalente à la force de Coriolis due à une rotation de vitesse angulaire

$$\mathbf{\Omega}\approx\frac{c}{2}\,\mathrm{rot}\,\mathbf{g}=\frac{k}{c^2r^3}\,[\mathbf{M}-3\mathbf{n}\,(\mathbf{Mn})].$$

Problème

Déterminer le déplacement systématique (« séculaire ») de l'orbite d'une particule se mouvant dans le champ d'un corps central, dû à la rotation de ce dernier (*J. Lense*, *H. Thirring*, 1918).

Solution. Etant donné que tous les effets relativistes sont petits, ils se superposent linéairement et, dans le calcul des effets de rotation du corps central, on peut faire abstraction de l'influence non newtonienne du champ de forces central symétrique étudiée au § 98; en d'autres termes, on pourra faire les calculs en supposant que parmi tous les h_{ik} seuls les $h_{0\alpha}$ ne sont pas nuls.

L'orientation de l'orbite classique d'une particule est déterminée par deux vecteurs conservatifs: le moment cinétique de la particule $\mathbf{M}=\mathbf{r}\times\mathbf{p}$ et le vecteur

$$\mathbf{A}=\frac{\mathbf{p}}{m}\times\mathbf{M}-\frac{kmm'\mathbf{r}}{r},$$

dont la conservation est spécifique du champ newtonien $\varphi=-km'/r$ (m' étant la masse du corps central) ; cf. I § 15. Le vecteur $\mathbf{M}$ est perpendiculaire au plan de l'orbite et le vecteur $\mathbf{A}$ est dirigé selon le demi-grand axe de l'ellipse dans le sens du périhélie (sa grandeur étant donnée par $kmm'e$, où e est l'excentricité de l'orbite). Le déplacement séculaire de l'orbite cherché peut être décrit comme la variation de la direction de ces vecteurs.

La fonction de Lagrange de la particule se mouvant dans le champ (104,10) est

$$L=-mc\,\frac{ds}{dt}=L_0+\delta L,\qquad \delta L=mc\mathbf{g}\mathbf{v}=\frac{2km}{c^2r^3}\,\mathbf{M}'\,(\mathbf{v}\times\mathbf{r}) \tag{1}$$

[1] A l'approximation envisagée, le vecteur $g_\alpha=-g_{0\alpha}/g_{00}\approx-g_{0\alpha}$. Pour la même raison, dans la définition du produit vectoriel et du rotationnel (cf. note p. 334) on posera $\gamma=1$, si bien qu'ils pourront être compris au sens usuel pour les vecteurs cartésiens.

(on désigne ici le moment du corps central par **M'**, pour distinguer du moment de la particule **M**). On en déduit la fonction d'Hamilton (cf. I § 40) :

$$\mathcal{H}=\mathcal{H}_0+\delta\mathcal{H}, \quad \delta\mathcal{H}=\frac{2k}{c^2r^3}\,\mathbf{M}'\,(\mathbf{r}\times\mathbf{p}).$$

Calculant la dérivée $\dot{\mathbf{M}}=\dot{\mathbf{r}}\times\mathbf{p}+\mathbf{r}\times\dot{\mathbf{p}}$ au moyen des équations d'Hamilton $\dot{\mathbf{r}}=\partial\mathcal{H}/\partial\mathbf{p}$, $\dot{\mathbf{p}}=-\partial\mathcal{H}/\partial\mathbf{r}$, on obtient :

$$\dot{\mathbf{M}}=\frac{2k}{c^2r^3}\,\mathbf{M}'\times\mathbf{M}. \tag{2}$$

Cherchant la variation séculaire de **M**, nous devons prendre la moyenne de cette expression sur une période de révolution T de la particule. Il est commode de calculer la moyenne à l'aide de la représentation paramétrique de r en fonction du temps lors du mouvement orbital elliptique sous la forme :

$$r=a\,(1-e\cos\xi), \quad t=\frac{T}{2\pi}\,(\xi-e\sin\xi)$$

(a et e sont le demi-grand axe et l'excentricité de l'ellipse ; cf. I § 15) :

$$\overline{r^{-3}}=\frac{1}{T}\int_0^T\frac{dt}{r^3}=\frac{1}{2\pi a^3}\int_0^{2\pi}\frac{d\xi}{(1-e\cos\xi)^2}=\frac{1}{a^3\,(1-e^2)^{3/2}}.$$

Ainsi, la variation séculaire de **M** est donnée par la formule

$$\frac{d\mathbf{M}}{dt}=\frac{2k\mathbf{M}'\times\mathbf{M}}{c^2a^3\,(1-e^2)^{3/2}}, \tag{3}$$

c'est-à-dire que le vecteur **M** tourne autour de l'axe de rotation du corps central tout en restant de grandeur constante.

Un calcul analogue pour le vecteur **A** donne :

$$\dot{\mathbf{A}}\doteq\frac{2k}{c^2r^3}\,\mathbf{M}'\times\mathbf{A}+\frac{6k}{c^2mr^5}\,(\mathbf{M}\mathbf{M}')\,\mathbf{r}\times\mathbf{M}.$$

On prend la moyenne de cette expression comme ci-dessus ; par raison de symétrie, il est alors évident *a priori* que le vecteur moyen $\overline{\mathbf{r}/r^5}$ est dirigé selon le demi-grand axe de l'ellipse, c'est-à-dire selon le vecteur **A**. Le calcul conduit à l'expression suivante pour la variation séculaire du vecteur **A** :

$$\frac{d\mathbf{A}}{dt}=\mathbf{\Omega}\times\mathbf{A}, \quad \mathbf{\Omega}=\frac{2kM'}{c^2a^3\,(1-e^2)^{3/2}}\,\{\mathbf{n}'-3\mathbf{n}\,(\mathbf{n}\mathbf{n}')\} \tag{4}$$

(**n**, **n'** sont les vecteurs unités des directions **M** et **M'**), c'est-à-dire que le vecteur **A** tourne avec la vitesse angulaire $\mathbf{\Omega}$, sa grandeur restant constante ; cette dernière circonstance signifie que l'excentricité de l'orbite ne subit pas de changement séculaire.

On peut recopier la formule (3) sous la forme :

$$\frac{d\mathbf{M}}{dt}=\mathbf{\Omega}\times\mathbf{M}$$

avec la même $\mathbf{\Omega}$ que dans (4) ; en d'autres termes, $\mathbf{\Omega}$ est la vitesse angulaire de rotation de l'ellipse considérée « comme un tout ». Cette rotation comprend aussi bien le déplacement complémentaire (par rapport au déplacement considéré au § 98) du périhélie de l'orbite que le déplacement séculaire de son plan autour de l'axe du corps (ce dernier effet n'existe pas si le plan de l'orbite coïncide avec le plan équatorial du corps central).

A titre de comparaison, indiquons qu'il correspond à l'effet étudié au § 98

$$\boldsymbol{\Omega}=\frac{6\pi km'}{c^2a\,(1-e^2)\,T}\,\mathbf{n}.$$

§ 105. Rayonnement d'ondes de gravitation

Considérons le champ gravitationnel faible créé par des corps animés de vitesses petites en comparaison de la vitesse de la lumière. Grâce à la présence de matière les équations du champ de gravitation se distingueront de l'équation ordinaire des ondes de la forme $\Box\, h_i^k = 0$ (102,8) par la présence dans le second membre de termes dus au tenseur d'énergie-impulsion de la matière. Nous écrirons ces équations sous la forme :

$$\frac{1}{2}\Box\,\psi_i^k=\frac{8\pi k}{c^4}\tau_i^k, \tag{105,1}$$

où nous avons introduit au lieu des h_i^k les quantités plus commodes dans le cas présent :

$$\psi_i^k=h_i^k-\frac{1}{2}\delta_i^k h,$$

les τ_i^k désignant conventionnellement des expressions complémentaires, apparaissant lorsqu'on passe dans les équations exactes de la gravitation au cas des champs faibles à l'approximation considérée. Il est facile de voir que les composantes τ_0^0 et τ_α^0 s'obtiennent directement à partir des composantes correspondantes T_i^k en y dégageant les quantités infiniment petites d'ordre requis ; en ce qui concerne les composantes τ_β^α, elles contiennent, en même temps que les termes se déduisant de T_β^α, des termes du second ordre provenant de $R_i^k-\frac{1}{2}\delta_i^k\,R$.

Les quantités ψ_i^k satisfont à la condition (102,5), $\partial\psi_i^k/\partial x^k = 0$. Il résulte de (105,1) que les τ_i^k vérifient aussi une telle équation :

$$\frac{\partial\tau_i^k}{\partial x^k}=0. \tag{105,2}$$

Cette équation remplace ici la relation générale $T_{i;\,k}^k = 0$.

Examinons, au moyen des équations écrites, la question de l'énergie rayonnée sous forme d'ondes de gravitation par des corps en mouvement. La résolution de ce problème exige la détermination du champ de gravitation dans la « zone d'ondes », c'est-à-dire à des distances grandes par rapport à la longueur des ondes rayonnées.

Tous les calculs sont, en principe, analogues à ceux que nous avons faits pour les ondes électromagnétiques. Les équations (105,1) d'un champ gravitationnel faible coïncident, quant à leur forme, avec l'équation des potentiels retardés (§ 62). On peut donc écrire aussitôt leur solution générale sous la forme:

$$\psi_i^k = -\frac{4k}{c^4}\int (\tau_i^k)_{t-R/c}\frac{dV}{R}. \qquad (105,3)$$

Etant donné que les vitesses de tous les corps du système sont petites, on peut écrire pour le champ aux grandes distances du système (comparer §§ 66 et 67):

$$\psi_i^k = -\frac{4k}{c^4 R_0}\int (\tau_i^k)_{t-R_0/c}\, dV, \qquad (105,4)$$

où R_0 est la distance à l'origine des coordonnées, située en un point intérieur du système; pour abréger l'écriture, nous omettrons ci-dessous l'indice $t - R_0/c$ dans les expressions sous les signes d'intégration.

Pour calculer ces intégrales, servons-nous des équations (105,2). Abaissant l'indice supérieur de τ_i^k et mettant en évidence les composantes spatiales et temporelles, écrivons (105,2) sous la forme:

$$\frac{\partial \tau_{\alpha\gamma}}{\partial x^\gamma} - \frac{\partial \tau_{\alpha 0}}{\partial x^0} = 0, \qquad \frac{\partial \tau_{0\gamma}}{\partial x^\gamma} - \frac{\partial \tau_{00}}{\partial x^0} = 0. \qquad (105,5)$$

Multiplions la première équation par x^β et intégrons dans tout l'espace:

$$\frac{\partial}{\partial x^0}\int \tau_{\alpha 0} x^\beta\, dV = \int \frac{\partial \tau_{\alpha\gamma}}{\partial x^\gamma} x^\beta\, dV = \int \frac{\partial (\tau_{\alpha\gamma} x^\beta)}{\partial x^\gamma} dV - \int \tau_{\alpha\beta}\, dV.$$

Vu que $\tau_{ik} = 0$ à l'infini, la première intégrale de droite s'évanouit après application du théorème de Gauss. En faisant la demi-somme de l'égalité restante et de celle qu'on déduit par transposition des indices, on trouve:

$$\int \tau_{\alpha\beta}\, dV = -\frac{1}{2}\frac{\partial}{\partial x^0}\int (\tau_{\alpha 0} x^\beta + \tau_{\beta 0} x^\alpha)\, dV.$$

Par ailleurs, multiplions la seconde équation (105,5) par $x^\alpha x^\beta$ et intégrons de même dans tout l'espace. Une transformation analogue conduit à l'égalité

$$\frac{\partial}{\partial x^0}\int \tau_{00} x^\alpha x^\beta\, dV = -\int (\tau_{\alpha 0} x^\beta + \tau_{\beta 0} x^\alpha)\, dV.$$

Comparant les deux résultats obtenus, on a:

$$\int \tau_{\alpha\beta}\, dV = \frac{1}{2}\left(\frac{\partial}{\partial x^0}\right)^2 \int \tau_{00} x^\alpha x^\beta\, dV. \qquad (105,6)$$

Ainsi, les intégrales de tous les $\tau_{\alpha\beta}$ se trouvent exprimées par des intégrales contenant seulement la composante τ_{00}. Mais, comme on l'a indiqué plus haut, cette dernière coïncide avec la composante correspondante T_{00} du tenseur d'énergie-impulsion, et on a avec une approximation suffisante [voir (96,1)] :

$$\tau_{00} = \mu c^2. \qquad (105,7)$$

Substituant cette dernière expression dans (105,6) et introduisant le temps $t = x^0/c$, recopions (105,4) sous la forme :

$$\psi_{\alpha\beta} = -\frac{2k}{c^4 R_0} \frac{\partial^2}{\partial t^2} \int \mu x^\alpha x^\beta \, dV. \qquad (105,8)$$

A de grandes distances des corps, on peut considérer l'onde (dans de petites régions) comme plane. On peut donc calculer le flux d'énergie rayonnée par le système, dans la direction de l'axe des x^1 par exemple, en utilisant la formule (102,11). Cette formule contient les composantes $h_{23} = \psi_{23}$ et $h_{22} - h_{33} = \psi_{22} - \psi_{33}$. On déduit de (105,8) leurs expressions

$$h_{23} = -\frac{2k}{3c^4 R_0} \ddot{D}_{23}, \quad h_{22} - h_{33} = -\frac{2k}{3c^4 R_0} (\ddot{D}_{22} - \ddot{D}_{33})$$

(le point désignant la dérivation par rapport au temps), où nous avons introduit le tenseur

$$D_{\alpha\beta} = \int \mu \, (3x^\alpha x^\beta - \delta_{\alpha\beta} x_\gamma^2) \, dV, \qquad (105,9)$$

du « moment quadrupolaire » des masses (voir § 96) On trouve en définitive le flux d'énergie le long de l'axe des x^1 sous la forme :

$$ct^{10} = \frac{k}{36\pi c^5 R_0^2} \left[\left(\frac{\dddot{D}_{22} - \dddot{D}_{33}}{2} \right)^2 + \dddot{D}_{23}^2 \right]. \qquad (105,10)$$

Connaissant le rayonnement dans la direction de l'axe des x^1, il est facile de déterminer le rayonnement dans une direction arbitraire, dont nous désignerons le vecteur unité par $\mathbf{n}$. A cet effet, il faut former au moyen des composantes du tenseur $\dddot{D}_{\alpha\beta}$ et du vecteur n_α un scalaire, quadratique en $\dddot{D}_{\alpha\beta}$, se réduisant pour $n_1 = 1$, $n_2 = n_3 = 0$ à l'expression se trouvant entre crochets dans (105,10).

En définitive, l'intensité du rayonnement d'énergie dans l'élément d'angle solide do s'exprime :

$$dI = \frac{k}{36\pi c^5} \left[\frac{1}{4} (\dddot{D}_{\alpha\beta} n_\alpha n_\beta)^2 + \frac{1}{2} \dddot{D}_{\alpha\beta}^2 - \dddot{D}_{\alpha\beta} \dddot{D}_{\alpha\gamma} n_\beta n_\gamma \right] do. \qquad (105,11)$$

Le rayonnement total dans toutes les directions, c'est-à-dire l'énergie perdue par le système dans l'unité de temps $(-d\mathscr{E}/dt)$, peut être obtenu en prenant la moyenne de ce flux sur les directions et multipliant cette moyenne par 4π. On prend facilement la moyenne en se servant des formules données dans la note de la page 252. On est conduit à l'expression suivante pour l'énergie dissipée:

$$-\frac{d\mathscr{E}}{dt}=\frac{k}{45c^5}\dddot{D}_{\alpha\beta}^2. \tag{105,12}$$

Il convient de noter que la valeur numérique de cette énergie dissipée est si petite, même pour des objets astronomiques, que son influence sur le mouvement, même pour des durées cosmiques, est tout à fait illusoire (ainsi, pour les étoiles doubles, la perte d'énergie en une année est de l'ordre du 10^{-12}-ième de leur énergie totale).

Problème

Deux corps s'attirant en vertu de la loi de Newton décrivent des orbites circulaires (autour de leur centre d'inertie commun). Calculer la vitesse de rapprochement des deux corps due à la dissipation d'énergie par rayonnement d'ondes de gravitation.

Solution. m_1 et m_2 étant les masses des corps et r leur distance (constante dans le mouvement sur des orbites circulaires), le calcul au moyen de (105,12) donne:

$$-\frac{d\mathscr{E}}{dt}=\frac{32k}{5c^5}\left(\frac{m_1m_2}{m_1+m_2}\right)^2 r^4\omega^6,$$

où $\omega=2\pi/T$, T étant la période de la révolution. La fréquence ω est liée à r par l'égalité $\omega^2r^3=k\,(m_1+m_2)$. Etant donné que $\mathscr{E}=-k\frac{m_1m_2}{2r}$, il vient $\dot{r}=\frac{2r^2}{km_1m_2}\frac{d\mathscr{E}}{dt}$, et on obtient en définitive:

$$\dot{r}=-\frac{64k^3m_1m_2\,(m_1+m_2)}{5c^5r^3}.$$

§ 106. Equations du mouvement d'un système de corps en seconde approximation

L'expression (105,12) trouvée au paragraphe précédent pour la perte d'énergie d'un système par rayonnement d'ondes de gravitation contient c^5 au dénominateur, c'est-à-dire que cette perte n'apparaît qu'en cinquième approximation en $1/c$. Aux quatre premières approximations, l'énergie du système est constante. Il en résulte qu'un système de corps graves peut être décrit au moyen d'une fonction de Lagrange en se limitant aux termes d'ordre $1/c^4$, contrairement au champ électromagnétique, où la fonction de Lagrange n'est donnée en général qu'aux termes du troisième ordre près (§ 65). Nous établirons ici la fonction de Lagrange d'un système de corps en se limitant au second ordre. Par là même nous trouverons l'équation du mouvement d'un système à l'approximation suivant celle de Newton.

Ce faisant, nous négligerons aussi les dimensions et la structure interne des corps, en les considérant comme « ponctuels » ; en d'autres termes, nous nous limitons aux termes d'ordre zéro dans le développement en puissances des rapports des dimensions des corps a à leurs distances mutuelles l.

Pour résoudre le problème posé, nous devons commencer par déterminer, à l'approximation adéquate, le champ gravitationnel faible créé par les corps à des distances grandes par rapport à leurs dimensions, mais petites par rapport à la longueur λ des ondes de gravitation émises par le système ($a \ll r \ll \lambda \sim lc/v$).

En première approximation, il faut négliger dans les équations (105,1) les termes avec des dérivées secondes par rapport au temps, contenant $1/c^2$, et parmi toutes les composantes τ_i^k on pourra considérer que seule n'est pas nulle la composante $\tau_0^0 = \mu c^2$, contenant c^2 (alors que les autres contiennent les vitesses des corps ou leurs carrés). On obtient alors les équations

$$\Delta\psi_\alpha^\beta = 0, \qquad \Delta\psi_0^\alpha = 0, \qquad \Delta\psi_0^0 = \frac{16\pi k}{c^2}\mu.$$

Nous devons chercher les solutions de ces équations s'annulant à l'infini (métrique galiléenne). Donc, il résulte des deux premières équations que $\psi_\alpha^\beta = 0, \psi_0^\alpha = 0$. Comparant la troisième équation avec l'équation (96,2) du potentiel de gravitation newtonien φ, on trouve $\psi_0^0 = 4\varphi/c^2$. D'où l'on a pour les composantes du tenseur $h_i^k = \psi_i^k - \frac{1}{2}\psi\delta_i^k$ les valeurs suivantes [1]:

$$h_\alpha^\beta = -\frac{2}{c^2}\varphi\delta_\alpha^\beta, \tag{106,1}$$

$$h_0^\alpha = 0, \qquad h_0^0 = \frac{2}{c^2}\varphi, \tag{106,2}$$

ou pour l'intervalle

$$ds^2 = \left(1 + \frac{2}{c^2}\varphi\right)c^2\,dt^2 - \left(1 - \frac{2}{c^2}\varphi\right)(dx^2 + dy^2 + dz^2). \tag{106,3}$$

Notons qu'il y a des termes du premier ordre en φ non seulement dans g_{00}, mais aussi dans $g_{\alpha\beta}$; il a été déjà indiqué au § 87 que dans les équations du mouvement d'une particule les termes correctifs dans $g_{\alpha\beta}$ conduisent à des quantités infiniment petites d'ordre plus

[1] Bien entendu, ce résultat s'accorde intégralement avec les formules obtenues au § 104 pour $h_{ik}^{(1)}$ [$h_{\alpha\beta}^{(1)}$ se mettant sous la forme (104,1a)].

élevé que les termes provenant de g_{00}; ceci étant, en comparant avec les équations newtoniennes du mouvement, on ne pouvait déterminer que g_{00}.

Comme on le verra par la suite, il siffit, pour obtenir les équations du mouvement cherchées, de connaître les composantes spatiales $h_{\alpha\beta}$ avec la précision obtenue ($\sim 1/c^2$) [dans (106,1)]; les composantes mixtes, elles (absentes dans l'approximation $1/c^2$), doivent être connues au quatrième ordre près en $1/c^3$, et la composante h_{00} au cinquième ordre près. Pour les calculer, revenons encore aux équations générales de gravitation, en y tenant compte des termes d'ordres adéquats.

En faisant abstraction du fait que les corps sont macroscopiques, nous devons écrire le tenseur d'énergie-impulsion de la matière sous la forme (33,4-5). En coordonnées curvilignes cette expression s'écrit:

$$T^{ik} = \sum_a \frac{m_a c}{\sqrt{-g}} \frac{dx^i}{ds} \frac{dx^k}{dt} \delta(\mathbf{r} - \mathbf{r}_a) \tag{106,4}$$

[pour ce qui est de l'apparition du facteur $1/\sqrt{-g}$, voir le passage analogue dans (90,4)]; la sommation est étendue à tous les corps du système.

La composante

$$T_{00} = \sum_a \frac{m_a c^3}{\sqrt{-g}} g_{00}^2 \frac{dt}{ds} \delta(\mathbf{r} - \mathbf{r}_a)$$

est égale en première approximation (les g_{ik} sont galiléens) à $\sum m_a c^2 \delta(\mathbf{r} - \mathbf{r}_a)$; à l'approximation suivante substituons les g_{ik} tirés de (106,3); on obtient après un calcul simple:

$$T_{00} = \sum_a m_a c^2 \left(1 + \frac{5\varphi_a}{c^2} + \frac{v_a^2}{2c^2}\right) \delta(\mathbf{r} - \mathbf{r}_a), \tag{106,5}$$

où $\mathbf{v}$ est la vitesse tridimensionnelle ordinaire ($v^\alpha = dx^\alpha/dt$) et φ_a le potentiel du champ au point $\mathbf{r}_a$ (nous ne prenons pas en considération pour l'instant la présence d'une partie infinie dans φ_a — du potentiel du champ propre de la particule m_a; il en sera question ci-dessous).

En ce qui concerne les composantes $T_{\alpha\beta}$, $T_{0\alpha}$ du tenseur d'énergie-impulsion, il suffit, à la même approximation, de conserver les premiers termes du développement des expressions (106,4):

$$T_{\alpha\beta} = \sum_a m_a v_{a\alpha} v_{a\beta} \delta(\mathbf{r} - \mathbf{r}_a),$$

$$T_{0\alpha} = -\sum_a m_a c v_{a\alpha} \delta(\mathbf{r} - \mathbf{r}_a). \tag{106,6}$$

Passons au calcul des composantes du tenseur de Ricci R_{ik}. Il est commode de faire les calculs d'après la formule $R_{ik} = g^{lm}R_{limk}$ avec pour R_{limk} l'expression (92,4). Il faut alors se rappeler que les quantités $h_{\alpha\beta}$, h_{00} contiennent des termes d'ordre non inférieur à $1/c^2$, et $h_{0\alpha}$, non inférieur à $1/c^3$; les dérivations par rapport à $x^0 = ct$ élèvent, à leur tour, l'ordre d'infinitude d'une unité.

Les termes principaux dans R_{00} sont de l'ordre de $1/c^2$; en même temps que ces termes, nous devons conserver aussi les termes de l'ordre suivant ne disparaissant pas: $1/c^4$. Un calcul simple conduit à ce résultat:

$$R_{00}=\frac{1}{c}\frac{\partial}{\partial t}\left(\frac{\partial h_0^\alpha}{\partial x^\alpha}-\frac{1}{2c}\frac{\partial h_\alpha^\alpha}{\partial t}\right)+\frac{1}{2}\Delta h_{00}+$$
$$+\frac{1}{2}h^{\alpha\beta}\frac{\partial^2 h_{00}}{\partial x^\alpha\,\partial x^\beta}-\frac{1}{4}\left(\frac{\partial h_{00}}{\partial x^\alpha}\right)^2-$$
$$-\frac{1}{4}\frac{\partial h_{00}}{\partial x^\beta}\left(2\frac{\partial h_\beta^\alpha}{\partial x^\alpha}-\frac{\partial h_\alpha^\alpha}{\partial x^\beta}\right).$$

Dans ce calcul, on n'a utilisé encore aucune condition complémentaire pour les quantités h_{ik}. Utilisant cette possibilité, assujettissons-les à présent à la condition

$$\frac{\partial h_0^\alpha}{\partial x^\alpha}-\frac{1}{2c}\frac{\partial h_\alpha^\alpha}{\partial t}=0, \tag{106,7}$$

qui a pour effet d'éliminer complètement dans R_{00} les termes contenant les composantes $h_{0\alpha}$. Substituant dans les autres termes

$$h_\alpha^\beta=-\frac{2}{c^2}\varphi\delta_\alpha^\beta,\qquad h_{00}=\frac{2}{c^2}\varphi+O\left(\frac{1}{c^4}\right),$$

on obtient avec la précision requise:

$$R_{00}=\frac{1}{2}\Delta h_{00}+\frac{2}{c^4}\varphi\Delta\varphi-\frac{2}{c^4}(\nabla\varphi)^2, \tag{106,8}$$

où nous sommes passés aux notations tridimensionnelles; ici φ est le potentiel newtonien du système de particules ponctuelles, c'est-à-dire

$$\varphi=-k\sum_a\frac{m_a}{|\mathbf{r}-\mathbf{r}_a|}.$$

Dans le calcul des composantes $R_{0\alpha}$ il suffit de conserver les termes du premier ordre qui ne disparaît pas: $1/c^3$. On trouve d'une manière analogue :

$$R_{0\alpha}=\frac{1}{2c}\frac{\partial^2 h_\alpha^\beta}{\partial t\,\partial x^\beta}+\frac{1}{2}\frac{\partial^2 h_0^\beta}{\partial x^\alpha\,\partial x^\beta}-\frac{1}{2c}\frac{\partial^2 h_\beta^\beta}{\partial t\,\partial x^\alpha}+\frac{1}{2}\Delta h_{0\alpha}$$

et puis, eu égard à la condition (106,7) :

$$R_{0\alpha}=\frac{1}{2}\Delta h_{0\alpha}+\frac{1}{2c^3}\frac{\partial^2\varphi}{\partial t\,\partial x^\alpha}. \qquad (106,9)$$

Au moyen des expressions obtenues (106,5-9), formons maintenant les équations d'Einstein

$$R_{ik}=\frac{8\pi k}{c^4}\left(T_{ik}-\frac{1}{2}g_{ik}T\right). \qquad (106,10)$$

La composante temporelle de l'équation (106,10) donne :

$$\Delta h_{00}+\frac{4}{c^4}\varphi\,\Delta\varphi-\frac{4}{c^4}(\nabla\varphi)^2=\frac{8\pi k}{c^4}\sum_a m_a c^2\left(1+\frac{5\varphi_a}{c^2}+\frac{3v_a^2}{2c^2}\right)\delta(\mathbf{r}-\mathbf{r}_a)\ ;$$

nous aidant de l'identité

$$4(\nabla\varphi)^2=2\Delta(\varphi)^2-4\varphi\,\Delta\varphi$$

et de l'équation du potentiel newtonien

$$\Delta\varphi=4\pi k\sum_a m_a\delta(\mathbf{r}-\mathbf{r}_a), \qquad (106,11)$$

nous recopierons cette équation sous la forme:

$$\Delta\left(h_{00}-\frac{2}{c^4}\varphi^2\right)=\frac{8\pi k}{c^2}\sum_a m_a\left(1+\frac{\varphi_a'}{c^2}+\frac{3v_a^2}{2c^2}\right)\delta(\mathbf{r}-\mathbf{r}_a). \qquad (106,12)$$

Tous calculs faits, nous avons remplacé dans le second membre de l'équation (106,12) φ_a par

$$\varphi_a'=-k\sum_b{}' \frac{m_b}{|\mathbf{r}_a-\mathbf{r}_b|},$$

qui est le potentiel créé au point $\mathbf{r}_a$ du champ par toutes les particules sauf la particule m_a ; l'élimination du potentiel propre infini des particules (dans la méthode utilisée, les particules sont supposées ponctuelles) correspond à la « renormalisation » de leurs masses, qui a pour résultat qu'elles prennent leurs valeurs réelles, tenant compte du champ créé par les particules mêmes [1].

[1] En effet, s'il y a seulement une particule immobile, dans le second membre de l'équation on aura simplement $(8\pi k/c^2)\,m_a\delta\,(\mathbf{r}-\mathbf{r}_a)$ et cette équation définit correctement (en seconde approximation) le champ créé par la particule.

La solution de l'équation (106,12) peut être écrite immédiatement, compte tenu de la relation connue (36,9) :

$$\Delta \frac{1}{r} = -4\pi\delta(\mathbf{r}).$$

On trouve ainsi :

$$h_{00} = \frac{2\varphi}{c^2} + \frac{2\varphi^2}{c^4} - \frac{2k}{c^4} \sum_a \frac{m_a \varphi'_a}{|\mathbf{r} - \mathbf{r}_a|} - \frac{3k}{c^4} \sum_a \frac{m_a v_a^2}{|\mathbf{r} - \mathbf{r}_a|}. \quad (106,13)$$

La composante mixte de l'équation (106,10) donne :

$$\Delta h_{0\alpha} = -\frac{16\pi k}{c^3} \sum_a m_a v_{a\alpha} \delta(\mathbf{r} - \mathbf{r}_a) - \frac{1}{c^3} \frac{\partial^2 \varphi}{\partial t\, \partial x^\alpha}. \quad (106,14)$$

La solution de cette équation linéaire est [1]

$$h_{0\alpha} = \frac{4k}{c^3} \sum_a \frac{m_a v_{a\alpha}}{|\mathbf{r} - \mathbf{r}_a|} - \frac{1}{c^3} \frac{\partial^2 f}{\partial t\, \partial x^\alpha},$$

où f est la solution de l'équation auxiliaire

$$\Delta f = \varphi = -\sum \frac{k m_a}{|\mathbf{r} - \mathbf{r}_a|}.$$

Compte tenu de la relation $\Delta r = 2/r$, on trouve :

$$f = -\frac{k}{2} \sum_a m_a |\mathbf{r} - \mathbf{r}_a|,$$

et, après un calcul simple, on obtient en définitive :

$$h_{0\alpha} = \frac{k}{2c^3} \sum_a \frac{m_a}{|\mathbf{r} - \mathbf{r}_a|} [7 v_{a\alpha} + (\mathbf{v}_a \mathbf{n}_a) n_{a\alpha}], \quad (106,15)$$

où $\mathbf{n}_a$ est le vecteur unité dans la direction du vecteur $\mathbf{r} - \mathbf{r}_a$.

Les expressions (106,1), (106,13), (106,15) sont suffisantes pour calculer la fonction de Lagrange cherchée en se limitant au second ordre.

---

[1] Dans le cas stationnaire, le second terme dans le second membre de l'équation (106,14) est absent. A de grandes distances du système, on peut donner immédiatement sa solution par analogie avec la solution (44,3) de l'équation (43,4) :

$$h_{0\alpha} = -\frac{2k}{c^3 r^2} (\mathbf{n} \times \mathbf{M})_\alpha$$

$\left(\text{où } \mathbf{M} = \int (\mathbf{r} \times \mu\mathbf{v})\, dV = \sum m_a (\mathbf{r}_a \times \mathbf{v}_a) \text{ est le moment cinétique du système}\right)$ en parfait accord avec la formule (104,10).

La fonction de Lagrange d'une particule dans le champ de gravitation créé par les autres particules, ce champ étant supposé donné, s'écrit:

$$L_a = -m_a c \frac{ds}{dt} = -m_a c^2 \left(1 + h_{00} + 2h_{0\alpha} \frac{v_a^\alpha}{c} - \frac{v_a^2}{c^2} + h_{\alpha\beta} \frac{v_a^\alpha v_a^\beta}{c^2}\right)^{1/2}.$$

Développant le radical et négligeant la constante non essentielle $-m_a c^2$, recopions cette expression, avec la précision requise, sous la forme:

$$L_a = \frac{m_a v_a^2}{2} + \frac{m_a v_a^4}{8c^2} - m_a c^2 \left(\frac{h_{00}}{2} + h_{0\alpha} \frac{v_a^\alpha}{c} + \right.$$
$$\left. + \frac{1}{2c^2} h_{\alpha\beta} v_a^\alpha v_a^\beta - \frac{h_{00}^2}{8} + \frac{h_{00}}{4c^2} v_a^2 \right). \quad (106,16)$$

Les valeurs des h_{ik} sont prises ici au point $\mathbf{r}_a$; en outre, on doit omettre de nouveau les termes devenant infinis, ce qui revient à « renormaliser » la masse m_a entrant dans l'expression de L_a sous forme de coefficient.

Les calculs ultérieurs consistent en ce qui suit. Bien entendu, la fonction de Lagrange totale L du système n'est pas égale à la somme des fonctions L_a pour les divers corps, mais elle doit être établie de manière à donner des expressions correctes des forces $\mathbf{f}_a$ agissant sur chaque corps, le mouvement des autres corps étant donné. A cet effet, on calcule les forces $\mathbf{f}_a$ en dérivant la fonction de Lagrange L_a:

$$\mathbf{f}_a = \left(\frac{\partial L_a}{\partial \mathbf{r}}\right)_{\mathbf{r}=\mathbf{r}_a}$$

(on dérive par rapport aux coordonnées courantes $\mathbf{r}$ du « point d'observation » dans les expressions des h_{ik}). Après quoi, il est facile de former une fonction générale L telle que toutes les forces en question $\mathbf{f}_a$ s'en déduisent en prenant les dérivées partielles $\partial L/\partial \mathbf{r}_a$.

Sans nous appesantir sur les calculs intermédiaires simples, nous donnerons d'emblée le résultat final pour la fonction de Lagrange [1]:

$$L = \sum_a \frac{m_a v_a^2}{2} + \sum_a \sum_b{}' \frac{3k m_a m_b v_a^2}{2c^2 r_{ab}} + \sum_a \frac{m_a v_a^4}{8c^2} +$$
$$+ \sum_a \sum_b{}' \frac{k m_a m_b}{2 r_{ab}} - \sum_a \sum_b{}' \frac{k m_a m_b}{4c^2 r_{ab}} [7 (\mathbf{v}_a \mathbf{v}_b) +$$
$$+ (\mathbf{v}_a \mathbf{n}_{ab}) (\mathbf{v}_b \mathbf{n}_{ab})] - \sum_a \sum_b{}' \sum_c{}' \frac{k^2 m_a m_b m_c}{2c^2 r_{ab} r_{ac}}, \quad (106,17)$$

[1] Les équations du mouvement correspondant à cette fonction de Lagrange ont été obtenues pour la première fois par *A. Einstein*, *L. Infeld* et *B. Hoffmann* (1938) et par *A. Eddington* et *G. Clark* (1938).

où $r_{ab} = |\mathbf{r}_a - \mathbf{r}_b|$, $\mathbf{n}_{ab}$ étant le vecteur unité dans la direction de $\mathbf{r}_a - \mathbf{r}_b$, et le signe prime affectant les sommes indique qu'il faut omettre le terme correspondant à $b = a$ ou $c = a$.

Problèmes

1. Déterminer l'action du champ de gravitation à l'approximation newtonienne.

Solution. En s'aidant des g_{ik} tirés de (106,3), on trouve par application de la formule (93,3) $G = -2(\nabla\varphi)^2/c^4$, de sorte qu'on a pour l'action du champ

$$S_g = -\frac{1}{8\pi k}\int\int(\nabla\varphi)^2\, dV\, dt.$$

L'action totale pour le champ avec les masses, dont la distribution dans l'espace est μ, s'écrit :

$$S = \int\int\left[\frac{\mu v^2}{2} - \mu\varphi - \frac{1}{8\pi k}(\nabla\varphi)^2\right] dV\, dt. \tag{1}$$

Il est facile de s'assurer qu'en faisant varier S par rapport à φ, on est conduit, comme il se doit, à l'équation de Poisson (96,2).

On déduit la densité d'énergie de la densité de la fonction de Lagrange Λ [l'expression sous le signe somme dans (1)] conformément à la formule générale (32,5), ce qui s'exprime dans le cas présent (étant donné que les dérivées de φ par rapport au temps sont absentes dans Λ) par un changement de signe des deuxième et troisième termes. Intégrant la densité d'énergie dans l'espace, substituant alors dans le second terme $\mu\varphi = \varphi\Delta\varphi/4\pi k$ et intégrant par parties, on obtient, tous calculs faits, l'énergie totale du champ et de la matière sous la forme:

$$\int\left[\frac{\mu v^2}{2} - \frac{1}{8\pi k}(\nabla\varphi)^2\right] dV.$$

Par conséquent, la densité d'énergie du champ de gravitation est donnée dans la théorie newtonienne par $W = -(\nabla\varphi)^2/8\pi k$ [1].

2. Déterminer les coordonnées du centre d'inertie d'un système de corps graves en seconde approximation.

Solution. En vertu de l'analogie formelle complète entre la loi de Newton pour l'interaction gravitationnelle et la loi de Coulomb pour l'interaction électrostatique, les coordonnées du centre d'inertie sont données par la formule

$$\mathbf{R} = \frac{1}{\mathscr{E}}\sum_a \mathbf{r}_a\left(m_a c^2 + \frac{p_a^2}{2m_a} - \frac{km_a}{2}\sum_b{}' \frac{m_b}{r_{ab}}\right),$$

$$\mathscr{E} = \sum_a\left(m_a c^2 + \frac{p_a^2}{2m_a} - \frac{km_a}{2}\sum_b{}' \frac{m_b}{r_{ab}}\right),$$

analogue à la formule obtenue dans le problème 1 du § 65.

---

[1] Pour écarter tout malentendu, indiquons que cette expression ne coïncide pas avec la composante $(-g)\, t_{00}$ du pseudo-tenseur d'énergie-impulsion [calculée avec les g_{ik} de (106,3)]; la contribution à W résulte aussi de $(-g)\, T_{ik}$.

3. Déterminer le déplacement séculaire du périhélie de l'orbite de deux masses graves comparables (*H. Robertson*, 1938).

S o l u t i o n. La fonction de Lagrange du système de deux corps est

$$L=\frac{m_1v_1^2}{2}+\frac{m_2v_2^2}{2}+\frac{km_1m_2}{r}+\frac{1}{8c^2}(m_1v_1^4+m_2v_2^4)+$$
$$+\frac{km_1m_2}{2c^2r}\left[3(v_1^2+v_2^2)-7(\mathbf{v}_1\mathbf{v}_2)-(\mathbf{v}_1\mathbf{n})(\mathbf{v}_2\mathbf{n})\right]-\frac{k^2m_1m_2(m_1+m_2)}{2c^2r^2}.$$

Passant à la fonction d'Hamilton et y éliminant le mouvement du centre d'inertie (cf. problème 2 § 65), on obtient :

$$\mathscr{H}=\frac{p^2}{2}\left(\frac{1}{m_1}+\frac{1}{m_2}\right)-\frac{km_1m_2}{r}-\frac{p^4}{8c^2}\left(\frac{1}{m_1^3}+\frac{1}{m_2^3}\right)-$$
$$-\frac{k}{2c^2r}\left[3p^2\left(\frac{m_2}{m_1}+\frac{m_1}{m_2}\right)+7p^2+(\mathbf{pn})^2\right]\frac{k^2m_1m_2(m_1+m_2)}{2c^2r^2}, \quad (1)$$

où $\mathbf{p}$ est l'impulsion du mouvement relatif.

Déterminons la composante radiale de l'impulsion p_r comme fonction de la variable r et des paramètres M (moment cinétique) et $\mathscr{E}$ (énergie). On détermine cette fonction à partir de l'équation $\mathscr{H}=\mathscr{E}$ (il faut alors dans les termes du second ordre remplacer p^2 par ses expressions tirées de l'approximation d'ordre zéro) :

$$\mathscr{E}=\frac{1}{2}\left(\frac{1}{m_1}+\frac{1}{m_2}\right)\left(p_r^2+\frac{M^2}{r^2}\right)-\frac{km_1m_2}{r}-$$
$$-\frac{1}{8c^2}\left(\frac{1}{m_1^3}+\frac{1}{m_2^3}\right)\left(\frac{2m_1m_2}{m_1+m_2}\right)^2\left(\mathscr{E}+\frac{km_1m_2}{r}\right)^2-$$
$$-\frac{k}{2c^2r}\left[3\left(\frac{m_2}{m_1}+\frac{m_1}{m_2}\right)+7\right]\frac{2m_1m_2}{m_1+m_2}\left(\mathscr{E}+\frac{km_1m_2}{r}\right)-$$
$$-\frac{k}{2c^2r}p_r^2+\frac{k^2m_1m_2(m_1+m_2)}{2c^2r^2}.$$

On continue les calculs comme au § 98. Ayant déterminé p_r de l'équation algébrique écrite, changeons dans l'intégrale

$$S_r=\int p_r\,dr$$

la variable r de manière à mettre le terme contenant M^2 sous la forme M^2/r^2. Développant ensuite l'expression sous le radical selon les petites corrections relativistes, on obtient :

$$S_r=\int\sqrt{A+\frac{B}{r}-\left(M^2-\frac{6k^2m_1^2m_2^2}{c^2}\right)\frac{1}{r^2}}\,dr$$

[comparer avec (98,6)], où A, B sont des coefficients constants qu'il est inutile d'expliciter.

On trouve en définitive pour le déplacement du périhélie de l'orbite du mouvement relatif :

$$\delta\varphi=\frac{6\pi k^2m_1^2m_2^2}{c^2M^2}=\frac{6\pi k(m_1+m_2)}{c^2a(1-e^2)}.$$

Comparant avec (98,7), on voit que, les dimensions et la forme de l'orbite étant données, le déplacement du périhélie est le même que celui qui résulterait du mouvement d'un corps dans le champ d'un centre immobile de masse $m_1 +$ $+ m_2$.

4. Déterminer la fréquence de la précession d'une toupie sphérique en mouvement orbital dans le champ de gravitation d'un corps central tournant autour de son axe.

Solution. En première approximation l'effet cherché est représenté par la somme de deux parties indépendantes, dont l'une résulte du fait que le champ central symétrique n'est pas newtonien, et l'autre, de la rotation du corps central [1].

La première partie est décrite par un terme complémentaire dans la fonction de Lagrange de la toupie, lequel terme correspond au second terme dans (106,17). Nous écrirons la vitesse des divers éléments de la toupie (de masses dm) sous la forme $\mathbf{v} = \mathbf{V} + \boldsymbol{\omega} \times \mathbf{r}$, $\mathbf{V}$ étant la vitesse de son mouvement orbital, $\boldsymbol{\omega}$ la vitesse angulaire, $\mathbf{r}$ le rayon vecteur de l'élément dm relativement au centre d'inertie de la toupie, de sorte que l'intégrale suivant le volume de la toupie $\int \mathbf{r}\, dm = 0$. Omettant les termes indépendants de $\boldsymbol{\omega}$, ainsi que les termes quadratiques en $\boldsymbol{\omega}$, il vient :

$$\delta^{(1)}L = \frac{3km'}{2c^2} \int \frac{2\mathbf{V}\,(\boldsymbol{\omega}\times\mathbf{r})}{R}\, dm,$$

m' étant la masse du corps central, $R = |\mathbf{R}_0 + \mathbf{r}|$ la distance du centre du champ à l'élément dm, $\mathbf{R}_0$ le rayon vecteur du centre d'inertie de la toupie. Lorsqu'on développe $\frac{1}{R} \approx \frac{1}{R_0} - \frac{\mathbf{nr}}{R_0^2}$ (où $\mathbf{n} = \mathbf{R}_0/R_0$) l'intégrale du premier terme s'annule, et dans le second l'intégration se fait au moyen de la formule

$$\int x_\alpha x_\beta\, dm = \frac{1}{2} I \delta_{\alpha\beta},$$

I étant le moment d'inertie de la toupie. On obtient finalement :

$$\delta^{(1)}L = \frac{3km'}{2c^2 R_0^2}\, \mathbf{M}\,(\mathbf{v}_0 \times \mathbf{n}),$$

$\mathbf{M} = I\boldsymbol{\omega}$ étant le moment tournant de la toupie.

Le terme complémentaire dans la fonction de Lagrange, dû à la rotation du corps central, pourrait, lui aussi, se déduire de (106,17), mais il est encore plus simple de le calculer à l'aide de la formule (1) du problème du § 104 :

$$\delta^{(2)}L = \frac{2k}{c^2} \int \frac{\mathbf{M}'\,(\boldsymbol{\omega}\times\mathbf{r})\times\mathbf{R}}{R^3}\, dm,$$

$\mathbf{M}'$ étant le moment du corps central. Développant

$$\frac{\mathbf{R}}{R^3} \approx \frac{\mathbf{n}}{R_0^2} + \frac{1}{R_0^3}\,(\mathbf{r} - 3\mathbf{n}\,(\mathbf{nr}))$$

et intégrant, on obtient :

$$\delta^{(2)}L = \frac{k}{c^2 R_0^3}\, \{\mathbf{MM}' - 3\,(\mathbf{nM})\,(\mathbf{nM}')\}.$$

---

[1] Le premier effet a été étudié par *H. Weyl* (1923), le second par *L. Schiff* (1960).

De sorte que le terme complémentaire total dans la fonction de Lagrange est

$$\delta L = -\mathbf{M}\boldsymbol{\Omega}, \quad \boldsymbol{\Omega} = \frac{3km'}{2c^2R_0^2}\mathbf{n}\times\mathbf{v}_0 + \frac{k}{c^2R_0^3}\{3\mathbf{n}(\mathbf{n}\mathbf{M}') - \mathbf{M}'\}.$$

Il correspond à cette fonction l'équation du mouvement

$$\frac{d\mathbf{M}}{dt} = \boldsymbol{\Omega}\times\mathbf{M}$$

[comparer avec l'équation (2) du problème fin § 104]. Cela signifie que le moment **M** de la toupie est en précession avec la vitesse angulaire **Ω**, tout en restant de grandeur constante.

CHAPITRE XII

COSMOLOGIE RELATIVISTE

§ 107. Espace isotrope

La Relativité générale ouvre de nouvelles voies dans la solution de questions liées aux propriétés de l'Univers considéré à l'échelle cosmique. Les possibilités nouvelles remarquables qui apparaissent ici sont dues au fait que l'espace-temps n'est pas galiléen.

Ces possibilités sont d'autant plus importantes que la mécanique newtonienne conduit dans ce domaine à des contradictions qu'on ne peut tourner sous une forme tant soit peu générale dans le cadre de la théorie non relativiste. Ainsi, appliquant la formule newtonienne du potentiel de gravitation (96,3) à l'espace plan (qui est tel en mécanique newtonienne) infini rempli de matière avec une densité moyenne arbitrairement distribuée nulle part évanescente, on trouve que le potentiel est infini en chaque point. Ceci implique des forces infinies agissant sur la matière, ce qui est absurde.

On sait que les étoiles sont réparties dans l'espace de façon très irrégulière — elles sont concentrées en systèmes stellaires (les galaxies). Mais quand on étudie l'Univers « à grandes échelles », il convient de faire abstraction de ces hétérogénéités « locales » dues à la concentration de la matière en étoiles et systèmes stellaires. Ainsi, il sera entendu que la densité des masses est la densité moyenne dans des régions de l'espace dont les dimensions sont grandes par rapport aux distances entre galaxies.

Les solutions, considérées ci-dessous, des équations d'Einstein — ce qu'on appelle modèle cosmologique isotrope (trouvé pour la première fois par *A. Friedman* en 1922) — sont fondées sur l'hypothèse que la distribution de la matière dans l'espace est homogène et isotrope [1]. Les données astronomiques existantes ne contredisent pas une telle hypothèse. Mais déjà par son essence même elle ne peut

---

[1] Nous n'examinerons pas les équations dites à constante cosmologique, car il est clair actuellement qu'il n'y a fondements physiques suffisants pour une telle modification des équations de la gravitation.

avoir inévitablement qu'un caractère approximatif, car l'homogénéité est certainement violée quand on passe à des échelles moindres. Or, l'hypothèse que l'Univers est homogène est d'une portée considérable au point de vue mathématique, et sa violation changerait, même qualitativement, les propriétés du modèle envisagé.

Dans le même temps, on a de bonnes raisons de considérer que le modèle isotrope donne, dans ses traits généraux, une description adéquate de l'état actuel de l'Univers. Nous verrons par la suite que ce modèle a cette propriété fondamentale de n'être pas stationnaire. Il est hors de doute que cette propriété donne une explication juste du phénomène, fondamental pour le problème cosmologique, du déplacement des raies spectrales vers le rouge (§ 110).

Un espace rempli uniformément de matière est, quant à ses propriétés, tout à fait uniforme et isotrope. Cela signifie qu'on peut choisir un temps « universel » tel qu'à chaque instant la métrique de l'espace soit identique en tout point et dans toutes les directions.

Occupons-nous, en premier lieu, de l'étude de la métrique de l'espace isotrope comme tel, en faisant abstraction provisoirement d'une dépendance possible du temps. Comme précédemment, nous désignerons le tenseur métrique tridimensionnel par $\gamma_{\alpha\beta}$, c'est-à-dire que nous écrirons l'élément de distance spatiale sous la forme:

$$dl^2 = \gamma_{\alpha\beta}\, dx^\alpha\, dx^\beta. \qquad (107,1)$$

La courbure de l'espace est complètement déterminée par son tenseur de courbure tridimensionnel, que nous désignerons par $P^\alpha_{\beta\gamma\delta}$ pour le différencier du tenseur quadridimensionnel R^i_{klm} (bien entendu, les propriétés du tenseur $P^\alpha_{\beta\gamma\delta}$ sont exactement les mêmes que celles de R^i_{klm}). Dans le cas d'isotropie complète, le tenseur $P^\alpha_{\beta\gamma\delta}$ doit, il est évident, s'exprimer seulement au moyen du tenseur métrique $\gamma_{\alpha\beta}$, et, en vertu de ses propriétés de symétrie, $P^\alpha_{\beta\gamma\delta}$ doit être de la forme:

$$P^\alpha_{\beta\gamma\delta} = \lambda\,(\delta^\alpha_\gamma \gamma_{\delta\beta} - \delta^\alpha_\delta\, \gamma_{\gamma\beta}), \qquad (107,2)$$

où λ est une constante. Le tenseur du second ordre $P_{\alpha\beta} = P^\gamma_{\alpha\gamma\beta}$ est respectivement égal à

$$P_{\alpha\beta} = 2\lambda\gamma_{\alpha\beta}, \qquad (107,3)$$

et la courbure scalaire est

$$P = 6\lambda. \qquad (107,4)$$

Nous voyons donc que les propriétés de la courbure de l'espace isotrope sont déterminées en tout et pour tout par une seule constante λ. Ceci étant, on ne peut avoir que trois cas essentiellement distincts de métrique spatiale: 1) l'espace dit à courbure constante positive (correspondant à des valeurs positives de λ), 2) l'espace à courbure constante négative (correspondant à des valeurs négatives de λ) et 3) l'espace à courbure nulle ($\lambda = 0$). Ce dernier est un espace plan, c'est-à-dire euclidien.

Dans l'étude de la métrique, il est commode de s'appuyer sur l'analogie géométrique, considérant la géométrie de l'espace isotrope tridimensionnel comme la géométrie sur une hypersurface *a priori* isotrope (dans un espace quadridimensionnel fictif [1]). Une telle surface est une hypersphère; l'espace à trois dimensions correspondant est l'espace à courbure constante positive. L'équation d'une hypersphère de rayon a dans l'espace à quatre dimensions x_1, x_2, x_3, x_4 s'écrit:

$$x_1^2 + x_2^2 + x_3^2 + x_4^2 = a^2,$$

et l'élément de longueur sur cette hypersphère est

$$dl^2 = dx_1^2 + dx_2^2 + dx_3^2 + dx_4^2.$$

Considérant les coordonnées x_1, x_2, x_3 comme trois coordonnées spatiales et éliminant de l'expression de dl^2 la coordonnée fictive x_4 tirée de la première équation, on trouve pour l'élément de distance spatiale

$$dl^2 = dx_1^2 + dx_2^2 + dx_3^2 + \frac{(x_1\,dx_1 + x_2\,dx_2 + x_3\,dx_3)^2}{a^2 - x_1^2 - x_2^2 - x_3^2}. \tag{107,5}$$

A partir de cette équation, il est facile de calculer la constante λ dans (107,2). Sachant *a priori* que le tenseur $P_{\alpha\beta}$ a la forme (107,3) dans tout l'espace, il nous suffira de le calculer seulement au voisinage de l'origine des coordonnées, où les $\gamma_{\alpha\beta}$ s'écrivent:

$$\gamma_{\alpha\beta} = \delta_{\alpha\beta} + \frac{x_\alpha x_\beta}{a^2}.$$

Etant donné que les dérivées premières de $\gamma_{\alpha\beta}$ et, par conséquent, les quantités $\Gamma^\alpha_{\beta\gamma}$ s'annulent à l'origine, le calcul au moyen de la formule générale (92,10) est très simple et donne:

$$\lambda = \frac{1}{a^2}. \tag{107,6}$$

On peut appeler la quantité a le « rayon de courbure » de l'espace. Introduisons au lieu des coordonnées x_1, x_2, x_3 les coordonnées « sphériques » correspondantes r, θ, φ. L'élément de longueur devient:

$$dl^2 = \frac{dr^2}{1 - \frac{r^2}{a^2}} + r^2 (\sin^2\theta\, d\varphi^2 + d\theta^2). \tag{107,7}$$

[1] Qui n'a, bien entendu, rien de commun avec l'espace-temps à quatre dimensions.

Bien entendu, on peut prendre l'origine des coordonnées en n'importe quel point de l'espace. La longueur de la circonférence dans ces coordonnées est $2\pi r$ et l'aire de la sphère est $4\pi r^2$. On a pour la longueur du « rayon » d'une circonférence (ou d'une sphère) :

$$\int_0^r \frac{dr}{\sqrt{1-\frac{r^2}{a^2}}} = a \arc\sin \frac{r}{a},$$

quantité plus grande que r. Ainsi, le rapport de la longueur de la circonférence à son rayon est plus petit que 2π dans un tel espace.

Le dl^2 revêt aussi une autre forme commode dans des « coordonnées sphériques quadridimensionnelles » que l'on obtient en remplaçant la coordonnée r par l'« angle » χ défini par $r = a \sin \chi$ (χ varie de 0 à π) [1]. On a alors :

$$dl^2 = a^2 [d\chi^2 + \sin^2 \chi (\sin^2 \theta \, d\varphi^2 + d\theta^2)]. \qquad (107,8)$$

La coordonnée χ mesure la distance à l'origine des coordonnées, égale à $a\chi$. L'aire de la sphère est dans ces coordonnées $4\pi a^2 \sin^2 \chi$. On voit que lorsqu'on s'éloigne de l'origine des coordonnées, l'aire sphérique croît et atteint son maximum $4\pi a^2$ à la distance $\pi a/2$. Après quoi, elle commence à décroître, et la sphère se réduit à un point au « pôle opposé » de l'espace, se trouvant à la distance πa, la plus grande distance qui puisse exister dans un tel espace (bien entendu, ceci résulte aussi bien de (107,7), si l'on remarque que la coordonnée r ne peut prendre de valeurs supérieures à a).

Le volume de l'espace à courbure positive est

$$V = \int_0^{2\pi} \int_0^{\pi} \int_0^{\pi} a^3 \sin^2 \chi \sin \theta \, d\chi \, d\theta \, d\varphi,$$

d'où

$$V = 2\pi^2 a^3. \qquad (107,9)$$

Ainsi, l'espace à courbure positive est « fermé en soi », son volume est fini, mais, bien entendu, cet espace n'a pas de frontières.

Il est digne d'intérêt que dans un espace fermé la charge électrique totale doit être nulle. En effet, toute surface fermée dans un espace fini délimite de part et d'autre des régions finies de l'espace. Donc, le flux du champ électrique à travers cette surface est égal, d'une part, à la charge totale se trouvant à l'intérieur de cette surface et, d'autre part, à la charge, précédée du signe moins, se trou-

[1] Les coordonnées « cartésiennes » x_1, x_2, x_3, x_4 sont liées aux 4-coordonnées sphériques a, θ, φ, χ par les relations :

$$x_1 = a \sin \chi \sin \theta \cos \varphi, \quad x_2 = a \sin \chi \sin \theta \sin \varphi,$$
$$x_3 = a \sin \chi \cos \theta, \quad x_4 = a \cos \chi.$$

vant en dehors de cette surface. La somme des charges se trouvant de part et d'autre de la surface est donc nulle.

D'une manière analogue, il résulte de l'expression (101,14) de la 4-impulsion sous forme d'intégrale de surface que la 4-impulsion totale P^i dans tout l'espace est nulle. Par conséquent, il n'y a plus lieu de définir la 4-impulsion totale, étant donné que la loi de conservation correspondante dégénère en l'identité triviale $0 = 0$.

Passons à présent à l'étude de la géométrie d'un espace à courbure constante négative. Il résulte de (107,6) que la constante λ devient négative lorsque a est imaginaire. On peut donc obtenir d'emblée toutes les formules relatives à l'espace à courbure négative en remplaçant a par ia dans les formules précédentes. En d'autres termes, la géométrie de l'espace à courbure négative s'interprète mathématiquement comme la géométrie sur une pseudo-sphère quadridimensionnelle de rayon imaginaire.

Ainsi, la constante λ est maintenant égale à

$$\lambda = -\frac{1}{a^2}, \qquad (107,10)$$

et l'élément de longueur dans l'espace à courbure négative rapporté aux coordonnées r, θ, φ s'écrit :

$$dl^2 = \frac{dr}{1 + \frac{r^2}{a^2}} + r^2 (\sin^2 \theta \, d\varphi^2 + d\theta^2), \qquad (107,11)$$

où la coordonnée r peut parcourir toutes les valeurs de 0 à ∞. Le rapport de la longueur de la circonférence à son rayon est à présent supérieur à 2π. On déduit l'expression de dl^2 correspondant à (107,8) en introduisant la coordonnée χ définie par $r = a \operatorname{sh} \chi$ (χ variant ici de 0 à ∞). Alors

$$dl^2 = a^2 \{d\chi^2 + \operatorname{sh}^2 \chi (\sin^2 \theta \, d\varphi^2 + d\theta^2)\}. \qquad (107,12)$$

L'aire de la sphère est maintenant égale à $4\pi a^2 \operatorname{sh}^2 \chi$ et croît indéfiniment quand on s'éloigne de l'origine des coordonnées (χ croissant). Il est évident que le volume de l'espace à courbure négative est infini.

Problème

Transformer l'élément de longueur (107,7) de manière qu'il soit proportionnel à son expression euclidienne.

Solution. La substitution

$$r = \frac{r_1}{1 + \frac{r_1^2}{4a^2}}$$

conduit au résultat :

$$dl^2 = \left(1 + \frac{r_1^2}{4a^2}\right)^{-2} (dr_1^2 + r_1^2 \, d\theta^2 + r_1^2 \sin^2 \theta \, d\varphi^2).$$

§ 108. Métrique spatio-temporelle de modèle isotrope fermé

Passant à l'étude de la métrique spatio-temporelle du modèle isotrope, nous devons convenir avant tout du choix du référentiel. Il est tout indiqué de prendre un référentiel « en comouvement », lequel se meut en chaque point de l'espace avec la matière qui s'y trouve. C'est dire encore que c'est la matière elle-même emplissant l'espace qui sert de référentiel; la vitesse de la matière dans ce référentiel est, par définition, partout nulle. Il est évident qu'un tel choix du référentiel pour le modèle isotrope est naturel: pour un autre choix, l'orientation des vitesses de la matière ferait naître une non-équivalence apparente des différentes directions dans l'espace. La composante temporelle doit être choisie comme il a été indiqué au début du paragraphe précédent, c'est-à-dire de façon que la métrique soit identique dans tout l'espace à chaque instant.

Etant donnée l'équivalence complète de toutes les directions, les composantes $g_{0\alpha}$ du tenseur métrique sont nulles dans le référentiel choisi. En effet, on peut considérer les trois composantes $g_{0\alpha}$ comme les composantes d'un vecteur tridimensionnel, qui, s'il n'était pas nul, engendrerait la non-équivalence des diverses directions. Ainsi, ds^2 doit être de la forme $ds^2 = g_{00}\, dx_0^2 - dl^2$. La composante g_{00} est ici seulement fonction de x^0. On peut donc toujours choisir la coordonnée temporelle de manière que g_{00} devienne c^2. On obtient en la désignant par t:

$$ds^2 = c^2\, dt^2 - dl^2. \tag{108,1}$$

Le temps t est le temps propre en tout point de l'espace.

Commençons par l'étude de l'espace à courbure positive; pour la brièveté, nous parlerons ci-dessous de la solution des équations de gravitation comme du *modèle fermé*. Utilisons pour dl l'expression (107,8), où le « rayon de courbure » a est, en général, fonction du temps. Nous écrirons donc ds^2 sous la forme:

$$ds^2 = c^2\, dt^2 - a^2(t)\, \{d\chi^2 + \sin^2\chi\, (d\theta^2 + \sin^2\theta\, d\varphi^2)\}. \tag{108,2}$$

La fonction $a(t)$ est déterminée par les équations du champ de gravitation. Pour résoudre ces équations, il est commode d'introduire au lieu du temps la quantité η définie par la relation

$$c\, dt = a\, d\eta. \tag{108,3}$$

Alors ds^2 s'écrit:

$$ds^2 = a^2(\eta)\, \{d\eta^2 - d\chi^2 - \sin^2\chi\, (d\theta^2 + \sin^2\theta\, d\varphi^2)\}. \tag{108,4}$$

Pour former les équations du champ, il faut commencer par calculer les composantes du tenseur R_{ik} (les coordonnées x^0, x^1,

x^2, x^3 sont représentées par $\eta, \chi, \theta, \varphi$). Au moyen des valeurs des composantes du tenseur métrique définies par

$$g_{00}=a^2, \quad g_{11}=-a^2, \quad g_{22}=-a^2\sin^2\chi, \quad g_{33}=-a^2\sin^2\chi\sin^2\theta,$$

on calcule les Γ^i_{kl} :

$$\Gamma^0_{00}=\frac{a'}{a}, \quad \Gamma^0_{\alpha\beta}=\frac{a'}{a^3}g_{\alpha\beta}, \quad \Gamma^{\alpha}_{0\beta}=\frac{a'}{a}\delta^\alpha_\beta, \quad \Gamma^0_{\alpha 0}=\Gamma^\alpha_{00}=0,$$

l'accent désignant la dérivation par rapport à η (il n'y a pas lieu d'écrire les composantes $\Gamma^\alpha_{\beta\gamma}$ sous forme explicite). Au moyen de ces valeurs on trouve d'après la formule générale (92,10) :

$$R^0_0=\frac{3}{a^4}(a'^2-aa'').$$

Pour les mêmes raisons de symétrie concernant les $g_{0\alpha}$ ci-dessus, on voit à l'avance que les composantes $R_{0\alpha}$ sont nulles. En ce qui concerne le calcul des composantes R^β_α, notons que, si l'on met en évidence dans ces dernières les termes contenant seulement $g_{\alpha\beta}$ (c'est-à-dire seulement $\Gamma^\alpha_{\beta\gamma}$), ces termes doivent constituer les composantes du tenseur tridimensionnel $-P^\beta_\alpha$, dont les valeurs sont connues à l'avance de (107,3) et (107,6) :

$$R^\beta_\alpha=-P^\beta_\alpha+\ldots=-\frac{2}{a^2}\delta^\beta_\alpha+\ldots,$$

où les points de suspension représentent les termes contenant g_{00} en même temps que $g_{\alpha\beta}$. On trouve après le calcul de ces derniers :

$$R^\beta_\alpha=-\frac{1}{a^4}(2a^2+a'^2+aa'')\delta^\beta_\alpha,$$

et puis

$$R=R^0_0+R^\alpha_\alpha=-\frac{6}{a^3}(a+a'').$$

Etant donné que dans le référentiel que nous avons choisi la matière est immobile, on a $u^\alpha=0$, $u^0=1/a$ et on déduit de (94,9) $T^0_0=\varepsilon$, où ε est la densité d'énergie de la matière. Substituant les expressions obtenues dans l'équation

$$R^0_0-\frac{1}{2}R=\frac{8\pi k}{c^4}T^0_0,$$

on obtient :

$$\frac{8\pi k}{c^4}\varepsilon=\frac{3}{a^4}(a^2+a'^2). \tag{108,5}$$

Cette équation contient deux fonctions inconnues ε et a ; il faut donc obtenir encore une équation. Il est commode de choisir pour telle (au lieu des composantes spatiales des équations d'attraction) l'équation $T^i_{0;i}=0$ — l'une des quatre équations (94,7) qui sont contenues, comme on sait, dans les équations de gravitation. On peut aussi établir cette équation directement au moyen de relations thermodynamiques de la façon suivante.

En utilisant dans les équations du champ l'expression (94,9) du tenseur d'énergie-impulsion, nous faisons abstraction, par là même, de tous les processus de dissipation d'énergie, qui ont pour effet d'augmenter l'entropie. Une telle abstraction est ici, bien entendu, tout à fait légitime, étant donné que les termes supplémentaires que l'on aurait dû ajouter à T_k^i, en raison de la dissipation d'énergie, sont infimes en comparaison de la densité d'énergie ε, contenant l'énergie de repos des corps matériels.

Ainsi, établissant les équations du champ, on peut considérer que l'entropie totale est constante. Utilisons maintenant la relation thermodynamique connue $d\mathcal{E} = T\,dS - p\,dV$, où $\mathcal{E}$, S, V sont l'énergie, l'entropie et le volume du système, et p, T, la pression et la température. A entropie constante, on a $d\mathcal{E} = -p\,dV$. Introduisant la densité d'énergie $\varepsilon = \mathcal{E}/V$, on trouve sans peine:

$$d\varepsilon = -(\varepsilon + p)\frac{dV}{V}.$$

Le volume V de l'espace est proportionnel, en vertu de (107,9), au cube du rayon de courbure a. Donc, $dV/V = 3da/a = 3d\ln a$, et on peut écrire:

$$-\frac{d\varepsilon}{\varepsilon + p} = 3d\ln a,$$

ou, en intégrant,

$$3\ln a = -\int \frac{d\varepsilon}{p+\varepsilon} + \text{const} \qquad (108,6)$$

(la borne inférieure dans l'intégrale est constante).

Si le lien entre ε et p (l'« équation d'état » de la matière) est connu, l'équation (108,6) définit ε comme fonction de a. On tire alors de (108,5) η sous la forme:

$$\eta = \pm \int \frac{da}{a\sqrt{\frac{8\pi k}{3c^4}\varepsilon a^2 - 1}}. \qquad (108,7)$$

Les équations (108,6-7) résolvent sous forme générale le problème de la détermination de la métrique du modèle isotrope fermé.

Si la matière est distribuée dans l'espace sous forme de corps macroscopiques, on pourra alors, déterminant son champ de gravitation, considérer ces corps comme des particules matérielles douées de masses déterminées, en faisant complètement abstraction de leur structure interne. En considérant que les vitesses des corps sont relativement petites (par rapport à c), on peut poser tout simplement $\varepsilon = \mu c^2$, où μ est la somme des masses des corps rapportée à l'unité de volume. Pour la même raison, la pression du « gaz » composé de ces corps est infime par rapport à ε et on peut la négliger (compte tenu de ce qui a été dit, les pressions dans les corps n'ont pas de rapport avec la question considérée). En ce qui concerne le rayonnement existant dans l'espace, il est insignifiant, et on peut également négliger son énergie et sa pression.

Ainsi donc, pour décrire, dans les termes du modèle envisagé, l'état actuel de l'Univers, on se servira de l'équation d'état de la matière incohérente :

$$\varepsilon = \mu c^2, \quad p = 0.$$

L'intégration dans (108,6) donne alors $\mu a^3 = \text{const}$. Cette égalité eût pu s'écrire directement, car elle exprime simplement la constance de la somme M des masses des corps dans tout l'espace, comme cela doit être dans le cas envisagé de la matière incohérente [1]. Comme le volume de l'espace dans le modèle fermé est $V = 2\pi^2 a^3$, on a const $=$ $= M/2\pi^2$. De la sorte

$$\mu a^3 = \text{const} = \frac{M}{2\pi^2}. \tag{108,8}$$

Substituant (108,8) dans (108,7) et intégrant, on obtient :

$$a = a_0 (1 - \cos \eta), \tag{108,9}$$

où la constante vaut :

$$a_0 = \frac{2kM}{3\pi c^2}.$$

Enfin, on déduit de (108,3) pour le lien entre t et η :

$$t = \frac{a_0}{c} (\eta - \sin \eta). \tag{108,10}$$

Les équations (108,9-10) déterminent sous forme paramétrique la dépendance $a(t)$. La fonction $a(t)$ croît de zéro pour $t = 0$ ($\eta = 0$) à sa valeur maximum $a = 2a_0$ atteinte pour $t = \pi a_0/c$ ($\eta = \pi$), puis décroît et s'annule pour $t = 2\pi a_0/c$ ($\eta = 2\pi$).

Pour $\eta \ll 1$ on a approximativement $a = a_0\eta^2/2$, $t = a_0\eta^3/6c$, de sorte que

$$a \approx \left(\frac{9a_0 c^2}{2}\right)^{1/3} t^{2/3}. \tag{108,11}$$

Alors la densité de la matière

$$\mu = \frac{1}{6\pi k t^2} = \frac{8 \cdot 10^5}{t^2} \tag{108,12}$$

[1] Soulignons pour éviter tout malentendu (alors qu'on confrontera avec la nullité, mentionnée au § 107, de la 4-impulsion de l'Univers fermé) que M est précisément la somme des masses des corps pris séparément, abstraction faite de leur interaction gravitationnelle.

(la valeur numérique du coefficient est donnée pour la densité en $g \cdot cm^{-3}$ lorsque le temps est exprimé en secondes). Notons qu'à cette limite la dépendance $\mu(t)$ a un caractère universel en ce sens qu'elle ne dépend pas du paramètre a_0.

Lorsque $a \to 0$, la densité μ devient infinie. Mais pour $\mu \to \infty$ la pression devient elle aussi grande, si bien que pour étudier la métrique dans ce domaine, il faut considérer le cas opposé où la pression est maximum (pour une densité d'énergie ε donnée), c'est-à-dire décrire la matière par l'équation d'état

$$p = \frac{\varepsilon}{3}$$

(cf. § 35). Il vient alors de (108,6) :

$$\varepsilon a^4 = \text{const} \equiv \frac{3c^4 a_1^2}{8\pi k} \qquad (108,13)$$

(a_1 est une nouvelle constante), après quoi les équations (108,7) et (108,3) conduisent à la relation

$$a = a_1 \sin \eta, \quad t = \frac{a_1}{c}(1 - \cos \eta).$$

Comme il n'y a de sens à considérer cette solution que pour des ε très grands (c'est-à-dire pour des a petits), on posera $\eta \ll 1$. Alors $a \approx a_1\eta$, $t \approx a_1\eta^2/2c$, de sorte que

$$a = \sqrt{2a_1ct}. \qquad (108,14)$$

Alors

$$\frac{\varepsilon}{c^2} = \frac{3}{32\pi k t^2} = \frac{4,5 \cdot 10^5}{t^2} \qquad (108,15)$$

(cette dépendance non plus ne contient pas de paramètres).

De sorte qu'ici encore $a \to 0$ pour $t \to 0$, si bien que $t = 0$ est effectivement un point singulier de la métrique spatio-temporelle du modèle isotrope (et il en est de même dans le modèle fermé du second point, où $a = 0$). (108,14) montre également que $a(t)$ devient complexe lorsqu'on change le signe de t, et son carré, négatif. Toutes les quatre composantes de g_{ik} dans (108,2) deviennent alors négatives, et le déterminant g, positif. Mais une telle métrique est dénuée de sens physique. Cela signifie que le prolongement analytique de la métrique au-delà du point singulier est dénué de sens physique.

§ 109. Métrique spatio-temporelle de modèle isotrope ouvert

La solution correspondant à l'espace isotrope à courbure négative (*modèle ouvert*) s'obtient exactement comme dans le cas précédent. On a à présent au lieu de (108,2) :

$$ds^2 = c^2\,dt^2 - a^2(t)\{d\chi^2 + \text{sh}^2\chi\,(d\theta^2 + \sin^2\theta\,d\varphi^2)\}. \qquad (109,1)$$

Introduisons de nouveau au lieu de t la variable η définie par $c\,dt = a\,d\eta$; il vient alors :

$$ds^2 = a^2(\eta)\{d\eta^2 - d\chi^2 - \mathrm{sh}^2\chi\,(d\theta^2 + \sin^2\theta\,d\varphi^2)\}. \qquad (109,2)$$

Cette expression peut se déduire formellement de (108,4) en remplaçant η, χ, a respectivement par $i\eta$, $i\chi$, ia. Ceci étant, les équations du champ elles aussi peuvent se déduire simplement par cette substitution à partir de (108,5-6). L'équation (108,6) conserve alors sa forme primitive :

$$3\ln a = -\int \frac{d\varepsilon}{\varepsilon + p} + \mathrm{const}, \qquad (109,3)$$

et au lieu de (108,5) on a :

$$\frac{8\pi k}{c^4}\,\varepsilon = \frac{3}{a^4}\,(a'^2 - a^2). \qquad (109,4)$$

En conséquence, on trouve au lieu de (108,7) :

$$\eta = \pm \int \frac{da}{a\sqrt{\frac{8\pi k}{3c^4}\,\varepsilon a^2 + 1}}. \qquad (109,5)$$

On en déduit pour la matière incohérente [1] :

$$a = a_0(\mathrm{ch}\,\eta - 1), \quad t = \frac{a_0}{c}(\mathrm{sh}\,\eta - \eta), \qquad (109,6)$$

$$\mu a^3 = \frac{3c^2}{4\pi k}\,a_0. \qquad (109,7)$$

---

[1] Notons que la transformation

$$r = Ae^{\eta}\,\mathrm{sh}\,\chi, \quad c\tau = Ae^{\eta}\,\mathrm{ch}\,\chi,$$

$$Ae^{\eta} = \sqrt{c^2\tau^2 - r^2}, \quad \mathrm{th}\,\chi = \frac{r}{c\tau}$$

ramène (109,2) à l'expression «conforme-galiléenne»

$$ds^2 = f(r, \tau)\,[c^2\,d\tau^2 - dr^2 - r^2\,(d\theta^2 + \sin^2\theta\,d\varphi^2)].$$

Concrètement, dans le cas (109,6) on obtient (en posant $A = a_0/2$) :

$$ds^2 = \left(1 - \frac{a_0}{2\sqrt{c^2\tau^2 - r^2}}\right)^4 \{c^2\,d\tau^2 - dr^2 - r^2\,(d\theta^2 + \sin^2\theta\,d\varphi^2)\}$$

(*V. Fok*, 1955). Pour de grandes valeurs de $\sqrt{c^2\tau^2 - r^2}$ (à quoi correspond $\eta \gg 1$) cette métrique tend vers la métrique galiléenne, ce qu'il était naturel d'attendre, car le rayon de courbure tend vers l'infini.

Dans les coordonnées r, θ, φ, τ la matière n'est pas immobile et sa distribution n'est pas uniforme ; il apparaît que la distribution et le mouvement de la matière sont doués de symétrie centrale autour d'un point arbitraire de l'espace pris pour origine des coordonnées r, θ, φ.

Les formules (109,6) déterminent sous forme paramétrique la dépendance $a(t)$. Contrairement au modèle fermé, ici le rayon de courbure varie de façon monotone, croissant de zéro pour $t = 0$ ($\eta = 0$) à l'infini pour $t \to \infty$ ($\eta \to \infty$). Quant à la densité de la matière, elle est, respectivement, monotone décroissante de la valeur infinie pour $t = 0$ (pour $\eta \ll 1$ la loi de cette décroissance est donnée par la même formule approchée (108,12) que pour le modèle fermé).

Pour les grandes densités la solution (109,6-7) ne s'applique pas, et il faut à nouveau avoir recours au cas $p = \varepsilon/3$. On obtient alors de nouveau la relation

$$\varepsilon a^4 = \mathrm{const} \equiv \frac{3c^4a_1^2}{8\pi k}, \tag{109,8}$$

et on trouve pour la dépendance $a(t)$:

$$a = a_1 \operatorname{sh} \eta, \quad t = \frac{a_1}{c}(\operatorname{ch} \eta - 1),$$

ou, pour $\eta \ll 1$,

$$a = \sqrt{2a_1ct} \tag{109,9}$$

[et la formule primitive (108,15) pour $\varepsilon(t)$]. Ainsi donc, dans le modèle ouvert aussi la métrique présente un point singulier (mais, contrairement au modèle fermé, un seul).

Enfin, le cas limite des solutions considérées, correspondant à un rayon de courbure infini de l'espace, est le modèle d'espace plan (euclidien). L'intervalle ds^2 dans ce modèle peut être mis sous la forme :

$$ds^2 = c^2\,dt^2 - b^2(t)\,(dx^2 + dy^2 + dz^2) \tag{109,10}$$

(on a pris pour coordonnées spatiales des coordonnées « cartésiennes » x, y, z). Le facteur dépendant du temps dans l'élément de distance spatiale n'altère pas manifestement le caractère euclidien de la métrique, étant donné que, pour t donné, ce facteur est constant et peut être ramené à l'unité par une simple transformation des coordonnées. Des calculs analogues à ceux faits au paragraphe précédent conduisent aux équations suivantes :

$$\frac{8\pi k}{c^2}\varepsilon = \frac{3}{b^2}\left(\frac{db}{dt}\right)^2, \quad 3 \ln b = -\int \frac{d\varepsilon}{p+\varepsilon} + \mathrm{const}.$$

Dans le cas des petites pressions on trouve :

$$\mu b^3 = \mathrm{const}, \quad b = \mathrm{const}\, t^{2/3}. \tag{109,11}$$

Pour des t petits, il faut encore considérer le cas où $p = \varepsilon/3$, et on obtient :

$$\varepsilon b^4 = \mathrm{const}, \quad b = \mathrm{const}\sqrt{t}. \tag{109,12}$$

De sorte que dans ce cas aussi la métrique a un point singulier ($t = 0$).

Notons que toutes les solutions isotropes déduites n'existent que si la densité de la matière n'est pas nulle ; pour un espace vide les équations d'Einstein n'admettent pas de solutions de ce genre [1]. Mentionnons encore que, sous le rapport mathématique, elles sont un cas particulier d'une classe plus générale de solutions, laquelle classe contient trois fonctions arbitraires physiquement différentes des coordonnées spatiales (cf. problème).

Problème

Trouver la forme générale de la solution au voisinage d'un point singulier de la métrique, pour laquelle la dilatation de l'espace est « quasi uniforme », c'est-à-dire telle que toutes les composantes $\gamma_{\alpha\beta} = -g_{\alpha\beta}$ (dans le référentiel synchrone) tendent vers zéro suivant une seule et même loi. L'espace est rempli de matière d'équation d'état $p = \varepsilon/3$ (*E. Lifchitz, I. Khalatnikov*, 1960).

Solution. Cherchons la solution au voisinage du point singulier ($t = 0$) sous la forme :

$$\gamma_{\alpha\beta} = t a_{\alpha\beta} + t^2 b_{\alpha\beta} + \ldots, \tag{1}$$

où $a_{\alpha\beta}$, $b_{\alpha\beta}$ sont des fonctions des coordonnées (spatiales) [2] ; nous posons ci-dessous $c = 1$.

Le tenseur inverse de $\gamma_{\alpha\beta}$ est

$$\gamma^{\alpha\beta} = \frac{1}{t} a^{\alpha\beta} - b^{\alpha\beta},$$

où le tenseur $a^{\alpha\beta}$ est l'inverse de $a_{\alpha\beta}$, et $b^{\alpha\beta} = a^{\alpha\gamma} a^{\beta\delta} b_{\gamma\delta}$; ci-dessous, l'élévation ainsi que la dérivation covariante sont opérées au moyen de la métrique $a_{\alpha\beta}$, qui ne dépend pas de temps.

Calculant les premiers membres des équations (99,11) et (99,12) avec la précision requise en $1/t$, on obtient :

$$-\frac{3}{4t^2} + \frac{1}{2t} b = \frac{8\pi k}{3} \varepsilon (-4u_0^2 + 1),$$

$$\frac{1}{2} (b_{;\alpha} - b_{\alpha;\beta}^{\beta}) = -\frac{32\pi k}{3} \varepsilon u_\alpha u_0$$

(où $b = b_\alpha^\alpha$). Prenant aussi en considération l'identité

$$1 = u_i u^i \approx u_0^2 - \frac{1}{t} u_\alpha u_\beta a^{\alpha\beta},$$

on trouve

$$8\pi k\varepsilon = \frac{3}{4t^2} - \frac{b}{2t}, \quad u_\alpha = \frac{t^2}{2} (b_{;\alpha} - b_{\alpha;\beta}^{\beta}). \tag{2}$$

---

[1] Pour $\varepsilon = 0$, on déduirait de l'équation (109,5) $a = a_0 e^\eta = ct$ [l'équation (108,7), elle, perd tout sens du fait que la racine est complexe]. Mais la métrique

$$ds^2 = c^2\, dt^2 - c^2 t^2 \{d\chi^2 + \operatorname{sh}^2 \chi\, (d\theta^2 + \sin^2 \theta\, d\varphi^2)\}$$

se ramène par la transformation $r = ct \operatorname{sh} \chi$, $\tau = t \operatorname{ch} \chi$ à la forme :

$$ds^2 = c^2\, d\tau^2 - dr^2 - r^2 (d\theta^2 + \sin^2 \theta\, d\varphi^2),$$

c'est-à-dire simplement à l'espace-temps galiléen.

[2] Il correspond à la solution de Friedman un choix spécial des fonctions $a_{\alpha\beta}$, correspondant à l'espace à courbure constante.

Les Christoffels tridimensionnels et, avec eux, le tenseur $P_{\alpha\beta}$ ne dépendent pas, en première approximation en $1/t$, du temps ; en outre, les $P_{\alpha\beta}$ coïncident avec les expressions obtenues lorsqu'on les calcule avec la métrique $a_{\alpha\beta}$. Ceci étant, on trouve que dans l'équation (99,13) les termes d'ordre t^{-2} se réduisent mutuellement, et les termes $\sim 1/t$ donnent :

$$P_{\alpha}^{\beta}+\frac{3}{4}b_{\alpha}^{\beta}+\frac{5}{12}\delta_{\alpha}^{\beta}b=0,$$

d'où

$$b_{\alpha}^{\beta}=-\frac{4}{3}P_{\alpha}^{\beta}+\frac{5}{18}\delta_{\alpha}^{\beta}P \tag{3}$$

(où $P=a^{\beta\gamma}P_{\beta\gamma}$). Compte tenu de l'identité

$$P_{\alpha;\beta}^{\beta}-\frac{1}{2}P_{;\alpha}=0$$

[cf. (92,13)], on obtient la relation

$$b_{\alpha;\beta}^{\beta}=\frac{7}{9}b_{;\alpha},$$

et, par conséquent, on peut recopier u_{α} sous la forme :

$$u_{\alpha}=\frac{t^2}{9}b_{;\alpha}. \tag{4}$$

Ainsi, toutes les six fonctions $a_{\alpha\beta}$ restent arbitraires et elles permettent de définir les coefficients $b_{\alpha\beta}$ du terme suivant du développement (1). Le choix du temps dans la métrique (1) est complètement déterminé par la condition $t=0$ au point singulier ; les coordonnées spatiales, elles, peuvent être soumises à des transformations arbitraires n'affectant pas le temps (on peut s'en servir, par exemple, pour réduire le tenseur $a_{\alpha\beta}$ à la forme diagonale). Il en résulte que la solution obtenue contient en tout trois fonctions arbitraires « physiquement distinctes ».

Notons que la métrique spatiale est non uniforme et anisotrope dans cette solution, et que la distribution de la densité de la matière tend à devenir uniforme lorsque $t \to 0$. La vitesse tridimensionnelle v possède [avec l'approximation (4)] un rotationnel nul, et sa grandeur tend vers zéro selon la loi

$$v^2=v_{\alpha}v_{\beta}\gamma^{\alpha\beta}\sim t^3.$$

§ 110. Déplacement des raies spectrales vers le rouge

La particularité fondamentale de toutes les solutions considérées est que la métrique n'est pas stationnaire ; le rayon de courbure de l'espace est fonction du temps. Par ailleurs, la variation du rayon de courbure entraîne la variation de toutes les distances entre corps dans l'espace, comme il résulte du fait que l'élément de distance spatiale dl est proportionnel à a. Ainsi, lorsque a croît dans un tel espace, les corps se fuient les uns les autres (dans le modèle ouvert à a croissant il correspond des $\eta > 0$, et dans le modèle fermé $0 < \eta < \pi$). Pour un observateur se trouvant sur un de ces corps, les choses se présentent comme si les autres corps fuyaient radialement l'observateur. La vitesse de cette « fuite » (à l'instant t) est proportionnelle à la distance entre corps.

Il convient de faire un rapprochement entre cette prédiction et l'effet astronomique fondamental de déplacement vers le rouge des raies dans les spectres des galaxies. Attribuant ce déplacement à l'effet Doppler, nous sommes amenés à conclure la « fuite » des galaxies, c'est-à-dire qu'actuellement l'Univers est en expansion [1].

Considérons la propagation des rayons de lumière dans un espace isotrope. Le plus simple, à cet effet, est d'utiliser le fait que le long de la ligne d'univers de propagation du signal lumineux on a $ds =$ $= 0$. Prenons le point d'émission du rayon pour origine des coordonnées χ, θ, φ. Par raison de symétrie, il est évident que les rayons se propageront « radialement », c'est-à-dire le long des lignes $\theta =$ $=$ const, $\varphi =$ const. Posant, par conséquent, dans (108,4) ou (109,2) $d\theta = d\varphi = 0$, on obtient $ds^2 = a^2\,(d\eta^2 - d\chi^2)$. On trouve, en égalant à zéro, $d\eta = \pm\, d\chi$, ou, en intégrant,

$$\chi = \pm\,\eta + \text{const.} \tag{110,1}$$

Le signe $+$ devant η correspond à un rayon issu de l'origine des coordonnées, et le signe $-$ à un rayon arrivant à l'origine. Sous cette forme, l'équation (110,1) convient aussi bien à la propagation des rayons dans un modèle ouvert que dans un modèle fermé. Au moyen des formules des paragraphes précédents, on peut exprimer ici la distance parcourue par le rayon en fonction du temps.

Dans le modèle ouvert, un rayon de lumière issu d'un certain point s'en éloigne indéfiniment. Mais dans le modèle fermé, le rayon issu d'un point initial peut atteindre en fin de compte le « pôle opposé » de l'espace (χ variant de 0 à π) ; puis le rayon revient au point initial. Pour un voyage « autour de l'espace » avec retour au point initial χ varierait de 0 à 2π. (110,1) montre que η aussi devrait alors varier de 2π, ce qui est impossible (hormis le cas unique où le rayon part à l'instant $\eta = 0$). Par conséquent, un rayon n'aurait pas le temps de revenir au point initial en faisant le « tour de l'espace ».

Pour un rayon arrivant au point d'observation (origine des coordonnées), on doit prendre l'équation (110,1) avec le signe moins

[1] La conclusion que les corps se fuient lorsque $a\,(t)$ croît ne peut, bien entendu, se faire qu'à la condition que l'énergie de leur interaction est petite devant l'énergie cinétique de leur mouvement de fuite ; cette condition est certainement vérifiée pour les galaxies suffisamment éloignées. Dans le cas contraire les distances entre les corps sont principalement déterminées par leur interaction. Aussi, par exemple, l'effet considéré ne doit pratiquement pas avoir d'incidence sur les dimensions des nébuleuses elles-mêmes et *a fortiori* sur celles des étoiles.

devant η. Si $t(\eta_0)$ est l'instant de l'arrivée du rayon en ce point, pour $\eta = \eta_0$ on doit avoir $\chi = 0$, de sorte que l'équation de propagation de tels rayons s'écrit :

$$\chi = \eta_0 - \eta. \tag{110,2}$$

Ceci montre que seuls des rayons issus de points se trouvant à des « distances » non supérieures à $\chi = \eta_0$ peuvent atteindre à l'instant $t(\eta_0)$ un observateur situé au point $\chi = 0$.

Ce résultat, concernant aussi bien le modèle ouvert que le modèle fermé, est très essentiel. Nous voyons qu'à chaque instant $t(\eta)$ en un point donné de l'espace seule est accessible à une observation physique la portion de l'espace correspondant à $\chi \leqslant \eta$. Du point de vue mathématique, la « région visible » de l'espace représente la section de l'espace-temps quadridimensionnel par le cône de lumière. Cette section est finie aussi bien pour le modèle fermé (une section infinie dans le modèle ouvert est la section par l'hypersurface $t = \text{const}$, correspondant à l'espace considéré en tous ses points en un seul et même instant t). En ce sens, la différence entre le modèle ouvert et le modèle fermé est moins profonde que cela pourrait paraître au premier abord.

Plus la région observée à l'instant donné est éloignée de l'observateur, plus tôt dans le temps sont situés les instants correspondants. Représentons-nous une surface sphérique, lieu géométrique de points d'où la lumière est issue à l'instant $t(\eta - \chi)$, et imaginons un observateur à l'origine des coordonnées à l'instant $t(\eta)$. L'aire de cette surface est égale à $4\pi a^2(\eta - \chi)\sin^2\chi$ (dans le modèle fermé) ou $4\pi a^2(\eta - \chi)\,\mathrm{sh}^2\chi$ (dans le modèle ouvert). Au fur et à mesure que la sphère s'éloigne de l'observateur, l'aire de la « sphère visible » croît d'abord à partir de zéro (pour $\chi = 0$), passe par un maximum, puis décroît et s'annule pour $\chi = \eta$ (où $a(\eta - \chi) = a(0) = 0$). Cela signifie que la section par le cône de lumière est non seulement finie, mais encore fermée. C'est comme si elle se refermait en un point « opposé » à l'observateur ; ce point peut s'observer dans n'importe quelle direction de l'espace. En ce point $\varepsilon \to \infty$, de sorte qu'en principe la matière est accessible à l'observation à n'importe quel degré de son évolution.

La quantité totale de matière observée dans le modèle ouvert est donnée par l'intégrale

$$M_{\text{obs}} = 4\pi \int_0^\eta \mu a^3\,\mathrm{sh}^2\chi\,d\chi.$$

Substituant μa^3 tiré de (109,7), on obtient :

$$M_{\text{obs}} = \frac{3c^2 a_0}{2k}(\mathrm{sh}\,\eta\,\mathrm{ch}\,\eta - \eta). \tag{110,3}$$

Cette quantité croît indéfiniment lorsque $\eta \to \infty$. Mais dans le modèle fermé la croissance de M_{obs} est bornée, bien entendu, par la masse totale M ; on trouve d'une manière analogue dans ce cas :

$$M_{\text{obs}} = \frac{M}{\pi} (\eta - \sin \eta \cos \eta). \tag{110,4}$$

Lorsque η croît de 0 à π, cette quantité croît de 0 à M ; ensuite, la croissance M_{obs} conformément à la formule obtenue est fictive et correspond simplement au fait que dans un Univers en « contraction » les corps éloignés s'observeraient deux fois (par la lumière « contournant l'espace » de deux côtés).

Considérons maintenant la variation de la fréquence de la lumière dans un espace isotrope. A cet effet, faisons préalablement la remarque suivante. Soient deux événements ayant lieu en un certain point de l'espace et séparés par le laps de temps $dt = a(\eta)\, d\eta/c$. Si aux instants où ces événements ont lieu sont émis deux signaux lumineux, perçus en un autre point de l'espace, alors le laps de temps, écoulé entre les deux instants de perception, correspondra à la même variation $d\eta$ de η au point d'émission. Ceci résulte directement de l'équation (110,1), en vertu de laquelle la variation de la quantité η pendant le temps de la propagation de la lumière d'un point à un autre dépend seulement de la différence des coordonnées χ de ces points. Mais étant donné que pendant la propagation du signal le rayon de courbure a varie, il s'ensuit que les laps de temps t entre les instants d'émission des deux signaux et les instants de leur réception seront différents ; le rapport de ces laps de temps est égal au rapport des valeurs correspondantes de a.

Il en résulte, notamment, que les périodes des oscillations lumineuses aussi, mesurées dans le temps universel t, varient le long d'un rayon proportionnellement à a. La fréquence de la lumière sera, évidemment, inversement proportionnelle à a. Par conséquent, pendant la propagation d'un rayon de lumière le produit suivant est constant le long de ce rayon :

$$\omega a = \text{const.} \tag{110,5}$$

Supposons qu'à l'instant $t(\eta)$ nous observions la lumière émise par une source se trouvant à une distance correspondant à une valeur déterminée de χ. L'instant d'émission est, en vertu de (110,1), $t(\eta - \chi)$. Si ω_0 est la fréquence de la lumière à l'instant de son émission, la fréquence ω que nous observons sera, en vertu de (110,5),

$$\omega = \omega_0 \frac{a(\eta - \chi)}{a(\eta)}. \tag{110,6}$$

Pour $a(\eta)$ monotone croissante, on a $\omega < \omega_0$, c'est-à-dire que la fréquence de la lumière diminue. Cela signifie que, observant le spectre de la lumière parvenue, on doit voir toutes ses raies décalées vers le rouge, par rapport aux spectres des mêmes matières dans les conditions usuelles. Ce phénomène de *déplacement vers le rouge* traduit, en fait, l'effet Doppler dû à la « fuite » réciproque des corps.

La grandeur du déplacement, mesurée par le rapport ω/ω_0 de la fréquence décalée à la fréquence non décalée, dépend (à l'instant donné de l'observation) de la distance où se trouve la source de lumière observée (dans le rapport (110,6) entre la coordonnée χ de la source). Lorsque les distances ne sont pas trop grandes, on peut décomposer $a(\eta-\chi)$ en série des puissances de χ en se limitant aux deux premiers termes:

$$\frac{\omega}{\omega_0}=1-\chi\frac{a'(\eta)}{a(\eta)}$$

(l'accent désignant la dérivation par rapport à η). En outre, nous remarquons que le produit $\chi a(\eta)$ n'est ici autre chose que la distance l à la source observée. En effet, l'élément « radial » de longueur est $dl = a d\chi$; lorsqu'on intègre cette relation, la question se pose du procédé d'observation physique déterminant la distance, car on doit prendre en fonction de cela les valeurs de a en divers points du chemin d'intégration à des instants différents (l'intégration avec $\eta = \text{const}$ signifierait que l'on considère tous les points du chemin simultanément, ce qui est physiquement irréalisable). Mais pour des distances « petites », on peut faire abstraction de la variation de a le long du chemin d'intégration et écrire simplement $l = a\chi$, a étant pris à l'instant de l'observation.

On trouve en définitive pour la grandeur relative de la variation de la fréquence la formule suivante:

$$\frac{\omega-\omega_0}{\omega_0}=-\frac{h}{c}l, \tag{110,7}$$

où l'on a posé :

$$h=c\frac{a'(\eta)}{a^2(\eta)}=\frac{1}{a}\frac{da}{dt}, \tag{110,8}$$

h étant la *constante de Hubble*. Elle ne dépend pas, à l'instant d'observation donné, de l. Ainsi, le décalage relatif des raies spectrales doit être proportionnel à la distance au point où se trouve la source observée.

Considérant que le déplacement vers le rouge résulte de l'effet Doppler, on peut déterminer les vitesses v des corps avec lesquelles ils s'éloignent de l'observateur. Ecrivant $(\omega-\omega_0)/\omega = -v/c$ et comparant avec (110,7) il vient:

$$v=hl \tag{110,9}$$

(on peut obtenir cette formule directement en calculant la dérivée $v = d(a\chi)/dt$).

Les données astronomiques confirment la loi (110,7), mais il est difficile de déterminer les valeurs de la constante de Hubble, étant donnée l'indétermination dans l'établissement de l'échelle des distances cosmiques convenant aux galaxies lointaines. Les dernières déterminations donnent:

$$h \approx 0{,}8 \cdot 10^{-10} \text{ année}^{-1} = 0{,}25 \cdot 10^{-17}\,\text{s}^{-1},$$
$$\frac{1}{h} \approx 4 \cdot 10^{17}\,\text{s} = 1{,}3 \cdot 10^{9} \text{ années.} \tag{110,10}$$

Cette valeur de h correspond à un accroissement de la « vitesse de fuite » de 25 km/s par million d'années-lumière.

Substituant dans l'équation (109,4) $\varepsilon = \mu c^2$ et $h = ca'/a^2$, on obtient pour le modèle ouvert la relation suivante:

$$\frac{c^2}{a^2} = h^2 - \frac{8\pi k}{3}\mu. \tag{110,11}$$

Combinant cette équation avec l'égalité

$$h = \frac{c \operatorname{sh} \eta}{a_0 (\operatorname{ch} \eta - 1)^2} = \frac{c}{a} \operatorname{cth} \frac{\eta}{2},$$

on obtient:

$$\operatorname{ch} \frac{\eta}{2} = h \sqrt{\frac{3}{8\pi k \mu}}. \tag{110,12}$$

On obtient d'une manière analogue pour le modèle fermé:

$$\frac{c^2}{a^2} = \frac{8\pi k}{3}\mu - h^2, \tag{110,13}$$

$$\cos \frac{\eta}{3} = h \sqrt{\frac{3}{8\pi k \mu}}. \tag{110,14}$$

Comparant (110,11) et (110,13), on voit que la courbure de l'espace est négative ou positive, selon que la différence $8\pi k\mu/3 - h^2$ est négative ou positive. Cette différence s'annule pour $\mu = \mu_k$, où

$$\mu_k = \frac{3h^2}{8\pi k}. \tag{110,15}$$

Prenant la valeur (110,10), on obtient $\mu_k \approx 1 \cdot 10^{-29}$ g/cm³. Dans l'état actuel des connaissances astronomiques, l'évaluation de la densité moyenne de la matière dans l'espace ne peut être faite qu'avec une précision par trop insuffisante. On prend actuellement pour l'évaluation basée sur le calcul du nombre de galaxies et sur leur masse moyenne le chiffre approximatif $3 \cdot 10^{-31}$ g/cm³. Cette valeur est 30 fois plus petite que μ_k, si bien qu'elle semble témoigner en faveur du modèle ouvert. Toutefois, même si l'on passe sur la réserve à faire sur cette valeur, on aura en vue qu'il n'y a pas été tenu compte de la possibilité de l'existence d'un gaz sombre intergalactique, dont la considération pourrait notablement accroître la densité de la matière.

Indiquons une certaine inégalité qu'il est possible d'obtenir, une fois h donné. On a pour le modèle ouvert: $h = c \operatorname{sh} \eta / a_0 \times \times (\operatorname{ch} \eta - 1)^2$, d'où

$$t = \frac{a_0}{c} (\operatorname{sh} \eta - \eta) = \frac{\operatorname{sh} \eta (\operatorname{sh} \eta - \eta)}{h (\operatorname{ch} \eta - 1)^2}.$$

Etant donné que $0 < \eta < \infty$, on doit avoir:

$$\frac{2}{3h} < t < \frac{1}{h}. \tag{110,16}$$

On obtient d'une manière analogue pour le modèle fermé[1]:

$$t = \frac{\sin \eta (\eta - \sin \eta)}{h (1 - \cos \eta)^2}.$$

A la croissance de $a(\eta)$ correspond l'intervalle $0 < \eta < \pi$; on obtient donc:

$$0 < t < \frac{2}{3h}. \tag{110,17}$$

Déterminons, par ailleurs, l'intensité I de la lumière à son arrivée à l'observateur, la source se trouvant à une distance correspondant à une valeur déterminée de la coordonnée χ. La densité du flux d'énergie lumineuse au point d'observation est inversement proportionnelle à l'aire de la sphère menée par le point considéré, le centre coïncidant avec la source; dans un espace à courbure négative l'aire de la sphère est égale à $4\pi a^2 \operatorname{sh}^2 \chi$. La lumière émise par la source pendant le temps $dt = a(\eta - \chi) d\eta / c$ arrivera au point d'observation pendant le temps $a(\eta) dt / a(\eta - \chi) = a(\eta) d\eta / c$. Etant donné que l'intensité est définie comme le flux d'énergie lumineuse en l'unité de temps, il en résulte que dans l'expression de I apparaîtra le facteur $a(\eta - \chi)/a(\eta)$. Enfin, l'énergie d'un paquet d'ondes est proportionnelle à la fréquence [cf. (53,9)]; étant donné que la fréquence varie pendant la propagation de la lumière selon la loi (110,5), ceci conduit à la réapparition dans I du facteur $a(\eta - \chi)/a(\eta)$. On obtient en définitive l'intensité sous la forme:

$$I = \text{const} \cdot \frac{a^2 (\eta - \chi)}{a^4 (\eta) \operatorname{sh}^2 \chi}. \tag{110,18}$$

---

[1] L'incertitude sur la valeur de μ ne permet pas de calculer tant soit peu exactement la valeur de η, d'autant plus qu'on n'est même pas sûr du signe de $\mu - \mu_k$. Posant dans (110,12) $\mu = 3 \cdot 10^{-31}$ g/cm³ [et prenant h dans (110,10)], on obtient $\eta = 5,0$. Si l'on pose $\mu = 10^{-30}$ g/cm³, on obtient $\eta = 6,1$.

On obtiendrait d'une manière analogue pour le modèle fermé :

$$I = \text{const} \cdot \frac{a^2(\eta - \chi)}{a^4(\eta)\sin^2\chi}. \qquad (110{,}19)$$

Telles sont les formules établissant la dépendance entre l'éclat visible de l'objet observé et sa distance (pour un éclat absolu donné). Pour des χ petits, on peut poser $a(\eta - \chi) \approx a(\eta)$, et on a alors $I \sim 1/a^2(\eta)\,\chi^2 = 1/l^2$, qui est la loi ordinaire de la décroissance de l'intensité comme l'inverse du carré de la distance.

Enfin, considérons la question de ce qu'on appelle mouvements propres des corps. Parlant de la densité et du mouvement de la matière, nous avions partout en vue la densité moyenne et le mouvement moyen ; en particulier, dans le référentiel que nous utilisons constamment, la vitesse du mouvement moyen est nulle. Les vraies vitesses, elles, sont éparpillées autour de la valeur moyenne. Les vitesses du mouvement propre des corps varient avec le temps. Pour déterminer la loi de cette variation, considérons un corps en mouvement libre et prenons l'origine des coordonnées en un point arbitraire de sa trajectoire. Alors la trajectoire sera la ligne radiale $\theta = \text{const}$, $\varphi = \text{const}$. L'équation d'Hamilton-Jacobi (87,6) devient après substitution des valeurs de g^{ik} :

$$\left(\frac{\partial S}{\partial \chi}\right)^2 - \left(\frac{\partial S}{\partial \eta}\right)^2 + m^2c^2a^2(\eta) = 0. \qquad (110{,}20)$$

Etant donné que χ n'entre pas dans les coefficients de cette équation (c'est-à-dire que la coordonnée χ est cyclique), on a la loi de conservation $\partial S/\partial\chi = \text{const}$. L'impulsion p du corps en mouvement est, d'après la définition générale, $p = \partial S/\partial l = \partial S/a\partial\chi$. Par conséquent, le produit suivant est constant pendant le mouvement du corps :

$$pa = \text{const}. \qquad (110{,}21)$$

Introduisant la vitesse v du mouvement propre du corps d'après

$$p = \frac{mv}{\sqrt{1 - \frac{v^2}{c^2}}},$$

on obtient :

$$\frac{va}{\sqrt{1 - \frac{v^2}{c^2}}} = \text{const}. \qquad (110{,}22)$$

Cette relation détermine la loi de variation des vitesses en fonction du temps. Quand a croît, les vitesses v décroissent monotonement.

Problèmes

1. Trouver les deux premiers termes du développement de l'éclat visible d'une galaxie en fonction du déplacement de ses raies spectrales; l'éclat absolu d'une galaxie varie en fonction du temps selon la loi exponentielle $I_{abs} = \text{const}\cdot e^{\alpha t}$ (*H. Robertson*, 1955).

Solution. L'éclat visible d'une nébuleuse, observée à l'« instant » η, est donné comme fonction de la distance χ par la formule (pour le modèle fermé)

$$I = \text{const}\cdot e^{\alpha[t(\eta-\chi)-t(\eta)]}\frac{a^2(\eta-\chi)}{a^4(\eta)\sin^2\chi}.$$

Nous déterminerons le déplacement des raies comme la variation relative de la longueur d'onde:

$$z=\frac{\lambda-\lambda_0}{\lambda_0}=\frac{\omega_0-\omega}{\omega}=\frac{a(\eta)-a(\eta-\chi)}{a(\eta-\chi)}.$$

Développant I et z selon les puissances de χ [les fonctions $a(\eta)$ et $t(\eta)$ étant données par (108,9-10)] et éliminant ensuite χ des expressions obtenues, on trouve finalement:

$$I=\text{const}\cdot\frac{1}{z^2}\left[1-\left(1-\frac{q}{2}+\frac{\alpha c}{h}\right)z\right],$$

où l'on a posé:

$$q=\frac{2}{1+\cos\eta}=\frac{\mu}{\mu_k}>1.$$

Pour le modèle ouvert, on obtient une formule identique avec

$$q=\frac{2}{1+\operatorname{ch}\eta}=\frac{\mu}{\mu_k}<1.$$

2. Trouver les premiers termes du développement du nombre de galaxies contenues dans une « sphère » de rayon donné, en tant que fonction du déplacement des raies vers le rouge sur la frontière de la sphère (on suppose que la distribution spatiale des galaxies est uniforme).

Solution. Le nombre N des galaxies se trouvant à une « distance » $\leqslant\chi$ est dans le modèle fermé:

$$N=\text{const}\cdot\int_0^\chi \sin^2\chi\,d\chi\approx\text{const}\cdot\chi^3.$$

Substituant dans cette dernière les deux termes du développement de la fonction $\chi(z)$, on obtient:

$$N=\text{const}\cdot z^3\left[1-\frac{3}{4}(2+q)z\right].$$

Sous cette forme, cette formule convient aussi au modèle ouvert.

§ 111. Stabilité gravitationnelle de l'Univers isotrope

Considérons la question du comportement de petites perturbations dans le modèle isotrope, c'est-à-dire de sa stabilité gravitationnelle (*E. Lifchitz*, 1946). Nous n'envisagerons alors que des perturbations dans des régions relativement petites de l'espace, aux dimensions linéaires petites en comparaison du rayon a [1].

En chaque point de l'espace la métrique spatiale peut être supposée, en première approximation, euclidienne, c'est-à-dire que la métrique (107,8) ou (107,12) peut être remplacée par

$$dl^2 = a^2(\eta)(dx^2 + dy^2 + dz^2), \tag{111,1}$$

x, y, z étant les coordonnées cartésiennes mesurées dans les unités du rayon a. On prendra, comme auparavant, η pour coordonnée temporelle.

Sans restreindre la généralité, nous décrirons, comme par le passé, le champ perturbé dans le référentiel synchrone, c'est-à-dire que nous imposerons aux variations δg_{ik} du tenseur métrique les conditions $\delta g_{00} = \delta g_{0\alpha} = 0$. Faisant varier dans ces conditions l'identité $g_{ik}u^iu^k = 1$ (et ayant en vue que les valeurs imperturbées des composantes de la quadrivitesse de la matière sont $u^0 = 1/a$, $u^\alpha = 0$ [2]), on obtient $g_{00}u^0\delta u^0 = 0$, d'où $\delta u^0 = 0$. Pour ce qui est des perturbations δu^α, elles sont, en général, non nulles, si bien que le référentiel n'est plus un référentiel en comouvement.

Nous désignerons les perturbations du tenseur métrique spatial par $h_{\alpha\beta} \equiv \delta\gamma_{\alpha\beta} = -\delta g_{\alpha\beta}$. Alors $\delta\gamma^{\alpha\beta} = -h^{\alpha\beta}$, l'élévation des indices de $h_{\alpha\beta}$ étant faite au moyen de la métrique imperturbée $\gamma_{\alpha\beta}$.

A l'approximation linéaire les petites perturbations du champ gravitationnel vérifient les équations

$$\delta R_i^k - \frac{1}{2}\delta_k^i \delta R = \frac{8\pi k}{c^4}\delta T_i^k. \tag{111,2}$$

Dans le référentiel synchrone, les variations des composantes du tenseur d'énergie-impulsion (94,9) sont:

$$\delta T_\alpha^\beta = -\delta_\alpha^\beta \delta p, \quad \delta T_0^\alpha = a(p+\varepsilon)\delta u^\alpha, \quad \delta T_0^0 = \delta\varepsilon. \tag{111,3}$$

$\delta\varepsilon$ et δp étant petits, on peut écrire $\delta p = \frac{dp}{d\varepsilon}\delta\varepsilon$ et on obtient la relation

$$\delta T_\alpha^\beta = -\delta_\alpha^\beta \frac{dp}{d\varepsilon}\delta T_0^0. \tag{111,4}$$

Les formules pour δR_i^k peuvent se déduire en variant les expressions (99,10). Comme le tenseur métrique imperturbé est $\gamma_{\alpha\beta} =$

---

[1] On trouvera un exposé plus détaillé de la question, notamment l'étude des perturbations dans des domaines aux dimensions comparables à a dans: Adv. Phys., **12**, 208, 1963.

[2] Les valeurs imperturbées des quantités seront désignées dans ce paragraphe par des lettres sans l'indice complémentaire (0).

$=a^2\delta_{\alpha\beta}$, on a les valeurs imperturbées

$$\varkappa_{\alpha\beta}=\frac{2\dot{a}}{a}\gamma_{\alpha\beta}=\frac{2a'}{a^2}\gamma_{\alpha\beta},\quad \varkappa_\alpha^\beta=\frac{2a'}{a^2}\delta_\alpha^\beta,$$

le point désignant la dérivation par rapport à ct, et l'accent, par rapport à η. Perturbations de $\varkappa_{\alpha\beta}$ et $\varkappa_\alpha^\beta=\varkappa_{\alpha\gamma}\gamma^{\gamma\beta}$:

$$\delta\varkappa_{\alpha\beta}=\dot{h}_{\alpha\beta}=\frac{1}{a}h'_{\alpha\beta},\quad \delta\varkappa_\alpha^\beta=-h^{\beta\gamma}\varkappa_{\alpha\gamma}+\gamma^{\beta\gamma}\dot{h}_{\alpha\gamma}=\dot{h}_\alpha^\beta=\frac{1}{a}h_\alpha^{\beta\prime},$$

où $h_\alpha^\beta=\gamma^{\beta\gamma}h_{\alpha\gamma}$. Les valeurs imperturbées du tenseur tridimensionnel P_α^β sont nulles pour la métrique euclidienne (111,1). Les variations δP_α^β se calculent d'après les formules (1), (2) déduites au problème 2 du § 102; il est évident que δP_α^β s'exprime d'après $\delta\gamma_{\alpha\beta}$ de la même manière que le 4-tenseur δR_{ik} d'après δg_{ik}, toutes les opérations tensorielles étant effectuées dans l'espace à 3 dimensions de métrique (111,1). Cette métrique étant euclidienne, toutes les dérivations covariantes se réduisent à des dérivations ordinaires par rapport aux coordonnées x^α (les dérivations contravariantes, elles, doivent encore être divisées par a^2). Ceci dit (et passant partout des dérivées par rapport à t aux dérivées par rapport à η), on obtient après un calcul simple:

$$\delta R_\alpha^\beta=-\frac{1}{2a^2}(h_{\alpha,\gamma}^{\gamma,\beta}+h_{\gamma,\alpha}^{\beta,\gamma}-h_{\alpha,\gamma}^{\beta,\gamma}-h_{,\alpha}^{,\beta})-\frac{1}{2a^2}h_\alpha^{\beta\prime\prime}-\frac{a'}{a^3}h_\alpha^{\beta\prime}-\frac{a'}{2a^3}h'\delta_\alpha^\beta,$$

$$\delta R_0^0=-\frac{1}{2a^2}h''-\frac{a'}{2a^3}h',\quad \delta R_0^\alpha=\frac{1}{2a^2}(h^{,\alpha}-h_\beta^{\alpha,\beta})'\qquad(111,5)$$

($h\equiv h_\alpha^\alpha$). Les indices inférieurs et supérieurs après la virgule désignent les dérivations usuelles par rapport aux coordonnées x^α (nous continuons d'écrire les indices en haut et en bas à seule fin d'uniformité des notations).

Les équations définitives pour les perturbations h_α^β s'obtiennent en substituant dans (111,4) les composantes δT_i^k, exprimées d'après les δR_i^k conformément à (111,2). Il est commode de prendre pour telles les équations qui se déduisent de (111,4) pour $\alpha\neq\beta$ et par contraction sur α et β. On a:

$$(h_{\alpha,\gamma}^{\gamma,\beta}+h_{\gamma,\alpha}^{\beta,\gamma}-h_{,\alpha}^{,\beta}-h_{\alpha,\gamma}^{\beta,\gamma})+h_\alpha^{\beta\prime\prime}+2\frac{a'}{a}h_\alpha^{\beta\prime}=0,\quad \alpha\neq\beta,\qquad(111,6)$$

$$\frac{1}{2}(h_{\gamma,\delta}^{\delta,\gamma}-h_{,\gamma}^{,\gamma})\left(1+3\frac{dp}{d\varepsilon}\right)+h''+h'\frac{a'}{a}\left(2+3\frac{dp}{d\varepsilon}\right)=0.$$

Les perturbations de la densité et de la vitesse de la matière peuvent se déterminer connaissant les h_α^β à l'aide des formules (111,2-3). Ainsi, on a pour la variation relative de la densité:

$$\frac{\delta\varepsilon}{\varepsilon}=\frac{c^4}{8\pi k\varepsilon}\left(\delta R_0^0-\frac{1}{2}\delta R\right)=\frac{c^4}{16\pi k\varepsilon a^2}\left(h_{\alpha,\beta}^{\beta,\alpha}-h_{,\alpha}^{,\alpha}+\frac{2a'}{a}h'\right).\qquad(111,7)$$

Parmi les solutions des équations (111,6) il en est qui peuvent être éliminées par une transformation simple du référentiel (qui n'affecte pas son synchronisme), de sorte qu'elles ne représentent pas une variation physique réelle de la métrique. La forme de ces solutions peut être établie *a priori* au moyen des formules (1) et (2) déduites au problème 3 du § 99. En y substituant les valeurs imperturbées $\gamma_{\alpha\beta} = a^2\delta_{\alpha\beta}$, on obtient les expressions suivantes pour les perturbations fictives de la métrique:

$$h_\alpha^\beta = f_0{;}_\alpha^{\ \beta} \int \frac{d\eta}{a} + \frac{a'}{a^2} f_0 \delta_\alpha^\beta + (f_\alpha{}^{,\beta} + f^\beta{}_{,\alpha}), \qquad (111,8)$$

f_0, f_α étant des fonctions arbitraires (petites) des coordonnées x, y, z.

La métrique étant supposée euclidienne dans les petits domaines envisagés de l'espace, une perturbation arbitraire dans tout domaine de ce genre peut être décomposée en ondes planes. Considérant que x, y, z sont des coordonnées cartésiennes mesurées dans les unités a, on peut écrire le facteur périodique spatial des ondes planes sous la forme $e^{i\mathbf{nr}}$, $\mathbf{n}$ étant un vecteur sans dimension (le vecteur d'onde) mesuré dans les unités $1/a$ (le vecteur d'onde $\mathbf{k} = \mathbf{n}/a$). Si l'on a une perturbation dans une région de l'espace de dimensions $\sim l$, sa décomposition contiendra principalement des ondes de longueurs $\lambda = 2\pi a/n \sim l$. En se limitant aux perturbations dans des domaines aux dimensions $l \ll a$, on suppose par là même le nombre n suffisamment grand ($n \gg 2\pi$).

Les perturbations gravitationnelles peuvent être classées en trois types. Cette classification se ramène à la détermination des types possibles d'ondes planes sous forme desquelles peut s'écrire le tenseur symétrique $h_{\alpha\beta}$. On obtient ainsi la classification suivante:

1. A l'aide de la fonction scalaire

$$Q = e^{i\mathbf{nr}} \qquad (111,9)$$

on peut former le vecteur $\mathbf{P} = \mathbf{n}Q$ et les tenseurs[1]

$$Q_\alpha^\beta = \frac{1}{3}\delta_\alpha^\beta Q, \quad P_\alpha^\beta = \left(\frac{1}{3}\delta_\alpha^\beta - \frac{n_\alpha n^\beta}{n^2}\right) Q. \qquad (111,10)$$

A de telles ondes planes correspondent des perturbations où, en même temps que le champ de gravitation, varient la vitesse et la densité de la matière, c'est-à-dire que nous sommes en présence de perturbations accompagnées d'apparition de compressions ou de raréfactions de la matière. La perturbation h_α^β s'exprime alors au moyen des tenseurs Q_α^β et P_α^β, la perturbation de la vitesse au moyen du vecteur $\mathbf{P}$, et la perturbation de la densité au moyen du scalaire Q.

---

[1] Nous affectons d'indices supérieurs et inférieurs les composantes du vecteur cartésien ordinaire $\mathbf{n}$ pour l'uniformité des notations.

2. A l'aide de l'onde vectorielle transversale

$$\mathbf{S} = \mathbf{s}e^{i\mathbf{nr}}, \quad \mathbf{sn} = 0, \tag{111,11}$$

on peut former un tenseur $(n^\beta S_\alpha + n_\alpha S^\beta)$; il n'existe pas de scalaire correspondant, puisque $\mathbf{nS} = 0$. A ces ondes correspondent des perturbations dans lesquelles, concurremment au champ de gravitation, varie la vitesse, mais non la densité de la matière ; on peut les appeler perturbations rotatoires.

3. Onde tensorielle transversale

$$G_\alpha^\beta = g_\alpha^\beta e^{i\mathbf{nr}}, \qquad g_\alpha^\beta n_\beta = 0. \tag{111,12}$$

On ne peut en former ni un vecteur ni un scalaire. Il correspond à ces ondes des perturbations du champ de gravitation pour lesquelles la matière reste immobile et à distribution homogène dans l'espace. En d'autres termes, on a là des ondes gravitationnelles dans l'Univers isotrope.

Les plus intéressantes sont les perturbations du premier type. On pose :

$$h_\alpha^\beta = \lambda(\eta) P_\alpha^\beta + \mu(\eta) Q_\alpha^\beta, \qquad h = \mu Q. \tag{111,13}$$

On déduit de (111,7) pour la variation relative de la densité :

$$\frac{\delta\varepsilon}{\varepsilon} = \frac{c^4}{24\pi k\varepsilon a^2}\left[n^2(\lambda+\mu) + \frac{3a'}{a}\mu'\right] Q. \tag{111,14}$$

Les équations qui déterminent les fonctions λ et μ s'obtiennent en substituant (111,13) dans (111,6) :

$$\lambda'' + 2\frac{a'}{a}\lambda' - \frac{n^2}{3}(\lambda+\mu) = 0,$$

$$\mu'' + \mu'\frac{a'}{a}\left(2 + 3\frac{dp}{d\varepsilon}\right) + \frac{n^2}{3}(\lambda+\mu)\left(1 + 3\frac{dp}{d\varepsilon}\right) = 0. \tag{111,15}$$

Ces équations ont tout d'abord les deux intégrales particulières suivantes, qui correspondent aux variations fictives de la métrique pouvant être éliminées par une transformation du référentiel :

$$\lambda = -\mu = \text{const}, \tag{111,16}$$

$$\lambda = -n^2\int\frac{d\eta}{a}, \qquad \mu = n^2\int\frac{d\eta}{a} - \frac{3a'}{a^2} \tag{111,17}$$

(la première d'entre elles se déduit de (111,8) en prenant $f_0 = 0$, $f_\alpha = P_\alpha$, la seconde en prenant $f_0 = Q$, $f_\alpha = 0$).

Aux phases primitives de l'expansion de l'Univers, alors que la matière est décrite par l'équation d'état $p = \varepsilon/3$, on a $a \approx a_1\eta$, $\eta \ll 1$ (dans le modèle ouvert comme dans le modèle fermé). Les équations (111,15) prennent la forme:

$$\lambda''+\frac{2}{\eta}\lambda'-\frac{n^2}{3}(\lambda+\mu)=0,\quad \mu''+\frac{3}{\eta}\mu'+\frac{2n^2}{3}(\lambda+\mu)=0. \quad (111,18)$$

Il est commode d'étudier séparément ces deux équations pour les deux cas limites suivant le rapport dans lequel se trouvent les deux grandes quantités n et $1/\eta$.

Supposons d'abord que n ne soit pas trop grand (ou que η soit suffisamment petit), de sorte que $n\eta \ll 1$. A la précision où les équations (111,18) sont légitimes, on en déduit dans le cas précis:

$$\lambda=\frac{3C_1}{\eta}+C_2\left(1+\frac{n^2}{9}\eta^2\right),\qquad \mu=-\frac{2n^2}{3}C_1\eta+C_2\left(1-\frac{n^2}{6}\eta^2\right),$$

C_1, C_2 étant des constantes; les solutions de la forme (111,16) et (111,17) ont été ici exclues (c'est en l'occurrence, la solution où $\lambda-\mu=$ const et où $\lambda+\mu\sim 1/\eta^2$). Calculant de même $\delta\varepsilon/\varepsilon$ conformément à (111,14) et (108,15), on obtient les expressions suivantes pour les perturbations de la métrique et de la densité:

$$h_\alpha^\beta=\frac{3C_1}{\eta}P_\alpha^\beta+C_2(Q_\alpha^\beta+P_\alpha^\beta),$$

$$\frac{\delta\varepsilon}{\varepsilon}=\frac{n^2}{9}(C_1\eta+C_2\eta^2)Q \quad \text{pour} \quad p=\frac{\varepsilon}{3},\quad \eta\ll\frac{1}{n}. \quad (111,19)$$

Les constantes C_1, C_2 doivent vérifier certaines conditions exprimant que la perturbation à l'instant η_0 de son apparition est petite: on doit avoir $h_\alpha^\beta \ll 1$ (d'où $\lambda \ll 1$, $\mu \ll 1$) et $\delta\varepsilon/\varepsilon \ll 1$. Appliquées à (111,19), ces conditions conduisent aux inégalités $C_1 \ll \eta_0$, $C_2 \ll 1$.

Les expressions (111,19) contiennent des termes croissant, dans l'Univers en expansion, comme diverses puissances du rayon $a = a_1\eta$. Toutefois, cette croissance n'a pas pour effet de rendre la perturbation grande: si l'on applique les formules (111,19), quant à l'ordre de grandeur pour $\eta \sim 1/n$, on voit que (en vertu des inégalités déduites plus haut pour C_1, C_2) les perturbations restent petites même à la limite supérieure d'application de ces formules.

Soit à présent n si grand que $n\eta \gg 1$. Résolvant les équations (111,18) sous cette condition, on trouve que les termes principaux dans λ et μ sont [1]:

$$\lambda=-\frac{\mu}{2}=\text{const}\cdot\frac{1}{\eta^2}e^{in\eta/\sqrt{3}}.$$

[1] Le facteur préexponentiel $1/\eta^2$ est le premier terme du développement en puissances de $1/n\eta$. Pour le déterminer dans le cas donné, il faut considérer simultanément les deux premiers termes du développement [ce qui est permis par la précision des équations (111,18)].

On en déduit pour les perturbations de la métrique et de la densité :

$$h_\alpha^\beta = \frac{C}{n^2\eta^2}(P_\alpha^\beta - 2Q_\alpha^\beta)\, e^{in\eta/\sqrt{3}}, \quad \frac{\delta\varepsilon}{\varepsilon} = -\frac{C}{9} Q e^{in\eta/\sqrt{3}}$$

$$\text{pour} \quad p = \frac{\varepsilon}{3}, \quad \frac{1}{n} \ll \eta \ll 1, \tag{111,20}$$

C étant une constante complexe vérifiant la condition $|C| \ll 1$. La présence d'un facteur périodique dans ces expressions est très naturelle. Pour les n grands nous avons affaire à une perturbation dont la périodicité spatiale est déterminée par un grand vecteur d'onde $k = n/a$. Des perturbations de ce genre doivent se propager telles des ondes sonores, avec la vitesse

$$u = \sqrt{\frac{dp}{d(\varepsilon/c^2)}} = \frac{c}{\sqrt{3}}.$$

Respectivement, la partie temporelle de la phase est déterminée, comme il se doit en acoustique géométrique, par l'intégrale grande $\int ku\, dt = n\eta/\sqrt{3}$. L'amplitude de la variation relative de la densité reste, on le voit, constante, alors que les amplitudes des perturbations de la métrique pour l'Univers en expansion décroissent comme a^{-2} [1].

Puis, considérons les phases plus avancées de l'expansion, la matière étant si raréfiée qu'on peut négliger sa pression ($p = 0$). Nous nous bornerons au seul cas des η petits, qui correspondent à des phases d'expansion pour lesquelles le rayon a est encore très petit comparé à sa valeur actuelle, mais la matière étant tout de même suffisamment ténue.

Pour $p = 0$ et $\eta \ll 1$ on a $a \approx a_0\eta^2/2$ et les équations (111,15) deviennent :

$$\lambda'' + \frac{4}{\eta}\lambda' - \frac{n^2}{3}(\lambda + \mu) = 0,$$

$$\mu'' + \frac{4}{\eta}\mu' + \frac{n^2}{3}(\lambda + \mu) = 0.$$

Leur solution :

$$\lambda + \mu = 2C_1 - \frac{6C_2}{\eta^3}, \qquad \lambda - \mu = n^2\left(\frac{C_1\eta^2}{15} + \frac{4C_2}{\eta^3}\right).$$

---

[1] Il est facile de vérifier que (pour $p = \varepsilon/3$) $n\eta \sim L/\lambda$, où $L \sim u/\sqrt{k\varepsilon/c^2}$. Il est naturel que la longueur caractéristique L déterminant le comportement des perturbations de longueur d'onde $\lambda \ll a$, ne soit constituée que de quantités « hydrodynamiques » — de la densité de la matière ε/c^2 et de la célérité du son u dans la matière (ainsi que de la constante gravitationnelle k). Notons que les perturbations croissent pour $\lambda \gg L$ [dans (111,19)].

Calculant de même $\delta\varepsilon/\varepsilon$ [à l'aide de (111,14) et (108,12)] on trouve :

$$h_\alpha^\beta = C_1(P_\alpha^\beta + Q_\alpha^\beta) + \frac{2n^2C_2}{\eta^2}(P_\alpha^\beta - Q_\alpha^\beta) \qquad \text{pour } \eta \ll \frac{1}{n},$$

$$h_\alpha^\beta = C_1 n^2\eta^2 (P_\alpha^\beta - Q_\alpha^\beta) + \frac{2n^2C_2}{\eta^2}(P_\alpha^\beta - Q_\alpha^\beta) \quad \text{pour } \frac{1}{n} \ll \eta \ll 1, \qquad (111,21)$$

$$\frac{\delta\varepsilon}{\varepsilon} = \frac{C_1 n^2 \eta^2}{30} + \frac{C_2 n^2}{\eta^2}.$$

On voit que $\delta\varepsilon/\varepsilon$ contient un terme croissant en raison de a [1]. Cependant, si $n\eta \ll 1$, $\delta\varepsilon/\varepsilon$ ne devient pas pour autant grand même pour $\eta \sim 1/n$ du fait que $C_1 \ll 1$. Mais si $\eta n \gg 1$, lorsque $\eta \sim 1$ la variation relative de la densité devient de l'ordre de $C_1 n^2$, alors que pour que la perturbation initiale soit petite, il faut seulement que $C_1 n^2 \eta_0^2 \ll 1$. Ainsi donc, bien que les perturbations croissent lentement, l'accroissement global peut être considérable, si bien qu'au total la perturbation peut être relativement grande.

Les perturbations des types 2 et 3 peuvent être examinées de la même façon. Toutefois, les lois de l'amortissement de ces perturbations peuvent se déduire sans entrer dans le détail des calculs, à partir des considérations simples suivantes.

Si une petite région de la matière (de dimensions linéaires l) est le siège d'une perturbation de rotation de vitesse δv, le moment cinétique de cette région est $\sim (\varepsilon/c^2)\, l^3 \cdot l \cdot v$. Pour l'Univers en expansion l croît en raison de a, et ε décroît comme a^{-3} (dans le cas où $p = 0$) ou comme a^{-4} (pour $p = \varepsilon/3$). On a donc, en vertu de la conservation du moment cinétique,

$$\delta v = \text{const} \quad \text{pour} \quad p = \frac{\varepsilon}{3}, \quad \delta v \backsim \frac{1}{a} \text{ pour } p = 0. \qquad (111,22)$$

Enfin, la densité d'énergie des ondes de gravitation doit décroître pour l'Univers en expansion comme a^{-4}. Par ailleurs, l'expression de cette densité d'après la perturbation de la métrique est $\sim k^2 (h_\alpha^\beta)^2$, $k = n/a$ étant le vecteur d'onde de la perturbation. Il s'ensuit que l'amplitude de la perturbation du type d'onde de gravitation décroît avec le temps comme $1/a$.

§ 112. Espaces homogènes

L'hypothèse d'homogénéité et d'isotropie de l'espace détermine complètement sa métrique (ne laissant arbitraire que le signe de la courbure). Mais à elle seule, l'hypothèse d'homogénéité de l'espace,

[1] Une analyse plus fine tenant compte de la petite pression $p(\varepsilon)$ montre que pour qu'on puisse négliger la pression, il faut qu'on ait $u\eta n/c \ll 1$ ($u = c\sqrt{dp/d\varepsilon}$ étant la vitesse, petite, du son) ; on vérifie aisément qu'ici encore ceci équivaut à $\lambda/L \gg 1$. Ainsi donc, il y a toujours croissance des perturbations lorsque $\lambda/L \gg 1$.

sans aucune autre symétrie supplémentaire, laisse beaucoup plus de liberté. Nous allons voir quelles peuvent être les propriétés métriques d'un espace homogène.

Nous considérerons la métrique de l'espace à un instant donné t. Nous supposerons, en outre, le référentiel spatio-temporel synchrone, t étant alors un temps unique synchrone pour tout l'espace.

L'homogénéité signifie l'identité des propriétés métriques en tous les points de l'espace. La définition exacte de cette notion fait intervenir un ensemble de transformations des coordonnées faisant coïncider l'espace avec lui-même, c'est-à-dire laissant sa métrique invariante : si avant la transformation l'élément de longueur était

$$dl^2 = \gamma_{\alpha\beta}(x^1, x^2, x^3)\, dx^\alpha dx^\beta,$$

ce même élément est devenu après

$$dl^2 = \gamma_{\alpha\beta}(x'^1, x'^2, x'^3)\, dx'^\alpha dx'^\beta$$

avec la même dépendance fonctionnelle des $\gamma_{\alpha\beta}$ par rapport aux nouvelles coordonnées. L'espace est homogène s'il admet un ensemble de transformations (ce qu'on appelle *groupe de déplacements*) permettant d'amener en coïncidence tout point donné de cet espace avec tout autre point. L'espace étant à trois dimensions, les diverses transformations du groupe seront déterminées par les valeurs de trois paramètres indépendants.

Ainsi, dans l'espace euclidien l'homogénéité est exprimée par l'invariance de la métrique par rapport aux translations du système de coordonnées cartésiennes. Une translation est déterminée par trois paramètres — les composantes du déplacement de l'origine des coordonnées. Les translations conservent les trois différentielles indépendantes (dx, dy, dz) à partir desquelles est formé l'élément de longueur.

Dans le cas général d'un espace homogène non euclidien, les transformations de son groupe de déplacements laissent de même invariantes trois formes différentielles linéaires indépendantes, mais celles-ci ne se réduisent pas à des différentielles totales de fonctions des coordonnées. Ecrivons ces formes :

$$e^a_\alpha dx^\alpha, \tag{112,1}$$

l'indice latin a numérotant trois vecteurs indépendants (fonctions des coordonnées), que nous appellerons *vecteurs repère*.

A l'aide des formes (112,1) la métrique spatiale invariante par rapport au groupe de déplacements donné s'écrit :

$$dl^2 = \gamma_{ab}\,(e^a_\alpha\, dx^\alpha)\,(e^b_\beta\, dx^\beta)$$

et donc le tenseur métrique

$$\gamma_{\alpha\beta} = \gamma_{ab} e^a_\alpha e^b_\beta, \tag{112,2}$$

les coefficients γ_{ab}, symétriques par rapport à a et b, étant des fonctions du temps [1]. Les composantes contravariantes du tenseur métrique s'écrivent :

$$\gamma^{\alpha\beta} = \gamma^{ab} e^\alpha_a e^\beta_b, \tag{112,3}$$

les coefficients γ^{ab} constituant la matrice inverse de γ_{ab} ($\gamma_{ac}\gamma^{cb} = \delta^b_a$), et les quantités e^α_a, trois vecteurs, les « inverses » de e^a_α :

$$e^\alpha_a e^b_\alpha = \delta^b_a, \qquad e^\alpha_a e^a_\beta = \delta^\beta_\alpha \tag{112,4}$$

(chacune de ces égalités résulte automatiquement de l'autre). Notons que le lien entre e^α_a et e^a_α peut s'écrire sous forme explicite :

$$\mathbf{e}_1 = \frac{1}{v}(\mathbf{e}^2 \times \mathbf{e}^3), \quad \mathbf{e}^2 = \frac{1}{v}(\mathbf{e}^3 \times \mathbf{e}^1), \quad \mathbf{e}_3 = \frac{1}{v}(\mathbf{e}^1 \times \mathbf{e}^2) \tag{112,5}$$

où $v = \mathbf{e}^1(\mathbf{e}^2 \times \mathbf{e}^3)$, $\mathbf{e}_a$ et $\mathbf{e}^a$ étant des vecteurs cartésiens de composantes respectives e^α_a et e^a_α [2]. Le déterminant du tenseur métrique (112,2) est

$$\gamma = |\gamma_{ab}|\,|e^a_\alpha|^2 = |\gamma_{ab}|\,v^2, \tag{112,6}$$

$|\gamma_{ab}|$ étant le déterminant de la matrice γ_{ab}.

L'invariance des formes différentielles (112,1) signifie que

$$e^a_\alpha(x)\,dx^\alpha = e^a_\alpha(x')\,dx'^\alpha, \tag{112,7}$$

les e^a_α dans les deux membres de l'égalité étant les mêmes fonctions respectivement des anciennes et des nouvelles coordonnées. Multipliant cette égalité par $e^\beta_a(x')$, substituant $dx'^\beta = \frac{\partial x'^\beta}{\partial x^\alpha} dx^\alpha$ et comparant les coefficients des mêmes différentielles, il vient :

$$\frac{\partial x'^\beta}{\partial x^\alpha} = e^\beta_a(x')\, e^a_\alpha(x). \tag{112,8}$$

---

[1] Dans tout ce paragraphe la sommation porte sur les indices grecs répétés aussi bien que sur les indices latins (a, b, c, . . .) numérotant les vecteurs repère.

[2] Ne pas confondre e^α_a avec les composantes contravariantes des vecteurs e^a_α, lesquelles s'écrivent :

$$e^{a\alpha} = \gamma^{\alpha\beta} e^a_\beta = \gamma^{ab} e^\alpha_b.$$

Nous avons là un système d'équations différentielles déterminant $x'^{\beta}(x)$, les vecteurs repère étant donnés [1]. Pour être intégrables, les équations (112,8) doivent vérifier identiquement les conditions

$$\frac{\partial^2 x'^{\beta}}{\partial x^{\alpha}\,\partial x^{\gamma}} = \frac{\partial^2 x'^{\beta}}{\partial x^{\gamma}\,\partial x^{\alpha}}.$$

Le calcul des dérivées donne :

$$\left[\frac{\partial e_a^{\beta}(x')}{\partial x'^{\delta}} e_b^{\delta}(x') - \frac{\partial e_b^{\beta}(x')}{\partial x'^{\delta}} e_a^{\delta}(x')\right] e_{\gamma}^{b}(x)\, e_{\alpha}^{a}(x) =$$

$$= e_a^{\beta}(x')\left(\frac{\partial e_{\gamma}^{a}(x)}{\partial x^{\alpha}} - \frac{\partial e_{\alpha}^{a}(x)}{\partial x^{\gamma}}\right).$$

Multipliant les deux membres de l'égalité par $e_d^{\alpha}(x)\, e_c^{\gamma}(x)\, e_{\beta}^{f}(x')$ et reportant la dérivation d'un facteur à un autre en tenant compte de (112,4), on obtient au premier membre :

$$e_{\beta}^{f}(x')\left[\frac{\partial e_d^{\beta}(x')}{\partial x'^{\delta}} e_c^{\delta}(x') - \frac{\partial e_c^{\beta}(x')}{\partial x'^{\delta}} e_d^{\delta}(x')\right] =$$

$$= e_c^{\beta}(x')\, e_d^{\delta}(x')\left[\frac{\partial e_{\beta}^{f}(x')}{\partial x'^{\delta}} - \frac{\partial e_{\delta}^{f}(x')}{\partial x'^{\beta}}\right],$$

et au second membre une expression analogue avec x. Puisque x et x' sont arbitraires, ces expressions doivent se réduire à des constantes :

$$\left(\frac{\partial e_{\alpha}^{c}}{\partial x^{\beta}} - \frac{\partial e_{\beta}^{c}}{\partial x^{\alpha}}\right) e_a^{\alpha} e_b^{\beta} = C_{ab}^{c}. \tag{112,9}$$

Les C_{ab}^{c} sont les *constantes de structure* du groupe. Multipliant par e_c^{γ}, on peut recopier (112,9) sous la forme :

$$e_a^{\alpha}\frac{\partial e_b^{\gamma}}{\partial x^{\alpha}} - e_b^{\beta}\frac{\partial e_a^{\gamma}}{\partial x^{\beta}} = C_{ab}^{c} e_c^{\gamma}. \tag{112,10}$$

Il résulte de leur définition que les constantes de structure sont antisymétriques par rapport aux indices inférieurs :

$$C_{ab}^{c} = -C_{ba}^{c}. \tag{112,11}$$

---

[1] Pour des transformations de la forme $x'^{\beta} = x^{\beta} + \xi^{\beta}$, les ξ^{β} étant petits, on obtient à partir de (112,8) les équations

$$\frac{\partial \xi^{\beta}}{\partial x^{\alpha}} = \xi^{\gamma}\frac{\partial e_a^{\beta}}{\partial x^{\gamma}} e_{\alpha}^{a}. \tag{112,8a}$$

Trois solutions linéairement indépendantes de ces équations, ξ_b^{β} ($b = 1, 2, 3$), définissent les transformations infinitésimales du groupe de déplacements de l'espace. Les ξ_d^{β} sont les *vecteurs de Killing*.

Elles vérifient encore une condition, laquelle se déduit du fait que (112,10) peut se noter sous forme de règle de commutation:

$$[X_a, X_b] \equiv X_a X_b - X_b X_a = C^c_{ab} X_c \qquad (112,12)$$

pour les opérateurs différentiels linéaires [1]

$$X_a = e^\alpha_a \frac{\partial}{\partial x^\alpha}. \qquad (112,13)$$

Ceci étant, ladite condition résulte de l'identité

$$[[X_a, X_b], X_c] + [[X_b, X_c], X_a] + [[X_c, X_a], X_b] = 0$$

(*identité de Jacobi*) et a la forme:

$$C^e_{ab} C^d_{ec} + C^e_{bc} C^d_{ea} + C^e_{ca} C^d_{eb} = 0. \qquad (112,14)$$

Notons que les égalités (112,9) peuvent se noter vectoriellement:

$$(\mathbf{e}_a \times \mathbf{e}_b) \operatorname{rot} \mathbf{e}^c = -C^c_{ab},$$

les opérations s'effectuant de nouveau comme si les coordonnées x^α étaient cartésiennes. On obtient alors d'après (112,5):

$$\frac{1}{v}(\mathbf{e}^1 \operatorname{rot} \mathbf{e}^1) = C^1_{32}, \quad \frac{1}{v}(\mathbf{e}^2 \operatorname{rot} \mathbf{e}^1) = C^1_{13}, \quad \frac{1}{v}(\mathbf{e}^3 \operatorname{rot} \mathbf{e}^1) = C^1_{21} \qquad (112,15)$$

et encore 6 égalités se déduisant par permutation circulaire des indices 1, 2, 3.

Les équations d'Einstein pour un Univers d'espace homogène peuvent s'écrire sous forme de système d'équations différentielles ne contenant que des fonctions du temps. Il faut, pour cela, développer tous les vecteurs et tenseurs à trois dimensions d'après les trois vecteurs repère de l'espace donné. Désignant les composantes de tels développements au moyen des indices a, b, . . ., on a par définition:

$$R_{ab} = R_{\alpha\beta} e^\alpha_a e^\beta_b, \qquad R_{0a} = R_{0\alpha} e^\alpha_a, \qquad u^a = u^\alpha e^a_\alpha,$$

toutes ces quantités n'étant plus que des fonctions de t (les scalaires ε et p sont, eux aussi, des fonctions du temps). Puis, la manipulation des indices se fait au moyen des γ^{ab}: $R^b_a = \gamma^{bc} R_{ac}$, $u_a = \gamma_{ab} u^b$, etc.

[1] Les résultats exposés relèvent de la théorie des groupes continus de transformations, dits groupes de Lie. Dans cette théorie, les opérateurs X_a, vérifiant des conditions de la forme (112,12), sont appelés générateurs du groupe. Indiquons toutefois (pour éviter tout malentendu en cas de comparaison avec d'autres exposés) que la théorie systématique se construit d'ordinaire à partir d'opérateurs définis au moyen des vecteurs de Killing:

$$X_a = \xi^\alpha_a \partial / \partial x^\alpha.$$

Les équations d'Einstein dans le référentiel synchrone s'expriment, d'après (99,11-13), au moyen des tenseurs tridimensionnels $\varkappa_{\alpha\beta}$ et $P_{\alpha\beta}$. On a simplement pour le premier d'entre eux:

$$\varkappa_{ab} = \dot{\gamma}_{ab} \tag{112,16}$$

(le point signifie la dérivation par rapport à t). Pour ce qui est des P_{ab}, on a pu les exprimer au moyen des γ_{ab} et des constantes de structure du groupe:

$$\left.\begin{aligned} P_{ab} &= -a^c_{ad} a^d_{bc} - C^d_{dc} a^c_{ab}, \\ a^c_{ab} &= \frac{1}{2}\left(C^c_{ab} + C^e_{bd}\gamma_{ea}\gamma^{dc} - C^e_{da}\gamma_{eb}\gamma^{dc}\right). \end{aligned}\right\} \tag{112,17}$$

Au moyen de ces quantités s'expriment aussi les dérivées covariantes $\varkappa^{\beta}_{\alpha;\,\gamma}$ [figurant dans les équations (99,12)], et on obtient pour R^0_a:

$$R^0_a = -\frac{1}{2}\dot{\gamma}_{bc}\gamma^{bd}\left(C^c_{da} - \delta^c_a C^e_{ed}\right). \tag{112,18}$$

De la sorte, pour former les équations d'Einstein, point n'est besoin d'utiliser les expressions explicites des vecteurs repère en tant que fonctions des coordonnées [1].

Il va sans dire que le choix des trois vecteurs repère dans les formes différentielles (112,1), et donc des opérateurs (112,13), n'est pas univoque. Ils peuvent être soumis à une transformation linéaire arbitraire à coefficients constants (réels):

$$e'^{\alpha}_a = A^b_a e^{\alpha}_b. \tag{112,19}$$

Vis-à-vis de ces transformations les γ_{ab} se conduisent comme un tenseur covariant, et les C^c_{ab} comme un tenseur covariant par rapport à a, b et contravariant par rapport à c.

Les conditions (112,11) et (112,14) sont les seules à être vérifiées par les constantes de structure. Mais parmi les choix de constantes permis par ces conditions, il en est des équivalents aux transformations (112,19) près. La question de la classification des espaces homogènes se ramène à la détermination de tous les choix de constantes de structure non équivalents.

Pour ce faire, un moyen simple est d'utiliser les propriétés « tensorielles » des constantes C^c_{ab}, d'exprimer ces 9 quantités au moyen des 6 composantes du « tenseur » symétrique n^{ab} et des 3 composantes du « vecteur » a_c comme suit:

$$C^c_{ab} = e_{abd}n^{dc} + \delta^c_b a_a - \delta^c_a a_b, \tag{112,20}$$

[1] On pourra trouver la déduction des formules (112,17-18) dans l'article de *E. Schücking* dans le livre « Gravitation: an introduction to current research ». Edited by L. Witten, J. Wiley, N. Y., 1962, p. 454.

e_{abd} étant le « tenseur » antisymétrique unité (*C. G. Behr*, 1962). La condition d'antisymétrie (112,11) a déjà été utilisée ici, et l'identité de Jacobi (112,14) conduit à la condition

$$n^{ab}a_b = 0. \tag{112,21}$$

Par les transformations (112,19), le « tenseur » symétrique n^{ab} peut être réduit à la forme diagonale : soient $n^{(1)}$, $n^{(2)}$, $n^{(3)}$ ses valeurs principales. L'égalité (112,21) montre que le « vecteur » a_b (s'il existe) est dirigé suivant une direction principale de n^{ab}, qui est celle correspondant à la valeur principale nulle. De sorte que, sans nuire à la généralité, on pourra poser $a_b = (a, 0, 0)$. Alors, (112,21) se réduit à $an^{(1)} = 0$, c'est-à-dire que l'une des quantités a ou $n^{(1)}$ doit être nulle. Quant aux règles de commutation (112,12), elles deviennent :

$$\begin{aligned} [X_1, X_2] &= aX_2 + n^{(3)}X_3, \\ [X_2, X_3] &= n^{(1)}X_1, \\ [X_3, X_1] &= n^{(2)}X_2 - aX_3. \end{aligned} \tag{112,22}$$

Après quoi, il est encore loisible de changer le signe des opérateurs X_a et de leur faire subir des transformations arbitraires d'échelles (multiplication par des constantes). Ceci permet d'inverser simultanément le signe de tous les $n^{(a)}$, ainsi que de rendre la quantité a positive (si elle n'est pas nulle). On peut de même transformer toutes les constantes de structure en ± 1, pourvu que l'une au moins des quantités a, $n^{(2)}$, $n^{(3)}$ soit nulle. Si aucune d'elles n'est nulle, les transformations d'échelles laissent invariant le rapport $a^2/n^{(2)}n^{(3)}$.

De cette façon, nous sommes conduits à l'énumération suivante des types possibles d'espaces homogènes ; le chiffre romain dans la première colonne du tableau est le numéro adopté pour désigner les types d'après la classification de *L. Bianchi* (1918) [1].

Le type I est l'espace euclidien (toutes les composantes du tenseur de courbure spatial sont nulles). Outre le cas trivial où la métrique est galiléenne, on y rapporte la métrique (103,9).

Si on pose $\gamma_{ab} = (a^2/4)\, \delta_{ab}$ pour un espace du type IX, on peut trouver à l'aide de (112,17) pour le tenseur de Ricci : $P_{ab} = \frac{1}{2}\delta_{ab}$; puis on obtient :

$$P_{\alpha\beta} = P_{ab}e^a_\alpha e^b_\beta = \frac{2}{a^2}\,\gamma_{\alpha\beta},$$

---

[1] Le paramètre a parcourt toutes les valeurs réelles. Les types correspondants consitutent en fait des familles à un paramètre de différents groupes.

Quand on se donne les constantes de structure, les vecteurs repère peuvent se déduire en résolvant les équations aux dérivées partielles (112,10). Ils sont donnés pour tous les types (avec les vecteurs de Killing correspondants) dans l'article : *A. H. Taub*, Ann. Math., 53, 472, 1951.

Type	a	$n^{(1)}$	$n^{(2)}$	$n^{(3)}$
I	0	0	0	0
II	0	1	0	0
VII	0	1	1	0
VI	0	1	−1	0
IX	0	1	1	1
VIII	0	1	1	−1
V	1	0	0	0
IV	1	0	0	1
VII	a	0	1	1
III ($a = 1$) VI ($a \neq 1$)	a	0	1	−1

ce qui correspond à l'espace à courbure positive constante [comparer (107,3), (107,6)] ; cet espace est donc contenu, en tant que cas particulier, dans le type IX.

De même, l'espace à courbure négative constante est contenu, en tant que cas particulier, dans le type V. On peut s'en assurer facilement en transformant préalablement les constantes de structure de ce groupe par la substitution $X_2 + X_3 = X_2'$, $X_2 - X_3 = X_3'$, $X_1 = X_1'$. On obtient alors $[X_1', X_2'] = X_2'$, $[X_2', X_3'] = 0$, $[X_3', X_1'] = -X_3'$, et posant ensuite $\gamma_{ab} = a^2\delta_{ab}$, on obtient pour le tenseur de Ricci: $P_{ab} = -2\delta_{ab}$, $P_{\alpha\beta} = -(2/a^2)\,\gamma_{\alpha\beta}$, ce qui correspond à l'espace à courbure négative constante.

§ 113. Régime oscillatoire à l'approche d'un point singulier

Nous nous proposons d'étudier, sur l'exemple d'un Univers à espace homogène du type IX, la singularité de la métrique par rapport au temps, dont le caractère est, de par son principe, différent du caractère de la singularité dans le modèle homogène et isotrope (*V. Bélinski*, *I. Khalatnikov*, *E. Lifchitz*, 1969 ; *Ch. W. Misner*, 1969). Nous verrons au paragraphe suivant qu'un tel caractère a une portée très générale.

Nous allons considérer le comportement du modèle au voisinage du point singulier (choisi pour origine des temps, $t = 0$). Nous verrons plus bas que la présence de matière n'affecte pas les propriétés qualitatives de ce comportement. Aussi bien, pour simplifier le problème, nous supposerons d'abord l'espace vide. La singularité physique pour un tel espace trouve son expression dans le fait que les invariants du tenseur de courbure quadridimensionnelle deviennent infinis pour $t = 0$.

Nous supposerons, dans (112,2), diagonale la matrice des $\gamma_{ab}(t)$, et nous noterons les éléments diagonaux a^2, b^2, c^2 ; nous désignerons à présent les trois vecteurs repère $\mathbf{e}^1$, $\mathbf{e}^2$, $\mathbf{e}^3$ par $\mathbf{l}$, $\mathbf{m}$, $\mathbf{n}$. Alors la métrique spatiale s'écrit sous la forme :

$$\gamma_{\alpha\beta} = a^2 l_\alpha l_\beta + b^2 m_\alpha m_\beta + c^2 n_\alpha n_\beta. \tag{113,1}$$

Pour un espace du type IX on a pour les constantes de structure[1] :

$$C^1_{23} = C^2_{31} = C^3_{12} = 1. \tag{113,2}$$

(112,18) montre que pour de telles constantes et à matrice γ_{ab} diagonale, les composantes R^0_a du tenseur de Ricci dans le référentiel synchrone sont identiquement nulles ; en vertu de (112,17), les composantes non diagonales de P_{ab} sont, elles aussi, nulles. C'est précisément cette circonstance qui permet de chercher les $\gamma_{\alpha\beta}$ sous la forme (113,1) avec, en tout, trois (au lieu de six) fonctions inconnues du temps : a, b, c. Les autres composantes des équations d'Einstein donnent pour ces fonctions le système d'équations :

$$\begin{aligned}
\frac{(\dot{a}bc)^\cdot}{abc} &= \frac{1}{2a^2b^2c^2}\left[(\mu b^2 - \nu c^2)^2 - \lambda^2 a^4\right],\\
\frac{(a\dot{b}c)^\cdot}{abc} &= \frac{1}{2a^2b^2c^2}\left[(\lambda a^2 - \nu c^2)^2 - \mu^2 b^4\right],\\
\frac{(ab\dot{c})^\cdot}{abc} &= \frac{1}{2a^2b^2c^2}\left[(\lambda a^2 - \mu b^2)^2 - \nu^2 c^4\right];
\end{aligned} \tag{113,3}$$

$$\frac{\ddot{a}}{a} + \frac{\ddot{b}}{b} + \frac{\ddot{c}}{c} = 0 \tag{113,4}$$

[les équations (113,3) proviennent de $R^l_l = R^m_m = R^n_n = 0$; (113,4) de $R^0_0 = 0$].

Les lettres λ, μ, ν désignent ici les constantes de structure $-C^1_{23}$, $-C^2_{31}$, $-C^3_{12}$; bien qu'elles soient partout égalées à 1 dans la suite, ici elles illustrent l'origine des divers termes dans les équations.

---

[1] Vecteurs repère correspondant à ces constantes : $\mathbf{l} = (\sin x^3, -\cos x^3 \sin x^1, 0)$, $\mathbf{m} = (\cos x^3, \sin x^3 \sin x^1, 0)$, $\mathbf{n} = (0, \cos x^1, 1)$.

Elément de volume :

$$dV = \sqrt{\gamma}\, dx^1\, dx^2\, dx^3 = abc \sin x^1\, dx^1\, dx^2\, dx^3.$$

Les coordonnées parcourent leurs valeurs dans les intervalles $0 \leqslant x^1 \leqslant \pi$, $0 \leqslant x^2 \leqslant 2\pi$, $0 \leqslant x^3 \leqslant 4/\pi$. L'espace est clos et son volume $V = 16\pi^2 abc$ (pour $a = b = c$ il se réduit à un espace à courbure positive constante de rayon de courbure $2a$).

Les dérivées par rapport au temps dans le système (113,3-4) prennent une forme plus simple si l'on introduit au lieu des fonctions a, b, c leurs logarithmes α, β, γ:

$$a = e^{\alpha}, \qquad b = e^{\beta}, \qquad c = e^{\gamma}, \tag{113,5}$$

et au lieu de t la variable τ définie par

$$dt = abc\, d\tau. \tag{113,6}$$

Alors

$$\begin{aligned} 2\alpha_{\tau\tau} &= (b^2 - c^2)^2 - a^4, \\ 2\beta_{\tau\tau} &= (a^2 - c^2)^2 - b^4, \\ 2\gamma_{\tau\tau} &= (a^2 - b^2)^2 - c^4\,; \end{aligned} \tag{113,7}$$

$$\frac{1}{2}(\alpha + \beta + \gamma)_{\tau\tau} = \alpha_\tau\beta_\tau + \alpha_\tau\gamma_\tau + \beta_\tau\gamma_\tau, \tag{113,8}$$

τ en indice désignant la dérivation par rapport à cette variable. Ajoutant membre à membre les équations (113,7) et remplaçant dans le premier membre la somme des dérivées secondes conformément à (113,8), on obtient:

$$\alpha_\tau\beta_\tau + \alpha_\tau\gamma_\tau + \beta_\tau\gamma_\tau = \frac{1}{4}(a^4 + b^4 + c^4 - 2a^2b^2 - 2a^2c^2 - 2b^2c^2). \tag{113,9}$$

Cette relation ne contient que les dérivées premières et constitue une intégrale première des équations (113,7).

Les équations (113,3-4) ne peuvent être résolues exactement sous forme analytique, mais elles se prêtent à un examen qualitatif détaillé.

Nous remarquons tout d'abord qu'en l'absence de seconds membres dans les équations (113,3), le système aurait une solution exacte, dans laquelle

$$a \sim t^{p_l}, \qquad b \sim t^{p_m}, \qquad c \sim t^{p_n}, \tag{113,10}$$

p_l, p_m, p_n étant des nombres liés par les relations

$$p_l + p_m + p_n = p_l^2 + p_m^2 + p_n^2 = 1 \tag{113,11}$$

[comme dans la solution de Kasner (103,9)]. Nous avons désigné ici par p_l, p_m, p_n les exposants, sans préjuger d'une suite croissante, la notation p_1, p_2, p_3 étant toutefois réservée à trois nombres ordonnés $p_1 < p_2 < p_3$, lesquels prennent leurs valeurs dans les intervalles (103,10a). Ces nombres peuvent s'écrire sous forme paramétrique:

$$p_1(s) = \frac{-s}{1+s+s^2}, \quad p_2(s) = \frac{1+s}{1+s+s^2}, \quad p_3(s) = \frac{s(1+s)}{1+s+s^2}. \tag{113,12}$$

On obtient toutes les différentes valeurs de p_1, p_2, p_3 (l'ordre conventionnel étant observé) lorsque le paramètre s décrit le domaine $s \geqslant 1$. Les valeurs $s \leqslant 1$, elles, se ramènent au même domaine si l'on remarque que

$$p_1\left(\frac{1}{s}\right) = p_1(s), \quad p_2\left(\frac{1}{s}\right) = p_3(s), \quad p_3\left(\frac{1}{s}\right) = p_2(s). \quad (113,13)$$

Supposons que les seconds membres des équations (113,3) soient petits dans un certain intervalle temporel ; on peut alors les négliger, et on a le régime «kasnérien » (113,10). Supposons, pour fixer les idées, que l'exposant dans la fonction a soit négatif : $p_l = p_1 < 0$. Suivons l'évolution de la métrique dans le sens des t décroissants.

Les premiers membres dans les équations (113,3) ont un ordre de grandeur « potentiel » $\sim t^{-2}$. Notant qu'en régime (113,10) $abc \sim t$, on voit qu'aux seconds membres tous les termes croissent (pour $t \to 0$) plus lentement que t^{-2}, excepté les seuls termes $a^4/a^2b^2c^2 \sim \sim t^{-2}t^{-4|p_1|}$. Ce sont précisément ces termes qui joueront le rôle de perturbation violant le régime kasnérien. Aux seconds membres des équations (113,7) il leur correspond les termes a^4. Conservant ces seuls termes, on obtient les équations

$$\alpha_{\tau\tau} = -\frac{1}{2} e^{4\alpha}, \quad \beta_{\tau\tau} = \gamma_{\tau\tau} = \frac{1}{2} e^{4\alpha}. \quad (113,14)$$

A l'état « initial »[1] (113,10) correspondent les conditions

$$\alpha_\tau = p_l, \quad \beta_\tau = p_m, \quad \gamma_\tau = p_n.$$

La première des équations (113,14) a la forme de l'équation du mouvement unidimensionnel d'une particule dans le champ d'un mur de potentiel exponentiel, α jouant le rôle de coordonnée. Dans cette analogie, il correspond au régime kasnérien initial un mouvement libre de vitesse constante $\alpha_\tau = p_l$. Une fois réfléchie par la paroi, la particule est de nouveau en mouvement libre avec, au signe près, la même vitesse : $\alpha_\tau = -p_l$. Notant de même que, en vertu de toutes les trois équations (113,14), $\alpha_\tau + \beta_\tau = \text{const}$ et $\alpha_\tau + \gamma_\tau = \text{const}$, on trouve que β_τ et γ_τ prennent les valeurs

$$\beta_\tau = p_m + 2p_l, \quad \gamma_\tau = p_n + 2p_l.$$

Déduisant d'ici α, β, γ et puis t d'après (113,6), on obtient :

$$e^\alpha \sim e^{-p_l\tau}, \quad e^\beta \sim e^{(p_m+2p_l)\tau},$$
$$e^\gamma \sim e^{(p_n+2p_l)\tau}, \quad t \sim e^{(1+2p_l)\tau},$$

[1] Rappelons une fois encore que nous considérons l'évolution de la métrique pour $t \to 0$; ceci étant, les conditions « initiales » correspondent à un temps avancé, et non à un temps primitif.

c'est-à-dire que

$$a \sim t^{p'_l}, \qquad b \sim t^{p'_m}, \qquad c = t^{p'_n},$$

où

$$p'_l = \frac{-p_l}{1+2p_l}, \quad p'_m = \frac{p_m+2p_l}{1+2p_l}, \quad p_n = \frac{p_n+2p_l}{1+2p_l}. \qquad (113,15)$$

Alors qu'on avait $p_l < p_m < p_n$, $p_l < 0$, on a à present $p'_m < < p'_l < p'_n$, $p'_m < 0$; la fonction b décroissante (pour $t \to 0$) commence à croître, la fonction croissante a commence à décroître, et c continue de décroître. La perturbation elle-même [$\sim a^4$ dans les équations (113,7)], auparavant croissante, s'amortit de nouveau.

Il est commode de représenter la règle de changement des exposants (113,15) par la paramétrisation (113,12): si

$$p_l = p_1(s), \qquad p_m = p_2(s), \qquad p_n = p_3(s),$$

on a :

$$p'_l = p_2(s-1), \qquad p'_m = p_1(s-1), \qquad p'_n = p_3(s-1). \quad (113,16)$$

Reste positif le plus grand des deux exposants positifs.

Ainsi donc, la perturbation substitue un régime kasnérien à un autre, la puissance négative étant reportée de la direction **l** sur la direction **m**. L'évolution ultérieure de la métrique conduit de façon analogue à la croissance de la perturbation exprimée par les termes $\sim b^4$ dans les équations (113,7), à un nouveau changement des exposants du régime kasnérien, etc.

Les changements successifs (113,16) au cours desquels l'exposant négatif (p_1) passe de l'une à l'autre des directions l et m durent tant qu'on n'a pas $s < 1$. La valeur $s < 1$ se transforme en $s > 1$ conformément à (113,13); à cet instant, l'un des exposants p_l ou p_m est négatif, et p_n est alors le plus petit des deux nombres positifs ($p_n = p_2$). Dans la série suivante de changements. l'exposant négatif passe de l'une à l'autre des directions **n** et **l** ou **n** et **m**. Si la valeur initiale de s est arbitraire (irrationnelle), le processus d'alternance des régimes se prolonge indéfiniment.

Dans le cas de résolution exacte des équations, les exposants p_l, p_m, p_n perdent, bien entendu, leur sens textuel. Mais lesdites lois d'alternance des exposants permettent de conclure que la variation de la métrique à l'approche du point singulier présente les propriétés qualitatives suivantes. Le processus d'évolution de la métrique est constitué de périodes successives (appelons-les « ères ») au cours de chacune desquelles les distances le long de deux axes spatiaux oscillent et sont monotones décroissantes le long du troisième axe. Lorsqu'on passe d'une ère à l'autre, la direction suivant laquelle les distances sont monotones décroissantes est transférée d'un axe à un autre. L'alternance de ce transfert prend asymptotiquement un caractère stochastique.

Les ères successives s'accumulent quand on approche de $t = 0$. Mais la variable naturelle décrivant l'allure temporelle de cette évolution n'est pas le temps d'univers t lui-même, mais son logarithme $\ln t$, suivant lequel le processus tout entier d'approximation du point singulier s'étend jusqu'à $-\infty$.

Encore faut-il compléter l'analyse qualitative exposée par le point suivant.

Dans cette analyse, à chaque ère (la n-ième) correspond une série de valeurs des nombres $s^{(n)}$ à partir d'une certaine valeur maximum $s^{(n)}_{\max}$ jusqu'à un minimum $s^{(n)}_{\min} < 1$. La longueur de l'ère (mesurée d'après le nombre d'oscillations) est alors déterminée par l'entier $s^{(n)}_{\max} - s^{(n)}_{\min}$. Pour l'ère suivante, $s^{(n+1)}_{\max} = 1/s^{(n)}_{\min}$. Dans la suite numérique infinie ainsi formée on aura des valeurs arbitrairement petites (mais jamais nulles) $s^{(n)}_{\min}$ et, respectivement, des valeurs arbitrairement grandes $s^{(n+1)}_{\max}$; à ces dernières correspondent des ères « longues ». Mais aux grandes valeurs du paramètre s correspondent des exposants (p_1, p_2, p_3) voisins de $(0, 0, 1)$. Deux exposants voisins de zéro sont, partant, entre eux voisins, et avec eux sont aussi voisines les lois de variation de deux des fonctions a, b, c. Si au début d'une telle ère longue ces fonctions sont aussi voisines en valeur absolue à l'instant du changement de deux époques kasnériennes, elles resteront telles dans la plus grande partie de toute la durée de l'ère. Force est dans ce cas de conserver aux seconds membres des équations (113,7) deux termes au lieu d'un seul (a^4).

Soit c celle des fonctions a, b, c qui est monotone décroissante durant la longue ère. Alors, elle devient rapidement petite devant les autres fonctions ; considérons la solution des équations (113,7-8) précisément dans le domaine de la variable τ, où il est déjà loisible de négliger c devant a et b. La frontière supérieure de ce domaine est un certain $\tau = \tau_0$.

Ceci étant, les deux premières équations (113,7) donnent :

$$\alpha_{\tau\tau} + \beta_{\tau\tau} = 0, \qquad (113,17)$$

$$\alpha_{\tau\tau} - \beta_{\tau\tau} = -e^{4\alpha} + e^{4\beta}, \qquad (113,18)$$

et pour troisième équation nous prendrons (113,9), qui donne :

$$\gamma_\tau (\alpha_\tau + \beta_\tau) = -\alpha_\tau\beta_\tau + \frac{1}{4}(e^{2\alpha} - e^{2\beta})^2. \qquad (113,19)$$

Nous écrirons la solution de l'équation (113,17) sous la forme :

$$\alpha + \beta = \frac{2a_0^2}{\xi_0}(\tau - \tau_0) + 2 \ln a_0,$$

a_0, ξ_0 étant des constantes positives. Puis, il sera commode d'introduire (au lieu de τ) la nouvelle variable :

$$\xi = \xi_0 \exp \left\{ \frac{2a_0^2}{\xi_0} (\tau - \tau_0) \right\}. \qquad (113,20)$$

Alors

$$\alpha + \beta = \ln \frac{\xi}{\xi_0} + 2 \ln a_0. \qquad (113,21)$$

Pour ce qui est des équations (113,18-19), nous les transformerons en introduisant la notation $\chi = \alpha - \beta$:

$$\chi_{\xi\xi} + \frac{1}{\xi} \chi_\xi + \frac{1}{2} \operatorname{sh} 2\chi = 0, \qquad (113,22)$$

$$\gamma_\xi = -\frac{1}{4\xi} + \frac{\xi}{8} (2\chi_\xi^2 + \operatorname{ch} 2\chi - 1). \qquad (113,23)$$

Lorsque t décroît de $+\infty$ à 0, τ décroît de $+\infty$ à $-\infty$; ξ décroît respectivement de $+\infty$ à 0. Nous verrons plus loin que l'ère longue s'obtient si ξ_0 (la valeur de ξ correspondant à l'instant $\tau = \tau_0$) est très grand. Considérons la solution des équations (113,22-23) dans les domaines $\xi \gg 1$ et $\xi \ll 1$.

Pour les grands ξ la solution de l'équation (113,22) est en première approximation (par rapport à $1/\xi$) :

$$\chi = \alpha - \beta = \frac{2A}{\sqrt{\xi}} \sin (\xi - \xi_0) \qquad (113,24)$$

(A est une constante) ; le facteur $1/\sqrt{\xi}$ rend χ petit, ce qui permet de poser dans (113,22) $\operatorname{sh} 2\chi \approx 2\chi$. On déduit à présent de (113,23) :

$$\gamma_\xi \approx \frac{\xi}{4} (\chi_\xi^2 + \chi^2) = A^2, \qquad \gamma = A^2 (\xi - \xi_0) + \text{const}.$$

Tirant α et β de (113,21) et (113,24) et développant e^α et e^β conformément à l'approximation adoptée, on obtient finalement :

$$a = a_0 \sqrt{\frac{\xi}{\xi_0}} \left[1 + \frac{A}{\sqrt{\xi}} \sin (\xi - \xi_0) \right],$$

$$b = a_0 \sqrt{\frac{\xi}{\xi_0}} \left[1 - \frac{A}{\sqrt{\xi}} \sin (\xi - \xi_0) \right], \qquad (113,25)$$

$$c = c_0 e^{-A^2(\xi_0 - \xi)}.$$

Le lien entre ξ et le temps t s'obtient en intégrant (113,6) ; on a :

$$\frac{t}{t_0} = e^{-A^2(\xi_0 - \xi)}. \tag{113,26}$$

La constante c_0 (la valeur de c pour $\xi = \xi_0$) doit être déjà $c_0 \ll a_0$.

Envisageons le domaine $\xi \ll 1$. On a ici pour les termes principaux dans la solution de l'équation (113,22) :

$$\chi = \alpha - \beta = k \ln \xi + \text{const}, \tag{113,27}$$

k étant une constante telle que $-1 < k < +1$; c'est grâce à cette condition que dans (113,22) le dernier terme est petit (sh 2χ contient ξ^{2k} et ξ^{-2k}) devant les deux premiers ($\sim \xi^{-2}$). Tirant ensuite α et β de (113,27) et (113,21), γ de (113,23) et t de (113,6), on obtient :

$$a \sim \xi^{\frac{1+k}{2}}, \qquad b \sim \xi^{\frac{1-k}{2}}, \qquad c = \xi^{-\frac{1-k^2}{4}}, \qquad t \sim \xi^{\frac{3+k^2}{4}}. \tag{113,28}$$

On a là de nouveau un régime kasnérien, la puissance négative de t se rapportant à la fonction $c(t)$.

Ainsi donc, nous retrouvons à nouveau une image de même caractère qualitatif. On voit qu'au cours d'un temps prolongé (correspondant à de grandes valeurs décroissantes de ξ), deux fonctions (a et b) oscillent, et les formules (113,25) montrent encore que ces oscillations s'effectuent sur un fond de lente décroissance ($\sim \sqrt{\xi}$) de leurs valeurs moyennes. Au cours de ce temps tout entier les fonctions a et b restent en grandeur voisines entre elles. Quant à la troisième fonction, c, elle est monotone décroissante suivant la loi $c = c_0 t/t_0$. Une telle évolution dure jusqu'à $\xi \sim 1$, alors que les formules (113,25-26) cessent de s'appliquer. Après quoi, ainsi qu'il résulte de (113,28), la fonction décroissante c commence à croître, et a et b, à décroître. Il en sera ainsi aussi longtemps que les termes $\sim c^2/a^2b^2$ dans les seconds membres des équations (113,3) ne sont pas $\sim t^{-2}$, et survient une nouvelle série d'oscillations.

Les propriétés qualitatives du comportement de la métrique au voisinage du point singulier ne changent pas en présence de matière : au voisinage de la singularité la matière peut « s'inscrire » dans la métrique de l'espace vide si l'on néglige son action en retour sur le champ de gravitation. En d'autres termes, l'évolution de la matière est simplement déterminée par les équations de son mouvement dans le champ donné.

Dans chacune des époques kasnériennes par lesquelles passe l'évolution de la matière, la densité d'énergie de la matière croît suivant la loi $\varepsilon \sim t^{-2(1-p_3)}$ (cf. problème 3 du § 103). Bien que cette loi varie avec des changements d'exposants, tout le temps que dure le processus d'approximation du point singulier la densité de la matière est monotone croissante et tend vers l'infini.

§ 114. Caractère de la singularité dans la solution cosmologique générale des équations de la gravitation

Le fait que le modèle isotrope soit adéquat pour la description de l'état actuel de l'Univers ne permet pas par lui-même de conclure qu'il est tout autant applicable à la description des phases primitives de son évolution. Qui plus est, la question se pose de savoir dans quelle mesure l'existence d'un point singulier temporel (c'est-à-dire la finitude du temps) est une propriété obligatoire des modèles cosmologiques, et ne résulterait-elle pas d'hypothèses simplificatrices spécifiques posées à leur base?

L'indépendance par rapport à ces hypothèses signifierait que la présence de la singularité est inhérente non seulement à la solution particulière, mais aussi bien à la solution cosmologique générale des équations de la gravitation [1]. Il est certes impossible de trouver une telle solution sous forme exacte pour l'espace et le temps tout entiers. Mais pour résoudre la question posée, il suffit d'étudier la forme de la solution au voisinage de la singularité. Un critérium de généralité de la solution est le nombre de fonctions « physiquement arbitraires » des coordonnées spatiales qu'elle contient. Dans la solution générale le nombre de ces fonctions doit être suffisant pour qu'on puisse se donner arbitrairement les conditions initiales à un quelconque instant choisi (4 pour l'espace vide, 8 pour l'espace rempli de matière, cf. § 95) [2].

La singularité de la solution de Friedman pour $t = 0$ a ceci de caractéristique que l'annulation des distances spatiales a lieu suivant la même loi dans toutes les directions. Mais un tel type de singularité n'est pas suffisamment général : il est le propre d'une classe de solutions ne contenant que trois fonctions physiquement arbitraires des coordonnées (cf. prob. § 109). Notons également que ces solutions n'existent que pour l'espace rempli de matière.

---

[1] Parlant de singularité dans la solution cosmologique, nous avons en vue un point singulier atteint par tout l'espace (et non pas par une partie finie de l'espace, comme dans le collapse gravitationnel d'un corps fini).

[2] Encore faut-il souligner que pour le système d'équations aux dérivées partielles non linéaires que constituent les équations d'Einstein, la notion de solution générale n'est pas univoque. En principe, il peut exister plus d'une intégrale générale embrassant chacune non toute la variété des conditions initiales concevables, mais seulement une certaine partie finie de cette variété. Toute intégrale de cette espèce contiendra tout l'ensemble exigé de fonctions arbitraires, qui pourront toutefois être soumises à des conditions déterminées du type inégalités. Ceci étant, l'existence d'une solution générale avec singularité n'exclut pas l'existence d'autres solutions générales sans singularité.

La singularité propre à la solution de Kasner (103,9) [1] a un caractère bien plus général. Elle se rapporte à une classe de solutions où les termes principaux du développement du tenseur métrique spatial (dans le référentiel synchrone) ont au voisinage du point singulier ($t = 0$) la forme:

$$\gamma_{\alpha\beta} = t^{2p_l} l_\alpha l_\beta + t^{2p_m} m_\alpha m_\beta + t^{2p_n} n_\alpha n_\beta, \tag{114,1}$$

l, **m**, **n** étant trois fonctions vectorielles des coordonnées, et p_l, p_m, p_n des fonctions des coordonnées liées par les deux relations (113,11). L'équation $R_0^0 = 0$ pour le champ dans le vide est automatiquement vérifiée dans ses termes principaux par la métrique (114,1). Mais pour la vérification des équations $R_\alpha^\beta = 0$, la condition supplémentaire suivante est nécessaire:

$$\mathbf{l}\, \mathrm{rot}\, \mathbf{l} = 0 \tag{114,2}$$

pour celui des vecteurs **l**, **m**, **n** qui figure dans (114,1) avec la puissance négative de t (soit, pour fixer les idées, $p_l = p_1 < 0$). On peut voir d'où vient cette condition déjà par la considération des équations (113,3) du paragraphe précédent, qui correspondent à un choix particulier de **l**, **m**, **n**. La solution (113,2) ne serait légitime pour ces équations jusqu'à la valeur $t = 0$ que si $\lambda = 0$, alors qu'aux seconds membres des équations disparaissent les termes $a^2/2b^2c^2$, lesquels croissent plus vite que t^{-2} lorsque $t \to 0$. Mais l'exigence que la constante de structure $\lambda = C_{23}^1$ soit absente signifie, d'après (112,15), précisément la condition (114,2).

En ce qui concerne les équations $R_\alpha^0 = 0$, qui ne contiennent que les dérivées premières par rapport au temps des composantes de $\gamma_{\alpha\beta}$, elles conduisent encore à trois relations (ne contenant pas le temps), qui doivent être imposées aux fonctions des coordonnées dans (114,1). Avec (114,2), on a donc en tout 4 conditions. Ces conditions lient entre elles 10 fonctions des coordonnées: les trois composantes de chacun des vecteurs **l**, **m**, **n** et une fonction dans les exposants (une quelconque des trois fonctions p_l p_m, p_n liées par les deux relations (113,11)). Déterminant le nombre de fonctions physiquement arbitraires, on notera aussi que le référentiel synchrone utilisé admet encore des transformations arbitraires des trois coordonnées spatiales n'affectant pas le temps. Dès lors, la solution (114,1) contient en tout $10 - 4 - 3 = 3$ fonctions physiquement distinctes — une de moins qu'il n'en faut pour la solution générale dans l'espace vide.

L'introduction de la matière ne réduit pas le degré de généralité atteint: la matière « s'inscrit » dans la métrique (114,1) avec les

[1] Pour les calculs correspondants, cf. *E. Lifchitz*, *I. Khalatnikov*, J. Phys. Expér., Théor. (JETF), **39**, 800, 1960 (en russe); Adv. Phys., **12**, 185, 1963.

4 nouvelles fonctions des coordonnées qu'elle apporte, qui sont nécessaires pour la donnée de la distribution initiale de sa densité et les trois composantes de la vitesse (comparer prob. 3 § 103).

Des quatre conditions devant être imposées aux fonctions des coordonnées dans (114,1), trois conditions résultant des équations $R^0_\alpha = 0$ sont « naturelles »; elles apparaissent comme conséquence de la structure même des équations de la gravitation. Quant à l'imposition de la condition supplémentaire (114,2), elle entraîne la « perte » d'une fonction arbitraire.

Par définition, la solution générale est parfaitement stable. L'imposition d'une perturbation quelconque équivaut au changement des conditions initiales à un certain instant, et comme la solution générale admet des conditions initiales arbitraires, la perturbation ne saurait changer son caractère. Par contre, pour la solution (114,1) la présence de la condition restrictive (114,2) signifie, en d'autres termes, l'instabilité par rapport aux perturbations violant cette condition. L'imposition d'une telle perturbation met le modèle dans un autre régime, qui, partant, est parfaitement général.

C'est précisément une telle étude qui a été faite au paragraphe précédent pour le cas particulier d'un modèle homogène. Les constantes de structure (113,2) signifient justement que pour un espace homogène du type IX tous les trois produits $\mathbf{l}$ rot $\mathbf{l}$, $\mathbf{m}$ rot $\mathbf{m}$, $\mathbf{n}$ rot $\mathbf{n}$ sont non nuls [comparer (112,15)]. Ceci étant, la condition (114,2) ne pourra certainement pas être vérifiée, quelle que soit la direction à laquelle est rapportée la puissance négative du temps. L'étude des équations (113,3-4) faite au § 113 a explicité l'influence exercée sur le régime kasnérien par une perturbation liée à la quantité $\lambda = (\mathbf{l} \text{ rot } \mathbf{l})/v$.

Bien que l'étude d'un cas particulier ne puisse dégager tous les détails du cas général, elle permet tout de même de conclure que la singularité dans la solution cosmologique générale a le caractère oscillant décrit au § 113[1]. Soulignons derechef que ce caractère n'est pas en rapport avec la présence de la matière et qu'il est déjà par lui-même le propre de l'espace-temps vide.

Le régime oscillant à l'approche du point singulier confère un nouvel aspect à la notion même de temps fini. Entre un instant d'univers t fini quelconque et l'instant $t = 0$ il y a une infinité d'oscillations. En ce sens le processus revêt un caractère infini. Une variable plus naturelle que t pour sa description est (mention en a été faite au § 113) $\ln t$, par rapport auquel le processus s'étend jusqu'à $-\infty$.

---

[1] On peut trouver un exposé plus détaillé dans: *V. Bêlinski*, *I. Khalatnikov*. *E. Lifchitz*, Adv. Phys., 1970.

Nous avons partout parlé du sens d'approche du point singulier comme du sens de décroissance du temps ; mais, eu égard à la symétrie des équations de la gravitation par rapport à l'inversion du signe du temps, on pourrait de plein droit approcher le point singulier dans le sens des t croissants. Mais en réalité, du fait de la non-équivalence physique du futur et du passé, il y a entre ces deux cas une différence essentielle en ce qui concerne la position de la question elle-même. Une singularité dans le futur ne saurait avoir un sens physique que si elle est admissible pour des conditions initiales arbitraires données à un certain instant antérieur. Or, il n'y a aucune raison pour que la distribution de la matière et du champ réalisée à un instant quelconque au cours de l'évolution de l'Univers corresponde aux conditions spécifiques exigées pour la réalisation de telle ou telle solution particulière des équations de la gravitation.

Pour ce qui est de la question du type de singularité dans le passé, il est peu probable qu'une étude partant des seules équations de la gravitation puisse donner une réponse univoque. Il est naturel de penser que le choix de la solution correspondant à l'Univers réel est lié à certaines exigences physiques profondes, qui ne peuvent se déduire à partir de la seule théorie existante et dont l'explication ne sera possible que par la synthèse future des théories physiques. En ce sens, il se pourrait, en principe, qu'il corresponde à ce choix un type particulier quelconque de singularité (par exemple isotrope). Néanmoins, il est *a priori* plus naturel de penser, en raison du caractère général du régime oscillant, que c'est lui précisément qui doit décrire les phases initiales de l'évolution de l'Univers.

INDEX*

---

* Cet index complète, sans répétition, la table des matières. On y a inclus les notions et termes qui n'y ont pas trouvé une place directe.

TABLE DES MATIÈRES

A NOS LECTEURS

Les Editions Mir vous seraient très reconnaissantes de bien vouloir leur communiquer votre opinion sur le contenu de ce livre, sa traduction et sa présentation, ainsi que toute autre suggestion.

Notre adresse:
1er Rijski péréoulok, 2,
Moscou, U.R.S.S.

Imprimé en Union Soviétique